Svensk dikt

SVENSK DIKT

från trollformler till Lars Norén
en antologi
sammanställd av docent Lars Gustafsson

Wahlström & Widstrand Stockholm

Wahlström & Widstrand 1978
Omslag: Studio Forsberg
ISBN 91–46–13765–3

Tryckt i England av Cox & Wyman Ltd, 1984

Förord

Denna antologi är avsedd att ge ett någotsånär mångsidigt och representativt men samtidigt någotsånär lättillgängligt urval svenska dikter från medeltiden fram till början av 1970-talet.

Jag har försökt att ta hänsyn till både litteraturhistoriska och estetiska synpunkter när jag har valt texterna. Men jag har också tagit med dikter som kanske inte kan anses omistliga från några sådana synpunkter men som ändå har införlivats med en svensk citatskatt och som jag tror att många gärna vill återfinna i en antologi av det här slaget.

Å andra sidan har jag inte helt velat binda mig vid det som redan är hallstämplat, i den ena eller den andra meningen. De gamla trollformlerna, som inleder urvalet, tror jag är en nyhet för svenska diktantologier. Ifråga om de yngsta av de representerade poeterna har det knappast hunnit utbildas någon allmänt erkänd "kanon"; här har mina val nödvändigtvis en subjektiv prägel, är att betrakta som förslag — och naturligtvis gäller i någon mån detsamma för antologin i dess helhet.

Den svenska poesin — liksom all poesi — är genomvävd av inre relationer, röda trådar som löper från de äldsta diktarna till de yngsta. Jag har försökt ta vara på några av dessa förbindelser inom traditionen, även om det bara har kunnat ske sporadiskt. Det kan göra läsupplevelsen rikare, föreställer jag mig, om man blir medveten om släktskapen mellan de medeltida trollformlernas poesi och en del av de senaste decenniernas lyrik, om man jämför den gamla Staffansvisan med Levertins och Lars Forssells variationer; om man uppmärksammar den låt vara flyktiga allusionen på 1600-talspoeten Samuel Columbus' dikt i Erik Lindegrens "De fem sinnenas dans". Också revolten mot traditionen förutsätter ju ett traditionsmedvetande. Det "nya" i Pär Lagerkvists "Ångest, ångest är min arvedel", till exempel, blir mera påtagligt om man läser dikten med Heidenstams "Sverige, Sverige" och Karlfeldts "Längtan heter min arvedel" i minnet. I Lagerkvists dikt — liksom i dikter som Ebbe Lindes "Den nye Herkules" eller Björn

Håkansons "Det eviga" — bidrar anspelningen på klassiska texter också till att accentuera den omprövning av traditionella livsvärden som försiggår samtidigt med formförnyelsen i den moderna poesin.

Avsiktligt har jag låtit antologin täcka ett relativt vidsträckt område av verslitteratur och inte begränsat urvalet till lyriken i mera inskränkt mening. Också dikter av episk och "filosofisk" karaktär är alltså representerade, från Herkules till Svenska bilder och Aniara. Denna om man så vill liberala urvalsprincip har jag ansett motiverad av det behov, som jag tror finns, av en diktantologi med ganska vid referensram. Tyvärr måste denna vidd i urvalet medföra att en del längre dikter eller diktsviter av utrymmesskäl inte har kunnat återges fullständigt, men jag har försökt att undvika splittrande uteslutningar så mycket som möjligt.

Beträffande återgivningen av de äldre texterna har jag följt principen att normalisera stavningen men i övrigt bibehålla den ursprungliga språkformen. Till exempel: titeln på en av fru Lenngrens dikter har enligt denna princip fått rubriken "Porträtterne" (i originaltexten "Portraiterne"). Ibland kan det naturligtvis vara svårt att avgöra vad som är en stavningsfråga och vad som är en fråga om ordform, men jag hoppas att detta inte har lett till några mera besvärande inkonsekvenser.

Lars Gustafsson

Innehåll

9

23

TROLLFORMLER

(*Skyddsformel*)

I dag skor jag min högra fot
med en segerhuva,
med en stålfot
och med örnemakt
och med den heliga kraft.
Seger skall jag hava,
och seger skall jag tala,
och seger skall i mina kläder
och seger åt mina vägar!

Jag lägger hällar om mina ovänners fötter
och fjättrar om mina ovänners ben,
galler om mina ovänners tungerötter.

Och stamme ovänner
och tige ovänner,
men jag talar!

Mina ord skall rädas,
och mina blad skall bredas,
först för Gud i himmelen
och sedan för alla goda Guds människor!

Och om jag hade byar bränt
och jungfru skänt,
om jag hade gjort hor och mord
och om jag hade lagt fader och syster i jord,
då skall det icke mer på mig skena
än solen den rena.

(Mot ovänner)

Jag står upp en morgon
ifrån alla mina sorger.
Jag binder mig med vredes linda
från man och kvinna,
ifrån svärd, ifrån värld,
ifrån all min ofärd.
Så skall hat och avund smältas
på mig i dag,
som saltet smältes
i friska vattnet.

(Mot regn)

Jungfru Maria hon satt på stätta,
hon borsta och hon flätta,
hon bad till Gud allena,
att regnet måtte lena,
och solen måtte skena,
först på folk och sen på fä,
och så på Jungfru Marie lilla vita knä.

(Mot huvudvärk)

Jungfru Maria och hennes Möjor,
de till stranden gingo.
Då sågo de hjärnen flyta,
de vodo ut och togo den
och lade honom i hjärna och hjärneskål,
med Guds nåd.

Jungfrun i hindhamn

Moderen lärde sonen sin
— se djuren under ö —
huru han skulle beta en hind.
— Så lustelig så rinna de!

"Du skjut hjortar och du skjut rå,
men lät den fagra hinden gå!

Du skjut hjortar och du skjut hara,
men lät den fagra hinden fara!

Hennes styvmoder tog fram sax och lin
och skapte din fästmö uti en hind."

Herr Peder lade bågen på axelen sin,
så går han åt skogen igen.

När han kom i skogen in,
så lustelig spelte för honom den hind.

Herr Peder lade bågen för sitt bröst,
den hinden skylde sig för en kvist.

Herr Peder lade bågen för sitt lår,
den hinden skylde sig för en låg.

Herr Peder lade bågen mot sin fot,
den hinden skylde sig för en rot.

Herr Peder lade bågen emot sitt knä,
sköt så sin egen fästemö ihjäl.

Herr Peder lade av sine handskar två,
så finner han sin fästemös hårlockar små.

Herr Peder slår sine knivar i jord:
"Nu haver jag sannat min moders ord!"

Herr Peder spände bågen emot sin fot
— se djuren under ö —
och skjuter sig själv i hjärterot.
— Så lustelig så rinna de!

Beta jaga, *rå* rådjur, *lät* låt, *spelte* lekte, *skylde sig för* dolde sig
bakom, *låg* kullfallet träd, *sannat* besannat

Herr Olov och älvorna

Herr Olov rider om otte
— driver dagg, faller rim —
ljuse dagen honom tyckte.
— Herr Olov kommer hem när skogen görs lövegrön.

Herr Olov rider för berge,
finner en dans med älver.

Där dansar älv och älvemåg,
älvekungens dotter med utslaget hår.

Älvekungens dotter räckte hand från sig:
"Kom hit, herr Olov, tråd dans med mig!"

"Intet tråder jag dans med dig,
min fästemö har det förbudit mig.

Intet jag vill, ej heller jag må,
i morgon skall mitt bröllop stå."

"Vill du intet tråda dansen med mig,
en olycka skall jag ställa på dig!"

Herr Olov snodde sin häst omkring,
sjukdom och sot följde honom hem.

Herr Olov red i sin moders gård,
ute hans moder för honom står.

"Var välkommen, kär sonen min,
hvi äst du så blek i blommekind?"

"Min fåle var snabb och jag var sen,
jag stötte mig mot en ekegren.

Min käre syster, bädda min säng!
Min käre broder, hälla hästen i äng!

Min käre moder, borsta mitt hår!
Min käre fader, gör mig en bår!"

"Min käre son, du säg ej så,
i morgon skall ditt bröllop stå!"

"Stånde nu när det stånda vill
— driver dagg, faller rim —
aldrig kommer jag till fästemö min."
— Herr Olov kommer hem när skogen görs lövegrön.

Tyckte ursprungligen har verbformen varit "totte" (rim på "otte"),
älver rimordet har ursprungligen sannolikt varit "dvärgar", "dvär-
ge(r)", *sot* sjukdom, *hälla* tjudra

Sorgens makt

Liten Kerstin och hennes moder, de lade gull i bår
— vem bryter löven av liljeträd —

liten Kerstin, hon sörjer sin fästeman ur grav.
— I fröjden eder alla dagar.

Han klappade på dörren med fingrarna små:
"Statt upp, liten Kerstin, tag låsen ifrå!"

"Med ingen så haver jag stämma satt,
och ingen så släpper jag in här om natt."

"Statt upp, liten Kerstin, tag låsen ifrå!
Jag är den ungersven du förr så hållit av."

Och jungfrun, hon månde så hastelig uppstå,
så lätt tager hon den låsen ifrå.

Så satte hon honom på rödan guldskrin
och tvådde hans fötter i klaraste vin.

Så lade de sig i sängen ner,
de talade så mycket, de sovo inte mer.

"Och hanarna börja nu att gala,
de döde få ej längre hemma vara."

Och jungfrun steg upp och tog på sig sina skor,
så följde hon den ungersven över långan skog.

Och när som de kommo fram till kyrkogård,
då började försvinna hans fagergula hår.

"Och se, sköna jungfru, hur månen upprann!"
Så hastelig den ungersven från henne försvann.

Då satte hon sig ner allt uppå hans grav:
"Och här skall jag sitta, tills Herren Gud mig tar!"

Då hördes svara den ungersven:
"Och hör du, liten Kerstin, gå hem igen!

För var och en tår, som du fäller uppå jord,
min kista hon bliver så full utav blod.

Men var gång på jorden du är i hjärtat glad
— vem bryter löven av liljeträd —
min kista hon bliver så full av rosors blad."
— I fröjden eder alla dagar.

Stämma satt stämt möte

Staffan stalledräng

Staffan var en stalledräng
— vi tackom nu så gärna —
han vattna' sina fålar fem.
— Allt för den ljusa stjärnan.
Ingen dager synes än,
stjärnorna på himmelen,
de blänka.

Två de voro röda,
de tjänte väl sin föda.

Två de voro vita,
de var de andra lika.

Den femte han var apelgrå,
den rider själva Staffan på.

Innan hanen galit har,
Staffan uti stallet var.

Innan solen månd' uppgå,
betsel och gullsadel på.

Staffan rider till källan
— vi tackom nu så gärna —

han öser upp vatten med skällan.
— Allt för den ljusa stjärnan.
Ingen dager synes än,
stjärnorna på himmelen,
de blänka.

Liten Karin

Och liten Karin tjänte
på unga kungens gård,
hon lyste som en stjärna
bland alla tärnor små.

Hon lyste som en stjärna
allt bland de tärnor små,
och unga kungen talte
till liten Karin så:

"Och hör du liten Karin,
säg vill du bliva min?
Grå hästen och gullsadelen,
dem vill jag giva dig."

"Grå hästen och gullsadelen
jag passar inte på.
Giv dem din unga drottning,
låt mig med äran gå!"

"Och hör du liten Karin,
säg vill du bliva min?
Min rödaste gullkrona,
den vill jag giva dig."

"Din rödaste gullkrona
jag passar inte på.

Giv den din unga drottning,
låt mig med äran gå!"

"Och hör du liten Karin,
säg vill du bliva min?
Mitt halva kungarike,
det vill jag giva dig."

"Ditt halva kungarike
jag passar inte på.
Giv det din unga drottning,
låt mig med äran gå!"

"Och hör du liten Karin,
vill du ej bliva min,
så skall jag låta sätta dig
i spiketunnan in!"

"Och vill du låta sätta mig
i spiketunnan in,
Guds änglar små de se att jag
oskyldig är därtill."

De satte liten Karin
i spiketunnan in,
och konungens småsvenner,
de rullade henne kring.

Så kom det ifrån himmelen
två vita duvor ner.
De togo liten Karin,
och strax så blev det tre.

Så kom två svarta korpar
dit upp från helvete.
De togo unga konungen,
och strax så blev det tre.

Per Tyrssons döttrar

Per Tyrssons döttrar i Vänge
— kaller var deras skog —
de sovo en sömn för länge.
— Medan skogen han lövas.

Först vaknade den yngsta,
så väckte hon upp de andra.

Så satte de sig på sängestock,
så fläta' de varandras lock.

Så togo de på sina silkesklä'r,
så gingo de sig åt kyrkan.

När som de kommo på Vängelid,
där möta dem tre vallare.

"Ant'en vill I bli vallareviv
eller vill I mista ert unga liv."

"Inte vilja vi bli vallareviv,
hellre vi miste vårt unga liv."

De höggo deras huvu'n på björkestock,
så rann där strax tre källor opp.

Kroppen grävde de ned i dy,
kläderna buro de fram till by.

När som de kommo till Vänga gård,
ute för dem fru Karin står.

"Och vill I köpa silkessärkar,
som nio jungfrur ha stickat och virkat?"

"Lös upp edra säckar och låten mig se,
kanhända jag tör känna dem alla tre."

Fru Karin slog sig för sitt bröst,
hon gångar för Per Tyrsson opp.

"Det håller tre vallare uppå vår gård,
de hava gjort av med döttrarna vår."

Per Tyrsson tar sitt svärd i hand,
han högg ihjäl de äldsta två.

Den tredje lät han leva,
tills han fick honom fråga.

"Vad heter eder fader,
vad heter eder moder?"

"Vår fader Per Tyrsson i Vänge,
vår moder fru Karin i Skränge."

Per Tyrsson han går sig åt smedjan,
han lät smida sig järn om midjan.

"Vad skall vi nu göra för syndamen?"
"Vi skall bygga upp en kyrka av kalk och sten.

Den kyrkan skall heta Kärna
— kaller var deras skog —
den skall vi bygga upp så gärna."
— Medan skogen han lövas.

De sovo en sömn för länge de försummade alltså mässan, *vallare*
stigmän, rövare, *syndamen* botgöring

Ebbe Skammelsson

Skammel han bodde på Tidön,
han var både rik och kåt.
Så karske åtte han söner fem,
de två gick världen emot.
— Förty träder Ebbe Skammelsson så mången vill stig.

Tre de äro döde,
och två de leva än,
det vill jag för sanning säga:
de äro två raske hovmän.

Det var Ebbe Skammelsson,
han låter sadla sine hästar:
"Jag vill rida in under ö,
jungfru Lucie vill jag gästa."

Det var Ebbe Skammelsson,
han rider i jungfruns gård.
Ute står jungfru Lucie lilla,
var svept i sobel och mård.

"I stånden här, jungfru Lucie,
ären svept i sobelskinn,
viljen I låna mig hus i natt
och bliva allerkäraste min?"

"Väl skolen I få hus i natt
och foder till edra hästar,
men det står min moder till
att svara sådane gäster.

I gån eder i stugan in
och dricker mjöd och vin,
så länge jag går i stenstugan
och rådes med moder min."

"I sitten här jungfruns moder,
ären svept i sobelskinn,
viljen I mig jungfru Lucie giva
till allerkäraste min?"

Det var jungfruns moder,
månde såled's därtill svara:
"Eder giver jag min kära dotter,
om hon eljest eder behagar."

"Hören I, liten Lucie,
huru läng' viljen I efter mig bida,
så länge som jag tjänar i konungens gård
och lärer mig dusten rida?"

"Eder bidar jag i vintrar,
och så i vintrar två,
och eder bidar jag så lång en tid
som I mig läggen uppå."

Ebbe han tjänar i kungens gård
både för guld och ära,
hemma går Peder, hans broder,
bortlockar hans hjärtans kära.

Det var Peder Skammelsson,
han axlar skarlakanskinn,
så går han i frustuvan
för liten Lucie in.

"Hören I, jungfru Lucie lilla,
viljen I vara min kära.
Min broder han tjänar i kungens gård,
han eder båd' spottar och hädar."

"Så grant då känner jag Ebbe,
och Ebbe känner grant mig:
aldrig spottar han någon stolts jungfru,
fast mindre gör han det mig."

"Så hören nu, jungfru Lucie lilla,
om I viljen bliva min fästemö:
så visst hjälpe mig den allsmäktige Gud,
att Ebbe min broder är död."

"Är det sant I sägen för mig,
att Ebbe eder broder är död,
så hjälpe mig den evige Gud,
jag bliver eder fästemö."

De brygga och de baka,
de laga till bröllop i lönndom.
Ebbe som tjänar i kungens gård
går sådant allt före i drömmar.

Ebbe han drömde en dröm om natt
i sängen där han låg.
Om morgon, när han vaknade,
han sade sin stallbroder därav.

"Jag drömde att min kappa röd,
det hon var bliven blå,
jag drömde ock att min gode häst
var lupen mig ifrå."

Då svarade honom hans stallbroder,
var klädd i skarlakan röd:
"Där är en annan ungersven,
som lockar din fästemö."

Ebbe kläder sin kläder på
och axlar kappan sin,
så går han i högan sal
för sin nådige konung in.

"Min nådige konung, I given mig lov
hem till mitt fädernesland.

Jag haver sport min faders död
och mitt gods i annans hand."

"Orlov så skall du få
att resa hem i ditt land.
Vill du räcka mig handen din
att du skall komma igen."

Ebbe tog orlov av herren sin
och reste hem i sitt land,
och så far han till Tidön
det snarast' som han kan.

Vid det Ebbe Skammelsson
kom i sin faders gård,
ute stå bägge hans systrar,
som voro väl svept i mård.

"Här stån I, mina systrar,
I ären väl svept i mård,
vadan är detta myckna hovfolk
som här är samlat i gård?"

Svarade då den yngsta:
"Jag kan det icke förtiga,
vår broder dricker bröllop med din fästemö,
jag skulle dig det ej säga."

Den ena gav han guldkors på bröst,
den andra guldringen röd:
"Den har jag tjänt i kungens gård
och aktat min fästemö."

Ebbe kastar sin häst omkring,
han ville då dädan rida.
Efter lupo hans systrar två,
de bödo honom hemma bliva.

Hans moder fick i betslet och höllt
och bad honom hemma bliva.
Det ångrade henne mång tusend gång,
att hon icke lät honom rida.

Ebbe han går i stuvan in
och hälsar på alla bänkar,
hans broder fick honom sölvkar i hand,
bad honom för bruden skänka.

Ebbe skänkte den långe dag
både mjöd och vin,
var den gång han på bruden såg,
runno honom tårar på kind.

Det lider så fast åt aftonen,
att bruden skulle gå till säng.
Ebbe och liten Lucie,
de gjorde sitt tal så länge.

Det var Ebbe Skammelsson,
leder bruden opp för lofts bro:
"Minnes I, liten Lussa,
I lovade mig eder tro?"

"All den tro jag lovade eder,
den gav jag eder broder.
I alla de dagar jag leva må,
vill jag eder vara för moder."

"Jag fäste eder ej till moder,
ej heller till min svära,
utan att vara min fästemö
och så min hjärtelig Kära."

Det var Ebbe Skammelsson,
han sitt svärd utdrog,

det var liten Lucie,
hon under hans fötter dog.

Det var Ebbe Skammelsson,
han springer i stuvan in,
han var så vreder i hågen
och draget svärd under skinn.

"Nu har jag följt din brud i säng,
att hon skall intet drömma,
och veta skall du min broder,
jag skall dig intet glömma."

Det var Peder, hans broder,
han svarade honom så brått:
"Så gärna vill jag dig unna
att sova när bruden i natt."

Det var Ebbe Skammelsson,
han tog sin brune brand,
och det var Peder, hans broder,
han dödde för hans hand.

Så högg han sin broder ihjäl
och en sin närskylde frände,
och det var Ebbe Skammelsson,
han måste åt skogen bortrymma.

Hans fader fick sitt banesår,
hans moder miste sin hand,
förty träder Ebbe Skammelsson
så mången vill stig över land.

Det var Ebbe Skammelsson,
han springer på sin häst.
Nu måste han åt skogen rymma,
och skogen skyler honom bäst.
— Förty träder Ebbe Skammelsson så mången vill stig.

Kåt levnadsglad, livsbejakande, *karske* raska, *åtte* ägde, *så länge*
medan, *dust* tornering, *grant* väl, *fast mindre* ännu mindre, *orlov*
ledighet, lov, *sölvkar* silverkärl, *fast* snabbt, *svära* svägerska, *brune*
brand glänsande svärd

Holger Dansk och Burman

Burman håller för staden ut,
han låter sin skölden skina:
"Statt upp, Israel konung,
du giv mig dotter dina!"
— Holger Dansk han vannt seger av Burman.

Konungen går för staden ut,
han skjuter sin hatt för änne:
"Vadan äst du, storman, kommen,
medan dig ingen känner?"

"Jag är kommen av Spåraland,
där haver jag mina fränder,
förrän jag drager av staden ut
du skalt lära mig känna."

"Jag vill mig beråda
med alla mina fränder,
tredje dag om kvälle
vill jag dig buden sända."

Burman rider av staden ut,
han rider i fullan dus.
Han kastar en sten på staden igen,
var stor som ett bastuhus.

Jungfrun hon tager sitt gull och sölv,
hon binder det i klut,
så går hon till fångahus
och löser den fången ut.

Jungfrun ropar över fångahus
högt över alla fångar:
"Svara mig, Holger Danske,
om du orkar något gånga!"

"Litet orkar jag krypa
och halve mindre gånga,
här haver jag legat i femton år
och varit eder faders fånge.

Här haver jag legat i femton år
uppå de hårde linar.
Tala med mig min stolts jungfru
vad eder står till mena!"

"Här är kommit Burmans namn
och namn över alla kämpar,
han vill min fader av landet driva
och mig ohederlig hämta."

"Inte skall han eder ohederlig hämta,
han är icke eder like,
hans moder är ett havtroll,
hon ligger för Österrike."

"Jag skall säja eder av Burman
och av Burmans växter:
han är femton alnar hög
ovan sadel och häster.

Mera skall jag säga av Burman,
av Burmans svärd det långa,
det är femton alnar långt
emellan udden och tången."

"Hade jag häst och hade jag tyg
och tyg över alla måtto,

då skulle jag rida en dust idag,
för jungfruen livet att våga."

"Jag skall giva eder kläde ny
och helst av de bäste,
och därtill giver jag eder betsel och tyg
och så sadel och häster."

Burman håller för staden ut,
han ser sig ut här väster:
"Se hit, jungfru Gloria,
huru fager jag håller på häster!"

"Du är inte mycket vacker att se,
din kjortel han är viter,
din näsa är tre alnar lång:
du äst en skråpuke liker."

Burman håller för staden ut,
han låter sin rumpa kröka:
"Jag fruktar för Holger Danske,
han skall ock alla försöka!"

Den första dust de samman gingo,
så gingo de samman med händer.
Hästarna gingo till marken
och glaven gingo sönder.

Holger drager sin brune brand,
han glimmar som gullet det röda,
så hugger han Burmans huvud av,
så blodet rann honom till döda.

Holger rider för staden upp,
han låter sin skölden skina:
"Statt upp, Israel konung,
du giv mig dotter dina!"

Holger går i stuvan in,
där skungar i varje tilja:
"Statt upp, Israel konung,
säg mig av din vilja!"

"Jag haver icke dotter mer än en
och hon är given manne,
kan du henne för Burman fria
så går hon dig tillhanda."

"Vi hava lekt en lek idag,
han stod icke mycket länge,
vi hava lekt en lek idag
allt som två raske hovdrängar."
— Holger Dansk han vannt seger av Burman.

Änne panna, *medan* emedan, eftersom, *dus* fart, *sölv* silver, *linar*
bojor, *tången* svärdsfästet, *tyg* seltyg, *dust* tornering, *skråpuke* ful
ansiktsmask, *försöka* pröva, angripa, *glaven* lans, spjut, *brune brand*
glänsande svärd, *skullrar* bullrar

Gustav Vasa och dalkarlarna

Konung Gustav rider till Dalarna,
han tingar med dalkarlar sin,
men Kristiern ligger för Södermalm,
han äter stulen svin.
Kristiern sitter i Stockholm
och dricker båd' mjöd och vin.

"Hören I, mine dalekarlar,
allt vad jag bjuder uppå:
viljen I mig följa till Stockholm
och slå de jutar av?"

Då svarade de dalekarlar,
de svarade alle i sänder:

"Det stod ett slag om långfredag,
vi minnas det alle än."

Så svarade ock konung Gustav,
han svarade för sig så:
"Vi bedje Gud Fader i himmelrik
oss må nu full bättre gå!"

Då svarade ock de dalekarlar,
de svarade allt förty:
"Viljen I vara vår hövitsman
allt in för Stockholms by?

Snöskravu och furufnatten
rätt pilen han råkar uppå,
Kristiern hin bloderackan
må nu ej bättre gå!"

"Gärna är jag eder hövitsman",
konung Gustav svarer så,
"viljen I mig vara trogne
allt under min fana blå."

Så svarade de dalekarlar,
de svarade all en man:
"Vi blod och livet våga
mot en så grym tyrann;
vi blod och livet våga
allt för vårt fädernesland."

De dalekarlar begynte sig rusta,
de rusta' sig i dagar två,
de vilja följa konung Gustav
vart ut han lägger på.

Så gladelig rider konung Gustav
utöver Tuna bro,

flere åtte han dalekarlar
än danske månde tro.

De dalekarlar börja sig sträcka
allt över den Tuna hed,
flere voro de dalekarlar
än konung Gustav kunde över se.

De dalekarlar börja sig hasta
allt in för Stockholms stad,
flere voro de dalepilar
än hagel faller på hav.

De dalekarlar började vanka
allt in för Stockholms by,
fast flere voro de dalepilar
än hagel faller av sky.

De dalekarlar begynte att skjuta,
de sköto ock all en man,
tjockare röko de dalepilar
än sanden på sjöastrand.

De dalekarlar månde så skämta
och pilarna hava sin gång,
två jutar buro den tredje
uppå sin spetsestång.

Ut kommer en mölnarehustru
allt vid det samma sin:
”De säckar äro malne,
vi dragen I dem här in?”

”Det är icke malne säckar
fast I nu säjen så,
det är den ypperste jute,
som stod på Malmen igår,
det är vår fattige jute,
som stod för pilen igår.”

"Jag haver så ont i huvud,
jag gitter ej lemman rört,
jag haver druckit det starke porsöl,
som är ifrån Dalarna fört.

Det värker ock i min sida,
jag gitter mig icke vänt,
jag haver smakat den härske strömming,
som är från Dalarna sänd."

Ut kommer man av huse
i Stockholms gatu lång:
det var stor lust att skåda
huru juten från hättan språng.

Det var en ryttar Erik,
så skria' han som fler:
"Herre Gud nåde oss jutar,
vi se ej Jutland mer!"

Konung Gustav rider på högan häst
i fältet av och an:
"Tacka vill jag mina dalekarlar
för eder trohet sann!

I haven med mig ståndit
som trogne svenske män;
vill Gud mig livet unna
jag gör eder gott igen."

Tingar håller ting, förhandlar, *jutar* danskar, *alle i sänder* alla på
en gång, *full* för visso, *snöskravu* snöripan *furufnatten* ekorren, *råkar*
träffar, *bloderackan* blodhunden, *alle en man* alla som en man, *åtte*
ägde, *sig sträcka* tåga, *spetsestång* spjutstång, *samma sin* samtidigt,
gitter ej . . . rört kan ej röra

Sorgen

O lönnlig sorg, vad du är tung,
vad du är tung att bära!
Ty görs mig tiden och stunden så lång;
för Gud skall jag mig klaga.

Mitt hjärta haver sig en vän utvalt
i världen var hon kan vara,
i ord och tal så är hon from;
till henne står min begäran.

De falske klaffare gå där om,
de vilja oss båda åtskilja;
jag hoppas till Gud i himmelrik
det sker allt efter hans vilja.

Ty världen är full med falskhet och svek,
det haver jag ofta förnummit,
så väl ibland fattig som ibland rik.
Var skall man en trogen vän finna?

Ty det är ingen i världen till,
som vet varav sorgen klagar,
förutan den som henne bär;
hon tvingar honom nätter och dagar.

Jag är allt som en liten fågel
som sitter på liljekviste,
så långt ifrån by, så högt under sky;
Gud nåde den sin maka bortmister!

Jag är allt som en liten fisk,
som simmar på havsens grunde;
när andra små fiskar gå till leks,
då yppas min sorg margelunde.

Ty därför, *klaffare* baktalare, *tvingar* trycker, plågar, *margelunde*
på många sätt

Gamle man

Gamle man han liknas
vid barkelösa ek:
alle sine grenar
fäller hon från sig,
hon rottnar i rötter,
hon faller neder i topp.
Gamle mannen faller av,
den unge växer upp.

Fattigdom och Sjukdom,
de gingo sig om by,
mötte dem Sorg åt kvälle,
så voro de systrar tre.
De lade sin stämma
vid gamle mansens dörr;
Herre Gud nåde den gamle man
som där bor innan före.

Gamle mannen stryker
gråskallan sin,
ålderdomen frestar
fränderna sin.
Fränder haver han månge,
och vänner haver han få;
nåde honom Gud i himmelrik
som där skall lita uppå.

Gamle mansens näsa
böjes ned som kvist till jord.
Världen är så svikfull
som isen ligger på flod:
han bräcker och brakar,
han brister och sjunker i grund;
så går enom gamle man
som lever en långan stund.

Döden han liknas
vid jägare trå:
han släpper ut sine racker,
beter han en rå,
han beter väl ene,
han beter väl två,
han beter väl alle de djur som äre,
både store och små.

Rottnar ruttnar, *åt kvälle* mot kvällen, *lade sin stämma* stämde möte,
frestar sätter på prov, *fränderna sin* hans fränder, *bräcker* bräckes,
trå envis, *racker* hundar, *beter* jagar, *rå* rådjur

Den bakvända visan

I fjol vid jul då grisa min ko,
då kalva min so, då drunkna min märr uti solsken.
Jag sadla min stövel, jag smorde min häst,
och sporra band jag på öra.
Så red jag över solen, där skogen gick ner,
där hänk två murknade brömsar,
där hänk två präster, där sång två lik,
där satt två brokota hästar.

  Jag låg och jag satt,
  jag drömde den natt,
  jag drömde den visan var bakvänd satt.

Den döve han hörde, den dumbe han log,
den tumlöse spelte på lira.
Den blinde han skull gå ut och bese
vad natten hon månde här lida.
Så fick han se en så'n underlig ting,
den handlöse lekte med flickan sin.

Det var två skator som bygga ett bo,
de bygga ett bo på vår loge.
Det var två hönor som spänna en hök,
de flögo med honom åt skogen.

Laxen han kliver i eketopp,
och rister ner stora lövgrenar.
Och ekorren springer på havsens bott
och välter upp stora grå stenar.
    Jag låg och jag satt,
    jag drömde den natt,
    Jag drömde den visan var bakvänd satt.

BISKOP TOMAS
(d. 1443)

Frihetsvisan

Frihet är det bästa ting,
där sökas kan all världen omkring,
den frihet kan väl bära.
Vill du vara dig själver huld,
du älska frihet mer än guld,
ty frihet följer ära.

Frihet må väl liknas vid ett torn,
där en väktar blåser av sitt horn:
du tag dig väl till vara!
När du av det tornet går,
och en annan det i händer får,
där fäller du om tåra.

Och är frihet lik den stad,
där all ting följas väl i rad:
där är fullgott att bygga.
Varder frihet från dig villt,
då är det bästa nederspillt,
så låter jag mig hygga.
De gamla skrift och så de ny,
de bjuda frid i varjom by.

Dock kan ej frider bliva,
förutan frihet är där när,
som frid och frälse uppebär
och ofrid må fördriva.

Haver du frihet i dine hand,
du lyckt väl till och bind om band,
ty frihet liknas vid en falka,
att ho som frihet giver upp,
han skulle tagas vid sin tupp
och sättas ibland skalka.

Flyger frihet bort från dig,
hon kan väl sedan vakta sig,
evart du red eller rände.
Du kan ej giva så stort rop,
du sitter dock kvar i kappo snop,
och bort flög höker av hände.

Jag råder nu dig, hav frihet kär,
om du kan märka vad frihet är,
hon är ej god att mista.
Frid och frälse drager hon hem,
hugnad och glädje allom dem
som skylas under hennes kvistar.

Frihet är en säker hamn,
det visar frihet med sitt namn
dem som henne kunno lyda.
En hamn vär för vind och våg,
frihet beskärmar både hög och låg,
ty bör man frihet pryda.

"Frihetsvisan" är egentligen endast de avslutande stroferna av en längre politisk dikt om Engelbrekt.

Där sökas kan som ..., *den frihet väl kan bära* för dem som rätt kan bruka friheten, *där fäller du om tåra* däröver fäller du tårar; i den urspr. texten står "tara" (rim på "vara"), *villt* villad, bortglömd, *så låter jag mig hygga* så menar jag, *De gamla skrift och så de nya* Gamla testamentet och likaså Nya testamentet, *förutan* utan att, *lyckt ... till* stäng ... till (om den), *tupp* lugg, *skalka* skalkar, brottslingar, *i kappo snop* i en trång jaktkappa, *av hände* ur handen, *vär* värjer, skyddar

LARS WIVALLIUS
(1605—1669)

Klagevisa över denna torra och kalla vår

En torr och kall vår gör sommaren kort
  och vintrens föda fördriver.
Gud hjälpe, som rår, si våren går bort
  och liten glädje oss giver.
   Sol varma, förbarma!
   Hos vädret torrt
nu kölden sommaren river.

Gott majeregn giv, lät dugga tätt ner,
  lät varm dagg örterna fukta!
Oss torkan bortdriv, lät frostet ej mer
  de späda blomsteren tukta!
   Var nådig, var nådig!
   För dem jag ber,
som Herran tjäna och frukta.

Lät väderet kollt och torkan oblid
  ej tvinga rosorna röda,
lät åkeren stolt ej läggjas så nid,
  att han ej bondan kan föda!
   Bevara från fara
   i allan tid
den späda jordenes gröda!

Lät himmelens port utvidga sin gång,
  hjälp molnen högre uppstiga,
lät höra oss fort skön näktergals sång,
  som kölden tvingar att tiga!
   Lät sjunga de unga
   med stämmor mång!
Lät barnen dansa och niga!

Lät dansa å rad folk, stora och små,
lät färla sommarens färlor!
På blomster och blad lät tillra och stå
de våta himmelska pärlor!
Lät kvittra, lät tittra
steglisor små,
hos granna svenska sädsärlor!

Giv glädje och tröst, lät lärkjan ej dö,
lät leva sommarens svala!
Hugsvala vart bröst på Sveriges ö,
som nu mån sorgeligt tala!
Giv sommar, giv blommer,
giv gott grönt hö,
lät göken ropa och gala!

Mot gryningen blek, mot dagningen blid,
när natt och dag sig åtskilja,
lät höras mång lek om sommarens tid,
djur dansa, spela och gilja!
I strömmer ej glömmer
mång lax, mång id,
mång fisk tå hava sin vilja!

Gör dagen oss lång, gör natten oss klar,
lät duggregn varma nerfalla
och locka till sång den fågel, som har
tyst varit vinteren kalla!
Lät klinga, lät springa
mångt hjon, mångt par,
lät fröjdas människor alla!

Gack fruktbar oss upp, gack fruktbar oss ner
och hälsa byar och städer!
Mång åkermans kropp tå gläder sig mer,
som går i tunna linkläder.
I dalar trast talar

och mång mun ler
och mång trumetare kväder.

Ja, ljuvliga sol, tu fattig mans vän,
    som titt sken ingom villt spara,
lys uppå vårt bol med sommar igen,
    lät köld och torka bortfara!
        Nu längta, nu trängta
        kvinnor och män
att gå i solskinet klara.

Gör sorgen oss kort, bliv åkermans vän,
    lät grönska skogar och dalar,
driv torkan oss bort, giv vätskan, som än
    mång bondes hjärta hugsvalar!
        Lät sjunga mång tunga
        om fröjd igen,
som nu bedröveligt talar!

Lät skogen stå grön, lät jorden få frukt,
    se till, att oss intet trängjer,
lät fläkta en skön och härlig en lukt
    av skogar, åkrar och ängjer!
        Lät kransas, lät dansas
        med fröjd och tukt,
lät bäddas brokota sänger!

Lät gräset bli blött och blomsteren skön,
    lät dansa lilla lekatten,
lät fläkta oss sött vitt ut uppå sjön,
    lät skönt vär blåsa på hatten!
        På ängen giv sängen
        i gräset grön
åt dem, som färdas om natten!

Lät ämbetsmän få rätt bruka sin hand
    och trygg på resa sig giva,
lät köpmänner gå till vatten och land,

tit de helst handelen driva!
Av roser och kosor
ibland all stand
lät mången fröjdefull bliva!

Lät dagen bli varm! Mång herde tå står
i mång grön, lustigan skugga
och rester sin arm åt getter och får.
På bär och äpplen lät tugga!
Från plogen åt skogen,
så vitt han når,
lät oxen titta och glugga!

Släpp boskapen vall, lös oxen ur bås,
driv fä och fänat åt skogen!
Lät öken för stall in under Guds lås,
lät bonden glädjas vid plogen!
Höst mustig gör lustig,
lät säden fås
av åkren ymnig och mogen!

Lät grönskas hans får, lät blomstras hans äng,
hjälp fylla bingarna blotta!
När bonden själv rår, får krigsman ock säng
att vila lemmarna trötta.
Still vreden, giv freden!
Mång piga, mång dräng
tå glädjas över all måtta.

På blomster och löv lät stimma de bi,
som draga honungen söta!
Men luften blir döv av buller och skri,
där sig två krigshärar möta.
Still vreden, giv freden,
Gud statt oss bi,
som bäst kan fienden stöta!

Tu råder om krig, tu råder om allt,

tu rår om himmelens fäste.
Ty vill jag ock tig allt hava befallt.
Hjälp oss till fot och till häste!
Gör frodigt, frimodigt,
vad nu är kalt!
Tu vest allena vårt bäste.

Vi have, o Gud, tig syndat emot,
förlåt oss bristerna svåra!
Vi vele titt bud med bättring och bot
nu följa dagarna våra.
Lät falla med alla
tin vredes hot,
och dämp allt, vad oss kan dåra!

Dämp vällusten ner, tin gåvor oss lär
alltid rätt nyttja och bruka!
Och äntlig jag ber, hjälp deras besvär,
som tuktigt sina bord duka
och hjälpa, ej stjälpa
den hand, som bär
en tom och söndrigan kruka!

Giv dem ett gott år, dem lyse tin sol,
som årsens tider vet dela,
dem månen ock gå, i år som i fjol,
att ny och nedan ej fela!
De andra låt vandra
till tomma bol,
som aldrig hjälpa sjukt hela!

Fördriver ödelägger, *hos vädret* jämte vädret, *river* fördärvar, *lät* låt,
tvinga skada, *läggjas så nid* bli så illa åtgången, *fort* snart, *färla*
fladdra, *färlor* fjärilar, *tillra* dallra, *tittra* kvittra, *hos* se ovan, *ej*
glömmer glöm inte!, *hava sin vilja* para sig, *klinga* sjunga, *hjon*
äkta par, *trumpetare kväder* trumpetare spelar, *bol* gård, *trängjer*
fattas, *blött* mjukt, *Kosor* resor, *all stand* alla stånd, *lustigan* behag-
lig, *rester* rister, skakar, *glugga* glo, *Höst* skörd, *får* fåra, *blotta*
tomma, *stöta* slå ned, *befallt* anbefallt, överlämna, *vest* vet, *vällusten*
njutningslystnaden, *gå må gå*, *fela* fattas, *bol* bord

GEORG STIERNHIELM

(1598—1672)

Ur *Herkules*

HERKULES arla stod upp en morgon i första sin ungdom,
fuller av ångst och tvik, huru han sitt leverne börja
skulle, därav han pris kunde vinna med tiden och ära.
I det han alltså går uti tankar och högste bekymber,
trippar ett artigt viv, dock lätt av later och anseend,
till honom an, blommerad i margfalsfärgade kläder,
glimmand' i pärlor och gull och gnistrand' i dyrbare stenar,
skön av anlete men — som syntes sminkad och färgad,
som en driva snövit med rosenfärgade kinner,
käckögd, djärv utav uppsyn, av hull var hon fyllig och frodig,
gullgålblänkjandes hår, bekrönt med roser i pärlor.
L u s t a var hennes namn, vittdyrkat i världenes ändar.

Denne var intet allen. Hon kom med tre sine döttrar
samt sin son, deres broder, häran i sådana lynde:
En var tröger å fot, halvsovande, gäspande, tunglynt,
ovulin i sin dräkt, obörstad och solkot i klädom;
dock var hon illa beprydd med en krans av svimmel och
                                          vallmog.
Hon bar ett hyend' inunder en arm och kortspel i handen,
koxade kring, var hon for, och klädde gemenliga fingren.
L ä t t i a var hennes namn, av moderen ärnat i vaggan.
Andre var morlik, dristig och kön, med mysande munne,
värvde sin plirögon om med lekande, lockande later.
Evar hon gick, drog hon å sig vars mans ögon och ålit.
Klädd var hon i fint skir, att hon synts vart klädd eller
                                          oklädd.
Svanvitan hals, därå spelande, ringsviskrusade lockar;

tittarne tittade fram utur floret och halvbare brösten,
giljand' i lönnliga vis och puffande pyste till älskog.
Hon had' ett eldfyre på sin hand, stål, tunder och flinta.
K ä t t j a var hennes egentlige namn, kärälskelig allom.

Sällsynt av anlete var den yngst' av desse tre systrar:
ett öga grät; med det andre då hon log. Snart var hon
      efterst,
snart var hon föråt i tripp-trapp, snäller och dansvig å fotom.
Hon var klädd uppå fransk, därå allt var brokot och krokot,
ringat och slingat i kors, med fransar i lyckjor och nyckjor,
pappat och knappat i längd och i bredd, med spitsar och litsor
runt omkring och i ring, *à la mode*, beflittrat och splittrat.
Hon bar oppå sin hand ett seglande skepp utan styre.
F l ä t t j a hon het, är myckit avhållin av meste vår ungdom.

Jämt' henne kom där ock vältande fram en stinner en sälle,
fnyste och pyste så medan han gick, han rullade fotlös
som ett marsvin häran, var brusande röder och droppögd.
Han bar en krans å sitt hövd, inflätad i revor med humble-
tuppor, all om bevävd bland friskdaggdrypande druvor.
Glas had'en i sin hand och en brinnande lunta kring armen
samt därinunder en rulla tabak och pipor i kransen.
Så kom'en an, och denne var tärnorna livlige broder.
R u s heter han, är en lustig, i lag tidkortelig hanse.

— — —

Denne var L u s t a s följd och prakt uti bunad och hovsind.
Efter en ärbödig ögnlat, handkyss och vyrdliga knäbukt
börjar hon ett sött tal på sätt, som följer, av ordom:

HERKULES, stolt av mod, av blod högädeler herre!
Vad för en ångst och kval är den, ditt hjärta betungar?
Vad för tvikan är i den hug? Beskåda din ungdoms
blomster och år, din färga, din hy, dine blysande kinder!
Pröva din ögons makt, din oförliklige fägring,
älskad och önskad utav de väneste jungfrur i landet!

Tag dine gåvor i akt, medan åren och dagarne lida,
sätt dine krafter i bruk, förrän åldren och gråhåren yppas!
   Tänk, här är inte bestånd i världen, och allt är i loppet.
Såsom en eld, en ström, ett glas, ett gräs och en blomma
brinner och rinner och skin och grönskas och blomstras om
                                                         afton
men finns släckt, stilld, bräckt och torkat och vissnat om
                                                       morgon,
alltså människoliv som rök försvinner i vädret.
Hel i dag och sund, frisk, lustig, fager och röder,
morgon är kaller i mun, stockstelnadstiver och döder.

   Döden molmar i mull allt vad här glimmar och glänsar.
Döden kastar å kull allt vad här yppert och högt är.
Döden knossar i kras allt vad här kraft har och helt är.
Döden trampar i träck allt vad här fagert och fint är.
Döden dväler i dvalm allt vad här levnad och liv har.
Döden raffar å väg allt vad här aktas och älskas.
Döden själver är Intet och gör allting till Allsintet.
   Efter döden är ingen fröjd, när anden är ute.
Var bliver all vår lust, när ögat har intet att se mer,
ögat har inte ljus, och örat har intet som höres?
Var bliver all vår lust, när kropp och själ äre skilde?
I det mörke, eviga tysta!

Så är i känslan ock ingen fröjd, där kroppen är ingen.
Vad är ock lukt och smak, där varken är ång eller anda?
Ack, att ock ingen dröm är uti den evige sömnen!
   Solen bärgas, och var dag vanskar han ljuset i mörker
men kommer upp och mörnar igen var morgon å skiftes.
Människoliv icke så! När det en gång skrider under,
kommer'et aldrig igen men blir i det eviga mörka.
   Detta betänk, och lev, så länge du lever i världen!
Mig följ, träd mig bi! På lust och fröjdige dagar
skall dig ej vara brist. Skön kvinnfolk, lustige bröder,
spel och sång, gott vin, mjuk säng och kräslige rätter
dig skole vara beredd så natt som dag och all ögnbleck.

———

   Bort med papper och bläck, bort böcker, cirklar och pennor!

Skulle du smitta din hand, din' adlige mjölkvite finger,
skulle de fläckjas i bläck, huru ville du frustugun vittja?
Grepe du en under kinn eller komme vid hals eller handen,
"Pfuy" skulle bliva din tack; vad skulle full systrarne säga?
Sudle sig skrivar' uti sitt bläck, lät klerker och djäknar
möda sig i sin bok, lev mätare cirklar och pennor!
Du är av ädlare blod. Din ätt det skulle vanära.

— — —

 Övning i vapen och skaft bemödar ryggen och armar.
Fäkt' och ränna må den, som har för mycket av hälsan.
Snart är ett öga sin kos, om ballen springer å klingan.
Snart är en hals avbräckt, om hästen snaver och störter.
Bort med sådana lek, där ögon och hals står i våda!
Dock med måtta så måste det ske din häst lära tumbla,
skjut' och ränna te rings så mycke som däroppå löper,
att du må skyns var' av adelig ätt och mer än en bonde.
 Dansa gör ingom ont. Dans kan din hälsa bevara.
Dans en hälsebot är. Dans lisar allt arbet och omak.
Ingen om aftonen är så trött, han skulle ju dansa.
Dans är en ädele konst, gör gunst hos fruer och jungfrur.
 Vill du då stormar och strid? Min son skall föra baneret.
Min son R u s uti kannor och krus, uti gruvsamme bolkar
dig skall öva med art och drilla på vänster och höger.
Kommer i fält mot dig en flock av fuktige bröder,
tappert sätter han an med sådan en iver och allvar,
att han lisla stund skall fälla de modige hjältar,
som rättnu stodo käck och köne, som oxar i golve.

— — —

Rus går omhär, han manar och trugar, han hörter och yrker,
intill dess att striden är all. Av de modige kämpar
raglar här en, en stapplar, en stupar, och falla de hopvis.
Välter här en i bänk, så ränner en huvud i väggen.
En ger opp andan och allt; en somnar, och kivar en annan;
annor gråter, och ler den tridje; en sitter och kväder;
en pläger älskog, och bannas en annan om alle sju tusend.
Summan är det: när alle ge tappt och spelet är ute,

prisen han är då din, dig hembärs seger och ära.
Drick till dager är ljus och sömnen rinner i ögon!
När som solen han är uti närmeste trappa till uppgångs,
lägg din ögon ihop; då kommer söteste sömnen!

 Gör dig alls intet kval, var alltid lustig och sorgfri,
akt' icke fåfängt ros eller last för skam eller ära!
Ära så väl som skam äre vind och namn utan ingäld.
Gör vad dig rinner i hug, ty dig och dinlika funkar
skrivin är ingen lag; för larvor löpa små gossar.
Bönder och dylika pack man plägar skräckja med lagen.
 Spinnelen i sin garn bestrickar spinkote myggar,
getingar snorra sig ut, och slippa de brummande brömsar.
Sådan är allmänna lag: De fattige fastna, besnärjas,
stolte och store gå fri, och slippa de trotsige drottar.

 Nu, min HERKULE, kom, utan högre betänkjande följ mig!
Vägen är jämn och bred. Bland roser och ljuvliga liljor
makliga rinner han hän genom ängjar och fuktige dälder.
Skogen är lustig och kvistarne full av kvittrande fåglar.
Allsköns fruktbare trä, pommerantser och kandiske druvor
allstädes här och där vid vägen å backarne finnas.
Månge små menlöse djur man ser där spelande springa.
Källor och levande vatt'n, fördelt uti månge små bäckjar,
ruska så saktliga fram genom blanke små glittrande stenar.
Den svale västvind surrar ibland och raskar i löven,
spridand' en ljuvelig lukt av blommor och hälsesam örter,
susar i saktan dön uti skuggan och lockar i sömnen.
Allt är täckt, vad här ögat ser och fötterne träda.
Kom, kom, HERKULE, kom! Utan högre betänkjande följ
                                                    mig!

 HERKULES, övertalt, som en ung och hitsiger herre,
var oppå språng, steg till och ville nu följa fru L u s t a.
I det en annan kom, i frus hamn, mänskelig ansedd,
dock icke människa men en trofast, ädel gudinna.
Hon var sedig uti sin gång och vyrdig av ansend,
viktig i later, full med allvar och ärlig av uppsyn,
brun under ögon och bränd av solskin, mager av hulde,

renlig i dräkt, snövit, av silverblänkjande klädnat,
slätt och rätt och skär, på det ärlige gamble maneret.
Denne lät upp sin mun och talte med allvarsam ordom:
   HERKULES, ädel av ätt, till ära född och erkoren,
Vart vill detta? Se till, statt stilla, betänk dig!
Vetstu ock, ho den är, den med dig snacker i lönndom,
denne, dess pipa så sött dig flistrar och lockar i drömmar?
Tag icke lättliga råd av den dig icke bekänd är!
Denne, som för dig stod, den du mentst vara gudinna,
är ifrå Stygja putt, hin stygges dotter och alster.
Lusta ger hon sig namn, fru L a s t a med rätta mån heta.

— — —

Min väg han är uti förstone trång, bland stubbar och stenar,
muddig och ojämn, djup och beväxt med tistlar och törne,
bär allt oppföre stiält mot våndlige klackar och klyfter
tills emot ändan, där dig, tröttan och klivande, möte
S t y r k och T r ö s t. De räckja dig hand, de stödja, de lyfta,
intill dess din fot fästat och stadder å banen,
som sedan även och god dig förer i sàlighets hallar.
Här bliver omak och arbete lönt. Din möda bekrönes
med obegripelig hugnad och fröjd, samt eviga lisa,
oförvanskliga nöjd och glädje ditt hjärta belysta.

— — —

Gud han är ärones Gud. Guds ansikte lyser oss äran.
Äran är dygdenes rot, och dygdenes grundval är äran.
Dit måtter all Guds lag, den oss allom i själve naturen
fast inpräntat uti vår själ och samvete lyser.
Är nu vår själ utan skäl, eller äre vi fänad och bestar?
Släckje vi själv vår eld och dämpa det andlige ljuset,
det som oss Skaparen i vårt bröst haver eldat och upptänt
till vår salighets lysen och ledsen. Huru, vele vi själve
vända vår ansikt' ifrån Guds ansikt' och sänk' oss i mörkret?
Vad bliver av vår själ, den Gud oss själver har inblåst,
ack, den ädele själ, den vi så förbarmliga störta?
Vad bliver av vår hamn och människonamne, vi fördom?
Vad bliver av Guds belät', av Skaparen tryckt i vår hjärtan?
   Nej, min HERKULE, nej, den vägen han tämer oss intet.

Dygdenes stig synes trång och mörk dem latom och blir.dom,
är dock en härstråt, den Gud själver han lyser och leder.
  Vari består då dygd, medan dygden är själenes hälsa?
Dygd är att älska sin Gud, hans bud och stadgar att hålla.
Dygd står i rättvisa, där var och en sin rätt bliver ägnat,
ingen av ingo beskadd till lem, liv, ägn eller ära.
Dygd lider intet våld; överävl hon styrer och ågång,
lider ej arman man förtryckes av högmod och orätt.
Dygd är utsträckja sin hand till styrk dem usle betrycktom.
Dygd står i fagert mod, gott levern' och ärbare seder,
nykterhet och ren själ, uti tukt, okränkliga kyskhet.
Dygd står i vett och i plikt. Huru, var, vad, när, hurulunda,
varföre vart bör ske: dy dygd vill grannlaga lämpas.
Dygd vågar inte på slump; dock slump botas ofta med snille.
Dygd söker råd, flyger inte förrän hon koxar och hugsar.
Dygd flyr lögn; där lögn kommer in, går dygden å dörren.
Luftsträck, storspräkeri, lame salbader, irrige hjärnvärv;
dess' äre skändlige fel, som bringa sin herre på skammen.
Dygd med skämt sig täckelig gör, uti tid och i ställe,
tager och ger med hov, så mycket som ärone likar,
allt utan agg; utu lag vari långt bort galla med galnu.
Hov är i allting bäst, plump stickenhet anstår en narr väl.
Dygd lider ingen spott, för nesa då väljer hon livlat.
Dygd står i mannamods styrk, sig låter av ingo förfära.
Motgång, sorg, fegd, vatten- och eldsnöd, dunder och döden,
aktar hon allt för lek. Hon vinner och segrar i döden.
  Ser du, min HERKULE, den gudomlige dygdenes höghet?
Dygd är en själenes skatt, där guld och penningar alle
ej måge liknas emot, är ädlar' än dyrbare stenar.
  Märk, min son! Som dygd sig grundar å Gud och i ärom,
så är ock ingen dygd, som icke beror oppå visdom.
Vett är dygdenes ljus, och visdom är dygdenes öga.

———

Själen i allom är enhand art, utav himmelisk ädli;
skildnaden är, att den ene som glömbd blir liggjand' i stoftet,
där den andre tags opp; hon vaskas, hon skires och kratsas,
glättas och igravs allrahand prydlige form' och figurer.
Sådan är skildnan oppå den själ som är lärd emot olärd.

Själen i människokropp som en eld, förborgat i flinto:
finner hon ej sitt stål, så gnistrar hon aldrig i blysning.
Kåtkarla, torpara, träler och allmänna pack bruke själen
int' ann' i ställe för salt, att kroppen han icke må rottnas.
Själen är vars mans ägnd men blind och bunden i mörker,
visdom är själenes sol, som töcknen skingrar och dimban,
att hon skynliga se kan, vad henne tjänar och höver.
Ästu ej lärd, tro du inte du vest vad rätt eller orätt,
gott eller ont är i sanning ell' eljest i skinliga måtto.
Proven är konstrik, skyns oft flärd uti glimmande gullglans.
Villtu nu säga, min HERKULE: "Mången är lärd men en
    åsna,
toker i allt det han talar och gör, en tylpel i gästbod;
dock är han lärd." Nej, HERKULE, nej! En sådan är olärd,
fast honom flödde latin över öronen ned oppå skägget.
Den sine seder och ord, sine lyster och anfödde sinne
inte vet håll' uti töm, styra, fogligen hyfsa, regera,
han är en olärd man, vari doktor ell' hete magister.
— — —

Tänk ock, HERKULE, på din ätt och adelig härkomst!
Mången av nedträdd rot och oaktande fnöskote stubbar
spriter här ut, skjuter opp, får löv och kommer i blomma.
Mången av fattigt blod, utkommen ur taklöse kåtor,
stiger allt oppåt och opp genom dygd och berömlige dater
till det ypperste mål utav heder och adelig höghet.
Finns däremot och den som högt opp i rike palatser
boren i silkessäng, av Gud välsignat i vaggan,
fjärran av hedenhös vet leda sin adel och aner,
men — det klagligit är — så nyttjar sin adel och aner,
att han i ställe för ros, för pris, för heder och ära
gagnar sig hån och spott och alsom största vanära,
lides av ingen man men av alle begabbas och hatas,
allom en överlast och jorden en avrapibörda.
— — —

Sist du ville betrakta den aldrig vilande tiden.
Ungdomens år uti brunst rasa fort som en ilande virvel.

Åldren i mjugg, omärkt, saktsmilande smyger i ställe.
Varföre giv god akt oppå glaset, att tiden i vimsku
ej löper hän, men lär och gör vad gott är i tida.

Tänk, vad ett osnyggt djur en gammal och dygdelös man är!
Ålderen har sin vank. När stöd och stolparna bugna,
gavlarna luta framut och väggarne slå sig i rämnor,
taket gristnar i dropp och huset begynner att braka,
kvarnen har ingen gång eller gny, och fänsterne mörkja,
malört utur var knut, döve nässlor i spryngjorne växa,
hanan å gyllande brand springer inte mer om, lokar halsen,
lyder alls ingen vind men hänger och hotar att falla,
harpan hon är förstämbd, lyder intet, strängjarne snarra,
då är i samma palats slätt lust mer, fröjden är ute,
gästebod harpor och dans hörer opp, både tjänsthjon och
        husbond'n
tänkja sig om, huru de må huset och härbärge rymma.
Sådan är människokropp. När åldren kommer och åren
krökja din hals och rygg, både händer och huvudet darra,
knän bliva styv, din fot han vacklar, och måstu på siston
trefotat hjälpa dig hän som barnen i början å fyre.
Vinterblommor oppå din kind som saftlöse plantor
gro och gråna med hast, och hösten i huvudet hyser.
Håren flyta dig av som vissnade löv utav aspen,
skallan snöd bliker ut, där nu spela krusade lockar.
Tänderne fall' och falna därhän, de kvarlevde stumpar
vinn' inte mala sin mäld, men målet de märkliga stympa.
Örone dövna sin kos, och hörslen hon tappar och tyner,
ögonen dunkla sin kos, och synen molnar i mörkre.
Krafter och allt fyker hän, och döden kikar ur ögon.
Vett och sinne gå bort, fördvälmas i dvas och i glömsko.
Döden är yttersta målet, i dy vi samkas och ändas.

Tvik tvekan, *alltså* sålunda, *artigt* intagande, *lätt* lättfärdig, *later*
uppträdande, *anseend* utseende, *blommerad* prydd, *margfalsfärgade*
mångfärgade, *gullgålblänkandes* guldgulblänkande, *i sådana lynde*
på sådant sätt, *ovulin* ovårdad, *svimmel* ett ogräs, av vilket man
kunde bereda en sövande dryck, *hyend'* kudde, *koxade* tittade, *klåd-*

de kliade, *gemenligen* oupphörligt, *kön* oblyg, *värvde* kastade, *ålit*
blickar, *vart* ... *eller* varken eller, *tittarne* bröstvårtorna, *giljand'*
lockande, *puffande* svällande, *tunder* fnöske, *sällsynt* egendomlig,
lyckjor slingor, *nyckjor* häktor, *pappat* stärkt, *litsor* snodder, *beflitt-*
rat utstyrt med grannlåt, *Flättja* flärd, *marsvin* tumlare, *livlige* kötts-
lige, *tidkortelig hanse* lustigkurre, som får tiden att gå fort, *bunad*
dräkt, *hovsind* uppvaktning, *ögnlat* ögonkast, blick, *yppas* visar sig,
molmar söndersmular, *dväler i dvalm* lägger i dvala, *raffar å väg*
rycker med sig, *ång* andedräkt, *vittja* besöka, *lev* lämna, *skaft* spjut,
bolkar muggar, *hörter och yrker* driver på och hetsar, *ingäld* avkast-
ning, *dinlika funkar* kaxar som du, *larvor* masker, *bestrickar* fångar,
spinkote små, *snorra* surra, *drottar* herrar, *makliga* sakta, *lustig* be-
haglig, *kandiske druvor* duvor från Kreta, *menlöse* oskyldiga, *spelan-*
de lekande, *ruska* porla, *raskar* prasslar, *täckt* fagert, *mänskelig*
ansedd med en människas utseende, *viktig i later* värdig i sina rö-
relser, *skär* ren, *erkoren* utvald, *flistrar* viskar, *lättliga* lättsinnigt,
bekänd bekant, *Stygja putt* "helvetespölen", *stiält* brant, *våndlige*
klackar besvärliga bergsklackar, *obegripelig hugnad* omätlig glädje,
nöjd förnöjelse, *belysta* fröjda, *lyser* uppenbarar, *skäl* förnuft, *lysen*
och ledsen upplysning och ledning, *förbarmliga* ömkligen, *tämer*
passar, anstår, *medan* emedan, *står i* består i, *ägn* egendom, *överävl*
övervåld, *ågång* övergrepp, *usle* arma, *fegd* olycka, *dunder* åska,
kåtkarla fattiga män; eg. som bor i kojor, *skynliga* tydligt, *höver*
höves, anstår, *skinliga* skenbart, *är konstrik* kräver kunskap, *skyns*
avslöjas, *tylper* tölp, *lyster* lustar, *anfödde* medfödda, *nedträdd* ned-
trampad, *fnöskote* murkna, *spriter ut* spricker ut, *vank* brist, *gristnar*
gistnar, *döve nässlor* blindnässlor, *hanan* tuppen, *brand* flöjelstång,
lokar slokar, *snarra* skorra, *slätt* dålig, *snöd* kal, *bliker* lyser, *vinn*
förmår, *märkliga* betydligt, *fyker hän* försvinner, *fördvälmas* läggs i
dvala, *dvas* förvirring, *i dy* vari, *samkas* samlas

På månan som en hund skäller oppå

Månan i tysthet går sin gång och aktar ej hundglafs.
Så gör en lastlös man som ärliga lever i stillo:
ler åt gabbarglänts och klaffaretunga föraktar.

Ärliga ärbart, *gabbarglänts* bespottares spe, *klaffaretunga* baktalares
tunga

Ur Baletten *Parnassus Triumphans*

(En sirena eller hav-fru mellan två dryader)

Hjärtans lust! Si havet, huru stilla
  det ligger, som en glittrand' spegel,
  så blankt som silver smält i degel.
Allt är blitt, och höres ingen villa.
Marken står i flor och fullan grödna,
  och skogen bär sitt löv i fägring.
  På bergen djuren ha sin lägring,
intill dess att dagen synes rödna.
Kyle västvind saktlig börjar susa,
  små fåglar leka, pittra, springa,
  fru Nachtigal man hörer klinga.
Allt fröjdar sig, ty här bo Pax och Musa.

Dryader trädnymfer, *blitt* fridfullt, *höres ingen villa* ingenting hörs
som kan störa, *rödna* bli röd, gry, *Kyle* svala, *pittra* kvittra, *springa*
hoppa, *Pax* fredens och fridens gudom, *Musa* sånggudinna

SKOGEKÄR BERGBO

Ur *Venerid*

1

Så hastigt blev jag skadd av lilla Gudens pilar,
som övar så med eld som järn sitt tyranni,
med hemlige försåt och små bedrägeri,
som med sitt skjutande sig aldrig nånten vilar,

som färdas vidt omkring som blix så många milar.
Oskyldig vart jag sår! Men ack! var stog du då
i skogen, Skjutegud, när du mig råkar så?
Vad vinst, vad för beröm att du så häftigt ilar,

rätt som en annan skytt i våra skogar villa
försåtlig löper kring och slår de säkre djur
med en förfalskat sång, kan deras öron snilla,

kring buskar, skjul och trä sig skickar uppå lur,
rättså där ställer fram ock denna redskap grymma.
Var kan man hava frid, vart kan man undan rymma

2

Dig vill jag älska än i alla mina dagar
och haver haft dig kär, från det jag dig först såg;
ej skönare eller rik, ej högre eller låg,
sig vara vem det vill, mig någon mer behagar.

Får jag ej Venerids gunst, om Gud så äntelig lagar,
så älskar jag likväl fast jag ej älskad är.
Du äst allena min, allen ästu mig kär.
Ty skiljas vi ej åt, till dess oss död försvagar.

Och den, evem det är, åt vem du är beskärd,
tag kärlek utav mig! Jag vill den med dig dela,
om jag för ringa är och du nu mera värd.

Om honom ingenting! Må ej hans kärlek fela!
Men feltes kärlek, tänk på mig ännu som brinner,
tänk att du ingen ann, som älskar mera, finner.

3

Som du mig haver nu tillfyllest låtit veta,
vad kärlek du har haft och med vad stadighet,
så vill jag säja dig, om du förr intet vet,
vem som min jungfru är och vad hon månde heta.

Den jag har älskat först, förutan länge leta,
var sköne Venerid, den har jag älskat sist,
och aldrig haver sen av annan kärlek vist,
ändock att ingen mig har kunnat mer förtreta.

Det hade henne bort, som var och en skall döma,
behag' och hålla av så trogen stadig vän.
Men har hon Amendon kär, så måst' hon mig förglömm:

Jag vet och tror likväl att det är intet än;
det vari som det vill, min Venerid älskar jag,
hon, hon behagar mig intill min sista dag.

18

Du lilla Holma min, alle små holmars ära,
som drager till dig allt rätt som en stark magnet
vad man på jorden rund berömt och nyttigt vet
att allehanda folk på dig få bo begära,

vid allehanda konst sig rikelig att nära.
Från städer och från land som till den bästa bet
flys hit att leva väl och utan allt förtret,
hit kommer allt vad hav och Mälare kan bära.

Kringvärvd ästu med ström och vatten, friskt och salt,
med båtar, skutor, skepp omlagd på alla sider.
Var finns en sådan holm, man leta över allt

i varand' heller ock uti de forna tider?
Var finns en Venerid, så dygdig och så skön,
i något annat land på någon holme grön?

19

Att jag med sådan sorg och heta suckar många,
med tungt uttröttat bröst och svidande ögon våt
så har förutan sömn och ofta ock med gråt,
med ångest och med kval nu legat nättren långa,

det vet du intet av, som har de tankar vrånga
att man skall aldrig tro de kärleksfullas låt,
kallsinte Venerid, som vor det intet åt,
du som med bara lust dem kan så lättlig fånga.

Om mine tårars flod ditt hjärta kunde blöta,
så gräte jag än mer och kund' ej annat sköta.
Men stolte Venerid, du måst' ock billigt le
när du det gäckeri och fåfängian får se.

55

Vad ursprung hava dock de suckar som jag hörer,
hälst när jag hos dig är, min hjärtans enda tröst?
Hvi ser jag lyftas upp så ofta dina bröst
nu medan ingen sorg, som jag av vet, dem rörer?

Vad är det för ett kval din ungdomslust förstörer,
jag kunde spörja det. Om jag dock hör din röst,
kanske du vorde ock då där utav förlöst.
Är icke jag som dig i sådan ängslan förer?

Att jag dig älskar, det du är så viss uppå,
kan intet kvälja dig. Om jag det icke gjorde,
det mindre kvälja kan. En annan är det då.

Om du det ock så visst för mig bekännat torde!
Evad det är, din sorg är min och suckar dina
de hava dragit fram än många flera mina.

56

O Sömn, de sorgses tröst, de olycksammes lisa,
den mörke nattens vän, de tröttas enda ro,
arbetarenas lön, nyttigste ting i bo,
ögonens läkedom, dig måste alla prisa!

Ty äre utan dig fåkunnige de visa
och svage starke män, ty intet kan man tro
på jorden utan dig här trivas väl och gro,
om icke du oss vill bevägen dig bevisa.

Kan du, o söte Sömn, upphålla tankars lopp,
slut mine ögon till och vila tröttan kropp!
Dig ljuvligaste Sömn jag önskar nu allena,

allt annat lyckan må av mitt begär förmena.
Kom och inväva allt med dig i glömskan din!
Fastän jag sover så är Venerid dock min.

57

Så visst som av en Gud en jordens boll regeras,
som höge solens slant han rädes intet fall,
som vi här alle gå på markens gröne pall,
så visst är jag allena din och inge fleras.

Tro intet att jag kan mer någon tid moveras
av någon ting nu är ell'r ock som komma skall,
så att min kyske eld han kunde bliva all
och till min siste stund sig icke städs förmeras!

Rätt som ett hjärta är allenast i en kropp,
har jag ej mera än en kärlek och ett hopp.
Skall någon havas kär är nog ha en allena.

Vad väntes mer det jag har icke av den ena?
Gud har först skapat två och såg det vara nog,
fördenskull inge fler i Paradis intog.

Skadd skadad, sårad, *nånten* någonsin, *sår* sårad, *råkar* träffar, *rätt som* precis som, *säkre* obekymrade, sorglösa, *snilla'* ung. (be)dåra, *sig skickar* ställer sig, *lagar* ordnar, *stadighet* varaktighet, *vist* vetat, *Det hade henne bort,* Hon borde ha, *Holma* Stockholm, staden mellan broarna, *allehanda konst* skilda yrken, *bet* betesmark, *omlagd* omgiven, *som vor det intet åt* som om det inte lönade mödan, *blöta* beveka, *billigt* med skäl, *hälst* oftast, *Är icke jag* Det är (väl) inte jag, *ängslan* bedrövelse, *kvälja* plåga, *bekännat torde* kunde bekänna (berätta), *dragit fram* framkallat, *sorgses* sorgsnas, *olycksammes* olyckligas, *upphålla* hejda, *av mitt begär förmena* neka mig av det jag begär, *inväva* inneslut, insvep, *pall* eg. avsats, platå, *inge* inga, *någon tid* någonsin, *förmenas* öka(s), *moveras* rubbas, ändra mig, *Rätt som* precis som

LASSE JOHANSSON (LUCIDOR)
(1638—1674)

Skulle jag sörja, då vore jag tokot

Skulle jag sörja, då vore jag tokot,
    fast än det ginge mig aldrig så slätt.
Lyckan min kan fulla synas gå krokot,
    vakta på tiden, hon lär full gå rätt.
All världen älskar ju vad som är brokot,
    mången mått' liva, som ej äter skrätt.

Olyckan växlar ju lika med lyckan,
    allt vad begynsel har ändas en gång.
Druckin man haver ej allestäds hickan,
    lust följer gråten, gråt ändas i sång.
Den som på sanningan pekar med stickan,
    kan lell lätt falla från sanningens spång.

Himmelens dagg plär på träna nerdugga,
    men så snart jorden har gett dem nog saft,
att de kunn' trossa skyn, vem kan kullhugga
    samma, när yxen ens har inte skaft?
Maskstungne kan man med fingerna gnugga,
    mången tror vunnit, vad ändlyktan tafft.

Dy lät man lyckan med olyckan strida,
    intill jag ser, ho som vinner för mej.
Ingen mått' skjusshästen allt för hårt rida,
    tröttar du honom, förtreter han dej.
Fast om en måste förföljelse lida,
    modet blir fritt, när som kroppen är ej.

Dy skall mitt blod och mod osörgse vara,
    Lasse räds varken hat, avund ell' tvång.

Ingen tårs göra mer, än han kan svara,
    rätt måst (tross orätten) hava sin gång.
Fly med flit, vem som kan, slik olyckssnara.
    Fängsel gör längsel, när lyckan är vrång.

Tänk, min vän, att man fördenskull mått' liva
    lustig, fast om det är mot ens behag.
Lyckan hon vandlar sig, kan sällan bliva,
    vadan hon kom i går, går hon i dag.
Dy har jag hoppet, I lär en gång skriva,
    att I, olycklig, är lustig som jag.

Slätt illa, *fulla, full* nog, *vakta på* avvakta, bida, *mått'* måste, *skrätt*
dvs. bröd bakat på "skrätt", finmalet mjöl, *allestäds* alltid, *stickan*
pekpinnen, *lell* likväl, *samma =* dem, *tror vunnit, vad ändlyktan
tafft* tror det vara vunnet, som till slut går förlorat, *Dy* därför, *låt
man låt* blott, *Fast om en* även om man, *modet blir fritt* sinnet för-
blir fritt, *svara* svara för, *längsel* längtan, *vandlar sig* förändrar sig,
vadan varifrån

I män av höga sinnen

I män av höga sinnen,
som skämmes att dricka, minnen,
    att dricken ger största lust.
Förakten den hjärnlösa hopen,
    som lever i sorg och pust,
och sök som jag fröjd uti stopen.

Fast om I pengar gömmen,
vi kasta dem ej i strömmen,
    vi hälla dem i vår kropp.
Allt mynt görs ju till att förtära.
    Dy hämten ett fullt stop opp,
så längi mig benen kunn' bära.

Lät den som sjuk sig kvälja,
vi vele den dricken välja,

som haver den bästa smak.
Jag älskar mest dubblade drickar,
var glädje står opp i tak,
till dess jag bå' hickar och nickar.

Tross dem, som det förtryta,
fritt lät dem mig det förvita,
att jag är med dricken dull.
Jag låter ju giljare gilja;
när jag haver fyllt mig full,
kan jag mig från sorgen bäst skilja.

Dy drick var stund och timma,
långt bättr' är i vin att simma
än lida het kärleks brand.
Släck ut en slik skärseld med kannan
och med ett glas i var hand,
till dess man blir heter om pannan.

Blir jag av dricka döder,
så ber jag alla dricksbröder,
att de min avdödde kropp
när under ett vinfat utsträcka,
om torsten mig väcker opp,
att jag strax densamma må släcka.

Minnen minns, *pust* suckan, klagan, *Fast om* även om, *Dy* därför,
sig kvälja plågar sig, ängslas, *var* där, *förvita* förbehålla, klandra,
med dricken dull galen av drickandet, *giljare* friare, *när* nära, tätt

Ett samtal emellan Döden och en säker människa

M. Med all lust sin tid fördriva,
    det gör människan förnöjd.
D. Efter döden salig bliva
    övergår all världsens fröjd.

M. Lyckan är mig ganska blid.
D. Med Gud har du ingen frid.
M. Jag kan ståt i världen föra.
D. Men jag kan dig ödmjuk göra.

M. Jag är uti silke klädder
    och min säng är kostelig.
D. Jag med ormar åt dig bäddar
    och med matkar skylar dig.
M. Var man ser och hedrar mig.
D. Men si, Gud föraktar dig.
M. Alle gå mig nu tillhanda.
D. Till dess jag tar bort din anda.

M. Mina åkrar hava givit
    ymnog växt, ty har jag gull.
D. Själens tarv är sämre blivit,
    som av syndsens frukt är full.
M. Jag är i gott välstånd satt.
D. Du skall mistat denna natt.
M. Nu vill jag mig kräsligt göda.
D. Nu skall jag dig plötsligt döda.

M. Jag vill nu ock gäster fägna,
    bjuda dem på spel och vin.
D. När du dig som bäst vill hägna,
    kommer jag obuden in.
M. Stora glas är mitt behag.
D. Du är själv som glaset svag.
M. Lustigt spel och sköna kransar.
D. Falna, när du med mig dansar.

M. Frossa, prunka, ruta, skämta
    är mitt arbet dag från dag.
D. Men till lön skall du upphämta
    evigt kval i djävlars lag.
M. Drick en skål! Vem börjer först?
D. Du, som får en evig törst.

M. Spela vi? Trots vad det gäller!
D. Själen, när du dig så ställer.

M. Lever så att var man märker
  all vår glädjes bång och ljud.
D. Ah, det onda som du verkar
  ropar nogsamt upp till Gud.
M. När jag en gång varder grå —
D. Om du kan det dröjsmål få —
M. Vill jag from och nykter bliva.
D. Vill du Gudi dräggen giva?

M. Jag är lustig över borde,
  ty jag har av allting nog.
D. Rike mannen ock så gjorde,
  den jag hastigt hädan drog.
M. Mine barn få nog ändå.
D. Du i helvetet också.
M. Jag skall dela med min nästa.
D. Satan får kanske det bästa.

M. Jag tör väl i morgon tänka
  uppå bättring, som mig bör.
D. Ah, det lär ditt hjärta kränka,
  att du har ej gjort det förr.
M. Tids nog blir jag allvarsam.
D. Alltför sent är evig skam.
M. Tids nog kan jag mig omvända.
D. Säkerhet tar farlig ända.

M. Gud skall mig då hörsam finna,
  när jag blir en gammal man.
D. När allt vett och liv försvinna,
  och du intet höra kan.
M. Jag skall tjäna Gudi rätt.
D. Verk och sveda hindrar det.
M. Jag vill då om trona bedja,
D. Om Gud vill det då tillstädja.

M. Medlertid vill jag nu vara
    lustig utav hjärtans grund.
D. Skynda dig, du skall nu fara
    bort i graven denna stund.
M. Ah, hur grym ästu, o Död.
D. Grymmare helvetes glöd.
M. Var man billigt för dig fasar,
D. Den i synden säkert rasar.

M. Hjälper intet gråt och böner?
D. Nästan sen är nu din gråt!
M. Gud ju sitt misskund ej söner.
D. Vi har du det förr försmått?
M. Dröj en timma, om du kan.
D. Tiden står i Herrans hand.
M. Ah, lät mig nu bättring göra.
D. Det du förr ej velat höra.

M. Jag kan ej för ångest tala,
    ja att sucka är mig svårt.
D. Sucka och dig Gud befalla,
    gör det snart, din tid är kort!
M. Ah, Gud, som rättfärdig gör!
D. Hans budord man lyda bör.
M. Ah, lät mig din nåde njuta!
D. Bed och dö, din tid är ute!

D. Den är fort! Men om han hade
    hjärtats tro, så fann han nåd.
Ah, att var på hjärtat lade,
    det han ock kan snart få bod,
och gör ofördröjlig bot,
förrän jag med hastig sot
    gör den usle kroppen svager
    och i graven med mig drager.

Hörer vad jag fjärran lärer,
    ty min närvist faslig är:

Du, som världen mycket ärar,
    döda köttsligit begär,
förrän jag dig dödar brått.
Ingen har min tid förstått;
    min dag ej upptecknad finnes,
    att man var dag skall mig minnas.

Den som ej med sorg och kvida
    vill mig oförmodad se,
och den andra död ej lida,
    låte tidig bättring ske.
När Guds godhet lockar dig,
lät ej hjärtat härda sig;
    man kan sig väl sent omvända,
    men ho vet vad då kan hända?

Ormar, matkar maskar, *tarv* behov, *hägna* skydda, *falna* vissna,
prunka slå på stort, *ruta* svira, *trots vad* . . . det spelar ingen roll
vad . . ., *Lever* lev! (imp.), *bång* stoj, *verkar* gör, *över borde* vid
bordet, *Tillstädja* bevilja, *Medlertid* under tiden, *billigt* med skäl,
säker bekymmerslös, sorglös, *söner* nekar, *befalla* anbefall (dig åt),
fort borta, *bod* bud, *sot* sjukdom, *närvist* närvaro, *har min tid för-
stått* dvs. har kunnat beräkna min ankomst

SAMUEL COLUMBUS
(1642—1679)

Lustvin dansar en gavott med de fem sinnerne

S y n e n.

Ingen må mig det förneka, att jag vackert älska må.
Vackra roser, vackra liljor leker ögat gärna på.
    Vackra seder gör jag heder,
    vackra later, vackra dater:
    vacker fågel, vacker fjäder,
    vacker flicka, vackra kläder.

Hörslen.

Ingen må mig det förneka, att jag lustigt älska må.
Lustig sång och lustig skämtan lyder örat gärna på.
    Frisk trummeta, puka, trumma
    lustigt om min' öron brumma:
    klav-cymbal, fiol och luta
    må jag stundom ej förskjuta.

Smaken.

Ingen må mig det förneka, att jag ljuvligt älska må.
Ljuvlig mat och ljuve drycker leker tungan gärna på.
    Kokat, lagat, stekt och sudit
    har mig aldrig än motbudit:
    ljuvligt vin därpå att taga
    kan min maga ock fördraga.

Lukten.

Ingen må mig det förneka, att jag vällukt älska må.
Vällukt hjärt' och hjärna styrker, friskar mod och blod också.
    Oliban, jasmin och ambra
    friskar opp min kist- och kambrar;
    rosen-benzoe-tinctura
    hand och kinder livligt skura.

Känslen.

Ingen må mig det förneka, att jag kärligt älska må.
Kärlig lek och kärlig skämtan siktar all natur uppå.
    Lärke-kirr och duveputter,
    tuppeknorr och orrekutter,
    går dock äntlig ut därpå,
    att hanan hönan nalkas må.

Lyder lyssnar, *sudit* kokt, tillagat, *Oliban* (virak) ett rökelsemedel,
rosen-benzoe-tinctura välluktande substans

ISRAEL KOLMODIN
(1643—1709)

Den blomstertid nu kommer

Den blomstertid nu kommer
med lust och fägring stor.
Nu nalkas ljuve sommar,
då gräs och örter gror.
Den blida sol uppvärmer
allt vad har varit dött;
då hon oss skrider närmar,
blir det på nyo fött.

De fagra blomsterängar
och åkrens ädla säd,
de grönskand' örtesångar
och alla gröna träd,
de skola oss påminna
Guds godhets rikedom:
att vi Guds nåd besinna,
som räcker året om.

Man hörer fåglar sjunga
med mångahanda ljud;
skall icke då vår tunga
lovsäga Herran Gud?
Min själ upphöj Guds ära
med lov och glädjesång,
som fröjda vill och nära
oss med välgärning mång.

Du ädle Jesu Kriste!
vår glädjesol och skin,
bliv hos oss till vårt siste,

uppvärm vårt kalla sinn:
giv kärleks eld i hjärta,
förnya själ och and:
vänd bort all sorg och smärta
med dine milda hand.

Du Sarons blomster sköna,
du lilja i grön dal.
Ack! värdes själen kröna
med dygder till stort tal:
din nåd låt henne fukta
som dagg utav Zion,
att hon må ljuvligt lukta
som ros i Libanon.

Välsigna årets gröda
och vattna du vårt land,
giv oss nödtorftig föda,
välsigna sjö och strand.
Din fotspår drype av fetma.
Bespisa med ditt ord
och med dess ljuve sötma
oss uppå denna jord.

HAQVIN SPEGEL
(1645—1714)

Ur *Guds verk och vila*
(Ur *Tredje dagens skapelse*)

O ädle druvesaft! O druvors ljuvste droppar!
O druvors sköna färg! O druvors blöta knoppar!
Jag är, jag är förnöjd av blotta bara lukten!
Vad må den bliva då som nyttjar själva frukten?
Jag rosar hellre vin än jag detsamma dricker,
dock skyr jag det ej så att jag av vattnet spricker;
man ser att åsnan, den där alltid lever nykter,

är ej dess klokare, men bliver illa tryckter.
De späda druvor stå väl spinkote och ranke
men svettas likväl ut de pärletårar blanke;
de, vilke när man tar dem ej med Teutschen Massen,
så att man dränker sig uti de stora glasen
men måtteligt, som vi förstå det på vårt svenska,
då är allt hälsosamt, så spanskt som ock den rhenska.
Det väcker sinnet upp när det är lagt i dvala,
det löser tungans band att hon kan färdigt tala;
det öppnar ögonen och gör dem mycket klara,
så de se tu för ett och svart där vitt månn vara;
det färgar kinnarna och näsan så bemålar,
att man på henne kan se druvans purpurstrålar;
det väpnar händerna och gör en karl så hågad
att voret vattn och eld så vill han likväl vågat;
det lyfter fötterna att de i luften kliva
och så ståndaktige som runda kloten bliva.
Dock utan skämt, gott vin kan mycket gott uträtta
uti vår svaga kropp, ty det kan sinnet lätta
och luttra hjärnans slagg samt minnets kraft föröka,
ja, ådror, senor, märg och alla leder söka;
uppvärma magen när han börjer bliva kaller,
uttorka vätskan, då hon svår för kroppen faller.

Men vinets största kraft, dess allra bästa nytta
är denna, att det kan poetens anda flytta
högt upp från jordens djup till himmelresta höjder
där han i fattigdom titt gör sig tusend fröjder
och skriver stora ting om gudar och gudinnor,
omskönt man honom mest bland värsta slödder finner.
Ack vin! Ack druveblod! Ack Bacchi ädla planta!
Jag har än aldrig hört poeter som dig danta,
ty du villt kraftelig ett höglärt huvud styrka,
när det ormstunget är, och hjälpa till att yrka
en nästan brödlös konst och Helicon bekläda
med verser, så man kan dem under fötter träda;
vad haver Baudius, vad Douzerne utgutit?

Vad är av Opitz, Cats och Taubmans penna flutit?
Vad haver Ariost, vad har Buchanan drevet?
Vad Barle, Heyns och Rist, som sämligt hava skrevet?
I sanning! Cyrrhae flod och de kastalske brunnar,
omskönt de öste ut otalig tusend tunnor,
de dock ej hinte till, om du ej Evan store
som oftast spädde på och pennan våter gjorde;
men nu må sväljare, ölholkar, Bachi bröder,
vinsvampar, suputsbarn, glaskämpar, Circes-söder,
herr Nimmernykter med dess torstige gesäller,
dräggläppar, fuktigt folk och vad de kallas heller
beskriva mer härom, dock kan jag än ej tiga
men vill nu närmar bort till bättre vinträ stiga
så kallar Kristus sig, och människorna grenar,
dock den enkannerlig med samma namnet menar,
som uti döpelsen inympas och förenas.

(Ur Sjätte dagens skapelse)

Jag har ej tid att se ickornen som så hoppar
från ett till annat trä på allra högsta toppar;
ej heller orkar jag med uttren länge plaska,
den uti vass och dy som grodan plägar slaska;
men bjuren kan jag ej så låta bliva glömder,
ty han är för sitt hår högt älskad och berömder,
därav man i Paris gör mycket fina hattar,
dock man de engelska jämngoda med dem skattar.
Och fast om bjurens hår av kvinnfolk litet aktas,
så har han annat gott som av dem eftertraktas.
Det är hans bävergäll, en sak som luktar fräner
men likväl mycket väl mot deras krämpa tjänar.
Man finner knappast ett ibland de många djuren,
som bättre bygger hus än även denne bjuren;
och när som en av dem vill laga sig en kåta,
då får han genast hjälp, ty alle äro såta
och för grannsämjo skull gå snällt till skogs och hugga

var med sin vassa tand och trädet nedertugga;
men märk ock huru de sitt timmer kunna köra,
och huru de det bort till byggningstomten föra:
De taga fast en bjur, som synes dryg och starker,
den häva de omkull på ryggen, fast han sparkar,
han måste dock åstad, det hjälper ej han äpar,
och att den tunga stock långt efter honom släpar,
de resa fötterna i vädret såsom käppar
och lägga sedan lass att han det intet släpper.
Så fatta de uti hans tjocka stjärt och draga,
det bjuren måste allt så låta sig behaga,
fast ryggen tygas till rätt som han skollod vore,
ty hull och hår får fel. Om man detsamma gjore
"med alla lättingar, som gå ikring och sprätta
"och sig med andras märg, den de utsuga, mätta,
det skadde fögo ting, ty bleve kroppen skrubbad,
då bleve mångens själ ej så till vällust tubbad.
    Men nog om slika djur: Här stå än fler tillbaka,
dem jag ej kan ett rum i denna bok försaka.
Jag hörer även nu hur illa björnen vrålar,
rätt som han vore full av Bacchi största skålar.
Evar han vältrar fram så mumlar han och brommar,
så man kan märka strax när han i nejden kommer,
och kommer han så när att han kan hinna stallen,
då haver bonden ont utav den stygga nallen:
Ty vad han finner där han strax på räkning tager,
betalar med sitt skinn när bonden så behagar.
Men om han gödar sig så länge det är sommar,
så svälter han ock brav när hårda vintren kommer
och måste tära då på hullet; likväl säger
vår skytt att björnen mest om Matthismässan väger:
Ty han i kulan sin kan artigt sammankrypa
och suga ramarna som medlertid må drypa.
    Jag dristar mig ej till att rimma om de stycker,
som än om andra djur finns i de lärdas böcker,
särdeles om det djur som har de färgor många
och giver orsak till de lustesagur långa,
som skrivs av Landio, Belonio och andra,

de därmed sitt förstånd kring vida världen vandra.
Kameleonten är detsamma jag nu menar,
som säges klänga sig vid mossbevuxne stenar
och kunna byta om sin färg så titt och ofta,
att Peckelhäring själv så titt ej ömsar kofta.
Han kan sig gul och blå, grå och brokot göra,
ja, vara allting lik som ställes honom före;
allenast vit och röd kan han omöjligt vara.

Blöta mjuka, *dess klokare* klokare för det, *spinkote* små, *Teutschen
Massen* tyska mått, dvs. alltför stora mått, *färdigt* ledigt, *tu för ett*
två i stället för ett, *voret* vore det, *vågat* våga det, *ståndaktige*
stadiga, *söka* uppsöker, *svår för* ... *faller* blir svår för, *Titt* ofta,
omskönt även om, *Bacchus* vinets gud (Bacchi lat. gen.), *danta*
talar illa om, *ormstunget är* är fullt av galna föreställningar, *yrka*
driva på, *Helicon* berg i Beotien; musernas vistelseort, *ickornen*
ekorren, *bjuren* bävern, *bävergäll* torkade körtelpungar från bävern;
användes förr som läkemedel, *fräner* (adj) fränt, *dryg* tillräckligt
stor, *äpar* tjuter, *stå än fler tillbaka* finns ännu fler kvar, *brav* tapper,
artigt fromt

GUNNO EURELIUS DAHLSTIERNA
(1661—1709)

Ur *Kungaskald*

Du förr så långan tid lycksalig Svea-rike,
    sätt dig ned klädd i säck, strö aska på ditt hår!
Den sorg dig nu kringvärvt ej nånsin haft sin like.
    Din konung är nu död; ty för hans dyra bår
lät flöda som en ström ditt ögas pärledike:
    en så stor ofärd är att lida alltför svår!
Ho är vid denna nöd som ej i tårar smälter?
Ho är som så stor sten utav sitt hjärta välter?

Utgjut din klagegråt på gator och i gränder,
    att berg och dalar dig ett jämrans genljud ge.

Hopsamla till stor kvid de sorgse Svea-ständer,
        hopkalla åkermän till ack och mycken ve!
Ja alla riddare lät komma fram i sänder,
        som ännu trängta att sin tappra hjälte se,
ack, ej i livet mer, som honom vi sett hava,
men sista gång, o, nöd, så som han drags till grava.

Vår hjälm, vår kronas skydd, vår sköld, vår kung och herre,
        som oss till ymnigt gagn bort leva tusen år,
tänk på, vad kunde vi oss väl förmoda värre?
        Han skiljes från oss i sins ålders gröna vår!
Det kval är döden likt för store män och smärre,
        som uppå Atles ö av detta djupa sår
gå nu vanmäktige, och sin botlösa skada
i hjärnans heta å de salte floder bada.

   (De fyra stånden uppvaktar den sörjande Svea)
        Så fann man klagande med nedsläppt mod och hänner
                den mö av nordanskog, i det just på en tid
        sågs fyra raske män, som Sveas trogne vänner
                från hedendag tills nu ha varit allan rid,
        i salen där hon satt inträda all' i sänner
                att trösta hennes själ med mund och tunga blid.
        Men deras härkomst är också av hennes släkter;
        ty ser man ock att de dra flor och sorgedräkter.

Den yppersta var han som Sveas örlog förer
        och för dess välfärds mån framsätter liv och blod.
Då när utländske män en okysk lusta rörer
        till hennes jungfrudom, han då med hjältemod
den otillbörlighet från hennes dörrar körer
        och håller utanför med väpnade förbod.
Ty kom han klädd i stål och gullsmitt älgshudsläder
och hjälm på huvud sitt, på hjälmen flor och fjäder.

Därnäst en vördig man densamma höga trappa
        uppsteg, vars år ha gett vishet och ära rom.
På bägge skuldror drog han en svart fotsid kappa,

på handan bredan hatt helt överdragen om.
Han är som med Guds lag plä' uppå hjärtat klappa
och lära Svea rätt den rätta kristendom.
Ur uppsyn, hand och mund var man då läsa kunne
nitälskan den han drog, ity hans ögon runne.

Sen kom den tredje fram, som mest i havet speglar
sins handels vida lopp till denna frökens mån.
Ty ej finns någon fjo'l, den han ej överseglar
att henne göra rik av all den myckna lån
som vida jorden ger, då han sin kosa reglar
och till de silkesland vid varma Ceylon.
Och fast, då han till lands är, bor i faste städer,
är dock hans vap'n ett skepp, som går för fulle väder.

Den sista, fast han nyss framgången var ur skogen
och klädd i vallmarsrock, med skallot huvudskål
dock med helt ärlig min och hakans prydnad mogen,
som bor i rolig bygd på sin enstaka gå'l,
han ställer sig ock in av andakt redebogen
att till sins vänas tröst ock höja upp sitt mål.
Han är som Sveas fä på vide marker gäter.
Han är som skaffar mat när Sveas hovfolk äter.

— — —

(Ur köpmannens tal)

När nu min mast, som blå gulkorsa' flyglar förde,
geck hurtigt strömmen upp och kom dem nära nog,
o, himmel, vad man där för glädjeröster hörde!
Den plumpa minnesink han skratta och han log,
ja, alle svenske män en mäkta trängtan rörde
att oss på landet se. En, som lät stå sin plog,
lopp ned och ropte ljutt: "I Guds välkomne gäster,
visst han I inom bord med er tre våre präster?

En engelsman, vår vän, har oss förvisst berättat,
  att Karl, den stora kung, sig låter vårda om
vår salighet och tro. Han har vår omsorg lättat,
  ty lärde män, som här den rena kristendom
sko' öva, har han sänt (men hopp oss här till mättat)
  och mången helig bok på bägge språken, som
skall hugna detta land. Av glädje vi så fjäsa;
vår vilda granne vill nu också lära läsa.

Tänk på: jag minns ännu, fast desse cedrar lövat
  sig nio gånger fem, sen jag helt flink på ben
en yngling rask av år, mer lustig än bedrövat,
  drog frå' mins faders tjäll och under denna gren
allt sen på främmad strand bå' ont och gott beprövat,
  gått vall med utländskt fä och plöjt så sällsam ren,
som vore det i går, hur mine landsmän tala
i värmars bygd, och hur västgöta tuppar gala.

Jag vet ej hur mig är; när jag min tanka sänder
  långt öster över sjö in till de svenske skär,
en medfödd underkraft mitt sinne strax itänder,
  som i mig lever städs. Den åldren ej förtär
men mig med starkan drift till födslo-orten vänder,
  liksom en segelnål, fast mot storm, ström och vä'r
så högt i vildan våg den kloke sjöman seglar,
hon dock av medfödd gunst i nordenspunkt sig speglar.

Så är mig ock till mods, när jag min barndoms bygder
  betraktar: Värmeland, du alle länders pris,
du äst uppfylld med lust och allskons ädle dygder,
  du äst för alle land ett jordiskt paradis!
Om man med bundan syn, där min fars gård står byggder,
  mig ledde, kände jag igen bå' ugn och spis,
bå' kyrkor, berg och skog. Men mest (hör vad jag säger)
gläds jag med dig, att du så mildan konung äger!"

Kungaskald dikt över en konung, *Du förr* du som förr var, *ty för* därför inför, *svår* tung, *kvid* klagan, *i sänder* på en gång, *drags* förs, *ymnigt* stort, *tänk på* betänk, *Atles ö* Sverige, *botlös* obotlig, *på en tid* på en gång, *allan rid* hela tiden, *dra* bär, *Sveas örlog förer* för Sveriges krig; dvs. adeln, *rom* rum, *drog* bar, *mån* förmån, *fjo'l* fjord, fjärd, *lån* håvor, *reglar* styr, *rolig* lugn, *mål* röst, *gäter* vaktar, *blå gulkorsa' flyglar* blå vimplar med gult kors, *minnesink* minsi; en indianstam i Delaware, *förvisst* såsom säkert, *fjäsa* skynda oss, *lustig* munter, *sällsam* främmande, *värmars* värmlänningars, *segelnål* kompassnål, *gunst* förkärlek, *allskons* allsköns, *med bundan syn* med förbundna ögon

ISRAEL HOLMSTRÖM
(omkr. 1660—1708)

Över Karl XII:s hund

Pompe, Kungens trogne dräng,
sov var natt i Herrens säng.
Sist av år och resor trötter
led han av vid Kungens fötter.
Mången stolt och fager mö
önskar sig som Pompe leva,
tusen hjältar eftersträva
att få så som Pompe dö.

JOHAN RUNIUS
(1679—1713)

Friskens och Runii resa till Dalarön påskeafton 1712

Med herr Baumans Friska måg
for jag runt omkring kompassen,
dock så att jag alltid såg

bergen och den gröna vassen.
        Vill jag aldrig vara frö,
        om på större sjö
        jag till någon ö
        livet vågar,
        ty jag frågar
efter giftas mer än dö.

        Men vår beckhäst var så lam,
att vi ej förrn andra dagen
        efter fyra beten fram
hinte, klockan nie slagen.
        Stego vi då av vår häst,
        gingo in därnäst.
        Värden var till gäst,
        men hans kvinna,
        vår värdinna,
tro fritt, var ej uteläst.

        Fägnad kom oss strax emot.
Vad var det? Jo, töva lite!
        Vänlig min och magebot
i det skönsta aquavitæ
        Detta var den första skåln
        och en sup på åln,
        varmed mor i gåln
        lät oss känna,
        hon kund' bränna
och kurera feta kål'n.

        Brännvinsbröd var fint på trån.
Minns, fru Lisa lät oss smaka
        i de delikatske rån,
att hon också kunde baka.
        Ja, en morgonvard så rar,
        som hon åt oss bar,
        plär min mor och far
        endast bruka

för de sjuka
och på stora högtidsdar.

Tidegärden gick nu på;
vi ock gingo dit tillika.
Aldrig nånsin förr än då
hörde jag nån fisk predika.
Men jag märker Torsken kan
mer än någon ann,
ty tro fritt att han
talte mustigt,
sjungde lustigt,
ja, han dundra som en man.

Sen vi hållit högtidsmål
och i kyrkjan blivit kloka,
bar det hem till supa kål
och se åt, om mor lärt koka.
Minns, hon kunde detta ock
som den bästa kock.
Hon bad äta; dock
ville maten
själv ur faten
i oss, utan trug och lock.

Nu var till ett präktigt hus
en god grundval lagd att byggja,
jag skull sagt: ett mäktigt rus;
skull nu visa, hon kund' bryggja,
och som denne byggningssak
stod i stilla mak
utan gny och brak
bäst i gärden,
hem kom värden
och halp till att göra tak.

Du skallt veta, ho du äst,
att han är en lustig ture,

och om du vill bli hans gäst,
måst du spela kuckulure.
　　Du får inte bli nån sik
　　eller bruka svik,
　　öl och vin tillik
　　han dig giver,
　　tills du bliver
brödromen fast mycket lik.

　　När man länge armen krökt,
yttra sig de goda tankar.
　　Jag har detta själv försökt.
Förr än vi tömt ut ett ankar,
　　fick jag det jag efterfor,
　　till min ära stor,
　　av en inspektor,
　　en barmhärtig,
　　öppenhjärtig,
trogen, kär och såter bror.

　　Mig är tiden allt för trång
att beskriva hela påskan,
　　andr' och fjärd'dags kyrkjegång
och hur vi där hörde åskan,
　　hur vi spelte, hur vi log,
　　hur vi for till skog,
　　hur vi noten drog
　　och fick stickor,
　　hur för flickor
örngott vi i famnen tog.

　　Summa: För en spelkamrat
fanns där brädspel, kort och bricka,
　　för en hungrig fanns där mat,
för en törstig fanns där dricka,
　　vackra ögon för vår syn,
　　dunder uti skyn,
　　lust i hela byn,

utan pengar
blöta sängar
för en sömnig ögnebryn.

Fyra dagar var jag där,
vet dock ej, hur det sig rimmar,
som mitt tycke likväl svär,
att det knappt var fyra timmar.
Kom man Stockholm fritt och döm
för ett slätt beröm,
om man är så öm,
att man saknar,
när man vaknar,
kärnan av en ljuvlig dröm.

Stockholm måste vara kärt,
fast jag ingen hustru Bengta
hade, den mig kunnat lärt
efter dess caresser längta.
Ty till Stockholm trådde jag
från ett sådant lag,
där jag med behag
hos min kvicka
lilla flicka
önskat bli till domedag.

Vem är den? En skälm som vet,
men jag hoppas hon är ärlig.
Nog därom, kom du förtret,
och du återfärd besvärlig!
Hur gick den? Jo, jo, min bror,
när man lyckan tror;
bonden flitigt ror,
hästar tingas,
föttren tvingas
till att flitigt nöta skor.

Jag for fort på märren min;
Friskens kusk den var en hona,

och som han på kärran sin
satt, vill' han sin handskar skona,
stack han då den mannen arm
händren, att bli varm,
uti kuskens barm
uppå skogen.
Jag i krogen
stod och vänte, full med harm.

Var då viss, att resan står
uppå makalösa fötter.
Stor sak att du lite går;
det gör gott, fast du blir trötter.
Sen kan du väl åka få,
din kamrat också.
Vill det ej förslå,
fort på märren,
en på kärran,
sist bli knektar bägge två.

Detta var nu så ett tåg,
upptåg tänkt' jag det skull' bliva;
det var ock min stora håg
om alltsammans bättre skriva.
Likväl är det nu så hänt,
att man detta sänt
till ett monument
och en visa
åt fru Lisa,
fast hon bättre har förtjänt.

Frisken Petter Frisch, en vän till Runius, *Baumans Friska måg* Bauman var Frischs svärfar, *vara frö* vara en riktig karl; icke vara frö eg. icke förmögen att avla (impotent), *Beckhäst båt, beten* "raster", *tro fritt* det är säkert!, *ej uteläst* ej utelåst, dvs. hemma, *Fägnad* traktering, *töva* vänta, *kurera* ung. underlätta matsmältningen (av den feta maten), *fint på trån* av finaste slag, *rar* god, *Tidegärden* gudstjänsten, *Torsken* prästens namn var J. J. Torsk, *högtidsmål* nattvarden, *supa kål* äta kålsoppa, *stod i stilla mak* fort-

satte i lugn och ro, *i gården* i görningen, *sik* en som sviker i dryckes
laget, *brödromen fast* ... mäkta lik bröderna, *efterfor* eftertraktade
trång knapp, *fick stickor* fick ingenting, *för flickor* i stället för
flickor, *blöta* mjuka, *Kom man* kom bara, *fritt* gärna, *döm för* ans
det som, *öm* känslig, *caresser* smekningar, *trådde* längtade, *En skälr*
som vet den är en skälm som vet, dvs. det vet ingen, *ärlig* trogen
fort iväg, *på märren min* till fots (med hjälp av apostlahästarna)
ej förslå dvs. utrymmet på kärran, *blir knektar* trol. blir fotsoldate
dvs. får gå till fots

JACOB FRESE
(omkr. 1690—1729)

Ur *Vårbetraktelser*
(År 1726, den 10 april)

Nu sjunga fåglar gällt på trädens gröna grenar,
och vattnets tysta folk slå ut de blanka fenar.
    Den stela svalan, som i floden haft sin grav,
    i luftens öppna vidd nu svävar till och av.

De vida åkrar stå i växt och skjutand' gröda
och visa oss det gräs som bliva skall vår föda.
    Kort sagt: naturen sig nu allra ljuvast ter,
    men ingen årsens tid mig nånsin gläder mer.

Här ligger jag ännu vid dammen i Betesda.
Min Gud, vi tänker du då icke på mitt bästa?
    Jag usle ligger jämt i fjäderbojor tryckt.
    Ack, finns dock ingen hjälp ell' någon undanflykt

Dock, innan skörden blir, och bleka skylar binnas,
så hoppas jag, jag lär bland vissne skuggor finnas
    men till min själ uti de sälla landen stå
    och mine kärvar där med glädje bära få.

I floden man trodde att svalorna övervintrade i vattnet, *skjutande*
spirande, *dammen i Betesda* damm i Jerusalem, där man kunde bl
helbrägdagjord, *fjäderbojor* syftar på sängens fjäderbolstrar

OLOF VON DALIN
(1708—1763)

Fabel utan tillämpning

"Jag svär", sad' Malin, "vid min hy
och vid den eld, som plär mig bry,
att Pär den enda gossen är,
    som jag skall hålla kär.
Han är i dans så snäll och vig,
han kan så artigt buga sig:
en sådan karl bör endast äga mig."

Strax såg hon Mårtens hurtighet,
som hatten rätt uppsätta vet
och som med nya eder kan
    ta ljud från hundra man.
"Stor sak", sad' hon, "i Pär och fler!
En bättre karl bör älskas mer:
med hull och hår jag mig åt Mårten ger."

Strax fick vår Malin Nisse se,
som kommer folk så snart att le:
med gyckleri av tusen slag
    han roar femton lag.
"Stor sak", sad' hon, "i Mårtens tro!
Nej, Nisse blir min enda ro,
all lust och kärlek skall nu hos oss bo."

Strax fick hon se en annan buss
— det var herr Johan, klädd på stuss, —
hans stolta min, hans granna rock,
    hans hår och fagra lock.
"Stor sak", sad' hon, "i Nisse nu!
Jag vill nu bli herr Johans fru:
dock nej, jag vet en karl så käck som sju."

Uppfriskas kan en döv, en blind,
men aldrig flickans vackra kind;
en gammal trädgård kan bli ny,
    men aldrig flickans hy.
Ett tjog av år gick snart förbi,
och Malin börja' gammal bli;
sen var det ute med allt frieri.

Då kom den gamla Pär igen,
den förste övergivne vän,
och viste sin olycka fram,
    att han var bliven lam.
"Stor sak", sad' Malin, "käre Pär!
Du är mig alltid lika kär.
Kom, säg din vilja fram — du har mig här!"

Snäll skicklig, *hurtighet* elegans, *Mårtens tro* min trohet mot Mårten,
på stuss som en sprätt

Vårvisa 1741

    Bort med höga ting!
    Lät man världens ring
över vårt begrepp sig vända!
    Ack, du vackra vår,
    som nu råda får
och på vintren gör en ända!
    Gumma, dräng och piga,
    oxe, ko och kviga,
kalv och lamm i glädje hoppa;
    tuppen med sin fru
    har förgätit nu,
att han en gång skall bli soppa.

    Si, hur stuten går
    och med hornen slår!
Geten krummar sig för bocken.
    Tackan, yr och vill,
    uppfylld av april,
roar all den ludna flocken.

Men, min Marjo lilla,
oxen bölar illa;
månn man fodret honom nekar?
Tänk, om det vor' allt
och vår boskap svalt!
Tro mig, det blev andra lekar!

Dock, min Marjo, kom!
Bästa egendom
är du mig i nöd och nöje.
Har jag dig och bröd,
femton kalvars död
vill jag då se an med löje;
femti höns och flera,
tretti gäss och mera
skulle jag för dig ej akta;
själva katten vet,
med vad kärlighet
mina ögon dig uppvakta.

Lät man låt bara, *begrepp* förstånd, *vor' allt* vore slut

Visa

Skatan sitter på kyrkotorn,
och gåsen läggs i en gryta;
och den, som har sitt hjärtekorn,
behöver därmed ej skryta.

Lilla vän, kom tag i ring
och dansa golvet i splitter;
gör inte narr av hjärtesting:
jag känner bäst var det sitter.

Hiss upp segel, nu ha vi vind,
jag vågar alltid på skutan;
var tar sin, så tar jag min,
och stackar den, som blir utan.

Havet svallar och skeppet far
från Göteborg och till Kina;
och den sin vän i tankar har,
kan inte rasa och flina.

Fågeln sjunger i grönan lund,
och kvisten börjar att bära;
jag tänker på var rolig stund,
som jag lär få med min kära!

Sätt dig neder i bara snön,
så fryser du ej om pannan;
och om min ängel ej vore skön,
så tog jag säkert en annan.

Hjärtekorn hjärtegryn, käresta, *vågar alltid på skutan* vågar ge mig
ut på skutan

Stilla levnads nöjen

Förnöjliga stunder i stillhetens famn,
då säker från stormen jag låg i min hamn,
då solen var morgon i glädje var ny
och intet fick sömnen om aftonen bry!
Enfaldiga trygghet i samvet och dygd,
när hjärtat får leka i vänskapens skygd,
när tungan uppriktigt får visa det fram
och ringhet och ärlighet hålls ej för skam!

Du stolta, du brusande världenes fält,
hur kan väl ett sinne på dig vara sällt?
Du döljer fördärvet i smickrande våg
och skrämmer från räddning en intagen håg.
I dig ser man lyckan, där faran är störst:
man vårdar som sist det, som borde stå först;
man talar så sedigt, man tänker så vilt;
man älskar så konstigt, man hatar så milt.

Allsvåldiga väsen av sanning och ljus!
Du visar dig blott — och allting är ett grus.

En stråle från dig är all seger och fred.
Jag kastar min omsorg, min värld för dig ned.
Hjälp under en anda, som åtrår din höjd
och gillar ej annan än samvetets fröjd!
Fast livet bortrinner i fåfängans älv,
lät nöjet dock evigt bo inom mig själv!

Enfaldiga enkla, *konstigt* utan äkta känslor, *omsorg* bekymmer

Engsönöjen

Som källan bortrinner
    på blomstrande fält,
vår tid här försvinner
    bland nöjen så snällt.
När riksdunder lossas,
    när krigshärar slåss,
när jättarne krossas,
    det rör dock ej oss.

Längst bort från de strålar,
    som blinda vår värld,
där stoltheten prålar
    bland ängslan och flärd,
vårt sinne vi föda
    med sanning och tro,
och kroppen vi möda
    med rothuggnings-ro.

Att hovet betrakta
    man lär av vår sjö,
som hastigt och sakta
    kringvärvar vår ö:
när himlen bepryder
    hans lugn och hans glas,
han snarast betyder
    storm, buller och ras.

snällt snabbt, *riksdunder* stora händelser i riket, *rothuggnings-ro*
nöjet att röja mark, *betyder* förebådar, *ras* raseri

HEDVIG CHARLOTTA NORDENFLYCHT
(1718—1763)

Min levnads lust är skuren av

Min levnads lust är skuren av,
　　och döden är min längtan;
till dig du mörka, tysta grav
　　står all min trängtan.
　På jorden jag ej finner
vad mer min själ sitt nöje bär;
　　min glädje borta är,
　min tid i gråt förrinner,
　min ungdoms lust försvinner;
　　jag är olyckligt såld
　　i grymma sorgens våld.
En långsam död för ögon står, den jag dock icke finne
　　Du arma ömma hjärta!
　　Kan ej den bittra smärta,
　　　som tär dig utan mått,
　　　dig ge så dödligt skott,
　　att livets tråd må brista,
　　och ädla själens gnista
　　sitt fångehus må mista?

Min själ sitt nöje bär kan ge min själ nöje, *såld* överlämnad

Ängslig kunskap, svåra rön

Despreaux, Pope och Holberg le
åt ett djur, de mänska kalla,
som i vetenskaper alla
hinner långt och ljus kan ge
men sig själv ej mäktar känna.
Ack! det är ej under värt:

roligt är att tankan spänna
för ett mål, som är en kärt.
Att betrakta gräs och djuren
ger ens möda nöjsam lön;
men den mänskliga naturen,
ängslig kunskap, svåra rön.

Ängslig kunskap kunskap som ger bekymmer, *Despreaux, Pope och
Holberg* upplysningsförfattare, *under* undran, *nöjsam* tillfredsställande

Över en hyacint

Till — — —

Du rara ört som ej din like
i färg, i glans, i täckhet har,
bland all din släkt i Floras rike
din fägring mest mitt öga drar.
På dina blad naturen spelar,
i konst, i prakt hon yttrar sig,
den fina balsamlukt du delar
förnöjer och förtjusar mig.

Med trogen omsorg jag dig sköter,
en lindrig luft du andas får,
en häftig il dig aldrig möter,
för hetta, köld du säker står.
Ett livligt väder på dig fläktar,
som tränger genom blad och knopp,
och när av värma du försmäktar
en kylig flod dig friskar opp.

Men liksom du min hydda pryder
och dig i all din täckhet ter,
en grym förvandlings lag du lyder,
du vissnar, dör och finns ej mer.
Du hastigt all min möda glömmer

och ledsnar vid min ömma vård,
bland ringa stoft din fägring gömmer,
du är ju otacksam och hård?

Men skall jag på en blomma klandra,
det veka väsen klaga an,
dess öde är att sig förandra,
hon måste vara som hon kan.
Hon är ett gräs, hon skall förfalna,
jag intet agg till henne bär.
Så ser jag ock ditt hjärta kallna,
det måste vara som det är.

Delar sprider, *lindrig* mild, *livligt* ljuvligt, *liksom* just som, *förfalna*
vissna

Fragment av en heroid

Hildur till Adil

Förgäves räknar jag vart ögonblick, var timma,
var morgons glada sol och aftonstjärnans strimma,
var dag, en annan dag, är nu min längtans val,
den kommer, utan dig, och väcker nya kval.
Förgäves jag min syn till frusna stranden vänder
och till den falska sjö bedrövat öga sänder;
det falska element, som skiljer dig från mig,
till mina plågors längd har dubbelt väpnat sig.
Än härskar stormens gud och skyn med böljan hotar,
än rustar kölden sig och vågens snällhet motar.
De strida med varann och ömsom lika rå,
skall då ej en av er, I grymma! seger få.
Den natt, när blåst och brak besvärar andras öra,
då söver hoppet mig, i drömmen tycks mig höra
en svag, bedräglig is av stormen sönderslås
och årans välde snart på vattnet återfås.
När Bore klädd i snö begynner häftigt rasa,
gör heta blodet stelt och väcker köld och fasa,

då först mitt ömma bröst en dubbel värma får.
Jag ser hur Adil trygg på vågen till mig går.
Med dessa ljuva hopp var dag min längtan dårar,
förtärd av åtrås eld och äntlig trött av tårar.
I fruktans bleka famn jag redan dignat ner,
jag är ett ängslans rov, jag hoppas intet mer.

Du starka segergud, som allting övervinner,
som härskar när du stängs och aldrig hinder finner.
Som ser naturens allt uti din lydnad stå,
säg, Kärlek! kan du ej på storm och vinter rå.
Vad kan din dolda kraft för under icke göra!
Du, som än dristat dig att Hildurs hjärta röra.
Det hjärtat älskar nu, som hade till sin borg
dygd, vänskap, vishets ro, förfarenhet och sorg.
Ej någon dödlig mer må sig till motvärn ställa,
när dessa vapens makt mot kärlek intet gälla.
Natur! det ömma bud, som du i hjärtat skrev
mot konst och våld och tvång, så outplånligt blev;
men är det ock ett fel att älska och att röras,
en plikt att hjärtats lag av vanans skall förstöras?
Du falska föredom, som härskar tusendfalt,
att ställa dig tillfreds har Hildur vågat allt.
Så länge har hon stritt med all sin tankegåva,
att denna ädla kraft snart saknar sin förmåga.
Så länge har hon valt emellan liv och död
att dödens kalla hand blott stillar hjärtats nöd.
De plågor och de straff, som hämnden bruka plägar
emot den mörka hop, som trampa lastens vägar,
ej svara mot de kval, som Hildur lidit har,
sen ömsom hon ett mål för dygd och kärlek var.
Då hjärtat skärs och slits av pilen som det sårar,
försvinner hennes liv emellan eld och tårar.
För längtan, tvivlan, hopp ett rov dess sinne är,
och på sin bleka kropp hon dödsens märke bär.

Det är för Adils skull, som Hildur detta lider,
den Hildur, som man sagt bepryder våra tider.
Som väcker fägnad opp, var gång hon harpan rör —

det är för Adils skull den ömma Hildur dör.
Ack! ömhet, det var du, som Adils uppsyn gjorde
och satt i den en kraft, varmed han segra borde;
förståndets starka eld och oskulds lugna frid
här ömsom röja sig uti en stilla strid.
När denna rara glans ur ögat börjar stråla,
vad hjärta är väl till, som kan dess intryck tåla?
Mitt av det ömma slag till sin magnet blev fört,
som trängt till själen in och alla känslor rört.
Så länge blodet drivs och tankan livar sinnet,
försvinner ej den stund, den dyra stund ur minnet,
då Adil första gång sitt hjärta täckte opp,
då från hans läppar först det ordet kärlek lopp.
Förtjusad, häpen, stum, jag såg mitt öde vackla,
som räckte mig på nytt den släckta nöjets fackla.
Mitt hjärta sökte köld, min tunga sökte ord,
men ack! förställnings larv är ej för Hildur gjord.
Jag sade utan konst, att jag en himmel funnit —
min Adil! blir man kall för vad man lätt har vunnit?
Det är väl hopens smak, men den jag fått till vän
är därför stor och rar, att han ej liknar den.
Ibland det sälla folk, som bygga Fröjas rike,
i ömhet och i dygd är ingen född din like,
men hjärtat tvivlar dock och frågar sig till blygd,
om Adil älskar mig av ömhet eller dygd.
Det späda kärleksbarn så lindrigt bör bemötas,
så noga aktas vill, så ömt och varsamt skötas,
det av ett intet rörs, ett solgrand intryck gör,
av köld, av minsta pust det rasar eller dör.
Jag fruktar. Ack! du vet, hur vitt min tanka svävar,
du är av ömkan rörd, men kärlek — ack jag bävar!
Av ädelmod, av dygd du ömmar Hildurs kval.
Förkunna mig din dom! Lät döden bli mitt val!
En låga av den art, som Hildurs hjärta bränner,
en själ, som fint och starkt och ömt och häftigt känner,
ej lönas med en eld, som skyldigheten gör,
den kalla tacksamhet till kärlek icke hör.
Förkunna mig min dom och släck ett hav av lågor:

den sista plågan är den ljuvsta utav plågor!
Mitt liv är redan dött för allt vad livet ger,
ett enda steg ännu, och Hildur är ej mer.

I glömska och i mull skall hennes väsend gömmas,
hon blir med ömkan nämnd, men äntlig skall hon glömmas.
Här intet evigt är; båd sorg och rykte fly;
de hinna ej så långt att gravens tysta bry.

Men blir en tanka kvar av vad jag själv har varit
och vad av fröjd och sorg, jag ömmast har förfarit,
blir Adil och den eld, som han i själen väckt,
min känsla och min kraft och blir där aldrig släckt.

Heroid en dikt, som har formen av en brevväxling mellan två
fingerade personer, *rå* rår, har makten, *Bore* personifikation av
vintern, *stängs* utestängs, *än* t. o. m., *förfarenhet* erfarenhet, *ett mål*
ett föremål (för), *bepryder* är en prydnad för, *Adils uppsyn gjorde*
satte sin prägel på Adil, *täckte opp* öppnade, *larv* mask, *utan konst*
okonstlat, *rar* sällsynt, ovanlig, *bygga* bebo, *Fröjas rike* kärlekens
rike, *lindrigt* försiktigt, *solgrand* dammkorn, *ömmar* (för), *skyldig-
heten* plikten, *gravens tysta bry* störa gravens tystnad

GUSTAF PHILIP CREUTZ
(1731—1785)

Ur *Atis och Camilla*

Första sången

Jag sjunger om den eld, som plågar och förnöjer,
då han sin första makt i unga hjärtan röjer.
Du ömhet, gudakraft, som världens vällust gör,
kom, liva upp min vers och mina sinnen rör!

I de arkadska fält, långt från de stolta städer,
där nöjet säljes bort för ärelystnans väder,
uti en ljuvlig trakt, dit oskuld lyckan drar,
där glädje, frid och lugn ses fästa henne kvar,
där strömmar kröka sig i blomsterrika dalar,

där allt av kärlek rörs och allt om kärlek talar,
i denna sälla bygd Camilla livet njöt.
Hon född och uppfödd var i menlöshetens sköt.
Vår sol, som i sitt lopp naturens fägring målar,
har aldrig förr så skönt fått råka med dess strålar.
Behagligheten själv dess hela teckning drog.
Uti sitt gudaverk en vällust himlen tog,
och dygden ville själv Camillas skapnad söka,
att mera älskad bli och få sin dyrkan öka.

Hon till Dianas tjänst från födslen offrad var,
och i sin lugna själ hon hennes lagar bar.
Uti gudinnans lund hon livets vår förnötte
och i en lycklig frid dess rena rökverk skötte.
Den unga Doris där dess vän och sällskap var.
Du ljuva vänskap, du, som själar sammandrar,
som dessa unga bröst med oskulds band förenar,
de hjärtan, som du rör, du helgar och du renar!

Ren våren i sitt sköt en livlig värma bar,
naturen väcktes upp, hon i sin ungdom var.
Man såg kring alla fält, att vintrens välde lyktat,
att glädjen rest sin tron och jordens sorger flyktat.
De ljumma sommarregn förnya mänskans hopp,
ur jordens mjuka famn de locka örtren opp,
av värmans spända kraft de tunna knoppar klyvas,
och ren med täta löv de lugna skogar yvas.
Till skogsgudinnans pris en högtid firas skall.
Nu börjar dagen gry, och nattens makt är all.
Än darrar månans sken på böljans hala yta,
men hastigt ljusets flod från öster börjar flyta,
de mörka skuggor fly, och stjärnan bleknar av,
ren strömmar purpurn ut på himlens mörkblå hav.
De svarta molnens bädd förbyts i röda skyar,
nu ljungar solen fram, och världen sig förnyar.
Den svala nattens dagg, som sig till blomstren sänkt,
har på de späda blad en mängd av pärlor stänkt.
Det höjda ljusets glans från bergens toppar faller,

och solens spridda guld sig blandar med kristaller.
Man himlabågens färg kring fälten stråla ser,
var blomma ur sin kalk åt fjäriln nektar ger.
En samlad balsam sprids att sig med luften blanda
och förs i virvlar kring av morgonvädrens anda.
Ren svärma luftens folk kring deras gröna hus
och stämma deras sång ihop med aspars sus.
Naturen tyckes dock sin största fägring sakna.
Camilla syns ej än ur sömnens sköte vakna.
De ögon dölja sig, som dagens glans förta,
där ömhet, eld och liv och oskuld segrat ha.
Kring hennes blomsterbädd de falska drömmar flyga
och i dess rörda själ med villobilder smyga.
Än småler hennes mun och glädjetecken ger,
än darrar hennes kropp, man tårar flyta ser.
På hennes vita kind man hastigt skiften finner,
nu dödlig blekhet syns, nu åter rodnan brinner.
Dess armar sträckas ut och kramas till dess bröst,
man tunga suckar hör, som kväva hennes röst.

Den ömma Doris ser, att dess Camilla lider.
"Ack, vakna", ropar hon, "ty solen redan skrider,
och fälten livas ren av vädrens friska fläkt!"
Camilla spritter upp, förvirrad och förskräckt.
"I gudar", sade hon, "vad är det som jag känner?
Min Doris, är du här, du bästa utav vänner?
Ack, låt mig gjuta ut min oro i ditt sköt!
Jag en bedräglig ro i vilans armar njöt.
Knappt sömnens tunga hand mitt trötta öga tvingar,
förrän mig tycks jag bärs på vädrets lätta vingar.
Jag snart från höga skyn åt jorden skådar ner.
Det segelfulla hav jag under föttren ser.
Dianas stolta lund liksom en punkt försvinner,
de högsta skogar ren som lägsta gräs jag finner,
och jorden som en skymt utur min åsyn far.
Jag i en annan värld en hastig kosa tar
och till förtjusta fält och sälla dalar hinner,
där ögat vårens prakt och höstens frukter finner.

Allt, vad min anda drar, en vällukt åt mig ger,
vars ånga dunstar fram från alla trän jag ser.
Där glänsa vattuspel i skygd av palmens grenar,
och myrtens späda blad med rosen sig förenar.
Jag häpnar för mig själv och vet ej, vart jag går,
jag hänrycks av den gud i dessa nejder rår.
Jag såg ett älskligt barn, som vänligt åt mig myste,
och själva himlens fröjd uti dess ögon lyste.
En tropp av nöjen sågs, som lopp uti dess spår,
som kring dess huvud flög och lekte i dess hår.
Han fjärilvingar bar, som tusen färgor delte,
på vilkas tunna flor en lindrig västan spelte.
Med ömhet detta barn hörs stava fram mitt namn.
'Camilla', ropar det, 'ack, tag mig i din famn!'
Jag detta täcka barn intill mitt hjärta lade
och kärleksguden själv i mina armar hade.
Hans lågor tändes upp och brunno i mitt sköt.
I hela själen strax en okänd vällust flöt.
Men denna vällust snart förvandlar sig i smärta,
än andan blir förkvävd, och än förtärs mitt hjärta.
Vad fasa! Dessa fält i hast förvandla sig.
Strax tordöns buller hörs, och mörker kringger mig.
Jag skräms av forsars fall, av villdjurs rop och läten,
i nakna skrevors djup jag röjer uvars säten.
Från träsk och mörka kärr en gyttjig bölja går,
jag trampar dödas ben och mellan gravar står,
där källor utav blod kring mina fötter strömma.
Ett hiskligt spöke syns, jag fåfängt vill mig gömma,
det i sitt kalla sköt mig strax med grymhet tar
och i en evig natt med tunga kedjor drar.

Ack, Doris, denna dröm än för min åsyn svävar.
Förgäves vaknar jag, mitt skrämda hjärta bävar.
Månn himlen ledsnar vid att mer beskydda mig?
Månn under mina steg en avgrund gömmer sig?"

"Camilla, stilla dig!" den rörda Doris svarar.
"Vad kan du frukta för? Din oskuld dig bevarar.

En dröm är blott en dröm, en tung, förförisk dunst,
som överrumplar dem, som njuta sömnens gunst.
Men hör du herdars sång, som sina hjordar driva?
De gälla jägarhorn kring bergen genskall giva.
Till din gudinnas fest du ren bör pryda dig,
du ser ju offrens rök mot himlen häva sig."

Av detta Doris' tal Camilla något lindras,
men hjärtat upprört är, dess aning kan ej hindras.
Det lisas ej så lätt, som det kan bli förtryckt,
ty oron vänder om och sårar i sin flykt.

Hon dock med mera frid till nästa källa hastar,
i vilken lagerns löv sin gröna skugga kastar.
Av vattnets återsken dess grenar lysas opp,
där ljuset vilse far uti sitt brutna lopp.
Man ej kring källans brädd en slipad marmor finner,
naturens enfald här på konstens uppror vinner,
här sprutar ingen bild en bågig ström till skyn,
som sällan sinnet rör, fast han förblindar syn.
Man blott naturen ser, hon strax till själen hinner.
En bullrande kristall på pärlesanden rinner,
och böljan silad är av själva hälsans gud.
Camilla lägger av vid källans brädd sin skrud,
hon sig uti dess sköt en ljuvlig svalka bådar.
Ren under lagerns skygd man all dess skönhet skådar,
i hennes anlets streck fullkomligheten finns
och den fördolda kraft, av vilken hjärtat vinns,
kring hennes purpurmun de kyska nöjen mysa,
en ljuv och himmelsk eld dess mörkblå ögon hysa,
än segrar majestät, än menlöshet och frid,
än smyger ömhet fram, som röjs i denna strid.
Vartenda ögonkast en lindrig oro målar,
som stundom livas upp av några glädjestrålar.
Dess hår kring hennes hals i mörka bucklor förs,
albastern andas där och under locken rörs.
Den täckhet, det behag, som mer än skönhet vinner,
man i dess blickar ser och i dess åtbörd finner.

I vattnets klara sköt hon äntlig stiger ner.
Den sälla källan rörs utav den prakt hon ser,
dess buller saktar sig, dess våg sig långsamt höjer,
vad dagen aldrig sett dess klara spegel röjer.
En täckhet blottas här, och där en annan sköljs,
som endast glimmar fram och utav vattnet höljs.
Hur mycket skönt förgöms, som ögat fåfängt letar,
som tankan råkar blott och hela själen retar?
Dess liv, dess fina växt! ... Min pensel, stanna här!
Jag själv av lågor tärs och ren förtjusad är.

Men nymfen, rörd och blyg, sig fåfängt söker dölja,
de ömma lustar strax i vattnet henne följa,
och kärleksguden själv vill värma hennes bad.
Camilla nöje tar, men vet ej uti vad.
En livlig vällust ren uti dess ögon lyser.
Den stolta böljan yvs utav den skatt hon hyser,
hon kärligt slingrar sig kring om en kropp av snö.
I hennes klara famn förmätna lustar dö,
ty denna rena våg beskyddar blott de blyga,
som dölja deras gång och under vattnet smyga,
där nymfen bliver höljd av vågens silverflor.
Ren hjärtats gud, förtjust, tar henne för sin mor.
Han med så mycket skönt sin häpna syn förnöjer.
Det är den första gång han någon vördnad röjer,
bestört han vågar ej att giva något sår,
och som ett modfällt barn vid källans brädd han står.
Han tankfull tappar bort sitt koger och sin båga,
Camilla redan gör den yra Astrilds plåga.
Att han är nöjets gud, en stund han glömmer bort,
men ack, för världens frid hans glömska är för kort!
Han till fördubblad hämnd ur sin förvirring vaknar
och spritter hastigt till, när han sin båga saknar.
Liksom en väderfläkt han över vattnet far,
och blott ett flammigt bloss han nu till vapen har.
I kärleksgudens hand den grymma facklan sprakar,
och tusen gnistror ren han över källan skakar.
När Astrild detta gjort, med hast han flyr sin kos,

var gnistra, som förströs, förvandlas i en ros.
Han ger ett glädjeskri och träffar strax sin båga
och mitt i vattnets djup ser sina gnistror låga.
Camilla värnlös är, hon smakar ren ett väl,
som hemligt välde tar i hennes öppna själ.
Utav en okänd kraft Camilla gripen bliver,
hon äntlig källans sköt med saknad övergiver
och lik en gudamakt ur böljan stiger opp,
i vita linnen svept, så rena som dess kropp.
Hon sina mörka hår med band av rosor binder,
vars färgor måla sig så friska som dess kinder.
I en så menlös dräkt hon fram till lunden går,
som en förnyad prakt av hennes ankomst får.

Arkadska fält Arkadien, grekiskt landskap, som ofta utgör miljön
i herdedikterna, *väder* ung. tomhet, *menlöshetens* oskuldens, *målar*
ger färg åt, *behagligheten* behaget, *dess hela teckning drog* hade
tecknat varje linje i hennes (Camillas) gestalt, *vällust* njutning, till-
fredsställelse, *skapnad söka* ikläda sig (hennes) skepnad (gestalt),
Diana jaktens och kyskhetens gudinna, *rökverk* offereld, *livlig*
ljuvlig, *skogsgudinnans* Dianas, *himlabågens* regnbågens, *luftens
folk* fåglarna, *vattuspel* vattenkonster, *myste* log, *delte* spred, *lindrig*
ljum, *röjer* upptäcker, *säten* eg. sittplatser, tillhåll, *lindras* får tröst,
förtryckt betryckt, *nästa* närmaste, *enfald* enkelhet, *bild* här : skulp-
tur i en fontän, *bullrande kristall* porlande bäck, *streck* drag, *mysa*
ler, *menlöshet* oskuld, *lindrig* mild, *bucklor* lockar, *alabastern* hen-
nes alabastervita bröst, *nymfen* här : flickan, *nöje tar* känner välbe-
hag, *sin mor* dvs. Venus, *något sår* med sina pilar, *Astrild* kärleks-
guden, eg. "kärlekseld", *flammigt* flammande, *förströs* strös ut,
menlös enkel

GUSTAF FREDRIK GYLLENBORG
(1731—1808)

Ur *Världsföraktaren*

Vid varje last han såg sin sträva röst han höjde,
och om han äntlig' teg, hans uppsyn honom röjde.
Han sökte dåren opp, att truga'n att bli klok,
och ville ha sin värld så dygdig som sin bok.
Sin Iris sökte han med stränga läxor vinna,
och sedereglor gav när han begynte brinna.
Förtjusad ropte han: "Ert skvaller dödar mig!
Ack, att er täcka mun skall så förnedra sig!"
På hovet bragte han en ny och löjlig lära:
att smickran, lögn och fjäs är nedrig väg till ära.
På torget talte han om samvet, dygd och mod,
tre gamla götska ord, dem ingen mer förstod.
Men snart han varse blev, att man hans nit ej skötte,
och ofta för ett ord han med sin välfärd bötte.
Man i hans djärva tal för mycken galla fant,
och vad dem mest förtröt, var att han sade sant.
Med sina kunskapsljus han ej i sällskap lyste,
och fast man för hans dygd en billig vördnad hyste,
fanns hon ej passa sig för sådan tid som vår,
då man vill ha en dygd, med den man pruta får.

— — —

Förtretad, rörd och matt han all sin kyla mister,
och med en billig harm i dessa orden brister:
"Var skall jag få ett rum, där jag må leva fri
och av en galen värld ej känd och retad bli,
där ingen trugar mig att matta infall höra
och för min ädla tid hos dårar räkning göra,
där ingen gata finns som drar mig från min bok
att se en präktig vagn som för en lycklig tok,
där jag ej nödgas skall att följa världens yra,

de usla verktyg se som hennes öden styra,
där för mitt tänkesätt jag ingen gör besked,
och när jag missnöjd är får vara det i fred.
Jag bör i tid betänkt på någon fristad vara.
Förgäves har jag sökt med oskuld mig försvara;
hon med sin ödmjukhet åt ondskan vapen ger,
och packet tror ha rätt att trampa en dess mer.
Att mänskors vördnad få, man måste dem förakta,
och sig för mänsklighet som för en svaghet vakta.
Man ej dess milda språk med dårar tala må,
men pock och trug och hot, det kunna de förstå.
Med löften, lögn och skryt man måste dem förtrolla,
med köld och hövlighet dem långt ifrån sig hålla.
Man måste stöta folk, ej känna någon skam,
allt heligt trampa ner, om man vill komma fram.
Kan sådan levnadsart ett ädelt sinne gläda?
Skall jag i järn och stål mitt ömma hjärta kläda?
Nej, förr'n med någon konst jag mig beväpna lär,
jag i en öken flyr, att vara den jag är.

— — —

Jag lämnar vem som vill att stadens nöjen smaka,
att sig på klappersten i hyrvagn låta skaka,
att dra en osund luft som märg och hälsa tär;
av denna läckra ro jag föga frestad är.
Låt dem som älska kiv sin galla här få tömma
och rivas med varann tills bloden börjar strömma,
jag vågar ej min dygd på slika höga spel,
men harmas vill i lugn på mänsklighetens fel.

— — —

I denna labyrint jag fruktar äran sakna,
men i mitt glada tjäll skall hon ånyo vakna.
Blott man från tullen är, man henne träffa får,
i ringa vallmar klädd hon nu vid plogen går.
Här ser jag ingen rang, men gamla världens heder,
ett obelevat folk, som äger goda seder,
som med sin grova smak har all sin renhet kvar,
när ingen nalkas hit, den staden smittat har.
Här jordens trogna son ej jorden övergiver,

det fält han odlar opp hans herradöme bliver.
Naturen vid sitt bröst har honom närmast satt,
åt honom som sin kung hon ger en årlig skatt.
Här ingen lätting hörs på lönens ringhet klandra,
man är välgärningsman, man skänker lön åt andra.
Hit allt sin tillflykt har, hit storma stad och land,
att köpa sina liv av dessa åbors hand.
Med ett så värdigt folk vill jag min lycka para.
Se'n man förlorat allt, får man sin egen vara.
Jag låter lyckans son till oket vara dömd;
att synas är hans tröst, och min att vara glömd.
Jag vill i bondedräkt mitt forna öde dölja,
att få hans ljuva natt om dagen honom följa,
ta del i hans besvär att ock hans hälsa få,
och för att dygdig bli ej någon last förstå.
Min hydda liksom jag skall bygdens ordning lyda:
jag vill dess låga vägg med ingen stenstil pryda.
Jag vill ej synas nöjd, om ledsnad mig förtär,
och ropa överljutt: 'Kom se hur säll jag är!'
Min tanka redan flyr till dessa stilla dalar,
där ingen statskonst hörs, naturen ensam talar."

———

Vår unga Lisidor sitt avsked redan skrev,
när sin förtrogna vän han hastigt varse blev.
Det var en världslig vis, som sökte se och lära,
och kunde dårars fel med köld och styrka bära.
I hydda, i palats han levde lika fri,
och hade klätt i skämt en sund filosofi.
Av livets flyktighet han kunde nöjet draga,
och ville med sitt vett ej reta, ej behaga.
Av stora världens sorl han ej i dvala föll,
men i en veklig tid sin stränga dygd behöll.
Han sökte med sin köld vår ynglings hetta svala:
"Ack vakna", ropar han, "utur din tunga dvala,
låt dina gåvors ljus i dagen tränga fram
och icke skymmas bort av skolans mörka damm.
Du har ett öppet fält att dina dygder öva,
mot lastens yra svärm bör du din styrka pröva.

En enda oförsagd kan skrämma hennes här;
hon äger ej ett mod, som blott i dygden är.
Var säker på ditt vett; du segrar om du vågar.
Du dina plikter vet, blott du ditt hjärta frågar.
Låt dåren kvälja sig och klandra på sin lott;
du har ju lycka nog, då du kan göra gott.
Vi vill du ej din hand åt blinda mänskor läna?
Du börjar älska dem, om du dem börjar tjäna.
En svag och vanlig dygd är städs till iver böjd,
men ömka lasten själv är filosofens höjd.
Än har du icke känt de mänskor du föraktar.
På världens skådeban den kloka dem betraktar.
Där blottar mänskan sig och röjer vad hon är.
Du känner dig ej själv förr'n du dig prövat där."

—— ——

"Ack grymma", svarar han, "du ändrar mitt beslut.
Mot vänskap och förstånd kan ingen härda ut.
Jag ur min tunga sömn med nya krafter vaknar,
och finner re'n med harm att jag min galla saknar.
Min mörka ängslans natt tycks klarna opp igen,
och dagen ljuvlig är, så snart jag ser en vän.
Men att jag vanans ok må tåligt kunna draga,
låt mig i enslighet mig stundom få beklaga,
i tankan se det tjäll som all min önskan var,
och i en flyktig värld dess målning äga kvar.
Jag vill ej mina fel, ej mina dygder dölja.
Låt mig mitt fria vett, mitt trumpna lynne följa,
låt mig få bannas fritt, mot dårar föra krig;
kort sagt, att leva här, låt mig få likna mig.
Jag ej behaglig är, jag vill ock aldrig pråla,
och om jag löjlig syns, vill jag mitt öde tåla.

Farväl mitt tysta rum! Jag vill ur skuggan gå
ibland ett tanklöst folk att nya tankar få.
Farväl du kloka bok! Du gagnar mig ej mera.
Välkommen galna värld! Nu vill jag dig studera."

Truga'n tvinga honom, *läxor* förmaningar, *fjäs* fjäsk, *skötte* brydde
sig om, *bötte* bötade, *billig* tillbörlig, *fanns* befanns, *rörd* berörd,

påverkad, *Trugar* tvingar, *lämnar* överlåter åt, *klappersten* kuller-
sten, *ro* nöje, *åbors* bönders, *lyckans son* den som strävar efter
yttre framgång, *förstå* vara förfaren i, *kvälja sig* plåga sig, oroa sig.
målning bild, *pråla* skryta

CARL MICHAEL BELLMAN
(1740—1795)

Ur *Fredmans epistlar*

Personerne

som nämnas i Fredmans epistlar:

Fredman, namnkunnig urmakare i Stockholm, utan ur, verkstad och
förlag.

Ulla Winblad, nymf och prästinna i Bacchi tempel. Fadren fordom
korporal vid gardet.

Fader Berg, tapetmålare och stadsvirtuos på flere instrumenter.

Fader Bergström, namnsdagsblåsare i Katrinatrakten.

Korporal Mollberg, ägde hus på Hornsgatan, var en tid fabriksid-
kare, så ryttare, utan hus, häst och schabrak, omsider dansmästare.

— — —

Christian Wingmark, gemenligen kallad Wingmark med stora peru-
ken, ägde i proportion samma skicklighet på fleut-douce som den
ännu levande blinda virtuosen Colling.

— — —

Norström, sjötullsbesökare, förmäld med Ulla; fadren trädgårds-
mästare i Dauerska trädgården; har ingen röst, spelar intet in-
strument, förskriver själv sina viner.

— — —

Fader Movitz, konstapel, namnkunnig av sin konsert på Tre Byttor;
komponerat musiken till *Serlachii Vårblomma.*

— — —

N:o 2

Till Fader Berg, rörande fiolen.

Nå, skruva fiolen,
hej, spelman, skynda dej!
Kära syster, hej!
Svara inte nej,
svara ja, så bli vi glada.
Sätt dej du på stolen,
och stryk din silversträng;
röda stråken sväng,
och med armen släng;
gör ej fiolen skada.
Du svettas, stor sak,
i brännvin skall du bada,
ty under detta tak
är Bacchi lada.
V:cllo — —   Ganska riktigt!
Ditt kall är viktigt
båd för öra, syn och smak.

Bland nymfernas skara
är du omistlig man;
du båd vill och kan
mer än någon ann
de unga hjärtan binda,
och kärlekens snara
på dina strängar står;
varje ton du slår
du ett hjärta får
att konstigt sammanlinda.
Just på en minut
små ögon bliva blinda,
och flickorna till slut
de bli så trinda.

V:cllo — —   Hur du bullrar!
Men nymfen kullrar,
och du skrattar med din trut.

Jag älskar de sköna,
men vinet ändå mer;
jag på båda ser
och åt båda ler,
men skiljer ändå båda.
En nymf i det gröna
och vin i gröna glas:
lika gott kalas,
båda om mig dras.
Ge stråken mera kåda;
konfonium tag där
uti min gröna låda;
och vinet står ju här.
Jag är i våda.

V:cllo — —   Supa, dricka
och ha sin flicka
är vad Sancte Fredman lär.

Bacchi lada krogen (*Bacchus* vinguden), *nymfernas skara* här:
flickornas skara, *kullrar* faller, *konfonium* harts

N:o 9

Till Gumman på Thermopolium Boreale och hennes Jungfrur.

Käraste bröder, systrar och vänner,
si Fader Berg, han skruvar och spänner
strängarna på fiolen,
och stråken han tar i hand.
Ögat är borta, näsan är kluven;
si, hur han står och spottar på skruven;
ölkannan står på stolen;

nu knäpper han litet grand;
V:cllo — — grinar mot solen,
V:cllo — — pinar fiolen,
V:cllo — — han sig förvillar, drillar ibland.
Käraste bröder, dansa på tå,
handskar i hand och hattarna på!
Si på jungfru Lona,
röda band i skona,
nya strumpor, himmelsblå!

Si Jergen Puckel fläktar med hatten,
pipan i mun, och brännvin som vatten
dricker han och gör fukter
med huvud och hand och fot.
Gullguler rock med styva dykränger,
tätt uti nacken hårpiskan hänger,
ryggen i hundra bukter,
och kindbenen stå som klot;
V:cllo — — gapar på noten,
V:cllo — — skrapar med foten,
V:cllo — — pipan han stoppar, hoppar emot.
Käraste systrar, alltid honnett,
bröderna dansa jämt menuett,
hela natten fulla.
Rak i livet, Ulla,
ge nu hand, håll takten rätt!

Si, vem är det i nattrock så nätter,
med gula böxor, vita stövletter,
som dansar där med Lotta,
den där som har röd peruk?
Ta mej sju tusen! se två i flocken,
sydda manschetter, snören på rocken.
Drick, Fader Berg, och spotta;
tvi, svagdricka gör mig sjuk!
V:cllo — — Kruset ska rinna;
V:cllo — — huset ska brinna,
V:cllo — — ingen ska klämta. Flämta, min buk!

Käraste systrar, tagen i ring,
dansa och fläkta, tumla och spring!
　　Var nu blind och döver!
　　Spelman ger nu över,
raglar med fiolen kring.

Hej! mina flickor, lyfta på kjolen,
dansa och skratta, hör basfiolen;
　　ge Fader Berg konfonium
　　och Hoglands med gröna blan.
Hör, Fader Berg, säg du, vad hon heter,
hon där vid skänken, vindögd och feter?
　　Gumman på Thermopolium,
　　hon är det, ja ta mig fan!
V:cllo — —　　　Trumpen och blinder,
V:cllo — —　　　gumpen är trinder,
V:cllo — — halsfräs, min gumma; brumma, dulcian!
Käraste bröder, här är behag,
här är musik och flickor var dag,
　　här är Bacchus buden,
　　här är kärleksguden,
här är allting, här är jag.

Thermopolium Boreale kaffehus i Gamla staden, *fukter* krumbuk-
ter, *dykränger* tagelstoppningar i mansdräkten, *honnett* fint,
anständigt, *ger över* spyr, *Hoglands* enkelt vin, *gröna blan* t. ex.
pimpinella, en kryddväxt, som sattes i glaset, *halsfräs* krås, *dulcian*
fagott

N:o 23

Som är ett soliloquium, då Fredman låg vid krogen Krypin,
gent emot bankohuset, en sommarnatt år 1768.

Ack, du min moder! säj, vem dig sände
　　just till min faders säng.
Du första gnistan till mitt liv upptände;
　　ack, jag arma dräng!

Blott för din låga
bär jag min plåga,
vandrar trött min stig.
Du låg och skalka;
när du dig svalka,
brann min blod i dig.
Du bort ha lås och bom
för din jungfrudom.
Flauto — —   För din jungfrudom.

Tvi den paulunen, tvi ock det verke
man till din brudsäng tog!
Tvi dina ögon och ditt jungfrumärke,
som min far bedrog!
Tvi ock den stunden,
då du blev bunden
och din tro förskrev!
Tvi dina fötter,
då du blev trötter
och i sängen klev!
Ell' kanske på ett bord
att min bild blev gjord.
Flauto — —   Att min bild blev gjord.

Ett troget hjärta platt jag föraktar;
tvi både far och mor!
Här ligger jag i rännsten och betraktar
mina gamla skor.
Tvi tocka hasor!
Rocken i trasor!
Skjortan svart som sot!
Si på halsduken,
lammskinnsperuken
och min sneda fot.
Det kliar på min kropp;
kom och hjälp mig opp.
Flauto — —   Kom och hjälp mig opp.

Känn mina händer, magra och kalla,
  darra vid larm och dån;
se dem av vanmakt vid min sida falla,
  liksom vissna strån.
    Ögon och kinder,
    allt sammanbinder
    dubbel skröplighet.
    Himmel! min tunga
    orkar ej sjunga
    om den fröjd jag vet;
    om kärleks ro och kval
    och en full pokal.

Flauto — —   Och en full pokal.

Läska min tunga, ack! söta safter,
  spriden i kärlen ljud.
Jag är en hedning: hjärta, mun och krafter
  dyrka vinets gud.
    Fattig, försupen,
    i denna strupen
    finns min rikedom.
    I alla öden,
    i bleka döden
    läskar jag min gom,
    och i min sista stund
    glaset för till mund.

Flauto — —   Glaset för till mund.

Men krogdörrn öppnas, luckorna skruvas;
  ingen i staden klädd.
Stjärnan av morgonrodnan liksom kuvas
  ned i molnens bädd;
    solstrålar strimma,
    kyrktornen glimma,
    luften blir så ljum.
    Var är nu kappan?
    Här ser jag trappan
    ned till Bacchi rum.

Giv mig en sup, min själ
törstar snart ihjäl.

Flauto — —
Törstar snart ihjäl.

Nå så gutår, jag vill mig omgjorda,
ragla till bord och stop.
Nu ska de styva leder bliva smorda,
smorda allihop.
Hurra, kurage!
Lustigt bagage!
Friskt i flaskan, hej!
Nu är jag modig,
tapper och frodig,
och jag fruktar ej.
Ännu en sup ell' par.
Tack, min mor och far!

Flauto — —
Tack, min mor och far!

Tack för vart sänglag, skål för var trogen,
som gjort vid brudstoln sväng!
Tack du som virket högg och drog ur skogen
till min födslosäng!
Tack för din låga,
för din förmåga,
du min gamla far!
Kunde vi råkas,
skulle vi språkas,
supa några dar;
min bror du bliva skull
och som jag så full.
Och som jag så full.

oliloquium samtal med sig själv, monolog, *skalka* lekte, *paulunen*
immelssängen, *verke* virke, *platt* alldeles, *hasor* strumpor eller skor,
urage! "friskt mod!", "hejsan!", *bagage!* "patrask!"

N:o 25

*Som är ett försök till en pastoral i bacchanalisk smak, skriven
vid Ulla Winblads överfart till Djurgården.*

Blåsen nu alla,
hör böljorna svalla,
    åskan går.
Venus vill befalla,
    där Neptun rår.
Simmen tritoner,
och sjungen, miljoner,
    Fröjas lov.
Svaren, postiljoner
    i Neptuns hov.   — — Corn
Se Venus i sin prakt.
Kring henne hålla vakt
änglar, delfiner, sefirer och Pafos' hela makt;
    vattunymfer plaska kring
    i ring.   — — Corn

Fåglarna titta,
och fiskarna spritta
    ur sitt rum;
gastarna de sitta
    på havets skum.
Vädrena susa,
sig böljorna krusa,
    bugna ner;
skyarna bli ljusa,
    och solen ler.   — — Corn
Venus på fältet är;
snäckan, som henne bär,
sirad med vimplar och blomster, den gula vassen skär;
en triton med solhatt stor
nu ror.   — — Corn

Dån hörs från logen,
och säden fullmogen
        blixtrar nu;
göken gal i skogen
        så matt kuku.
Kråka och vipa
nu näbbarna slipa,
        flyga snällt;
Pan han tar sin pipa
        och blåser gällt.   — — Corno.
Hjortarna stångas, slåss;
älgarna fly som bloss;
glimmande, simmande, Venus hon lämnar sin kaross,
        går in i Palemons tjäll
        i kväll.   — — Corno.

Venus, du täcka,
fritt lämna din snäcka
        vid vår strand;
lustan sku vi väcka
        med glas i hand.
Ack! mina vänner,
var en av er känner
        mina drag;
blåsen, goda männer,
        valthornen tag.   — — Corno.
Du, Ulla Winblad kåt,
gunga i roddarbåt.
Du är vår Venus; mamseller, gesäller gör din ståt;
        stig i land på Pafos' ö,
        min mö.   — — Corno.

Om denna parken
rår kärleksmonarken
        och en kung;
Djurgåln heter marken;
        stöt valthorn, sjung!
Sjung till exempel

om Fröjas små tempel,
    som här stå,
med uråldrig stämpel
    och mossa på.   — — Corno.
Sjung här om jungfrumord,
om hur en brud blir gjord,
hur under valthorn hon kämpar och spritter på ett bord.
    Ulla Winblad, ingen skymf,
    min nymf.   — — Corno.

Nig nu och buga,
träd in i min stuga,
    dansa om!
Fröjas barn ä sluga;
    kom, Ulla, kom.
Hör du ej suset?
Si värden i huset,
    Fader Berg;
valthornet och kruset
    ge gubben färg.   — — Corno.
Djurgårdsherdinna snäll!
här är Palemons tjäll;
här ser du herdar, som ragla båd morgon, middag, kväll,
    herdar utan lamb och får.
    Gutår!   — — Corno.

Blås, musikanter,
för Ulla, galanter
    och förnäm.
Skira engageanter
    och diadem!
Putsa chinjongen
och sväng roberonden,
    vid och stor.
Blåsen i portgången
    ett ståtligt kor!   — — Corno.
Dyrka Kupidos namn;
öppna din varma famn;

pusta och flåsa och flämta och blekna som en hamn.
Hjärtat klappar, pulsen går,
han slår.   — — Corno.

Sjungom nu alla!
Lät kärlek befalla
     våra liv;
lät oss spelmän kalla
     till tidsfördriv.
Svalkom vår tunga
och låtom oss sjunga
     glädjesång;
dansa, gamla, unga,
     nu på en gång!   — — Corno.
Nymfer och friskt kalas,
vällust i blod och glas,
sömniga ögon, friskt hjärta, fioler, sång och bas
     var epistel innebär
     och lär.   — — Corno.

Pastoral herdedikt, *Venus* kärlekens och skönhetens gudinna, här:
Ulla, *Neptun* havets gud, *tritoner* havsgudomligheter, som hade
snäckor som blåsinstrument, *Fröja* kärleksgudinnan i nordisk myto-
logi, *postiljoner* tritoner, som blåste i sina snäckor som postiljonerna
i sina horn, *sefirer* västanvindar, *Pafos* stad på Cypern där Venus
landsteg sedan hon fötts ur havet, *blixtrar* trol. blänker i solens sken,
snällt snabbt, *Pan* herdegud, *Palemon* herdenamn, *kåt* levnadsglad,
gör din ståt, utgör din uppvaktning, *engageanter* spets- eller tyll-
manschetter, *chinjongen* stor hårknut, *roberonden* ett slags klänning,
Kupido kärleksgud

N:o 30

Till Fader Movitz, under dess sjukdom, lungsoten. Elegi.

Drick ur ditt glas, se döden på dig väntar,
slipar sitt svärd och vid din tröskel står.
Bliv ej förskräckt, han blott på gravdörrn gläntar,
slår den igen, kanske än på ett år.

Movitz, din lungsot den drar dig i graven.
V:cllo —·   Knäpp nu oktaven;
stäm dina strängar, sjung om livets vår. :||:

Guldguler hy, matt blomstrande små kinder,
nedkramat bröst och platta skulderblad.

Lät se din hand! Var ådra, blå och trinder,
ligger så svälld och fuktig som i bad;
handen är svettig och ådrorna stela.
V:cllo — —   Knäpp nu och spela;
töm ur din flaska, sjung och drick, var glad. :||:

Himmel! du dör, din hosta mig förskräcker;
tomhet och klang, inälvorna ge ljud.
Tungan är vit, det rädda hjärtat kläcker;
mjuk som en svamp är sena, märg och hud.
Andas! — Fy tusand! vad dunst ur din aska.
V:cllo — —   Län mig din flaska.
Movitz, gutår! Skål! Sjung om vinets gud. :||:

Utur hans kärl din död i droppar flutit
helt oförmärkt med löje, sång och ro.
Ja, detta glas bedrövligt inneslutit
glödande maskar, vill du, Movitz, tro.
Allt är förtärt, dina ögon de rinna,
V:cllo — —   tarmarna brinna.
Orkar du ropa än gutår? — Jo, jo! :||:

Nå så gutår! Dig Bacchus avsked bjuder,
från Fröjas tron du sista vinken får.
Ömt till dess lov det lilla blodet sjuder,
som nu med våld ur dina ådror går.
Sjung, läs och glöm, tänk, begråt och begrunda.
V:cllo — —   Skull du åstunda
ännu en fälsup? Vill du dö? — Nej, gutår! :||:

Elegi sorgesång, klagodikt, *kläcker* spritter till, *din aska* din (ev.
utbrunna) kropp, *län* låna, *ro* nöje, *läs* dvs. böner, *fälsup* färdsup

N:o 36

Rörande Ulla Winblads flykt.

Vår Ulla låg i sängen och sov
med handen under öra,
och ingen mer än krögarn fick lov
på nyckelhålet röra.
Utanför på krogen, bror!
var det så tyst som om natten;
intet öl fanns, om du tror,
nej, knappt en droppa vatten.
Tyst på tå, så nöjd och kvick,
kring sängen gubben vandra,
tog på täcket, log och gick
och viska vid de andra.
        Ulla snarka,
        frös och sparka,
täcket över huvud' drog;
        kröp inunder
        med ett dunder,
        vände sig och log.

Regnbågen vid en glimmande skur
på fönsterrutan glittra;
i taket på sin pinne i bur
re'n krögarns hämpling kvittra.
Vid sefirens ljuva fläkt
fönsterna darra på haken;
Ulla blev ur sömnen väckt,
men kunde knappt bli vaken.
Av och an hon kasta sig
och svängde kring med armen;
grät i sömnen bitterlig
och klöste sig i barmen.
        Än hon skratta,
        än hon fatta
i sängstolpen och i stoln;

tog fram skona
och på rona
knäppte underkjoln.

För spegeln Ulla stänkte sin barm
med vin och rosenvatten;
se'n knöts ett pärlband kring hennes arm
och flor kring schäferhatten.
Liksom när på Pafos' ö
kärleksgudinnan uppvaknar,
allting tycks i vällust dö
och sorgen blott man saknar,
likså krögarn mer och mer
av ångst och vällust stamma,
då vår Ulla satt sig ner
att sina lockar kamma.
Folk och näring
och förtäring
glömde gubben i sitt kval,
debitorer,
kreditorer,
majshus och fiskal.

Kring Ullas hjässa, pudrad och grann,
nu flögo trenne gracer;
Cytheren sjöng och kärleken brann
bland lockar, flor och gazer.
En sefir mot spegeln flög
fram med en örslev och spada,
och en ann sin vällukt smög
i lockar och pomada.
Med en tång en kupidon
i spisen satt och flåsa,
brydd en ann i vredgad ton
höll på ett eldkol blåsa.
Lekar, löjen,
kval och nöjen
skifta präktigt om varann.

Krögarn blunda;
mer han grunda,
mer hans hjärta brann.

En änglahy, en leende mund,
ett blottat bröst av våda,
ack! himmel, ack! var timma och stund
nytt paradis bebåda.
Men av all naturens prakt,
hjärtat till vällust och plåga,
röjde mest sin ljuva makt
två ögons vackra låga.
Såg hon upp, förtjustes allt,
och blunda hon med öga,
rördes blodet varmt och kallt
med suckar till det höga.
      Maken tunga
      till att sjunga
och en röst så skär och klar
      och så böjlig
      finns omöjlig,
      det sad' krögarfar.

Nej aldrig såg man krögarn så fatt,
så kär, en peine och nyter.
Kring Ullas ben, på stoln där hon satt,
han strumpebandet knyter;
drog på skon och av och an
smorde med borsten på lädret;
när hon gäspa, gäspa han
med näsan högt i vädret.
Hennes hals en rutig duk
av brandgult silke höljde,
och dess barm, så vit och mjuk,
de yra lustar döljde.
      Håret hängde
      och sig slängde
uti mörka bucklor fritt;

tröjan, spänder,
i små ränder
skifta rött och vitt.

Vår Ulla tog sin ljusblå salopp,
med Pontak överslagen,
sprang in i krogen, fyllde en kopp
med fin likör för magen.
Sockerskorpan till sin sup
såg man den sköna nu bryta;
Astrild brann i glasets djup
och Bacchus på dess yta.
Nu fick allt en ny natur,
ny frihet, lust och lycka,
från en rik med silverur
till tiggarn vid sin krycka.
Ullas miner,
öl och viner
ge en gudafröjd. Gutår!
Slikt härbärge
ej i Sverige
fås på många år.

Men himmel, ack! hur bytes allt om!
Bäst Ulla ömsa stubbar,
i dörrn på tröskeln, gissa vem kom,
jo, fyra halta gubbar:
en med värja, sned och vind,
och med en tågstump den andra,
och den tredje, som var blind,
tog nymfen bort och vandra.
Himmel, ack! vad larm och skrik!
Vår Ullas rop mig sårar;
varje gäst satt blek som lik,
och krögarn fällde tårar.
Kvar på bänken,
framom skänken,
där står Ullas brännvinsglas,

tomt och spruckit
och utdruckit.
Så slöts vårt kalas.

Farväl, min nymf! Apollo mig skänkt
din sköna bild att måla;
nu går du bort, se'n länge du blänkt
och fått min duk bestråla.
Men kring Fröjas fria fält
sjunges ditt lov vid cymbaler,
liksom Vestas lov så gällt
sjungs av de små vestaler.
Hölj dig med ditt vita dok,
spinn kamull på din slända;
spinn och sjung och läs din bok:
din sol kan återvända.
Tiden lider,
dagen skrider;
tro att lätt från skrubb och ris
Astrilds vingar
snart dig svingar
i sitt paradis.

Hämpling en finkfågel, *sefirens* västanvindens, *rona* höfterna, *schäferhatt* herdinnehatt med breda brätten, *Pafos' ö* se s. 133, *majshus*, jungfruhus, *gracer* behagets gudinnor, *Cytheren* här ung. kärleksgudinnans uppvaktning, *gazer* florstunna vävnader, *örslev och spada* redskap som i ena ändan var format som en slev, i andra ändan som en spade, den förra används för att ta ut vax ur öronen, *kupidon* amorin, *mer han grunda, mer* ... ju mer han funderade, desto ..., *av våda* av misstag, *skär* ren, *en peine* eg. orolig, bekymrad; "till sig", *salopp* rundskuren, ärmlös damkappa, *Pontak* ett rödvin, *Astrild* eg. "kärlekseld", namn på kärleksguden, *ömsa stubbar* bytte kjolar, *gubbar* här ett slags skyddsvakter, kallade paltar, som tog hand om kvinnliga lagbrytare, *cymbaler* benämning på flera instrument, *Vesta* den husliga härdens gudinna, *vestaler* Vestas kyska prästinnor som bar *vita dok*

N:o 48

Varuti avmålas Ulla Winblads hemresa från Hessingen i Mälaren en sommarmorgon 1769.

Solen glimmar blank och trind,
vattnet likt en spegel;
småningom uppblåser vind
i de fallna segel;
vimpeln sträcks, och med en år
Olle på en höbåt står;
Kerstin ur kajutan går,
skjuter lås och regel.

Stålet gnistrar, pipan tänds,
Olle klår sitt öra;
rodret vrides, skutan vänds,
gubben har att göra;
under skarpa ögonbryn
grinar han mot soln i skyn;
Kerstin, gubbens hjärtegryn,
skall nu seglen föra.

Seglen fladdra, skutan går,
Jerker tar sin lyra;
lyran brummar, böljan slår,
allt med våld och yra;
skutan knarkar, bräcklig, gles,
vimplens fläkt i toppen ses,
tuppen gol så sträv och hes.
Nu slog klockan fyra.

Movitz, stöt åt dem i lurn,
som på skutan fara.
Olle du, vad kostar tjurn?
Lyssna, vad de svara.
Hör, var är ni hemma, ni?
Ifrån Lovön komma vi
med grönsaker, silleri,
mjölk och äpplen klara.

Si, en julle skymtar fram.
Marjo åran lyftar;
med sin lövbrodd, mjölk och lamm
hon åt tullen syftar.
Har i knä en bytta smör,
kersbärskorgar frammanför;
Marjo nu sin lovsång gör,
snyter sig och snyftar.

Ulla Winblad, skratta, sjung,
spritt vid solens strålar.
Gäspa ej, lös upp din pung,
tag fram band och nålar;
fästa din salopp igen.
Nös du? Prosit, lilla vän!
Si, där har du Hessingen,
gröna trän och pålar.

Ulla, fästman på dig ser.
Kom, min Norström lilla,
sätt dig bredvid mej, sitt ner,
fritt din låga stilla.
Vi ha alla lika rang.
Lustigt! hör basuners klang.
Prosit och kontentemang!
Dyrbar ögonvilla.

Kon i vassen skylt sin kropp,
snärd i våta tågen,
bruna oxen kastar opp
himmelsblåa vågen;
ängen står i härlighet,
kalven dansar yr och fet,
hästen tumlar stolt och het,
svinet går i rågen.

Vid ett träd uppå en slätt
syns en skytt förbida

dagens gryning, klar och lätt,
fåglens sång och kvida;
bakom trädets tjocka stam
bössan syns och skymtar fram;
hunden, trogen som ett lamm,
står vid skyttens sida.

Morgonsupen, Movitz, går;
ljuvligt böljan svallar.
Ser du Ekensberg? Gutår!
Hör, hur folket trallar;
där framsätter en sin fot,
klotet käglorna slår mot;
hör du dunsen av hans klot
uti bergen skallar?
I en lövsal kring ett stop
några bussar skratta,
ropa trumf, och allihop
uti stopet fatta;
somliga med sträckta ben
sova gott och snarka re'n,
vila huvud' mot en sten
på en blomstermatta.

På den klippan där vid strand
själv kinesen målar,
bildar, av en näva sand,
skönsta blomsterskålar;
uti leret brännes in
en Apelles' pensel fin.
Ulla Winblad, min cousine!
ser du, hur det prålar.

Såg du nu Mariæberg,
så se längre neder:
med en gul och bleknad färg
sig ett tjäll utbreder.
Fönstren glittra; kännen I
ej Salpetersjuderi?

En gång, Ulla, raljeri,
palten dit dig leder.

Fällom lodet på vårt djup,
gäspa ej och nicka,
sov ej, öppna flaskan, sup,
bjud mamsellen dricka!
Vakna, Movitz; ser du ej
Lazari palats, så säj?
Akta näsan du på dej
för var vacker flicka.

Tornens spetsar blänka re'n,
kors och tuppar glimma;
morgonrodnans klara sken
syns i vattnet strimma.
Barnet leker glatt vid strand,
samlar stenar i sin hand,
slungar stenen dit ibland,
där som gässen simma.

Lossa tågen, seglen fäll!
Re'n syns Skinnarviken
med dess kojor och kastell,
branta berg och diken;
under små kolsvarta tak
gnälla pumpar, eld och brak,
hästen sträcker foten spak,
gnäggar, rädd för spiken.

Med sitt klappträd ner vid strand
pigan står så kåter,
knyter till sitt förklädsband
och sin barm upplåter;
barbent hon på bryggan står,
räknar slagen klockan slår,
flitigt sig på benet klår,
svettig, sur och våter.

Allstäds gott, men hemma bäst!
Sakta, lät oss unna
vattukörarn med sin häst
välva om sin tunna;
kärlet glittrar, hjulet går,
sprundet sprutar, hästen slår.
Om den prakt för ögat står
sjunga de som kunna.

Jeppe tutar, trumman går,
böneklockan klämtar;
sotarn svart i skorsten står,
visslar, sjunger, skämtar;
bagarn sina korgar kör,
smeden re'n sin slägga rör,
re'n båd knekt och granadör
vid geväret flämtar.

Skyndom dit vår hydda finns,
gömmom not och flöte;
stöt uti basun och minns
detta glada möte.
Farväl, Jörgen, Truls och Hans!
Farväl, flickor, spel och dans!
Ulla tog sin myrtenkrans
uti Neptuns sköte.

Norström stjälper sin peruk
av sin röda skalla,
och min Ulla, blek och sjuk,
lät sin kjortel falla,
klev så bredbent i paulun;
Movitz efter med basun:
Maka åt dig, Norström! Frun
hör ju till oss alla.

Hessingen Stora Essingen, mälarö i Stockholm, *fallna* slaka, *klår*
kliar, *lyra* ett slags nyckelharpa, *gles* gisten, *lövbrodd* brutet löv,

kersbär körsbär, *salopp* se s. 139, *Prosit och kontentemang* lycka
till och god förnöjelse!, *ögonvilla* trol. menas, att Ulla utgör en
förförisk syn, *tågen* vattenväxter, *Ekensberg* utvärdshus på Bellmans
tid, *bussar* kumpaner, *På den klippa*... syftar på Mariebergs pors-
linsfabrik, *Apelles* grekisk konstnär, *min cousine* "min v:.i", *raljeri*
"jag bara skojar", *palten* se *gubbar* s. 139, *Lazari palats* Serafimer-
lasarettet, *Skinnarviken* del av Södermalm, *kåter* se s. 133, *granadör*
grenadjär, *Neptunus* se s. 133, *paulun* se s. 129.

N:o 51

Angående konserten på Tre Byttor.

Movitz blåste en konsert
på Tre Byttor en afton, se'n balen var sluten;
    varje ton liksom en ärt
den föll så kullrig och rulla ur truten.
    Först höll Bergen en harang,
se'n söng Ulla ett par utav Filtzens duetter
    vid ett ackompanjemang
utav två flöjter och sex klarinetter.
    Hör, båd folk och fä,   — — Klarin.
    Orfei oboe.   — — Klarin.
    Lät oss vara glada, barn,
och klappa systrarna var på sitt knä.

    Mollberg satt uppå sin stol,
jämt med fingren han drilla och flög som hin håken;
    på sin stora basfiol
han spelte solo och surra med stråken.
    Bravo! hör en fantasi
ur B moll, ur G dur, en arpeggio, jag tackar.
    Hurra! hurra och slå i,
vi skola dansa och slåss som polackar.
    Blås nu, Movitz, gällt.   — — Klarin.
    Bravo, det var snällt!   — — Klarin.

Bravo, bra, bravissimo!
Hej, lät oss leva vällustigt och sällt!

Röd om näbben som en tupp
stod nu Movitz, slog takten och stampa och ropa:
Blås en air utav Galupp!
Utav Galuppi! skrek strax allihopa.
Hej, sad' Bergen, ge oss vin,
ge oss öl uti byttor; hej, lustigt, kurage!
Systrar, hör min violin,
kom, dansa polska och sjung, ert bagage!
Blås nu, Movitz! — Jo.   — — Klarin.
Bra, bravissimo!   — — Klarin.
Vem har nånsin kunnat tro,
att du skull' födas Olympen till ro?

Ulla söng en liten air,
vita bröstet det svällde och lyfte halsduken;
Wingmark med sin flöjttravär
han stod och smålog och riste peruken.
Bergström stod i vrån och drack,
stämde kvinten, plang, plang, satt' fioln under armen;
Ulla söng; han ropa: Ack!
och flög så nymfen burdus uti barmen.
Bullra intet där.   — — Flauto.
Håll din trut, ma chère!   — — Flauto.
Lät oss höra ännu mer;
å, kära Wingmark, blås mer flöjttravär!
Wingmark såg ut ackurat
som på solfjädrar, där man en herde ser lipa,
som i lunden står så flat
och har i truten sin ljusgula pipa;
hatten satt uppå en sned,
bruna västen var uppknäppt, uppdragen på magen;
stundom, när han flöjten vred,
så nicka huvud' och fläkta uppslagen.
Hör nu på en kor.   — — Flauto.
Hej, da capo, bror!   — — Flauto.

Sjungom alla nu i kor
och lät oss sluta en högtid så stor.

Eol stormar uti skyn,
nattens facklor de släckas; det regnar och skvalar;
Neptun utur vattubryn
han kastar upp sina gastar och valar.
Ack, hur ljuvlig då den ton,
när Apollo med mildhet förlustar vårt öra!
Sjung, bror Wingmark, min patron!
ack, sjung en skål, som är lustig att höra.
Blås bassongen stark. — — Fagotto.
Vivat vår monark! — — Klarin.
Skråla, klarinetters klang!
Vi dricka skålen med högmod och rang.

Harang tal, *Filtz* tysk tonsättare, *arpeggio* ett s. k. brutet ackord, *snällt* "bra gjort", *air* melodi, *Galuppi* ital. tonsättare, *kurage*, *bagage* se s. 129, *ro* se s. 134, *flöjttravär* tvärflöjt, *kor* kör, *Eol* vindarnas gud, *gastar* havsvidunder, *patron* beskyddare, *bassongen* fagotten, *vivat* leve, *högmod* stolthet

N:o 71

Till Ulla i fenstret på Fiskartorpet, middagstiden, en sommardag.

Pastoral, dedicerad till Herr Assessor Lundström.

Ulla! min Ulla! säj får jag dig bjuda
rödaste smultron i mjölk och vin?
Eller ur sumpen en sprittande ruda,
eller från källan en vattenterrin? Fin.
Dörrarna öppnas av vädren med våda,
blommor och granris vällukt ger;
duggande skyar de solen bebåda,
som du ser. D. C.

Ä'ke det gudomligt, Fiskartorpet! Vad?
    Gudomligt att beskåda!
Än de stolta stammar, som stå i rad
    med friska blad!
    Än den lugna viken,
    som går fram? — Å, ja!
    Än på långt håll mellan diken
    åkrarna!
Ä'ke det gudomligt? — Dessa ängarna?
    Gudomliga! Gudomliga!

Skål och god middag i fenstret, min sköna!
Hör, huru klockorna hörs från stan.
Och se, hur dammet bortskymmer det gröna
mellan kalescher och vagnar på plan.   Fin.
Räck mig ur fenstret, där du ser mig stanna
sömnig i sadeln, min cousine,
primo en skorpa, secundo en kanna
    Hoglands vin.   D. C.
Ä'ke det gudomligt &c.

Nu ledes hingsten i spiltan, min Ulla,
gnäggande, stampande, i galopp.
Än uti stalldörrn dess ögon de rulla
stolt opp till fenstret, till dig just dit opp.   Fin.
Du all naturen uppeldar i låga
med dina ögons varma prål.
Klang! ner vid grinden, i varmaste råga,
    klang, din skål!   D. C.
Ä'ke det gudomligt &c.

Fiskartorpet värdshus på Djurgården, *pastoral* se s. 133, *terrin* skål
Ä'ke är icke, *kalescher* 4-hjulig vagn, *primo* ... *secundo* för det
första ... för det andra, *cousine* se s. 145.

N:o 79

Eller avsked till Matronorna, synnerligen till Mor Maja
Myra i Solgränden vid Stortorget, anno 1785.

Karon i luren tutar,
stormarna börja vina;
trossar och tåg och klutar
lossna nu till slut.
Månan sin rundel slutar,
stjärnorna sorgligt skina;
till sin förvandling lutar
snart min livsminut.
Snart nu mitt timglas utrinner.
Karon ror allt vad han hinner;
vattnet vid åran
pollrar i fåran,
och på det blanka
svävar en planka.
Kolsvarta likpaulunen gungar floden fram
vid rök och damm :||:
och gastars tjut.

Krögarmadammer raska,
stärken mig på min resa,
när jag till fädrens aska
samlas skall i natt.
Krögarne stå så baska,
rödblommiga och hesa,
borga mig knappt en flaska
på min gamla hatt.
Mor, där på tavlan vid disken
stryk ut två öre för fisken,
dito det öret
för gamla smöret,
noch för den ålen
i gröna skålen,

noch för den där potates, som jag i mig drar.
         Vad den var rar :||:
         och trind och platt.

Jag gör mitt testamente,
där jag vid stånkan sitter;
läs du själv opp patente',
läs, mor Maja, själv.
Bort, världsligt regemente!
Världen blir mera bitter;
stjärnklara firmamente,
mig nu övervälv.
Men mer jag stånkan nu skakar,
klang, vad den vörten mig smakar!
         Skummet det jäser,
         fradgar och fräser
         dropptals från truten
         ned på syrtuten.
Det gör mig gott, mor Maja; det var öl med rang.
         Klang, mutter, klang! :||:
         vid Karons älv.

Huvud' på axeln hänger,
kroppen sig framåt lutar,
nacken den slår och slänger;
men, o gudar! men
ögat med tårar blänger
uppå de granna klutar,
som fordom med dykränger
knäpptes trångt igen.
Men se på böxorna bara,
säj, ä de plaggen ej rara?
         Söndrig är västen,
         lappad är resten,
         strumporna korta,
         hälarna borta;
och den där dyra skjortan var, mor Maja, märk!
         Beckmanskans särk :||:
         för tu år se'n.

Nu står jag mitt i båten.
Kors, vad det roret gnisslar!
Skuggorna, hela bråten,
skvalpa bak och fram.
Eolus kväver gråten,
Karon på pipan visslar;
hjälp! hör, den mörka ståten
för ett hiskligt larm.
Blixt, norrsken, dunder och fasa
runt kring om skyarna rasa;
  Karlvagnen välver,
  glimmar och skälver,
  stjärnorna slockna,
  stränderna tjockna,
tills i den svarta skuggan inga himlar syns.
  Mitt kval begynns. :||:
  God natt, madam!

Karon färjkarlen, som förde de döda över dödsfloden, *pollrar* porlar, *en planka. Kolsvarta likpaulunen* Karons båt, *baska* barska, *på tavlan vid disken* skrevs upp det som man tog "på krita", *noch* vidare, *i mig drar* sätter i mig, *patente'* handlingen, *syrtut* långrock, *dykränger* se s. 126, *hela bråten* hela hopen, *Eolus* vindarnas gud (här: stormen), *kväver* överröstar, *mörka ståten* skuggorna i underjorden, *välver* stupar nedåt

N:o 80

Angående Ulla Winblads lustresa till Första Torpet, utom Kattrumpstullen.

Pastoral, dedicerad till Kungl. Sekreteraren Kellgren.

Liksom en herdinna, högtidsklädd,
  vid källan en junidag
hopletar ur gräsets rosiga bädd
  sin prydnad och små behag
och ej bland väppling, hägg och siren

inblandar pärlors strimmande sken
inom den krans i blommors val
　　　hon flätar med lekande kval;

Så höljde min nymf på Floras fest
　　　ett enkelt och skiftat flor,
då hon, utav Mollberg buden till gäst,
　　　ut till Första Torpet for.

Det Torpet lilla, straxt utom tulln,
där kräftan ljustras röd i kastrulln
och dit Brunnsvikens bölja klar
　　　i vattrade vågor sig drar.

Helt tunn i en nankinströja snörd,
　　　vår Ulla sitt intåg höll;
tunt lyft av sefiren, halsduken rörd
　　　i vicklade skrynklor föll;
dess front sågs ej i bucklor mer spridd,
och nymfens kjortel, knappad i vidd,
ej vådligt mer i ögat stack,
　　　och skon bar nu ingen vit klack.

Märk, mellan gärdsgårdars krökta led
　　　hur Torpet det sluttar ner;
till vänster bland granars mossiga hed
　　　den vägen man rundad ser,
där bonden tung med rullande hjul
illfänas till sitt rankiga skjul
och i solgången hinner fram
　　　med kycklingar, kalvar och lamm.

Just där inom Torpets höjda gräs
　　　på granrisat farstugolv
steg Ulla utur sin gungande schäs
　　　en söndag, så klockan tolv
vid pass, då Jofur åskan bestämt
och Dandryds klockor pinglade jämt

och tuppen gol i källarsvaln
      och svalan flög långt in i saln.
Nu började tumlarn gå ikring,
      och Mollberg han damp av stoln;
vår nymf med sin arm och blixtrande ring
      slog tallstrunten ut på kjoln.
Herdinnan trumf i bordet hon slog
och kjorteln över axlarna drog;
och mor på Torpet, utan krus,
      måst' borga vårt herrskap sitt rus.

På backen mot luckan hästen gul
      uppreser sin man i sky,
så korg och blankarder, skenor och hjul
      med lossnade skruvar fly.
I eldad brunst han trängtar sin kos
och frustar med en gnäggande nos.
Men Ulla, kullstjälpt som en fru,
      med Mollberg hon snarkar ännu.

Strimmande glänsande, *i blommors val* i urvalet av blommor, *kval*
möjl. = *kvard*, linning, ärmrysch, *Flora* fruktbarhetsgudinna, *skiftat*
flerfärgat, *tunn* trol. tunnklädd, *nankin* kinesiskt bomullstyg, *dess*
front hennes panna, *bucklor* lockar, *dess front* ... förmodl. menas
att Ulla inte längre hade spridda lockar i pannan, *hed* slät skogs-
mark, *illfänas till* längtar till, *solgången* solnedgången, *Jofur* Jupiter,
åskans gud, *källarsvaln* överbyggnad framför ingången till källaren,
tumlarn litet dryckeskärl utan handtag och fot, *tallstrunten* öl eller
brännvin smaksatt med tallskott, *trumf* ... slog handen i bordet,
blankarder skaklar

N:o 82

Eller oförmodade avsked, förkunnat vid Ulla Winblads frukost
en sommarmorgon i det gröna.

Pastoral, dedicerad till Kongl. Sekreteraren Leopoldt.

Vila vid denna källa,
vår lilla frukost vi framställa:
rött vin med pimpinella

och en nyss skjuten beckasin.
Klang, vad buteljer, Ulla!
i våra korgar överstfulla,
tömda i gräset rulla,
och känn, vad ångan dunstar fin.
Ditt middagsvin
sku vi ur krusen hälla
med glättig min.
Vila vid denna källa,
hör våra valthorns klang, cousine,
Corno — — valthornens klang, cousine.

Präktigt på fältet pråla
än hingsten med sitt sto och fåla,
än tjurn han höres vråla,
och stundom lammet bräka tör;
tuppen på taket hoppar
och liksom hönan vingen loppar,
svalan sitt huvud doppar,
och skatan skrattar på sin stör.
Lyft kitteln; hör!
Lät kaffeglöden kola
där nedanför.
Präktigt på fältet pråla
de ämnen, som mest ögat rör,
Corno — — som mest vårt öga rör.

Himmel! vad denna runden,
av friska lövträn sammanbunden,
vidgar en plan i lunden
med strödda gångar och behag.
Ljuvligt där löven susa
i svarta virvlar, grå och ljusa,
träden en skugga krusa
inunder skyars fläkt och drag.
Tag, Ulla, tag
vid denna måltidsstunden
ditt glas som jag.

Corno — —

Himmel! vad denna runden
bepryds av blommor tusen slag,
av blommor tusen slag.

Nymfen, se, var hon kliver
och så beställsam i sin iver
än ägg och än oliver
uppå en rosig tallrik bär.
Stundom en sked hon öser
och över bunken gräddan slöser;
floret i barmen pöser,
då hon den mandeltårtan skär.
En kyckling där,
av den hon vingen river,
nyss kallnad är.
Nymfen, se, var hon kliver

Corno — —

och svettas i ett kärt besvär,
och svettas i besvär.

Blåsen, I musikanter,
vid Eols blåst från berg och branter;
sjungen, små kärlekspanter,
bland gamla mostrars kält och gnag.
Syskon! en sup vid disken
och pro secundo en på fisken;
krögarn, den basilisken,
summerar tavlan full i dag.
Klang, du och jag!
Klang, Ullas amaranter
av alla slag!
Blåsen, I musikanter,

Corno — —

och var och en sin kallsup tag,
var en sin kallsup tag.

Äntlig i detta gröna
får du mitt sista avsked röna;
Ulla, farväl, min sköna,
vid alla instrumenters ljud.

Fredman ser i minuten
sig till naturens skuld förbruten;
Kloto re'n ur syrtuten
avklippt en knapp vid Karons bud.
Kom, hjärtats gud!
att Fröjas ätt belöna
med Bacchi skrud.
Äntlig i detta gröna
stod Ulla sista gången brud,
Corno — — den sista gången brud.

Pastoral se s. 133, *pimpinella* jfr *gröna blan* s. 126, *överstfulla* brädd-
fulla, *tör* törs, vågar, *ämnen* ting, föremål, *vidgar* vidgar sig till,
av den av vilken, *Eol* se s. 147, *kärlekspanter* här: flickor, *mostrars*
käringars, *gnag* gnat, *basilisk* ormliknande fabeldjur, *tavlan* se s. 151,
amaranter tillbedjare, älskare, *Kloto* en av ödesgudinnorna; trol.
menas att Kloto klippt bort en knapp ur Fredmans rock. Den skall
användas som färjpenning åt Karon

Ur *Fredmans sånger*

N:o 6

Över Brännvinsbrännaren Lundholm.

Hör, klockorna med ängsligt dån
nu ringa för en Bacchi son,
för riddarn Lundholm där i vrån,
av döden uppsluken!
Se ordensperuken!
Se stjärnan på'n!

Hör klockorna vid mörksens tull!
Sov, gamle Lundholm, sov lull lull.
Kupido sjunger vid din mull:
Om nå'nsin din maka
skull kysst på din haka,
hon blivit full.

Din morgonsol brann sällan klar,
din middag blott en skymning var,
din näsa aftonrodnan bar;
　　så rödlätt och trinder
　　av mörkblåa kinder
　　hon skugga har.

Så slås din kammardörr i lås;
din ordenskåpa, kors och krås
i jorden multna och förgås.
　　Din kista man rörer.
　　Ta i, kommendörer,
　　trompetare, blås!

Ängsligt dystert

N:o 11

Portugal, Spanien,
Stora Britannien,
ack, om jag ägde de kronor i kväll
　　uppå min hjässa!
　　skull en prinsessa
vila i famnen liksom en mamsell;
　　jag och min lilla
　　somna så stilla.
Av mina björnar jag böd då farväl.

Bomber, raketer,
pukor, trompeter
skulle oss väcka med dån och med knall;
　　våra drabanter
　　spela sitt lanter,
dricka vår skål utur krus av kristall;
　　jag skull ock dricka.
　　Vivat, min flicka!
Se'n skull det smälla, tills dagen blev all.

Ostron jag väljer,
rhenska buteljer
skulle min drottning och jag tömma ut;
pudding med russin,
vofflor ett dussin
bleve vår frukost, en kallsup till slut;
skönaste knaster:
hundra piaster
skålpundet kosta skull uti minut.

Skål, kamerater,
generalstater,
Helige Fader i Rom och din ätt!
Slut på min mässa;
farväl, prinsessa!
Kronan är borta, hon kom också lätt.
Ände på psalmen;
jag går till Malmen
och på kredit tar en sup och kotlett.

Böd bjöd, *lanter* ett kortspel, *vivat* leve, *knaster* tobak, *uti minut*
i detaljhandelspris, *generalstater* Nederländernas riksständer, *Malmen* en elegant källare

N:o 21

Måltidssång.

Så lunka vi så småningom
från Bacchi buller och tumult,
när döden ropar: Granne, kom,
ditt timglas är nu fullt.
Du gubbe, fäll din krycka ner,
och du, du yngling, lyd min lag:
den skönsta nymf, som åt dig ler,
inunder armen tag.
Tycker du, att graven är för djup,

nå välan, så tag dig då en sup,
tag dig se'n dito en, dito två, dito tre,
    så dör du nöjdare.

Du vid din remmare och press,
rödbrusig och med hatt på sned,
snart skrider fram din likprocess
    i några svarta led.
Och du som pratar där så stort,
med band och stjärnor på din rock,
re'n snickarn kistan färdig gjort
    och hyvlar på dess lock.
Tycker du &c.

Men du som med en trumpen min
bland riglar, galler, järn och lås
dig vilar på ditt penningskrin
    inom din stängda bås;
och du som svartsjuk slår i kras
buteljer, speglar och pokal,
bjud nu god natt, drick ur ditt glas
    och hälsa din rival;
tycker du &c.

Och du som under titlars klang
din tiggarstav förgyllt vart år,
som knappast har, med all din rang,
    en skilling till din bår;
och du som ilsken, feg och lat
fördömer vaggan, som dig vält,
och ändå dagligt är plakat
    till glasets sista hälft;
tycker du &c.

Du som vid Martis fältbasun
i blodig skjorta sträckt ditt steg;
och du som tumlar i paulun
    i Chloris armar feg;

och du som med din gyldne bok
vid templets genljud reser dig,
som rister huvud', lärd och klok,
        och för mot avgrund krig;
tycker du &c.

Och du som med en ärlig min
plär dina vänner häda jämt
och dem förtalar vid ditt vin
        och det liksom på skämt;
och du som ej försvarar dem,
fastän ur deras flaskor du
du väl kan slicka dina fem,
        vad svarar du väl nu?
Tycker du &c.

Men du som till din återfärd,
ifrån det du till bordet gick,
ej klingat för din raska värd,
        fastän han ropar: Drick!
Driv sådan gäst från mat och vin,
kör honom med sitt anhang ut,
och se'n med en ovänlig min
        ryck remmarn ur hans trut.
Tycker du &c.

Säg, är du nöjd? min granne, säg,
så prisa värden nu till slut.
Om vi ha en och samma väg,
        så följoms åt; drick ut!
Men först med vinet, rött och vitt,
för vår värdinna bugom oss,
och halkom se'n i graven fritt
        vid aftonstjärnans bloss.
Tycker du &c.

Remmare bägare, press vinpress, likprocess likprocession, välft
vaggat, Martis genitiv av Mars, krigsguden, paulun se s. 129, Cloris
vanligt kvinnonamn i herdediktningen, avgrund helvetet

N:o 31

Fiskafänget.

Opp, Amaryllis! Vakna, min lilla!
  Vädret är stilla,
  luften sval;
  regnbågen prålar
  med sina strålar,
  randiga målar
  skog och dal.
Amaryllis, lät mig utan våda
i Neptuni famn dig frid bebåda;
sömnens gud får icke mera råda
i dina ögon, i suckar och tal.

Kom nu och fiska, noten är bunden,
  kom nu på stunden,
  följ mig åt;
  kläd på dig tröjan,
  kjorteln och slöjan;
  gäddan och löjan
  ställ försåt.
Vakna, Amaryllis lilla, vakna,
lät mig ej ditt glada sällskap sakna;
bland delfiner och sirener nakna
sku vi nu plaska med vår lilla båt.

Tag dina metspön, revar och dragen;
  nu börjar dagen,
  skynda dig!
  Söta min lilla,
  tänk icke illa.
  Skulle du villa
  neka mig?
Lät oss fara till det lilla grundet
eller dit bort till det gröna sundet,
där vår kärlek knutit det förbundet,
varöver Tirsis så harmade sig.

Stig då i båten, sjungom vi båda!
  Kärlek skall råda
  i vårt bröst.
  Eol sig harmar,
  men när han larmar,
  i dina armar
  är min tröst.
Lycklig uppå havets vreda bölja
i din stilla famn, kan jag ej dölja,
hur i döden hjärtat vill dig följa.
Sjungen, sirener, och härmen min röst!

Neptuni se s. 133, *Tirsis* herdenamn, *Eol* se s. 147

N:o 32

Aftonkväde.

Dedicerat till Fru Assessorskan Weltzin.

Träd fram, du Nattens Gud, att solens lågor dämpa,
bjud stjärnan på din sky mot aftonrodnan kämpa,
  gör ljumma böljan kall,
slut ögats förlåt till, kom lindra kval och krämpa
  och blodets heta svall.

Ditt täcke gömmer allt. Betraktom Floras gårdar.
Här skönsta höjder fly, där mörka griftevårdar
  på svarta kullar stå.
Och, under uvars gråt, mullvador, ormar, mårdar
  ur sina kamrar gå.

Vid källan allt är tyst, knappt rör sig minsta myra,
när mot dess klara djup Timantes i sin yra
  bespeglar månans klot.
På grenen av en alm Alexis hängt sin lyra
  och slumrat vid dess fot.

Det späda vattensorl, som ned i mossan spelar
och uti rännlars språng kring fältet sig fördelar,
    gör ögats sömn så söt,
att döden liksom känns var droppa blod förstela
    i själva hälsans sköt.

En ljum och kylig blåst emellan löven susar
och under trädens rusk den mörkblå böljan krusar
    kring roddarns blanka år.
Mot klippan, vid ett plump, dit strömmen inåt frusar,
    den glupska gäddan slår.

Där ligger jägarn trött, med hatten under öra;
vid bössan, mot hans arm, att minsta buller höra,
    sig hunden lagt i ring.
Och fiskarn nyss begynt sin not i vassen snöra
    och plaska stranden kring.

På trägårdssängens brant, som ned åt viken drager,
den trevne åbon syns, vid månans halva dager,
    med vattenkannan fylld.
Hans täppa syns så grön, var planta frisk och fager,
    försilvrad och förgylld.

Vinrankans duvna prål åt muren vill sig luta,
tulpanens skrumpna blad sig mer och mer tillsluta
    vid regnets glesa skur.
Längst ut åt ängens rymd hörs sista gången tuta
    vallhjonet i sin lur.

Nu sitter lärkan tyst, sin gröna dörr tilltäpper,
i rågskyln någon gång den svarta fågeln knäpper
    vid syrsans fräna ljud.
Helt låg syns svalans flykt, när Pan dess vingar släpper,
    till regnets förebud.

Ur gräset skymtar fram ringblomman och vitsippan;
just där sädsärlan sprang, den skogens nippertippan,
    med sina snabba tripp,
hör sparvens späda kval och ungarne på klippan:
    kip kip, kyp kyp, kip kip.

Kring nattens majestät sig allt i dvala sänker;
mot rodnan av ett moln en åldrig urna blänker
    uppå en ättehög.
Bland drakar där på gods, bland gyldne bloss och skänker
    sig Plutos skugga smög.

Nu råder nattens frid och ögat vill sig sluta.
Lägg bort din pipa, Pan! Alexis, tag din luta
    och sjung i skogens valv!
Cykloper, fauner, tyst! Hålt, gastar, opp att tjuta!
    vid storm och jordeskalv.

Bjud Eol vid ditt spel att vädrens ras förvilla,
bjud tystnad upp i skyn! Bjud Neptun sitta stilla
    på sina mörka grund.
Befall, att klippans spets må tysta floder spilla
    på denna dyra stund.

Tillåt najaden ej vid stranden sig få löja,
bryt den tritonens arm, som brottas om dess slöja
    och grumlar flod och älv.
Må sunnanvädret ej den minsta ilning röja:
    Apollo spelar själv.

Arachne! fäll din nål och lät din ränning stanna.
Kan du ditt ömma bröst mot lutans våld bemanna?
    Nej, lyssna vid hans slag.
Vulcan! lägg släggan ner, håll handen för din panna.
    Men nu — nu somnar jag.

Floras se s. 153, *Timantes* grekisk målare, *Alexis* Apollon, *rusk* sus,
vid ett plump med ett plaskande, *frusar* forsar, *trevne åbon* idoge

bonden, *svarta fågeln* kornknarren, *Pan* se s. 133, *gods* ägodelar, rike-
domar, *Plutos* rikedomens och överflödets gud, *löja* löga, bada,
Cykloper, fauner, najader, tritoner här: väsen, som besjälar naturen,
Arachne väverska i grek. myt., *våld* makt, *Vulcan* eldens och smide-
konstens gud

N:o 35

   Gubben Noach :||:
   var en hedersman.
   När han gick ur arken,
   plantera han på marken
  mycket vin, ja, mycket vin, ja,
   detta gjorde han.

   Noach rodde :||:
   ur sin gamla ark,
   köpte sig buteljer,
   sådana man säljer,
  för att dricka, för att dricka
   på vår nya park.

   Han väl visste, :||:
   att en mänska var
   torstig av naturen
   som de andra djuren;
  därför han ock, därför han ock
   vin planterat har.

   Gumman Noach :||:
   var en hedersfru;
   hon gav man sin dricka;
   fick jag sådan flicka,
  gifte jag mig, gifte jag mig
   just på stunden nu.

   Aldrig sad' hon: :||:
   Kära far, nå nå,

sätt ifrån dig kruset.
Nej, det ena ruset
på det andra, på det andra
lät hon gubben få.

Gubben Noach :||:
brukte egna hår,
pipskägg, hakan trinder,
rosenröda kinder,
drack i botten, drack i botten.
Hurra och gutår!

Då var lustigt :||:
på vår gröna jord;
man fick väl till bästa,
ingen torstig nästa
satt och blängde, satt och blängde
vid ett dukat bord.

Inga skålar :||:
gjorde då besvär;
då var ej den läran:
Jag skall ha den äran!
Nej, i botten, nej, i botten
drack man ur så här.

Vår nya park vår nya grönskande jord, som på nytt stigit upp ur
syndafloden, *brukte egna hår* dvs. använde inte peruk

N:o 41

Joachim uti Babylon
hade en hustru, Susanna.
Töm vår kanna; :||:
skål för dess person!
Joachim var en genomärliger man,

frun lika ärliger också som han;
 fru Susanna :||:
 många hjärtan vann.

Tacka vill jag Joachims fru;
skål för var dygdiger maka!
 Lät oss smaka :||:
 denna saften nu.
Klinga med glasen, lät oss sjunga i kor!
gosse, flicka, gubbe och mor.
 Lät oss sjunga! :||:
 Skålen är så stor.

Joachim var för riker spord,
kunde traktera sin nästa,
 ge till bästa :||:
 vid ett dukat bord.
Frun uti huset vann så mycket behag:
hungriga friare var endaste dag.
 Hurra, gubbar, :||:
 i så lustigt lag!

Käraste bröder, hör nu då på,
vad den frun månde hända:
 två upptända :||:
 kring om henne gå.
Gubbarna flåsa, krypa tyst om varann;
skönheten fanns just där kärleken brann.
 Fru Susanna :||:
 trogen var sin man.

Joachims trädgård var med maner:
lusthus, tapeter av siden.
 Middagstiden :||:
 gick Susanna ner.
Ekar och lindar stodo runt om en damm.
Sköna Susanna hon plaska och sam.
 När hon plaska, :||:
 skymta liljor fram.

Ner uti blomstergården nu
gingo allena två bovar,
    slogo lovar :||:
    kring vår lilla fru.
Hej, sade boven till den andra så slem,
hej, det är middag, kom lät oss gå hem.
    Två kanaljer :||:
    i varenda lem!

Väl förstår man gubbarna nog,
vad de hade i sinne:
    vita linne :||:
    ögat lätt bedrog.
Ögat drog hjärtat, men Susanna drog allt.
Lås var för porten, det var så befallt.
    Hurra, gubbar! :||:
    Blodet bliver kallt.

Så var sakens sammanhang.
Himlen Susanna belöna!
    Bland de sköna :||:
    har hon dubbel rang.
Klinga med glasen, lät oss leva väl!
Vackra små hjärtan uti tankar och själ.
    Lät oss dricka :||:
    utan larm och gräl.

Ärliger hederlig, *för riker spord* känd för att vara rik, *vann* . . . *behag* blev så omtyckt, *med maner* elegant, *slem* nedrig

N:o 64

Haga

Dediceras till Herr Kaptenen Kjerstein.

Fjäriln vingad syns på Haga
mellan dimmors frost och dun
sig sitt gröna skjul tillaga

och i blomman sin paulun;
minsta kräk i kärr och syra,
nyss av solens värma väckt,
till en ny högtidlig yra
eldas vid sefirens fläkt.

Haga, i ditt sköte röjes
gräsets brodd och gula plan;
stolt i dina rännlar höjes
gungande den vita svan.
Längst ur skogens glesa kamrar
höras täta återskall,
än från den graniten hamrar,
än från yx i björk och tall.

Se, Brunnsvikens små najader
höja sina gyldne horn,
och de frusande kaskader
sprutas över Solna torn;
under skygd av välvda stammar
på den väg man städad ser
fålen yvs och hjulet dammar,
bonden milt åt Haga ler.

Vad gudomlig lust att röna
inom en så ljuvlig park,
då man, hälsad av sin sköna,
ögnas av en mild monark!
Varje blick hans öga skickar
lockar tacksamhetens tår;
rörd och tjust av dessa blickar,
själv den trumpne glättig går.

Dun snöfjun, *skjul* gömställe, *paulun* se s. 129, *syra* sumpmark, *högtidlig yra* bröllopsyra, *sefirens* se s. 133, *röjes* syns, *Än från* ... från den som hamrar graniten, *ögnas* får en blick

Vaggvisa

för Auktors yngsta son Charles den 8 augusti 1787.

Lilla Charles, sov sött i frid,
du får tids nog vaka,
tids nog se vår onda tid
och hennes galla smaka.
Världen är en sorgeö:
bäst man andas, skall man dö
och bli mull tillbaka.

En gång, där en källa flöt
förbi en skyl i rågen,
stod en liten gosse söt
och spegla sig i vågen.
Bäst sin bild han såg så skön
uti böljan, klar och grön,
strax han intet såg'en.

Så är med vår livstid fatt,
och så försvinna åren;
bäst man andas gott och glatt,
så ligger man på båren.
Lilla Charles skall tänka så,
när han ser de blommor små,
som bepryda våren.

Sove lulla, lilla vän!
Din välgång skall oss gläda.
När du vaknar, sku vi se'n
dig klippa häst och släda;
se'n små hus av kort, lull lull,
sku vi bygga, blåsa kull
och små visor kväda.

Mamma har åt barnet här
små guldskor och guldkappa;
och om Charles beskedlig är,
så kommer rättnu pappa,
lilla barnet namnam ger.
Sove lulla! Ligg nu ner
och din kudde klappa.

JOHAN HENRIC KELLGREN
(1751—1795)

Mina löjen

Le rire est bon à ma santé,
Et me moquer des sots entre dans mon régime.
Dorat.

Jag ler — O Gudar, gode Gudar
I given mig ett liv på nytt:
I mina tankars klädnad bytt
från sorgemoln, i glädjeskrudar.
Som jorden, vid den tända dag,
i solens länta färgor prålar,
så från ett klarnat sinne strålar
det ljus, som stundom med behag
vår levnads nakna öken målar.

Jag ler — fly bort, du dårars här,
som dig med självgjord smärta sårar.
Oskära ej med dina tårar
den vers som löjet helgad är.
Fly, att av dagens ljus förgäten
i skrevors natt bland uvar bo,
men våga ej, med dina läten
att störa mina kvädens ro!

En fakirs rygg, som kedjan böjer,
ett tårfullt ögas mörka grop,
vars blick en avgrunds fasa röjer,
en panna, den bekymret plöjer,
din bleka hy, ditt klagorop,
är det den dyrkan, som förnöjer
en Gud, så nådig och så öm?
Nej, grymme, i en mjältsjuk dröm
du dig en gud i hjärnan skapar,
som dina egna lyten apar.

Han, som i varje blomma ler,
vars anda västanvädret andas,
och uti rosens vällukt blandas,
som glad med solens öga ser,
vars röst Glycere på harpan spelar,
och Han, som eld och sötma delar
åt varje kyss, som hon mig ger —
Vad? Skulle han till tack begära
en kalk av mina tårars flod?
Han själv, så lycklig och så god,
kan mänskors plågor honom ära?
Begär hans altar gråt och blod? —
Mitt bröst, förkasta denna lära!

Se Cloë! — Huru täck! Hur skön!
Roslin förgäves duken breder,
och L'Archevêque för konstens heder
ej vågar ett så farligt rön.
Men, Cloë, än ett enda fattas,
det utgör själen av din prakt:
Av ögat du gudomlig skattas,
men hjärtat har ej något sagt.
Ditt lov från alla läppar flyter:
Vad glans, vad ordning och vad skick!
Du ler — i samma ögnablick
vårt lov i kärlek sig förbyter.

Säg, Bubo, vilken förmånsrätt
ditt väsen över djurens höjer? —
"Jag har förnuft" — Det säges lätt,
men månn det lika lätt sig röjer?
Du sover, äter, bliver mätt,
du röres, lider, älskar, hatar,
du åtrår, njuter, leds och ratar.
"I ett så upplyst tänkesätt
känn", säger du, "min gudaätt.
Vem delar mina ärestoder?" —
"Jag", svarar apan, "jag, din broder".

Förr skulle du med skäl berömt
ditt tungomål, din konst att stoja.
Men ack, vi har man så fördömt
gjort mänska av en papegoja?

Men ett bevis av större makt
du snart för mina ögon ställer:
Har icke själva Skriften sagt,
att du i höghet och i prakt
mer än den stumma fänad gäller,
som hon ditt välde underlagt? —
Men, när det svultna lejon slukar
ditt Majestät med hull och hår,
månn ej din nåd för vida går,
och det för mycken frihet brukar?
Din arga hund, din ilskna tjur,
och flugan på din kunganäsa,
lär dessa oförskämda djur
sin Bibel litet bättre läsa,
ell' lämna villigt ett befäl,
som ej den minsta jordmask lyder,
och hör av mig det enda skäl,
som mänskans högre värde tyder:
Du ler, du ensam ler, min vän,
uti naturens vida rike.
I annat allt du djurens like,
från dem av löjet känns igen.

Se dessa folk, så vida skilda
från oss till tänksätt, bruk och ort,
och säg, när du dem kallar vilda,
vad detta skällsord billigt gjort.
Månn brist på präster, att förföra,
på läkare, att dem förgöra,
på domare, att vränga lag,
på konungar, att dem förtrycka,
på hovmän, till att laster smycka,
på usla rimmare, som jag,
på dårhus, kyrkor, komedier,
gillstugor och akademier?
Månn brist uppå allt detta? — Nej.
Kanske, i deras grova seder
att mänskan röjs med större heder.
Men se — de skrattar nästan ej.

En trögväxt ört på jordens yta
var visdom förr; så är den nu.
Dock kan ett Grekland billigt skryta:
(Må icke Sverge det förtryta?)
Dess visas antal steg till sju.
En bland dem, sägs, har alltid skrattat
åt vad som hänt, åt kval och brott.
En annan åter ögat mattat,
att gråta över dumt och gott.
Om en av mina vänner frågar,
vem mest av dessa prisas må,
jag öppenhjärtigt svara vågar:
De voro narrar båda två.

Allt har sin tid. Men dårar strida
mot ordning, tid och skick och allt.
Vad mänskligt är bör mänskan lida.
Naturen gråt och skratt befallt.
Det är ett brott att löjet hämma,
när sig så mycket löjligt ter,
men större brott att ögat dämma,
när mänsklighet om tårar ber.

Förbannad den, från känslan död,
sin brödrafamn för bröder sluter,
som icke kväls av likars nöd,
och ej med Ellers tårar gjuter!

Men våren följer vintrens spår.
Ej Bores våld beständigt rår,
att fältets prydda barn föröda.
Zephiren stundom skalkas får,
och hjärtat skulle snart förblöda
av egna och av andras sår,
om löjet ej en balsam ägde
att kunna lindra våra kval,
och om ej dårars runda tal
de olycksfullas övervägde.

Kom då, du löjens kvicka tropp,
följ mig i alla livets skiften
och lär mig ta ett glättigt hopp
på brädden av den mörka griften!
Lät edra vingar flyktigt sväva
omkring mitt bord, min säng, min bok!
Ack, kunden I ert utbrott kväva
i sällskap med en högborn tok!
Vi kan jag ej tillfyllest bäva
att bland de stora vara klok?

Vem skall jag först mitt löje skänka?
Jo, Ärans folk bör ära ske:
Det vore bördens rätter kränka,
att ej de höga först bele.
Ack, när jag deras liv beskådar,
så fullt av laster, prakt och tvång,
den glans, som ingen värma bådar,
den yrsla vid sireners sång,
det stoj, som endast örat fyller,
då själen tom och hungrig är,
det glitter, livets skal förgyller,

då masken själva kärnan tär,
den ton, som för en slutsats gäller,
det småvett, fjäs och artighet,
det falskhets gift, som oskuld fäller
med en belevad nedrighet,
de nycker, som förtjänsten döma,
som blindvis lasta och berömma
och slutas med ett: *vare sagt*,
den träldom hos en överherre,
som dubbelt hämnas på de smärre,
det pock på anor, gods och makt,
det nit att sannings rätt förtrycka,
att sig med smickrets blomster smycka
och dunsta muscus och förakt,
den svarta list, de fina ränker,
som döljas under vänskaps larv,
den skyddningsblick, som högmod sänker
till dem som snillet föll i arv:
När jag hos er, I Lyckans söner,
så mycket argt och uselt ser,
jag all er brist och dårskap röner
och utav harm och ömkan ler.

I Levi barn, tan icke illa,
om jag åt eder skratta törs:
I må ju nöjas att förvilla
det folk, som rikta kan er börs,
men jag, tyvärr, som intet äger,
varav I kunnen tion få,
vad jag i fåvisk blindhet säger,
må ljusens barn ej akta på.
Jag må ju le, när I prediken
om denna snöda världs förakt,
och lika fullt med allo makt
för gunst och vinst och vällust fiken.
Er vård att våra själar söva
med hopp om evig himlaro,
att jorden till er själve röva,

och själve njuta, då vi tro,
ert helga hat, vars vreda vågor
ej nånsin stillas i er själ,
ert kristna nit att för vårt väl
oss skära genom blod och lågor
och allt det andeliga gräl,
som plär en pöbels lättro gäcka;
allt må ju med fördubblat skäl
till löje mer än vrede väcka.

Åt er, åt er, I Tidens lärde, .
jag ofta av allt hjärta lett,
åt edra frågor utan värde
och edra svar förutan vett,
er envishet att det försvara,
som I av misstag sagt förvänt,
ert raseri att allt förklara,
båd vad som hänt och aldrig hänt,
att med bevis de satser styrka
som I ej själve fatta lärt,
att endast Er och egit dyrka
och tro allt annat föga värt,
att över ord och hårstrån kiva,
och skriva, skriva, skriva, skriva
i kors och tvärs och med och mot,
att känna noga jordens klot
och vilken väg dess rullning tager,
men ej den kraft, som hjärtat drager,
och ej dess brist och ej dess bot.
Vad mera löjligt än er möda
att här ert liv med svält föröda
för minnets liv i Ärans sal?
Men vem kan räkna stjärnors tal
och all den lärda dårskaps gröda?
Om du, med Voltaires dubbla liv
och Voltaires flit att papper bläcka,
ej ägde annat tidsfördriv,
dock skulle mödan dig förskräcka,

och dina dar för litet räcka
att teckna upp en litani
av allt det lärda tokeri,
som visa hjärnor kläckt och kläcka.
Vi har jag icke Popens hand,
att i en Dunciad betvåla
den mängd skriblerer i vårt land,
som med Apollos lager pråla?

Du poetastrers magra kön,
som visst, till dina synders lön,
av hungrens gud dig lärt att rimma,
åt dig jag skrattat mången timma.

Men skryt ej, Grekland, skryt ej mer
av din gudomlige Homer,
sen Sverge i sitt sköte äger
den honom vida överväger:
Den gamle i sin Iliad
blott då och då man nicka funnit,
då vår den höjd av konsten hunnit,
att snarka i varenda rad.

Skryt ej utav din Sapphos sånger,
som störtat sig från Levcas bank:
Den svenska var ju tusen gånger
mer ful, om ej så älskogskrank.

Om Eschyls spel ett grekiskt öra
i forna dar så häftigt stött,
att deras fruar missfall fött
och deras barn av skrämsel dött,
bör det vår undran mindre röra.
Vem blir ej snart i själtåg bragt,
att våra skalders jamning höra?
Vad Eschyl genom fasans makt,
de genom ledsnans sömndryck göra.

Anacreon, var är ditt lov?
En annan rövat har din lyra,
som kvick i fylleriets yra
förtjusa lärt Priapi hov;
som lik i otukt med Chrysipper
och lika rik på vittra föl,
ur svenska krogars Aganipper
sin ådra fyllt med dubbelt öl.
Hans muser sig på spinnhus nära,
hans gratier ligga under kur,
och uti Platskans jungfrubur
han kärleksgudens språk fått lära.

Och du, de sköna dårars släkte,
ack, skulle jag ej le åt dig!
Dig, som en nådig himmel väckte,
att mot bekymret föra krig.
Vårt kön, som vant vid plumpa seder,
dig för sitt fall beskylla plär,
dock måste medge, till din heder,
att du oss ned till avgrund leder
så ljuvlig väg som möjligt är.
Allt vad du tänker, vad du säger,
din svaga dygd och täcka brott,
allt är så läckert och så smått,
allt till vårt löje anspråk äger.
Hur kunde ur så hädisk ton
en Boileau om ditt lynne kväda?
Jo, vet till tröst, att en kalkon
gav honom fulla skäl att smäda.
Ditt djupa vett, din höga smak
att i den värsta kamningssak
förutan väld och irring döma,
din konst att under blomster gömma
ditt avundsfulla hjärtas svall,
att genom *om* och *men* berömma,
och utan kärlek synas ömma,
och under brånad synas kall,

ditt fina skämt, ditt kvicka joller,
där du ej själv din mening vet,
ditt svek, din söta trolöshet,
som sällan vår förtvivlan våller,
och dina nyckers flyktighet,
din list, som råder över styrkan,
som gör din herre till din träl:
Ack, vad oräkneliga skäl
nu till mitt löje, nu min dyrkan!

Men du, vars hand så djärv och svag
med högmod andras dårskap risar,
månn du väl själv, min lilla *Jag*,
månn du väl själv vid sannings dag
en mindre löjlig skapnad visar?
Träd fram uti ditt samvets ljus,
och se hur högt din vishet gäller,
då, främling i ditt egit hus,
du andras fel i dagen ställer.
Säg, vilken dig med blindhet slog,
då du, till lycka och till heder,
din kosa åt Parnassen tog,
som gent till hospitalet leder?
Vad usel smak, med lagrars spis
att dina vittra tarmar föda,
då Siffrans barn, på Cresers vis,
sin dumma kropp i vällust göda!
Tror du i Cl—s fosterbygd
att någon lön åt snillet lämnas,
där blott din farfarfarfars dygd
har rätt att för din egen nämnas? —

Håll upp! — Jag nog min dårskap ser;
jag som en ann åt svaghet skattar,
och då jag högt åt andra skrattar,
jag åt mig själv i tysthet ler.

Le rire ... "Skrattet är bra för hälsan och att göra narr av dumbommar ingår i mitt levnadssätt." *länta* lånta, *oskära* besudla, *en avgrunds fasa* fruktan för helvetet, *öm* kärleksfull, *Glycere,* Glycera, grekiskt kvinnonamn hos Horatius, *delar* skänker, *Cloë* vanligt kvinnonamn i herdedikter, *Roslin* (1718—93) berömd porträttmålare, *L'Archevêque* fransk bildhuggare, *för konstens heder* för att konsten inte skall behöva skämmas inför verkligheten, *Bubo* ugglan, här: den snusförnuftiga människan, *av löjet känns igen* skiljer dig genom löjet (dvs. att du kan le), *billigt* berättigat, *gillstugor* gäldstugor, *En bland dem* ... Demokritos, *En annan* ... Herakleitos. Dessa två filosofer räknades ej till Greklands sju vise, *Ellers* J. Elers (1724—1813) ämbetsman och skald, som bl. a. skrev dikten "Mina tårar", *Bore* personifikation av vintern, *fältets prydda barn* blommorna, *Zephiren* västanvinden, *runda tal* trol. stora tal, *som ingen värme bådar* som ingen värme ger, *sireners* här: förföriska kvinnor, *muscus* mysk, parfym, *larv* ansiktsmask, *skyddningsblick* beskyddarblick, *Levi barn* prästerna, *rikta* berika, *skära* rena, *gräl* spetsfundigheter, *dubbla liv* anspelar på att Voltaire blev mycket gammal (84 år), *litani* här: långtråkig uppräkning, *Dunciad* satir av den engelske skalden *Alexander Pope* (1688—1744), *scriblerer* usla författare, *poetastrer* dåliga poeter, *kön* släkte, *Homer* Homeros, *Den honom* ... syftar på den svenske författaren Brander, som skrivit Gustaviaden, ett långtråkigt epos om Gustav Vasa, *Sappho* grekisk skaldinna, som säges ha störtat sig i havet från en klippa vid halvön *Levka, Den svenska* ... syftar på fru Nordenflycht, *Eschyl* Aiskylos, *Anacreon* grekisk skald, som ansågs vara författare till bl. a. en samling kärleks- och dryckesvisor, *En annan* ... syftar på Bellman, *Priapos* alstringskraftens gud, *Chrysipper* till Chrysippos, grekisk tänkare, som bl. a. tadlades för sin omständliga framställning och vårdslösa språkbehandling, *Aganippe* en åt muserna helgad källa på berget Helikon, *ligga under cur* behandlas för sjukdomar, *Platskan* smeknamn på en känd kopplerska, *de sköna dårars släkte* kvinnorna, *Boileau* (1636—1711) fransk författare, som enl. en anekdot skulle ha blivit biten av en kalkon på "ett mycket ömtåligt ställe", vilket gjorde honom impotent, *Parnassen,* berg i Grekland helgat åt Apollon och muserna, numera bild för skaldekonsten, *Siffrans barn* affärsmännen, *Crésers vis* liksom den rike konung "Krösus", *Cl—s* A. N. Clewberg (1754—1821), ämbetsman och skald, intim vän till Kellgren

Våra villor

O filosofer, I, som skriken
mot världens villor alla dar!
Månn väl den lära I prediken,
med mera ljus, mer sällhet har?
Vem må ej då sitt nit förklara,
att edra lagar lydig vara?
Men, om den väg I fören oss
till en bedrövlig sanning länder,
om eder vishets himlabloss
en dödlig dag för nöjet tänder,
om ur en glad och ljuvlig dröm
I väcken oss till verklig plåga,
då tolke dåren ert beröm!
Då vandre lasten vid er låga!

Uppå en lyrisk skådeplats,
än för din syn i avstånd lyser
ett präktigt diamants palats,
som gudar i sitt sköte hyser.
Än en hesperisk blomsterpark
med sitt behag din tjusning väcker,
än en tartarisk ödemark
med nakna klippors brott förskräcker.
Där flyr en ström med brådstört lopp,
där källans silver sakta rinner.
Du fasar, ler och gläds och brinner,
och på teatren skyndar opp —
där du, bedragen i ditt hopp
för allt ett målat papper finner.

Så, om i nöjets lånta dräkt
vår bildning ej naturen prydde,
om mänskan, ur sin irring väckt,
allenast sannings domar lydde,
och såg, hur litet all vår dygd,

vår ära och vår makt betydde,
vem är som ej med skräck och blygd
ur detta livets öken flydde?

Vad gör, att unga hjältens arm
med tunga vapen sig belastar?
Vad gör, att från sin flickas barm
han sig i stridens lågor kastar,
ur hyddans lugn med glädje går
att trotsigt möta krigets öden,
med stolthet räknar sina sår,
och leende betraktar döden?
Vad är, som snillets son förmår,
att sina muntra ungdomsår
i forskningarnes natt föröda,
att skåda guldet med förakt,
med ömkan le åt kungars prakt,
och endast leva med de döda?
Vad mod, att trotsa farors rön,
att sig till världens gagn förtära?
Säg då, för vad de sig besvära,
vad himlen hör i deras bön?
Vad söka de? — De söka ära.
Och vilken är då ärans lön? —
Ett löv, vars grönska snart försvinner.
En marmor, som vid konstens bud
ditt tycke, ej din känsla vinner,
av ryktets mun ett flyktigt ljud,
ett rökverk, som på graven brinner,
ett diktat liv hos minnets gud.

Vad storverk, som ej skådat dagen,
vad dygd i hjärtat ofödd låg,
om ej, i ljuva villor dragen,
man verklighet för skuggan såg!
Du, som med öm och ädel håg
ger hjälp och vård åt dina bröder,
som rörs av den förtrycktes röst,

ger honom tillflykt till ditt bröst,
och i hans hjärta glädje föder,
som nöjd ditt liv till offer bär
åt konung, fosterland och vänner!
Du i din dygd det värde känner,
som ensam dess belöning är.
Men om vid sannings grymma låga
ditt djärva öga skulle våga
att skåda ned i hjärtats natt,
vad du med häpnad skulle finna
så många dygders rika skatt
uti ett ögonblick försvinna!
Vad blygd, att se din fria själ
sig till en fången slav förbyta,
och all dess ädla idrott flyta,
från nit för egen vinst och väl!

Och kärlek, som bland livets skänker
den ljuvaste, den största är,
som i en himmelsk vällust sänker
det hjärta, som din låga när!
Vad bleve du, om vårt begär
sig endast till det sanna sträckte?
En brånad, spridd med blodets lopp,
en lusta, som behovet väckte,
och njutandet ånyo släckte.
Vad bleve då det ömma hopp,
som sig med tvång och fruktan röjer,
som, bävande, i vördnans spår
så småningom till målet går,
och, då din sällhets mognad dröjer,
dig med de blomsters ro förnöjer,
dem bildningen på vägen sår?
Knappt är du förd i segrens sköt,
förrn, ur din ljuva tjusning tagen
du önskar, att du än bedragen
din sällhet blott i tankan njöt.

Ej nog, att villans pensel målar
med glada färgor livets fält,
hon visar det, vid hoppets strålar,
i gravens natt, fördubblat sällt.
Där, bakom höga bergens sträcka,
vars spetsar över molnet räcka,
sig indianern bildat har
en himmel, alltid ren och klar,
dit han ledsagad efter döden,
hos de olyckeligas far,
skall tälja evighetens dar
i ostörd följd av sälla öden.
Där skall ej brist och slaveri
och kristnas våld hans syn förfära,
där skall han med odödlig ära,
för tidens kval belönad bli.

Så fly, o grymma sannings dager,
som våra glada drömmar stör!
Vad mer, om villan oss bedrager,
blott hon vår levnad lycklig gör?

Villor falska föreställningar, illusioner, *en dödlig dag* ... låter en
dag randas, som dödar vår lycka, *lyrisk skådeplats* operascen, *hespe-
risk* sydländsk, *tartarisk* rysansvärd, *klippors brott* sönderbrutna
klippor, *bildning* inbillning, fantasi, *irring* förvillelse, *snillets son*
forskaren, *trotsa farors rön* uthärda faror, *löv* lagerkrans, *marmor*
staty, *tycke* gillande, *för skuggan* i stället för skuggan, *idrott* verk-
samhet, *det ömma hopp* den ljuva förhoppning, *bildningen* fanta-
sien, *bildat* föreställt sig, *tälja* räkna

Ur operan *Gustav Vasa*

Ädla skuggor, vördade fäder,
Sveriges hjältar och riddersmän!
Om ännu dess sällhet er gläder,

given friheten liv igen.
Skola edra helgade gravar
trampas av tyranner och slavar?
Nej, må träldomens blotta namn
edra vreda vålnader väcka,
och er arm sig hämnande sträcka
ur den eviga nattens famn!

Kör

Ädla skuggor, vördade fäder,
Sveriges hjältar och riddersmän!
Om ännu dess sällhet er gläder,
given friheten liv igen!

Den nya skapelsen eller Inbillningens värld

Du, som av skönhet och behagen
en ren och himmelsk urbild ger!
Jag såg dig — och från denna dagen
jag endast dig i världen ser.

Död låg naturen för mitt öga,
djupt låg hon för min känsla död —
kom så en fläkt ifrån det höga,
och ljus och liv i världen böd.

Och ljuset kom, och livet tändes,
en själ i stela massan flöt.
Allt tog ett anletsdrag som kändes,
en röst som till mitt hjärta bröt.

Kring rymden nya himlar sträcktes,
och jorden nya skrudar drog,
och bildningen och snillet väcktes,
och skönheten stod upp och log.

Då fann min själ sig himlaburen,
sig sprungen av en gudastam,
och såg de under i naturen,
som aldrig visheten förnam.

Ej endast storhet och förmåga
och glans och rymd och rörelse.
Ej blott i dalens djup det låga,
och endast höjd i klipporne.

Men livlig till mitt öra fördes
de höga sfärers harmoni.
På berget änglars harpor hördes,
ur djupet mörka andars skri.

På fältet logo fridens löjen,
skräck omsmög i den skumma dal,
och lunden viskade om nöjen
och skogen suckade om kval.

Och vrede var i havets vågor,
och ömhet uti källans sus,
och majestät i solens lågor,
och blygsamhet i månans ljus.

Hämnd gick att blixtens pilar vässa,
mod skakade orkanens arm,
och cedern lyftade en hjässa,
och blomman öppnade en barm. —

O, levande förstånd av tingen!
O, snillets, känslans hemlighet!
Vem fattade dig, skönhet? — Ingen
förutan den, som älska vet.

För mig när du naturen målar
till himlar utav ljus och väl,
vad är du? — Återbrutna strålar
av Hilmas bild uti min själ.

Hon är det i min själ, vars stämpel
till skapelsen förtjusning bär.
Och jorden uppstod till ett tempel
där hon gudomligheten är.

Du, som av skönhet och behagen
en ren och himmelsk urbild ger!
Jag såg dig — och från denna dagen
jag endast dig i världen ser.

I allt din lånta teckning kännes,
o evigt samma, evigt ny!
Din växt blev liljans växt, och hennes
den friska glansen av din hy.

Din blick i dagens blickar blandas,
din röst fick näktergalens sång.
Jag dig i rosens vällukt andas
och västanfläkten har din gång.

Ej nog — du själva fasan gläder,
du fyller avgrundar med ljus.
Du öknarna i blomster kläder,
och tjusar i ruiners grus.

Och när min tanka hänryckt vimlar
och flyr, och söker trängtande,
och söker genom jord och himlar
det sälla stoftets skapare,

och frågar, i vad skepnad fattas,
att öm, och god och glad och mild
vår högsta dyrkan värdig skattas? —
Då visas Han mig i din bild.

I kungars slott, i hov och städer,
jag ser bland tusende blott dig.
Och när min fot i hyddan träder,
är du där redan före mig.

Jag gick att visdomsdjupet spörja.
Din tanka rev mig ur dess famn.
Jag gick att hjältars kväden börja.
Men cittran lärde blott ditt namn.

Jag ville ärans höjder hinna,
men bortvek i det fjät du gick.
Jag ville lyckans skatter finna,
och fann dem alla i din blick.

Du, som av skönhet och behagen
en ren och himmelsk urbild ger!
Jag såg dig — och från denna dagen
jag endast dig i världen ser.

Förgäves ur din åsyn tagen,
mig blott din tanka unnas mer.
I dina spår av minnet dragen,
jag endast dig i världen ser.

Inbillningens värld fantasiens värld, *urbild* idealbild, *kändes* igen-
kändes, *drog* klädde sig i, *bildningen* se s. 185, *himlaburen* himla-
född, *visheten* förnuftet, *livlig* levande, *levande förstånd av tingen*
sådan syn på tingen att de framstår som levande, *stämpel* avtryck,
bild, *förtjusning* förtrollning, *I allt* ... i allt ser jag drag, som lånats
från dig, *vimlar* irrar, *i vad skepnad fattas att* ... i vilken gestalt
(skaparen) skall fattas för att ..., *Din tanka* tanken på dig, *bortvek
i det fjät du gick* följde dina spår

Till Christina

Lägst ned i dalens djup, och bergets klyfta,
och täta granens sorgeliga skugga
nyss flydde Timon undan världens åsyn,
och undan åsyn — ack, mer svår att undfly —
den av sig själv, sin själ, sitt eget hjärta.
Än hade åldern icke plöjt hans panna,

och icke strött sin driva i hans lockar,
och icke tyngt hans fjät, och böjt hans skuldra,
och släckt hans snilles eld — men vad ej åldern,
det hade sorgen redan gjort, och smärtans
fördolda gift, och känslans tysta brånad,
och svallet av de sjudande passioner,
och svekna hopp om nöjen — ack, som lovat,
och ledsnan mera grym av dem — som hållit.
— Nu, sade han, I falska, tomma skuggor
av himmelsk sällhet, icke född för jorden,
ej född för mig — nu vänten er ej mera
att finna spåret till min dolda boning —
och I, o grymme, I, som ej bedragen,
ack, alltför sanna, verkeliga plågor:
Förtryck och fanatism och list och avund,
och tusen och än tusen livets plågor,
er trotsar jag att finna mer ert offer.
Stängd är jag evigt från er syn, och dagens.
Här vill jag, lycklig, glömmas och förglömma,
här endast leva med er, trogne vänner,
välgörare, odödeliga snillen,
som före mig försmäddes och försvunnen —
och när en dag jag somnar denna sömnen
så djup, så lång, så ljuv för en olycklig,
skall ingen tvungen tår min aska gäcka
och ingen skald sig i mitt lov besjunga.
Blott om en sårad vän, en dårad älskling,
förvillad av sitt kval och nattens skuggor,
fann detta skjul för stormens hot och mörkrets,
och såg vid skymten av de tända blixtar,
på ekens mossbelupna stam, min harpa
förutan strängar visslande i vinden,
och kände den igen. — Då skall han höja
en suck till himlen, sorgens suck ur hjärtat,
och säga: *Broder, du har gått* — och sedan
med tystnad leta mina ben tillsammans,
och ge dem åt den mor som ej förskjuter,
och lägga blott en otäljd sten på graven,

och skänka den en enda tår av känsla,
och strö därpå en enda handfull blommor,
av dessa fältets enkla, blyga blommor,
som aldrig vuxit under mänskors öga. —
Så talte Timon, och med rösten bruten
lög sig en stillhet, som hans själ ej kände.
Ty såsom havets dyning efter stormen,
var svallet av hans själ — där ännu blödde
det svagt förbundna djupa sår av smärtan.
Där blickade ännu det sorgsna minnet
åt flydda tiders rymd — ej grät han mera,
men på den bleknade, förtärda kinden
var ännu spåret av den tår som runnit.
Han log — men löjet i hans mörka öga
var såsom lampans natteliga strålar,
som månans strålar ur de spridda molnen
när höstens dimmor vila tungt i dalen.
Jag ser det, sade Timon, — svag, o gudar
ack, allt för svag är sävens strid mot stormen,
och flarnets dammar mot den vreda strömmen,
och dygd och vishet i ett dödligt hjärta!
Dig ensam, tidens långsamma, men säkra,
men omotståndeliga kraft — dig tillhör,
dig och din son och dödens broder glömskan,
att kyla denna brand av Etnas lågor,
att läka detta sår av seklers smärta.
Så äntlig trött att strida och att klaga
föll han vanmäktig, på sin kalla torvbädd —
mild, opåkallad, kom för första gången
kom, sakta sjunkande på silkesvingar,
de olycksfullas vän, den tysta sömnen,
och doftade sin vallmo kring hans hjässa,
och andades sin balsam i hans ådror.
Ej mer, som fordom, hotande och vilda,
med ormar i sitt hår och mordets dolkar,
uppstego kvalets drömmar ur tartaren
att spöka för hans syn — men hoppets skuggor
i lätta silverskir med band av rosor,

och glädjens livligare ljusa hamnar
i himlens stjärnbeströdda azurskrudar
kringfläktade hans själ — och när de flydde
vid morgontimmans vink och solens anblick,
då var det denna gång ej fasans åska,
som skakade hans bädd och slog hans skuldra
och ropade: *Statt upp, o slav, till plågor!*
Men sakta friskna nu de duvna lemmar,
och villigt öppnar sig hans blick för dagen,
och när den öppnas — Gud, vad glada röster
av himmelsk harmoni ha nått hans öra!
Likt rösten av de helige på Horeb
ljuvt sammanstämde med serafers harpor,
när Herrans salighet besöker jorden —
stum, till sin grottas öppning smyger Timon
och lyss och tvivlar, åter lyss och undrar.
En hemlig dragning rycker hän hans hjärta,
och foten följer dit hans hjärta drages.
Nu kastar han sig upp för klippans höjder
och ser med vidgat öga över fältet,
och ser att vad han hört och känt — är sanning.
Där, tätt i nejden av hans mörka grotta,
var fordom grälet, sveket, politiken,
och lyckans hunger med druiden dvaldes,
där — vilken Gud har skiftat denna vildmark,
och klätt dess nakna sand med blomstrets sammet,
och bytt dess gula barr i palmens grönska —
där är det, från den enkla smakens boning
som ljudet utgår av de sällas röster.
Och nu, se där! Där komma de på fältet,
och dansa, hand i hand, i kärlig omkrets,
det fria nöjets otillärda dansar.
Ej stort är deras tal: — En mor, två döttrar,
en son — men för dem, efter dem, omkring dem
sprids talrik skaran av de stilla dygder.
Tro, sämja, redlighet och frid och oskuld
och godheten — vars blickar smälta själen,
och ömheten — som ler med halva tårar,

och vänskapen — som går med blottat hjärta,
och kärleken — men ej den blinda kärlek,
det troll med vingar och förrädisk tunga,
som rasar, njuter, ångrar sig och flyktar,
nej, detta himlens barn, som evigt fäster,
med oupplösligt band, två makars hjärtan.
Och när de lyfta ögat uti höjden,
och se den sorgsna enslingen på klippan
tillbedjande utsträcka sina armar,
då fly de ej hans syn — men öppna villigt
ett rum i glädjens krets, och le och vinka
en vänskaps vink, och ropa: *Främling nalkas!*
Vem lyder denna vink, om nu ej Timon?
Nu snabb som blixten, störtar han dit neder,
och mötes med ett ömt förtroligt famntag.
Nu blandar han sig glad i deras lekar,
ler deras löjen, känner deras känslor,
och andas dygden med den luft de andas.
Och när han åter omvänt till sin klyfta,
då tycker han sig se, hur valvet ljusnar,
och gläder sig och vidgas med hans hjärta.
Välsignad, ropar han, välsignad evigt
(I, himlens älskade! I, jordens ädle!)
den stund som gav er åt min sälla åsyn!
Från denna stunden glömmer jag att lida,
och smärtan halkar lätt utöver själen,
och fastnar någon gång dess pil, och sårar,
då ser jag er igen — och såret läkes.
Och nu, vad gör mig världen och dess bländsken,
de storas nåd emot de godas aktning,
och dårars lov emot de visas bifall,
och seklers minne mot ett *nu* av sällhet,
och mot en vänskapsblick av dig — Christina.

Christina Christina Nibelius (1767—1857), gift med Kellgrens vän
J. E. Nibelius, *Timon* en grekisk världsföraktare, *syn* åsyn, *dårad*
besviken, *skjul* skydd, *lög* ljög, *tartaren* underjorden, *Horeb* Sinai,
druid keltisk präst, som ansågs vara grym och fanatisk. Här syftar

K. på en f. d. vän, sedermera fiende, som han bott tillsammans med, *med halva tårar* mellan tårar, *länen* lånen, *brast* fattades, *med nöd* nätt och jämnt

Dumboms leverne

Go herrar, länen mig ert öra
till salig Dumboms leverne.
Om det ej ledsnar er att höra,
så tör det roa er kanske.

Han föddes, enligt ödets domar,
helt naken hit på jordens ring.
Men sen han kom till rikedomar,
så brast det honom ingenting.

I vaggan hade han med nöd
en gammal käring, som såg om sig.
Vart därför illa sjuk — men kom sig,
och levde sen allt till sin död.

Till karaktären from och god,
var han ej snar att bliva retad,
men sågs han någon gång förtretad,
så var det uti vredesmod.

Det fel han haft i ungdomsvåren,
att vara pojke förr än karl,
man ganska visligt anmärkt har,
men detta fel försvann med åren.

Till ingen man han avund bar,
han såg väl ganska snett på alla.
Men det bör man ej lastbart kalla,
ty han var vindögd, stackars karl.

Man även mycket folk hört klandra,
att han dem över axeln sett.
Om det så är, så har det skett
för det han längre var än andra.

Ett muntert lag han gärna väljde,
men hatade allt fåfängt snack.
Teg nästan alltid när han sväljde,
och sväljde alltid när han drack.

I Par Bricole han aldrig hunnit
bli något särdeles stort ljus.
Ty mestadels man honom funnit
plakat, utav ett enda rus.

Som auktor skrev han kors och tvärs,
höll tal i Gränna, tal i Trosa.
Om någon gång hans vers var prosa,
så var hans prosa aldrig vers.

I stilen var han älskare
utav det tydliga och lätta.
"Ty", sade han, och det med rätta —
"ju simplare, ju enklare."

I Dumboms ungdomstid begav sig
att han predikade en gång,
men hans predikan var ej lång,
ty han vid ingången kom av sig.

En annan skulle blitt förbannat
brydd vid en sådan händelse.
Men Dumbom fann sig ett, tu, tre,
och slöt precist där som han stannat.

På sina resor han förnam,
hur väl försynens nåd reglerat,

som floder över allt placerat
där stora städer stryka fram.

Också — om ej hans dagbok ljuger —
skall på gästgivargårdarna
i Småland ätas mycket bra,
ifall man matsäck har som duger.

God kunskap salig Dumbom hade
om både människor och djur,
och märkligt var det som han sade
en gång, om kräftornas natur.

Hans ögon syntes tårar pressa
då de i kitteln sprattlade.
"Nej, ingen dör så grymt som dessa",
skrek han, "ty de dö levande."

Teologien höll han på
i tretti år med, vid sin pipa,
men kunde aldrig rätt begripa
vad ingen mänska kan förstå.

I politiken var hans tro,
vad ingen bonde plär förgäta,
att om man mjölka vill sin ko,
bör man ock ge den till att äta.

Uti moralen kom han fram
med den besynnerliga lära,
att det som gör var mänskas skam
kan aldrig göra någons ära.

Som physikus han vågat hysa
en tanka, något djärv kanske
— han trodde ljuset skapt att lysa,
och mänskans öga för att se.

Men som han uti allt for varligt,
så medgav han, försiktigtvis,
att ljus för tjuvarna var farligt,
och för en blind av ringa pris.

Hans tanka var — evad man säger
till bördens lovord och försvar —
att den förtjänst en mänska har
är ingen ann, än den hon äger.

En hans finansplan väl förtjänar
att nämnas för sin nyhets skuld.
Den lyder så: "Ju mer man länar,
dess mer man sätter sig i skuld."

Också i methaphysican
var Dumbom en förfärlig bjässe,
ty det var han, som skillnan fann
emellan *esse* och *non esse.*

Spörj, forskare, så långt du gitter,
vad residens som själen har.
Det bästa svar blir Dumboms svar:
"Min vän, hon sitter där hon sitter."

I medicin höll Dumbom för,
evad man därom må glosera,
att den helt säkert nytta gör
åt medici om intet flera.

En stor spektaklernes patron,
fann Dumbom, att hos oss som andra
man därvid sällan har att klandra,
förutom pjäsen och aktion.

Man hört hur mången auktor skriker
när minsta fel bestraffning fann.
Men Dumbom tålte lätt kritiker,
så snart de rörde någon ann.

Om han ej sjöng så satans bra,
så kom det mest av den resonen,
(precist som i vår Opera)
att salig Dumbom ej höll tonen.

Men det vari han lyckats bäst
var konsten att ta ut charader,
som man kan se av nästa rader
i svaret till en näsvis präst.

Jag tror, att prästen hette *Trälund* ...
Lik gott! ... "Mitt första", sade han,
"är *fä* — mitt andra *hund*". "Minsann",
föll Dumbom in, "ert hela — *fähund*."

Om i joujou de Normandie
han ej som mästare briljerat,
bör han ursäktas däruti,
ty spelet var ej inventerat.

Att vara gift och vara slav,
höll han för samma i det mesta,
och ibland äktenskap det bästa
det äktenskap, som ej blir av.

Må vem som kan, och vem som vill,
sin flykt åt högre rymder spänna,
den vise Dumboms sats var denna:
"Jag lever helst, när jag är till."

Vår Dumbom lade sig en afton
helt frisk och sund till själ och kropp,
men steg om morgon stendöd opp —
O vandringsman, γνωϑι σεαυτον!*

Par Bricole ordenssällskap, i vilket Bellman var en av huvudfigurerna, *auktor* författare, *simplare* enklare, *evad* vad än, *esse och non esse* vara och inte vara, *glosera* anmärka, *medici* läkare, *spektaklernas patron* beskyddare av teaterföreställningar, *aktion* spelet, *resonen* skälet, *charad* stavelsegåta, *joujou de Normandie* vår tids jo-jo, *inventerat* uppfunnet

*"Gnothi seavton" var inskriften över ingången till oraklet i Delfi och betyder "Känn dig själv!"

Ljusets fiender
Saga

En faveur de la Folie,
Pardonnez à la Raison!

En kväll, förleden höst... Låt se:
Om jag ej felar i mitt minne,
så var det kring den tjugonde
december... Ja, min läsare,
ty vintersolståndet var inne,
och Phebus, denne härskare
utöver ljus och rimmare,
som illa lyser, sämre rimmar
i nordiske klimaterne,
gick nu till sängs mot klockan tre
att sova roligt nitton timmar...
En sådan kväll kom *Lucidor*
till stora klubben ut på Norr —
En *klubb!*... Politisk? — Minsta spår
därtill i manuskriptet finns ej,
och någon minsta nytta vinns ej
att veta det. — Nog av: han kom,
steg in, satt ner, och såg sig om,
men såg ej skapat grand — emedan
man intet ljus i rummet tänt,
och himlaljusets president
gått ned till vila längesedan,
och himlens vicepresident
därtill befann sig uti nedan.

I tjocka mörkret hör han här
den dumma hopen disputera
med mycken hetta (som man plär,
när man förstår sig ingendera)
vad *form* på källarstugan är,
Vad *färg* på möblerne, med mera.

Till slut, när en och ann betänkt,
hur uppåt väggarne befängt
det var, att uti blindhet sänkt
om form och färgor resonera
(ty *vara blind,* och *icke se,*
var ett och samma, tyckte de),
så ropte en, så ropte flera:
Ljus in!

Ljus kom — en allmän fröjd
vid denna syn. Vem är ej nöjd
på svart och vitt att skillnad göra?
Blott här och där en mörksens vän
gav ljus och lampor den och den,
och vem det var, skall ni få höra.

Den första var en *surögd man.*
På honom ingen undra kan,
han hellre ömkas av allt hjärta.
Hur skulle ljussken ha behag,
när minsta skymt av himlens dag
är för hans syn en dödlig smärta?

I samma usla ställning bragt,
en *gammal nervsjuk man* hörs klaga:
"Vid Gud, det står ej i min makt .
att detta grymma sken fördraga." —
Ej heller undre man härvid:
Den stackars gubben all sin tid
i mörkret famlat fram sin bana.
Men lära *se,* och lära *gå,*
är lika nödigt, båda två,
och all förmåga är en vana.

En *sömnsjuk man* skrek till, och spratt
helt högt från stolen där han satt.
Hans namn var *Dummer Jöns,* Jöns Dummer,
till kropp och själ, båd dag och natt,
försänkt uti ett ständigt slummer.

Man kan väl tänka, vilket spratt
för sådant djur att mörkret sakna,
ty, sen man nu hans lättja ser,
så skäms det dumma svinet mer
att ensam sova bland de vakna.

"Mig" — hörs en *svärmare* därnäst —
"mig *skymningen* behagar mest.
O sälla skymning, nöjets dager!
O dunkelhet, så ljuv och mild!
När du förskönar varje bild,
vad gör det mig att du bedrager?
I dig min yra fantasi,
utur förnuftets tyglar fri,
allt i ett lyckligt kaos blandar.
Igenom dig blir skuggan kropp,
igenom dig fylls jorden opp
av gudar, jättar, troll och andar.
Nyss fick jag här en vålnad fatt
ur swedenborgska andevärlden.
Men ljuset kom — fördömda spratt!
Dess strålar i en blink förtärde'n."
"Fördömda spratt!" — skrek likaså
bakom en skärm, bort i en vrå,
en *man med schene rariteten* —
"Snart skall man nu min konst förstå,
bland hela svenska allmänheten?
Det gick i skymningen så bra,
att folkets syn och pung bedra.
Men, sen man tänt det satans ljuset,
farväl med allt slags häxeri!
Farväl med svart och vit magi" —
Så sagt, och junkern smög ur huset.

Densamma *utväg* (nämligen
dörrns utväg) tog en ann god vän,
som — ganska hederlig karl annars —
i mörkret nyss, av händelse,

råkt *taga felt om fickorne*
på *sin* surtout, och sina grannars.

En kunskapsälskande person
ifrån den kungliga polisen
(som annars kallas plär *spion*)
kröp nu helt skamflat bakom spisen.
Att lyss vid ljus går ganska slätt,
ty dels så distraherar skenet,
dels händer, vid en snabb reträtt,
att man i brådskan glömmer lätt
den ena armen eller benet.

Med puckel fram, och puckel bak,
en *krympling* hela kvällen skrutit
hur hans figur vann könets smak
(det var i mörkret en klar sak)
och vilka prov han därav njutit.
Men ljuset kom — och vem blev flat,
om ej den ängsliga figuren?
Ty mer vanskapelig krabat
man aldrig såg uti naturen.
En utlät sig: "Man vore dum...
(sen saken kommit har så vida)
att vilja ljusets gagn bestrida,
blott att man hindrar det att sprida
sitt sken till hela publikum.
Nu, och på det en dylik fara
ej i vårt land må äga rum,
är bäst man lämnar denna vara
åt mig till *monopolium.*"

"Rätt sagt!" — hör man en annan svara —
"Farväl med allt politiskt skick,
med börd och dygder, hov och seder,
den stund, till allmänhetens blick
man tillät ljuset stiga neder!
Men nu, som överheten blott

har rätt att pröva till vad mått
en undersåte utan brott
må äta, dricka, se och höra,
så tror jag för min del (hoc est:
del i *arrendet*) vara bäst,
att ljuset till *regale* göra."

Bland någre, som i hemlighet,
för skam skull, sväljde sin förtret,
var *källarmästarn* och *hans drängar.*
Förmodligt kunde gästerne
vid ljus begynna efterse
vad drog dem gavs för deras pengar.
Ty denna konst, som kallad blev
förr: *underverk* — nu: *underslev,*
den konst, att göra vin av vatten,
har än i dag det felet kvar,
att den med svårighet bedrar
rätt nyktert folk ... om ej om natten.

"O blygd och hån!" — skrek pastor *Fån* —
"Så grovt att gäckas med försynen!
Tänk, att det djärva stoftets son,
vill mitt i natten nyttja synen!
Förgäves går då solen mer
på Guds befallning upp och ner,
att dela mänskan ljus och värma!
Hon värma genom brasor gör,
och genom talgljus våga tör
att själva dagens strålar härma.
Snart har naturen ingen vrå
så djup, så dold att hitta på,
dit mänskans öga icke stjäl sig.
Hon storm och böljor tygla vet,
och räds ej i sin gudlöshet
att hindra åskan slå ihjäl sig."

Här brast församlingen i skratt,
och pastorn, fattande sin hatt,
svor pest och död mot sina bröder,
då i en hast, vid trummors skräll,
och klockors klang, och lurars gnäll,
det ropas: *"Ell'n är lös på Söder!"*
— Man nämner gata, gränd och hus,
och orsaken till allt — — — ett *ljus.*
"O, Lucifers och snillets söner,
(av *Lux* är *Lucifer)* se här"
— skrek åter *Fån* — "vad frukten är
som *Söder* ren av ljuset röner!
Och som på *Norr* ett lika slut
helt visst en lika djärvhet kröner,
så fattom genast vårt beslut,
att allt, vad lysa kan, släcks ut!"

Ren märks bland själva ljusets vänner
(så mäktig är fantastens röst!)
hur en och annan uppstå känner
en hemlig fruktan i sitt bröst.
Då reser sig vid talmansbordet
en man, att stadga deras val.
Man lyssnar, *Lucidor* har ordet:
"I män och bröder" — var hans tal —
"det finns en lag, av himlen stiftad,
för bruket av allt jordiskt gott,
att utan vishet, gräns och mått
skall själva dygden bli ett brott,
och själva sällheten förgiftad.
Vad nyttigt kan ej skadligt bli?
Sömn stärker — sömn blir *letargi,*
mat föder — mat ger *obstruktioner,*
öl värmer — öl gör *stranguri,*
skratt muntrar — skratt blir *konvulsioner.*
Än mer: att alla dygders mor,
den högsta dygd, varpå beror
all timmelig och evig lycka,

gudsfruktan själv, för vida sträckt,
har den bedrövliga effekt
att vissa huvuden förrycka!
Men om en man, ur dessa skäl,
förböde någon kristen själ
att skratta, äta, dricka, sova,
och framför allt, sin Gud att lova,
då — tvivlen ej — är denne man
förutan prut ett av de båda:
narr eller *skälm* — och vad den våda
beträffa må, som yppas kan
av ljusets vårdslösa hantering,
har däremot en klok regering
två goda medel i sin hand:
Spön — tjänlige att fruktan väcka
hos den försumliga och fräcka,
och *sprutor* — färdige att släcka
i hast den gruvligaste brand."

Han slöt — ett allmänt bravoskri,
ett allmänt klappande i händren!
Excipe *Fån* & Compagnie,
som togo visligt sitt parti,
och svuro sakta mellan tändren.

Sist: hur på *Söder* tillgått har?
Hur med dess eldsvåda tog ända?
Och vilket nytt palats man drar
ur askan av det platt förbrända?...
Därom en annan gång, kanhända,
om Gud förlänger våra dar.

En *faveur* ... "Förlåt förnuftet för dårskapens skull", *Phebus*
Apollon, solens och skaldekonstens gud, *roligt* lugnt, *Lucidor* av lat.
ux: ljus, "ljusvän", *Norr* Norrmalm, dessutom en anspelning på
Sverige i motsats till "Söder", revolutionens Frankrike, senare i
likten, *himlaljusets president* ... *vicepresident* solen ... månen,

förstår sig begriper, *usla* olyckliga, *Schene rariteter* värdelösa ting,
som utgavs för att vara dyrbarheter, *svart och vit magi* trolldom
som utnyttjar onda och goda andar, *surtout* rock, *ängsliga* bedröv-
liga, *monopolium* monopol, ensamrätt, *hov* hyfs, *hoc est* (lat.) det
vill säga, *regale* kungligt privilegium, *drog* dålig vara, smörja, *dela*
skänka, *ell'n är lös på Söder* åsyftar franska revolutionen, *lux* (lat.)
ljus, *letargi* sömnsjuka, *obstruktioner* förstoppningar, *stranguri* urin-
besvär, *konvulsioner* krampanfall, *Excipe* med undantag av, *Söder*
här: Frankrike

JOHAN GABRIEL OXENSTIERNA
(1750—1818)

Ur *Dagens stunder*
Ur *Natten*

Emottag, stilla Natt, mitt väsen i din hägnad!
Bekymrets likaväl som själva glädjens fägnad,
åt jordens varelser förkunna fridens bud.
Tag fästets tron igen, som lämnas dig av solen,
sträck ut din kaducé från en till andra polen,
    och världens vila bjud!

I kvällens sista spår, som släcks för jordens öga,
går natten äntlig opp. På rymden av det höga
två björnar dra dess vagn i himlens öppna vidd,
och kring dess våta tak, varav hon överhöljes,
hon med en dyster vakt av mörkrets bilder följes,
    kring hennes intåg spridd.

Inbillningarnas tropp, de falska syners härar,
och oron som bedrar och villan som förfärar,
och skrämslan, fyllande med spöken dunkla skyn,
och vålnadernas dans i midnattstimmans möte,

och skuggor, hotande ur sina gravars sköte,
    vidskeplighetens syn.

Av deras härar följd, för dem hon lagar stiftar,
i mörkblå skuggors dräkt, den månens silver skiftar,
hon på sitt svarta hår en krans av stjärnor bär,
och ömsom från sin tron på söderns pol och norden
med vidden av sin famn omfattar halva jorden,
    som i dess lydnad är.

Då svepas på en gång i mörkrets dävna täcken
den rymd, där solen lyst, och den, där falska Näcken
befaller hotande, med treuddsgaffelns makt,
den skog, vars dunkla höjd mot skyarna försvinner,
och fälten, där man mer ej någon lämning finner
    av alla färgers prakt.

Hon sänder Sömnen ut. Han nattens intåg följde
och själv i hennes famn, där skuggan honom höljde,
låg som ett menlöst barn i vänlig dvala sänkt.
Hans hjärtas milda frid är i hans anlet målad,
och på hans friska hy, av ungdomen bestrålad,
    är hälsans purpur stänkt.

Men snart, förskingrande den trötthet honom tvingar,
han över jorden far på daggbestänkta vingar
av dimman drypande, som höjs ur Lethes älv.
Förgätenhetens lugn i alla känslor gjutes,
och mänskan i hans band, där hon med vällust slutes,
    begär sitt fängsel själv.

Så syns det gudabarn, som himlen fordom sände,
när äntlig, ömkande de dödligas elände,
han ägnade en tröst åt deras plågors tid.
Då sändes sömnen ner, av aftonrodnan buren,
följd av hugsvalelsen och hälsad av naturen
    och varelsernas frid.

Med deras späda kung de lätta drömmar föddes
och på den vallmobädd, som kring hans vagga ströddes,
av rosor lekande sitt offer lade ner.
Till honom Glädjen flög att i hans famn sig sluta
och av sin sällhet trött i nöjets glömska njuta
        ännu ett nöje mer.

Till honom nalkades med nederslagna hjärtan
Besväret, Arbetet och Saknaden och Smärtan,
och Sjukdomen, förtärd, med döden i sitt bröst,
och Fattigdomen sist, av människor förskjuten,
och sökte stunders frid och kallade minuten
        av hans begärda tröst.

Utmed hans huvudgärd var Glömskan dem till möte,
med Tystnan, Lindringen och Vilan i sitt sköte,
som mellan fröjd och sorg i liknöjd dvala låg.
Ur kärl av elfenben, där hon sin vallmo doppar,
hon dem en dövdrick ger av aftondaggens droppar,
        bemängd med Lethes våg.

Välkommen, hulda Sömn, bliv åter jordens fägnad!
Tag mänskan i försvar och giv de hjärtan hägnad,
som under dagens tyngd förbidade din tröst.
Till dig ej Löjet når, men Sorgen ock ej tränger,
och i den helgedom du för dem bägge stänger
        hörs ingenderas röst.

I djupet av ditt lugn, där livets minnen vika,
liksom i gravens natt, de dödeliga lika,
ehur dem lyckan skilt, emotta samma rätt.
När, säll att åt din makt sitt väsen överlåta,
du glädjens ögon slöt, din hand på dem som gråta
        är även lika lätt.

Fast ej din makt förstör de kval, som oss bedröva,
vad du ej kväva kan, alltnog att du kan döva,
alltnog att åt vårt liv du ögonblick beskär
och skymmer någon gång vårt öde med din dimma.

Om oss en sällhet givs, hon mindre nöjets timma
än plågans avbrott är.

— — —

Kaducé guden Hermes' stav, *bilder* gestalter, *dävna* fuktiga, *men-
löst* oskyldigt, *Lethes älv* glömskans flod, *vällust* välbehag, *stunders
frid* några ögonblicks frid, *kallade minuten av hans begärda tröst*
bad att tidpunkten för den tröst de begärde skulle komma, *döv
drick* dryck som bedövar, *försvar* beskydd, *förstör* fördriver, skingrar

Epigram

Över Kungens porträtt, givet åt Drottningen

Sophie fick av sin man, på allra bästa sättet,
hans målning, dyrbart prydd med diamanters tal.
Men kanske bytte hon, om hon fick göra val,
med mindre stenar på porträttet
och mer på dess original.

Över Riksens ständers uteslutande ur kyrkobönen

Fordom var i våra länder
anbefallt av Kyrkans lag
att be Gud för Riksens ständer.
Det förbjudes oss i dag.
Kungen ser att denna möda
strider nu mot rätta tron:
Lutherska religion
nekar mässan för de döda.

Vid åsynen av grevinnan Dohna barhalsad

Vad fält av bröst du låter se,
som vår förvåning väcka!

Kring deras rymd, o Danae,
kan blott en jätte räcka.
Förgäves där med vanlig hand
till gränsen älskarn strävar,
om han ej mäter deras land
med prosten Runboms nävar.

ANNA MARIA LENNGREN
(1754—1817)

Den mödosamma världen

Vår prost jag häromdagen såg
en morgon, då han ännu låg
matt utsträckt mellan tvenne lakan.
Hans kinder hade rosens färg,
hans runda armar hull och märg,
och magen, kullrig som ett berg,
sig hävde upp mot isterhakan.
Vid sängen stod ett bord, där denne andans man
sin frukost redan färdig fann
av smör och kycklingar, så läcker och så härlig.
Hans vördighet grep saken an
och fann likören rätt begärlig.
Sen han nu visat mycken nit
med klunk för klunk och bit för bit,
han åter sänkte sig på mjuka huvudgärden
och ropte: Store Gud, vad är vårt usla liv?
En ständig kamp mot synd och flärden.
O, Herre, mig Thin styrko giv
i thenna mödosamma världen!

Reflexion

Cornelius Tratt är död, (en liten rödlätt man,
gick gärna med syrtut, i går begravdes han).
Jag kistan såg och processionen
och gjorde denna reflexionen:
"Bror Tratt, du levde glatt och kort,
förr bars du alltid hem, nu bärs du äntlig bort".

Epigram

När elden nyss kom lös på söder, mitt i natten,
hos brodren Rusius, man anmärkt har därvid,
att han för första gång uti sin levnadstid
        skrek efter vatten.

Porträtterne

Uppå ett gammalt gods, ett arv av gamla fäder,
        en skinntorr grevlig änka satt,
        var skral, drack ständigt te på fläder
        och hade ben, som spådde väder,
        och leddes merendels besatt.
        En dag, Gud vet, hur det var fatt,
        när hon med kammarpigan satt
uti den stora saln, beklädd med gyllenläder
        samt här och där med ett porträtt
        av hennes högvälborna ätt,
        hon i sitt höga sinne tänkte:
        Om jag likväl så lågt mig sänkte
        att tala med det lumpna hjon,
kanske det gav min gikt en liten diversion,
        och fast ej denna dumma flundran

förstår en fin konversation,
så får min lunga en motion,
och detta stackars våp skall falla i förundran
att höra på min extraktion.
Susanna, sade hon, du sopar denna salen
och sopar den mest alla dar;
du ser de konterfej den har,
men gapar som du vore galen
och vet ej av vad folk du spindelväven tar.
Hör då — till höger främst, det är min farfars far
den vittbereste presidenten,
som kände flugors namn på greska och latin
och förde med sig hem och skänkt Akademien
en metmask ifrån Orienten. —
Nå, den där nästintill (av våda satt i vrån)
är salig fänriken, min enda kära son,
i ställning och i dans ett mönster,
mitt och familjens hela hopp;
som sju slags stångpiskor fann opp
men fick en fläkt ifrån ett fönster
och slöt i en katarr sitt ärofulla lopp;
hans gravvård resas skall av marmor. —

Det här är till min mor, grevinnan, en fru farmor;
hon var, uppå sin tid, för skönhet vitt i rop
och, som det verkligt hänt och icke är en sagen,
halp drottning Kirstin kröningsdagen
att häkta understubben hop. —
Nu, den där damen i mantiljen,
det är min grand-tante, kära barn;
och den där gubben med talarn,
det är en onkel i familjen,
som spelte en gång schack med själva ryska tsarn. —
Det där porträttet sen till vänster
är salig översten, min man;
vem ägde skicklighet, talanger och förtjänster
i rapphönsjakt, om icke han? —
Men, se nu väl på denna damen
i den ovala, vackra ramen,

som i sin höga barm den där buketten bär,
  se hitåt — inte på den där —
vad stolthet kan man ej ur hennes ögon läsa!
  Se, vilken ädelt buktad näsa!
Kung Fredrik blev en kväll i denna skönhet kär,
men hon var dygden själv och började att fräsa
  och kungen underdånigt snäsa,
så att han blev helt flat och sade: "ack, ma chère,
  bevars, vad hon är fasligt fjär!" —
Ja, ja, den händelsen kan ännu mången sanna —
  Nå, ser du inte, vem det är?
Vad, känns jag inte strax på denna stolta panna? —
  Men, kors bevars väl, skrek Susanna
  och släppte nålar, sax och tråd,
  skall detta vara Hennes Nåd!!! —
Vad! skall det vara? vad! vad! slyna!
Fort ut på dörrn med dig och med din knyppeldyna. —
  Vad harm! — men det med rätta sker,
när man med slika djur i nådigt tal sig ger.

Grevinnan fick på stund en ny attack av gikten,
och det är alltihop som lärs av denna dikten.

Leddes hade tråkigt, *diversion* avledning, lindring, *extraktion* härkomst, *konterfej* porträtt, *greska* grekiska, *ställning* hållning, *sagen* sägen, *understubben* underkjolen, *mantilj* spetsschal, *grandtante* föräldrars faster el. moster, *talár* fotsid mantel, *ma chère* min nådiga, *fjär* avvisande, *sanna* bekräfta, intyga

Pojkarne

Jag minns den ljuva tiden,
jag minns den som i går,
då oskulden och friden
tätt följde mina spår,
då lasten var en häxa

och sorgen snart försvann
då allt utom min läxa
jag lätt och lustigt fann.

Uppå min mun var löjet
och hälsan i min blod,
i själen bodde nöjet,
var människa var god.
Var pojke, glad och yster,
var strax min hulda bror,
var flicka var min syster,
var gumma var min mor.

Jag minns de fria fälten
jag mätt så mången gång,
där ofta jag var hjälten
i lekar och i språng;
de tusen glada spratten
i sommarns friska vind
med fjärlarne i hatten
och purpurn på min kind.

Av falskheten och sveken
jag visste intet än,
i var kamrat av leken
jag såg en trogen vän.
De långa lömska kiven,
dem kände icke vi;
när örfilen var given,
var vreden ock förbi.

Ej skillnad till personer
jag såg i nöjets dar;
bondpojkar och baroner,
allt för mig lika var.
I glädjen och i yran
den av oss, raska barn,

som gav den längsta lyran,
var den förnämsta karln.

Ej sanning av oss döljdes
uti förtjänst och fel,
oväldigheten följdes
vid minsta kägelspel.
Den trasigaste ungen
vann priset vid vår dom,
när han slog riktigt kungen
och greven kasta' bom.

Hur hördes ej vår klagan,
vårt späda hjärta sved,
vid bannorna och agan,
som någon lekbror led.
Hur glad att få tillbaka
den glädje riset slöt,
min enda pepparkaka
jag med den sorgsne bröt.

Men, mina ungdomsvänner,
hur tiden ändrat sig!
Jag er ej mera känner,
I kännen icke mig.
De blivit män i staten,
de forna pojkarne,
och kivas nu om maten
och slåss om titlarne.

Med fyrti år på nacken
de streta i besvär
tungt i den branta backen,
där lyckans tempel är. —
Vad ger då denna tärnan,
så sökt i alla land? —
Kallt hjärta under stjärnan,
gul hy och granna band.

Mätt gått eller sprungit över, *kamrat av leken* lekkamrat, *oväldig-*
heten opartiskheten, *slöt* gjorde slut på, *tärnan* dvs. lyckan, *stjärnan*
ordensstjärnan

Ett sätt att göra herdakväden

Placera vid en å, i skuggan under träden,
  en Daphne uti schäferhatt,
  i lintygsärmar bar och platt,
  med röda snörband i korsetten
  och mycket rosor i houletten;
  en Coridon, som smilar flatt,
  ser hjärtans flepig ut och kärlig
 med flöjt i hand (en flöjt är oumbärlig)
och vippor i hans stav — och gullgult knutet hår
  och vita ben och gröna lår; —
  skog, ängar, bete, sol och vår,
  en fähund och en skock med får,
  som stundom flöjer, stundom går
  i herdens vårdnad spak och säker: —
Se, det är en idyll, som äntlig man förstår,
  så sann och menlös, att den bräker.

Daphne ett vanligt herdinnenamn, *schäferhatt* se s. 139, *houletten*
herdestaven, *Coridon* herdenamn, *flatt* förläget, *flepig* ynklig, våpig,
fähund vallhund, *flöjer* hoppar över stängsel, *äntlig* åtminstone

Epitaf

Här vilar fänrik Spink, en hjälte, som, tyvärr,
för tidigt samlad blev till sina fäders grifter.
Hans årtal voro få men stoᴙa hans bedrifter:
han sköt en gång en sparv och red ihjäl en märr.

Några ord till min k. dotter, i fall jag hade någon

Min kära Betti! du blir stor,
du från din docka hunnit växa.
Utav din hulda, fromma mor
tag för din framtid denna läxa.

Uti den värld du knappast sett
så många öden förefalla,
men med ett glatt och sedigt vett
skall Betti segra på dem alla.

På livets bana varsamt gå,
men tro ej allt vad ont man säger.
Vår värld, min Betti, är ändå
den allra bästa värld man äger.

Den är vad den beständigt var,
bebodd av kloka och av dårar.
Och, noga överlagt, den har
mer rätt till löje än till tårar.

För mycken misstro föder agg,
för mycken lättro ångrens smärta.
Tänk ej i varje ros en tagg,
ej dygd i varje manligt hjärta.

Väl dig, om jämt du följa vet
Försiktighet, den kloka gumman.
Den, jämte känslig glättighet,
är av all vishet huvudsumman.

Med läsning öd ej tiden bort,
vårt kön så föga det behöver.
Och skall du läsa, gör det kort,
att såsen ej må fräsa över.

Ett odlat vett, en upplyst själ,
vad! kunna böcker blott det skänka?
Mitt barn, studera världen väl,
den ger dig ämnen nog att tänka.

Var mänska, Betti, är en bok,
lär dig att fatta rätt dess värde;
och minns, att oftast av en tok
den vise någon visdom lärde.

Men om lektyren roar dig,
väl! i förädling av ditt väsen
låt den då blygsamt röja sig,
men ej i tonen av beläsen.

En lärd i stubb (det är ett rön)
satirens udd ej undanslipper,
och vitterheten hos vårt kön
bör höra blott till våra nipper.

Lyd, Betti, lyd bestämmelsen,
sök ej att mannabragder hinna;
och känn din värdighet, min vän,
i äran av att vara kvinna.

Se denna mor i huslig krets,
som vet sitt sanna kall bevaka,
fullt med den ärelust tillfreds,
att vara värdig mor och maka.

Se ordning, mildhet, trevlighet
med blomster hennes fotspår hölja,
och heder, kärlek, tacksamhet
dess levnad och dess minne följa.

Behaget är med fliten släkt:
i nyttig snällhet sätt din heder.

Låt ärbarheten i din dräkt
bli sinnebild av dina seder.

Följ, Betti, smakens enkla bud,
låt aldrig flärden dig förtrolla.
All prydnad driven intill skrud
är blott affischen av en fjolla.

I sällskap sladdrets tomhet fly,
men sitt ej sluten som en gåta.
För tanklösheten plär man sky,
för mycken klokhet ej förlåta.

Välj uttryck utan brydsamt val,
se till, att du ej domslut fäller.
Och tala, Betti, håll ej tal,
du tror ej hur det oss förställer.

Giv skämtets udd sitt fina skick
i ord, som glättigt oförmoda.
Dock minns, man skrattar med en kvick,
men man bär aktning för den goda.

En lätting, slö till själ och kropp,
fann en gång livet bli en börda.
Då fann en annan lätting opp
att tiden genom kortspel mörda.

Välj nödigt detta tidsfördriv,
som, fast av sed och ton ej menligt,
är, tro mig, med ett verksamt liv
och själ och känsla oförenligt.

Märk, hur en skönhets blick är vass
i nit att korten lyckligt kasta.
Märk, vid det lumpna ordet pass,
hur gracerna på flykten hasta.

Försiktigt även undanvik
all brydsam forskning i gazetten.
Vårt hushåll är vår republik,
vår politik är toaletten.

Bliv vid din bågsöm, dina band,
stick av ditt mönster emot rutan,
och tro, mitt barn, att folk och land
med Guds hjälp styras oss förutan.

När sig en kvinna nitisk ter
att staters styrselsätt rannsaka,
Gud vet, så tycks mig att jag ser
ett skäggbrodd skugga hennes haka.

Nej, slika värv ej stå oss an,
låt aldrig dem din håg förvilla.
Du skall bli gift — då vill din man
med tacksamhet min lärdom gilla.

Att giftas — ej ett ämne finns
mer rikt att i maximer driva;
men, goda Betti, hör och minns
det enda råd jag har att giva:

Den maka, som dig blir beskärd,
(märk denna stora hemligheten!)
var huld, om han är huldhet värd,
om ej — så var det i förtreten.

Tag händelser och öden lätt,
mitt barn, så bliva de ej tunga;
och, mellan oss, är det ett sätt
att än i åldern synas unga.

Min Betti, livet flyr så fort,
vad grym, vad oersättlig skada,

om, vid det lilla gagn vi gjort,
vi nekat oss att vara glada?

Må stojet och förströelsen
vid andras dom för glädje gälla!
I stilla nöjen sök du den,
det är för oss vi äro sälla.

Gör nöjet bofast i ditt hus,
äg i ditt hjärta samvetsfriden;
den gör vår uppsyn mild och ljus,
den rår på sorgerna och tiden.

Ja, Betti, livets sällhet njut,
men livets plikter ej försaka. —
Nu har min lilla läxa slut,
och till min söm jag går tillbaka.

Fromma ömma, *förefalla* inträffa, *stubb* (under)kjol, *rön* erfarenhet,
ärelust ärelystnad, *trevlighet* idoghet, *snällhet* raskhet, duglighet,
skrud överdriven grannlåt, *du tror ej* du kan ej tro, *förställer* van-
ställer, *oförmoda* överraska, *nödigt* ogärna, *av sed och ton* enligt
rådande sed och god ton, *menligt* skadligt, *gazetten* tidningen,
republik stat, *stick av* pricka av, *maximer* levnadsregler, *maka* make,
mellan oss oss emellan sagt, *försaka* försumma

Grevinnans besök

Bevars, vilket fläng både ute och innan!
    Hos prästens vad stoj och vad stök!
Ett bud hade kommit, att nådig grevinnan
    tänkt göra ett middagsbesök.

Pastorskan höll råd med sin dotter Lovisa
    om ordning med dukning och fat.
Hon ville sitt kokvett vördsamligen visa
    med ståtlig välfägnad och mat.

Nu dammades salen och gamla porträtter,
　　stamfädren förnämst däribland:
matronor med nattyg och snörda korsetter
　　och präster med biblar i hand.

Pastorskan påklädde sin långkoft av siden,
　　herr pastorn sin bästa peruk;
Lovisa sin dräkt, som den framfarna tiden
　　var årshelg kom endast i bruk.

Nu syntes grevinnan och fröken vid hagen,
　　herr pastorn till mötes dem gick
med ideligt jänk på kaftanen och kragen
　　i städat och prästerligt skick.

På trappan, med nigningar täta och djupa,
　　stod prästfrun så gladlynt i soln;
och dotter och mor foro ödmjukt framstupa
　　att kyssa den grevliga kjoln.

I salen det högborna främmandet trädde;
　　herr pastorn med bugning och krus
beskrev, hur man underdån'hjärtligt sig glädde
　　av äran, som skedde hans hus.

Det grevliga herrskapet fördes till bordet,
　　Guds gåvor det feltes ej där;
grevinnan så nedlåten nådigt tog ordet:
　　Bevars, vad ni gjort er besvär!

Pastorskans anrättning hon täcktes beprisa;
　　fann dillköttet läckert och ungt;
berömde ostkakan och brydde Lovisa
　　för husets vällärde adjunkt.

Och fröken, med fingrar som snön att förblinda,
　　en vinge av kycklingen bröt
och matade stundom sin sköna Belinda
　　och föga av rätterna njöt.

De förnäma gäster med blick på varannan
  bemärkte herr pastorns gestalt
med kniven i steken och svetten i pannan
  och trugning och bugning vid allt.

Pastorskan tog skålen med smultronen bräddad;
  allt var så hjärtinnerligt unt,
var tallrik hon böd som en ättehög bäddad;
  allt rikligt, tillräckligt och runt.

Med klenät och struvor och pontak och skålar
  på tiden så länge drog ut.
Det grevliga herrskapet satt som på nålar;
  men äntlig tog måltiden slut.

In kommo nu plantor, solbrända och feta,
  framhavda av mor och av far. —
Och nådiga frågor, vad ungarna heta —
  och tröga och tölpiga svar.

Pastorskan, så ärbar med korslagda nävar,
  kom fram med en stämma så mjäll
med tal om Lovisa och sysslor och vävar —
  och kors, vad den flickan var snäll!

Lovisa begapade frökens garnering
  och bjäfset kring kjortel och barm
med spekulation på en dylik stoffering
  till granngåls-mamsellernas harm.

Nu framböd hon kaffe ur kannan, som blänkte
  i gammal siratlig fason,
och över herr greven, som fordom den skänkte,
  höll pastorn en parentation.

Om stora bedrifter nu skar han i växten
  med vältaligt krångel och bråk

och kryste förståndet och späckade texten
med Skriftenes heliga språk.

Med anständig suck för den saliga döda
grevinnan drog näsduken opp;
en artighet sade för prästfolkets möda,
böd avsked och tog sin salopp.

Och pastorn nu grevskapet följde till linden —
hans sedsamma dotter och fru
nu nego vid trappan, vid porten, vid grinden,
och stå där och niga ännu.

Nattyg veckad mössa, *långkoft* lång, urringad kofta, *bemärkte* lade
märke till, *klenät och struvor* flottyrkokta bakverk, *pontak* rödvin,
plantor barnen, *snäll* duktig, *stoffering* prydnad, *parentation* hög-
tidligt minnestal, *skar i växten* överdrev, *kryste* ansträngde, *salopp*
rundskuren kappa

CARL GUSTAF AF LEOPOLD
(1756—1829)

Ur *Predikaren*

Min son, tag läran av min mund;
giv akt på tidens flykt i dina unga dagar,
och lyssna i din vår till levnans visa lagar.
　　Hon varder kommande den stund,
den stund av långsam död, den stund av evig dvala,
då inga ämnen mer till dina sinnen tala,
då styrkan brutit opp med viljan sitt förbund
　　då mjölnarena mer ej mala,
　　och huset darrar på sin grund,
　　och tinnarna därav stå kala,
och mörkret bryter in igenom fönstrens rund.

Till sällheten, min son, låt visheten dig föra;
    allt annat irrar dina fjät.
Hör då, vad tidigt nog en dödlig ej kan höra:
    att lycklig bli, att lycka göra,
de tingen äro två, men få begripa det.

Vill du Naturens väg till verklig sällhet veta?
    Se här dess första bud: *Arbeta!*
Det är en dödligs kall, dess ära, dess behov.
Hon sade ej: "Finn sätt att tiden förnämt döda!"
Hon sade: "Mänska, köp din njutning för din möda,
och giv ej andras svett din orklöshet till rov!"
Var nyttig. Nöjet blev till pris åt mödan givet.
Dagsverkarns timme flyr, dagdrivarn släpar livet,
och vämjelsen vid allt är duglöshetens prov.

Gör rätt åt all förtjänst, min son, och gör det gärna.
Men pröva var hon finns, och vet att hon är sann.
Skilj kärnan från sitt skal, magnaten från sin stjärna;
de svara, ofta nog, rätt illa mot varann.
Låt ingen fördoms makt och ingen dåres truga
det bifall av din mun du dygden borde ge.
För mänsklig ordning dock (för vilken allt bör ske)
    inför den höga dåren buga,
men djupt, så djupt, min son, att han ej ser dig le.

— — —

Tre stora ord, min son, vår samhällslära pryda:
    Upplysning, Frihet, Mänskorätt.
Om himlen unnar dig förstå vad de betyda,
förklara dem, en dag, för mänskors usla ätt.
    Har man ännu förstått dem rätt?
Vad skiljer detta blod som nu Europa färgar
från fanatismens bål och despotismens band?
Det är ej Sanningens, min son, som jorden härjar,
som öppnar brottets damm. Nej, det är hon vars hand,
när likt en skyhög flod det svämmar utan strand,
    från himlen sträcks och jorden bärgar.

I sanning som i dygd, min son, en måtta vet.
     Räds att ditt sanningsnit förleder,
och driv ej dygdens nit till ofördraglighet.
Var sträng i tänkesätt, men len och ljuv i seder.
Naturens första bud är sammanlevnans lag,
och mänskans första plikt att denna möjlig göra.
Om till förnuft och dygd du vill en dödlig föra,
så stöt ej honom bort med sättets obehag.
Tänk ej att plumpt är starkt och blygsamheten svag.
Tro ej Catoners namn med cynisk fräckhet vinnas;
var viss att den gör mer, som rodnar ej för ord,
och vet att knappt ett brott så timmerhögt skall finnas
som ej var planta först i *Skamlöshetens* jord.

— — —

Min son, hav bygden kär. Var känslig för naturen.
     Man hårdnar under konstens band.
Byt stadens täppta barm mot sjöar, skog och land.
Se träden utan skrank och fågeln utom buren.
Säg ofta: "Det är här naturen mänskan ställt;
här var dess hjärta rent och hennes tillstånd sällt.
Det är ej här dess dygd sin första bane funnit;
det är bland slussar, valv, kolonner, torn och slott
hon lasten pryda lärt, förtryckets boja fått,
och hennes kungars blod för upprorbilan runnit.
Så ljuv som skördens glans, som gräsets bädd så len
är hjärtats känsla här, och vart begär den väcker.
Det hårda brottet föds bland dessa block av sten,
med vilka det till skyn en jämnhög panna sträcker."

Ehuru dröjd, min son, han kommer dock, den dag,
som skall sin vinterfrost kring dina skullror tömma,
skall lämna tom din stol i vänners aftonlag,
och dig till sparsamt bord och enslig säng fördöma.
Förstå den svåra konst att åldras med behag.
Naturen blive här din tröst, liksom din regel.
Den sol som nedergår ännu sin skönhet har,
och seglarn, som från sjön sig inåt hamnen drar
med sakta vaggad fart och sammandragna segel,

behagar än vår syn och håller skådarn kvar.
Var tid sitt värde har, sin daning, sina seder.
Erfarenhetens dag ger vikt, om den gör tung.
En grånad filosof är mänsklighetens kung.
Men det är rätt, min son, att åldern saknar heder,
när hon är barnslig nog att vilja synas ung.

Min son, ett sorgligt ord skall min predikan sluta.
Givs en fullkomligt säll bland jordens barn? Ack nej!
Åt ingen dödlig gavs att oupphörligt njuta.
Allt lider ömsevis. Varför? Det vet jag ej.

Det givs ett sätt, likväl, att mildra livets öden:
Gör gott. I tysthet följ det gömda kvalets fjät.
Styrk här ett krossat mod, ryck där en dygd ur nöden.
Det givs ett sätt, min son, att mildra själva döden:
Gör gott. Och lit på mig, det givs ej fler än det.

Mjölnarena = tänderna, *fönstren* = ögonen, *irrar* vilseleder, *dug-löshetens prov* oduglighetens kännemärke, *stjärna* ordensstjärna, *usla* arma, *Catoners* (till Cato) moralister, *bygden* landet, *konsten* förkonstlingen, *om den gör tung* även om den är tung att bära, *kvalets* olyckans

THOMAS THORILD
(1759—1808)

Harmen
Sång från hedenhös

Dyster och vild TOR satt på Atlefjäll,
och i svarta skyars virvel
dovt stormen kring hans huvud röt.
"Dödlige, kom!" sade hans rösts
åska till mig. Jag kände kraft,

i den stora känslans rysning
fröjd jag kände, och gick.
"Hör, son! Vid dessa ögonbryns
blixtrande natt jag svär, jag svär:
Från denna stund" —
berget skalv, klipporna störtade —
"jag heter ej TOR, jag heter HARM.
Gott är att njuta en värld, men stort
är trotsigt att le åt alla.
Valhalla självt är jordens bild,
FRÖJA är fånig, ODEN är vild.
Kärlek, ära, rikedom, allt
vräks som havets vågor.
Ödet är en virvelgöl,
avgrundsdjup och avgrundsglupsk,
slukar allt, frusar ut allt.
Skärp ditt öga, son, och se
världar och himlar rasande tumla där!
Och i dustet dårar störtande evigt!
Och i alltings skräckliga brak och gny
nödens skrän upp till ingen Gud!"

            Jag såg —
TOR med sitt ögas blixt
en väg av ljus genom töcknen ljungade —
jag såg på en blomsterhöjd och såg
gudomligt skön en flicka
slingrad intill sin älskares själ,
i en alla himlars kyss
lova en öm en evig tro — då vild
en bister jätte, nämnd Far, rusade fram
och störtade henne med en vink
ned i en annans famn — mitt öga
mörknade, och jag *grät av harm.*
Blomstren, höjderna, luften
suckande skallade åter
skrien, skrien av hennes kval.

Jag såg —
längre bort millioner
stoftet kyssa, trampat av en TYRANN,
som av högfärd vild sig vräkte
lik en gud på en himmelens tron — men
hans ögon gnistrade helvetet.
Vid en hans lågande blink sig reste en åsna upp,
tredubbelt krönt, med gyllene mantel,
till att hålla Ödets bok
och dess eviga lag gällt skräna ut.
TYRANNENS hövdingar, vargar, vilt
svultna, lömska, törstande blod,
tjuta upp i raseri,
trälar tusende, tusende,
till att mördande mördas.
Ve, ve!
Djävlars skratt med döendes ack
rymderna göra till ett enda gny,
och himlar skälvande dåna dovt:
"Ve, ve!"

"Son!" morlade åskan
av gudastämman TORS.
"Detta är ÄRANS fält, detta!" Jag grep
efter hans ljungeld *i häftig harm,*
men upp höllt TOR sin mäktiga arm,
och eldarne skakade blänkte.

Jag såg —
genom rasande världars töcken,
längst bort över ärans skräckliga fält —
ett BERG av störtande klippor
förlora sin spits i evig natt.
Högst syntes i trolldomsglans
halvtöppnad en *Himmel*, och chorer
av Cherubim och Seraphim
och helgons skinande kretsar.
Djupast i bergets däld vrålande,

med gny och kvidan vräkte upp
en *Avgrund* blåröda lågor, i moln
av gnistrig virvlande rök. Omkring
på svarta klippor djävlar sutto,
grinande vilt. Uppöver dem,
i avgrundens dystra dunkla,
vitt blänkte av guld ett *Tempel*,
där åsnor gående upprätt med kronor
skränade: "Helig! Helig!" och gällt
basuner stötte, och folken
darrande kommo, buro fram guld,
guld som var deras rena blod,
av mödan pressat ut, och härdat
i kvalets glödande ugn. Främst en
av templets åsnor höllt åt dem en kalk
och av smulor ett fat, då alle,
alle skränade skräckligen vilt:
"Var droppe släcker ett helvete,
och med var smula sväljen I
tusende, tusende himlars fröjd
och desse himlars Gud, amen!"
Näst ovan templet, i dess gulds
milda sken, ljuvt yrade *Lärde*,
kastande tankfullt i rymden ut
linjer, cirklar, paraboler,
ofantliga ord, magiska ljud, färgade bloss
för att av evig grund oss visa
lögnens och våldets, heliga åsnors
och tyranners *Gudomliga Rätt.*
"Hören! Hören!"
från sin källa på en blomsterhöjd
ropade högt en ädel vis.
"Hören!
NATUREN är levande sanning,
är skönhets och nöjets enda lag
och evig rätt för kungar och folken.
Naturen ler åt de stora ord
och ärar blott kraft i snille och hjärta.

Den bäste, säger hon, den är störst.
Naturen är
Guds leende anlet,
Guds egen skönhet i dödelig glans!
Hon strålar av vishet att leda oss.
Dess eviga löje
säger: Dödlige,
följen mig!
Er himmel av skönhet jag är,
och nöjets himmel ler i min skönhet."
"Bränn!
Bränn honom!" skräna
de heliga åsnor, tyranner och lärde.
Och bålet flammar mot himmelens sky.
Naturens kvidan
i dalarna höres,
där oskuldens visa nöjens folk
se de förfärliga lågor mot himlen,
och gråta sin och Naturens vän...
"TOR! TOR!" jag skriade. "Starke TOR,
din makt, din ljungeld mig läna,
och stormarnes vilda raseri,
att dessa galna världarna härja."

          "Ej Ödet vill.
Men *du har sett Världen*."
Han skakade ljungelden
över mitt huvud,
och slog en gnista in i min själ,
därpå for upp
med havets och tusende stormars dån.

          Väl, *jag har sett Världen!*
Väl, rasande virvel
av ting och av lagar,
jag ler åt dig
TORS gnista jag kände,
och kände hans harm.

Hell, eviga intet!
Och konstens blixt som ljungar oss dit!
Hell! svare var dödelig stor och fri,
som glad kan le mot det eviga intet.
Jag ler, jag segrande ler, och tänker:
Ödet kan skapa en värld, jag kan förakta den.

Atlefjäll Kölen, *Valhalla* gudarnas boning i nord myt., *fånig* galen,
frusar ut utspyr, *dustet* stoftet, *tredubbelt krönt* anspelar på den
påvliga tiaran som har tre kronringar, *morlade* mullrade, *åsnor* dvs.
präster, *kalk* nattvardskalken, *smulor* oblater, *paraboler* parabler,
öppna kurvor, *en ädel vis* trol. Rousseau

BENGT LIDNER
(1757—1793)

Grevinnan Spastaras död

På Nova Zemblas fjäll, i Ceylons brända dalar,
varhelst en usling finns, är han min vän, min bror!
Då jag hans öde hör, med tårar jag betalar
den skatt jag skyldig är, natur, dig, allas mor!
Nej, himmel, icke jag ditt delningssätt anklagar.
På blomman av min vår du hagelskurar sänt.
Men om jag tälja fått en mängd av sälla dagar,
att jag ett hjärta har, jag kanske än ej känt.
Bland ödens ebb och flod mitt levnads roder kastas,
av svaga hoppet styrs, med plågor överlastas,
        jag ingen hamn för töcken ser.
Du ej den enda är... Tröst för ett tigerhjärta!
Barbarisk tröst!... Vad? Att det finnes fler,
        som digna under livets smärta.
Det tröst... min milde Gud... det tröst i nöden ger?
        Må tusen viggar på mig falla!

Jag i ett avgrunds djup mig skulle lycklig kalla,
om ingen dödlig fanns olycklig mer än jag.

Men hårda mänsklighetens lag!
Av andras nöd allt vad jag får erfara,
min blod till is, var puls till marter gör ...
Jag kan ej säll i himlen vara,
om där jag jordens klagan hör ...
Och då, gudomliga Spastara,
ett kärleksoffer du imellan lågor dör,
jag skulle mina känslor spara?
Jag bli så hård, som — himlen är?
Ack nej, vid denna sorgsna källa
jag dig ett skyldigt offer bär.
Här jag min luta tar, här vill jag tårar fälla,
jag kan ej mer, och mer din skugga ej begär.

Ren våren förd på gyllne skyar,
med ymnighetens horn i hand,
sitt jubel och sin makt förnyar
omkring Messinas rika strand.
Messina stolt bland städer lyste,
och sällhet i sitt sköte bar.
Dock bland de skatter, som hon hyste,
den skönaste Spastara var.

Nu till en bäck den västan smeker
av dig, o näktergal, hör hon sig buden bli,
men kan Spastara gå förbi
sin son, som uti vaggan leker?
Sin kärleks pant i famn hon tar.
(I mödrar, kännen vad hon njuter!)
En hänryckt, öm och lycklig far
dem båda i sitt sköte sluter.
En blick av sin gemål han dränkt i vällust får,
och bägges själar strax på deras läppar brinna.
Hon blott en känsla har, som just på gränsen står
imellan mor och älskarinna.

Ack! Himmel! ropar hon — och rörd åt havet ser,
min sällhet är för stor, att länge dröja kunna...
Dock nej, min ljuve vän, jag vill ej bäva mer,
den dygdens ursprung är, den skydd åt dygden ger,
  kan dygdens sällhet han missunna?

  Gud... Ack, rädda mig — hur jag förskräckes!
  Hemsk av nattens djup jag betäckes.
Det blixtrar... Vad gnistor de spritta, de spraka,
  väsande svavelregn störta sig ner,
  darrande jordens inälvor braka,
   dess grundvalar skaka,
 hon vrålar, spyr eld — nu öppnar hon sig...
Gud, nådig, barmhärtig, förbarma dock dig!

Ramlande, tordönen dundrande knalla,
  eldtöcknar skalla,
  sjöarna svalla
  mot rytande skyn.
  Klipporna gunga,
  åskviggar ljunga...
   Fasliga syn!
 Ankrade seglare vågorna slunga
  mot himlabryn.
Templen av glödande eldkulor brinna.
En skräll — än en skräll, palatsen försvinna,
 i rämnade jorden begrava de sig...
Gud, nådig, barmhärtig, förbarma dock dig!

 Spastara!... Nej, uti hans armar,
 ack, vilken skönhet dignar ner!
O, höga gudamor, du nådfull dig förbarmar...
Hon svimmar, nu hon är ej mor, ej maka mer.

Vad gör du, ömma hälft utav ett änglahjärta?
  Förtvivlan väcker allt ditt mod.
Du glömmer fasans våld och känner blott din smärta.
Där ligger hon! — Så skön uti Messie blod
 vid korset Magdalena dignar,

så skön i sine tårars flod,
hans fot hon kysser och välsignar.

En bjälke ramlar... Nåd!... Gud!... Nåd!...
　　　　　　　　Hon krossas kan...
　　Med känslor från avgrund, till känsla av man,
　　han hastar att göra vad gudarna borde...
Förlåt, natur, sitt barn av skräck han glömma torde.
　　Han älskling var långt förrän far,
　　och hennes guda ögnapar...
Det blir ditt fel, natur, för skön du henne gjorde...
Nu nerför trappan han dess dyra väsen bär.
Det marmor känsla får uppå vars häll hon vilar,
själv känslolös och stum — den häpne maken ilar...
Tag än en avskedskyss! Gråt! — Det den sista är.

　　Elden genom djupet bryter,
　　lavan lik, då Etna ryter,
　　allt han skövlar, allt förtär.
Hålt, Allmakts Gud! Ditt verk du svurit hägn,
　　vi tillbe dina dolda under,
　　men är du mera stor i dunder,
　　än i de rika sommarregn?
Förgäves! — Än en gång mordviggar rasa
　　ur blodiga skyar ilande ner.
　　Vad är det jag ser?
Emot Spastara? Mot himlens urbild, han kan...
　　　　　　　　Vilken fasa!
　　Vad djärvs du!... Mot Spastara våga...
　　Förmätne stråle! Vad! Du dygden störta vill?
　　Vet, hennes död kan tvinga oss att fråga:
　　　　Månn gudanåd och rätt är till?

　　Nej, hålt, tills du den niding finner
　　uppå vars kala hjässa rinner
　　av änkors tåreflod ett svall,
　　då med blixt och knall på knall
　　ingen puls i hjärtat spara!
　　Mätta fritt ditt raseri

Krossa! Krossa!... men för Spastara,
    häpna, tillbed, flyg förbi!

Sin sköld mot åskans pil en skyddsängel sträckte —
    men nu Spastara spritter opp.
    Det modern var, naturen väckte,
    då viggen i de murar lopp,
som hyste hennes son, dess dagars glada hopp.
    Hon vaknar, skådar taket brinna,
    lik en numidisk lejoninna,
vars ungar man från henne rövat har,
    hon genom tusen flammor far,
från rum till rum med tankens snabbhet hastar,
    dess fotspår eldens våld förtär...
Men ingen eld så stark som moderslågan är.
Nu muren i dess väg de heta stenar kastar.
Ett moln av svavelrök dess syn förblindad gör.
Dock, månne känslan kan ett modersbröst bedraga?
Till vaggan hennes steg en säker kosa taga,
    hon stannar — ack, ett klagans skri hon hör,
ett steg tillbaka tar, nu åter vaggan hinner,
mot barnets bröst dess hjärta redan brinner,
hon det i skötet bär, för andra gången mor.

Kom, make, kom att se! — Min sällhet är för stor!
Min son! Mitt enda barn! Mig dina läppar röra.
    Min modersarm får nu omfamna dig.
      Du lever! Är hos mig.
Den Gud, som fört mig hit, skall än misskunda sig,
    och oss igenom lågor föra.

Nu rusar offret ut — det ljungar... Vilka dån!
O Du, som i Ditt sköt de späda barn har slutit,
vid varje tår Din mor i Salems dälder gjutit,
när med förtvivlans rop: Var är Du? O min son
    Hon sökte dig med öppna armar.
Vid dessa tårar, Gud (Som hon jag moder är.)

Son! Frälsare! Vid dem jag Dig besvär,
  att nu, att nu Du Dig förbarmar!
    Viggarne lossas,
    skyarne krossas.
  Blixt och avgrunds töcknar sväva.
  Spastara har ej tid att bäva.
Sitt barn men faran ej ett modersöga ser,
  det smälta grus i röda vågor brusar,
  hon genom hindrets stängsel rusar,
till trappan hinner fram — nu ramlar trappan ner...
Där står hon, Gud!... Din vilja är min lag,
din makt är oinskränkt, ett uselt stoft är jag.
    Nog dina pilar krossa kunna,
men månn det därför är, som Du mitt släkte gjort?
Ja, jag är stoft — men tycker dock Du bort
    så ömsint mor en flyktig sällhet unna.
Förlåt — men ack! — i detta ögnablick,
  — Gud! Jag förgäter mig — då hennes tårar flyta,
    med Dig — fast jag Din himmel fick —
      jag ville icke känsla byta.

Mörker och eldar och stumhet och dån!
Över och under och kring henne döden!
Mot himlens våld, mot dessa avgrundsöden,
där står hon! — Ensam — stum — med dygden
  och sin son —

    Som de vilda norrsken måla
    snöbetäckta fält med blod,
    så på bleka kinder stråla
    flammor utav eldens flod.

    Ack, vilken syn!
Än står hon, ser djupet, med hand lyft åt skyn.
Dess svedda hår kring hennes axlar hänga,
på hennes anlets hy sitt flor nu döden drar,
    hon utom sig tillbaka far,

försöker genom elden tränga,
till en altan sin tillflykt tar.
Där visar hon sitt barn och höjer upp sin röst,
besvär vartenda modersbröst,
varenda far, att det förlossa.
Hon våndas, ropar, klagar, ber:
Ack, blott min son jag räddad ser,
må fritt mig tusen åskor krossa!

Spastara! Om jag varit där,
jag hade... Vad? — Ack, Gud, i egen fara
man döv vid andras klagan är.
Dock nej, olyckliga Spastara,
jag vid ditt helga stoft, vid mina känslor svär,
jag trotsat eld och död, i faror mig fördjupat!
Och fast en yngling än, månn jag ej levat nog,
om för att frälsa dig jag under gruset stupat?
Mer ärerikt en hjälte aldrig dog.

Nu till förtvivlans bråddjup driven,
hon känner sig av Gud, av mänskor övergiven,
och skrattar — spöklikt, vilt, med Kains hemska blick
då ur Guds åsyn han i Tigrens öknar gick.
Hon slösar ingen bön — sig hennes känslor samla.
Natur!... Ack, nu sitt barn den sista kyss hon ger,
och ifrån Gud till sig drar änglars blickar ner,
de läppar — svartna ren på vilka orden famla:
Min son!... Vid detta bröst... du skall...
Ack!...

Dödens blixt och domens knall! —
Murarna ramla.

*

Du envålds makt, en vink det kostat Dig!
  Hur värdig ej Din lag Din ära,
  Du låter flammor dem förtära,
    och fordrar kärlek utav mig!

O, alla Väsens Gud! Du ville Sodom spara,
Om blott där funnits fem, som älskade Din bud.
Vad bröt ett menlöst barn? Vad gjorde dig Spastaı
De krossas?... Abraham! Och detta är din Gud?
Ja, om på detta klot, där brott och öden rasa,
Spastara, du ett mänskligt fel begått.
      Vid detta dödsrop, denna fasa,
      med dessa känslor, som jag fått.
Jag ville vara Gud, att kunna dig förlåta,
och sedan mänska bli, för att av glädje gråta.
      Men när så grymt oss ödet sårar,
      Var finnes tröst? I tårar, tårar.
      Den makten äger, segrar lätt,
      dock dygden just då dundren knalla,
      sin oskuld kan till vittne kalla,
      och himlen då hans viggar falla,
      skall rodna för sin oförrätt.

Det töcken, vars viggar dig krossat, Spastara,
försvinne från jorden, från himlar och hav!
Dock — om så oföddvärd en älskad son kan vara,
att hata — hata? Gud, den honom livet gav,
om ej i känslor dränkt hans hela väsen bliver
vid minnet vad en mor för evig kärlek bär,
om vid dess suckar döv på lastens väg han är,
och henne sorg till lön för tro och ömhet giver,
      kan hennes stoft han utan tårar se,
må över hans hjässa det töcknet då välta,
        i blodskurar smälta,
      att himlarna rysa och djävlarna le!

*

Spastara, om min suck dig hinner,
där du med änglar dig förent,
och du en himmelsk skönhet finner,
ett hjärta som Guds tanke rent,
ett hjärta, som mitt öde sårar,
Spastara, om du henne ser,
då tyst, som tålamodets tårar
på detta klot hon blickar ner,
och hennes suckar uppenbara,
att från en älskad son hon for,
i hennes sköte flyg Spastara
— — Det är min mor.

Usling olycklig, *tälja* räkna, *hon vrålar* ... dvs. jorden, *ramlande* mullrande, brakande, *ömma* kärleksfulla, *älskling* älskare, *urbild* avbild, *dess* hennes, *Salems* Jerusalems, *smälta grus* lavan, *menlöst* oskyldigt, *oföddvärd* ej värd att födas, *mitt öde sårar* lider av att se mitt öde

FRANS MICHAEL FRANZÉN
(1772—1847)

Människans anlete

Redan hann sin purpurslöja
över cederskogen höja
   tidens sjätte dag.
Guldbevingad, över bäcken
fjäriln flög till rosenhäcken,
   kysste dess behag.

Pärlan sken i vattnets spegel,
vita glänste svanens segel
   i ett skuggrikt sund.
Vinet glödde rött i druvan,

öm och menlös lekte duvan
uti Edens lund.

Men den högsta skönhet feltes
i naturen — kronan feltes
än i skapelsen,
till dess människan ur gruset
hov sitt anlete i ljuset,
hov upp ögonen.

Snön på fjällen höll ej färgen,
morgonrodnan bakom bergen
sjönk fördunklad ner.
Stjärnan, som i dagens panna
satt så skön, ej ville stanna
över jorden mer.

Djuren hyllande sig böjde
för de ögon, som sig höjde
ifrån stoftet opp.
Där behag och kärlek myste,
där, bland sorgens tårar, lyste
ett odödligt hopp.

Änglaskaran står betagen,
ser de talande behagen,
och på skaparn ser.
Skaparn tryckte sitt insegel
på sitt verk, och i dess spegel
ser sin bild och ler.

I som ropen: Det är ingen,
ingen själ fördold i tingen,
allt är stoft, ej mer!
Dårar, blott till källan stigen,
sen ert anlete och tigen,
rodnen, höljen er.

Se den gamle vises panna,
se en tavla av det sanna,
        som ger sekler dag.
Se en blick ur hjältens öga,
se ett elddrag av det höga,
        som ger världar lag.

Och det sköna, milda, ljuva?
Lyft min Selmas morgonhuva
        från dess rosenkind.
Se dess ögon, ömma, blyga,
se dess mörka lockar flyga
        sorglöst för en vind.

Eller följ den hemligt flydda,
då hon lyss, i sorgens hydda,
        till dess klagoröst.
Se, hur själen, genom tåren
på de svarta ögonhåren,
        blickar fram med tröst.

Skymt av himlen i naturen,
änglavålnad ibland djuren,
        mänskoanlete!
Pryder du blott dödligheten?
Skall du ej i evigheten
        tåras än och le?

Ack jo, änglar än skall röra
Selmas uppsyn, då de höra
        hennes röst bland sig.
Selma, än i himlens salar,
än i Elyséens dalar
        får jag se på dig.

Tidens sjätte dag den sjätte skapelsedagen, *Selma* Franzéns sångmö,
dess hennes, *änglavålnad* avbild av en ängel, *Elyséen* himlen

Champagnevinet

Drick, de förflyga de susande
    pärlorna, drick!
Skynda! Det ljuva, det ädla, det höga
    söker du fåfängt, sen anden förgick.
Dåren, som fäste vid skummet sitt öga,
    vatten, blott vatten, på läpparna fick.

Njut, de försvinna, de tjusande
    stunderna, njut!
Ytterst förfinade, känslan och löjet
    reta och domna i samma minut.
Snappa i flykten behaget och nöjet!
    Högst är raketen, i det han går ut.

Snar är på jorden den rusande
    glädjen, ack, snar!
Fångad av ynglingens spända förhoppning,
    än ur en druva, förädlad och rar,
än från en mun, lik en ros i sin knoppning,
    strax till sitt hem över molnen hon far.

Vad ljus över griften

Vad ljus över griften!
Han lever, o fröjd!
Fullkomnad är Skriften,
o salighets höjd!
Från himmelen hälsad,
han framgår i glans,
och världen är frälsad,
och segern är hans.

Bortvältad är stenen och inseglet bräckt,
och vakten har flytt för hans andas fläkt,
och avgrunden bävar. Halleluja!

Här var mellan ljuset
och mörkret en strid.
Dock segrade ljuset
för evig tid.
Nedstörtad är döden,
och tron står opp,
bland jordiska öden,
med himmelskt hopp.
I sörjande kvinnor, vem söken I här?
Den levande ej bland de döda är.
Uppstånden är Jesus! Halleluja!

Så himlen med jorden
försonade sig,
så graven är vorden
till glädjen en stig.
I huvun, som böjdens
vid korsets fot,
upplyftens och fröjdens,
trots världens hot.
Kom, skingrade hjord, till din herde igen.
Han lever, han lever och följer dig än,
osynlig från himlen. Halleluja!

Nu stormen, o tider!
Hans kyrka står fast.
Som ljuset sig sprider
hans lära med hast.
Ut gå i all världen
hans sändningabud
och vittna bland svärden
och bålen om Gud,
och vittna om honom, o tröst i all nöd,

som, död för vår synd, blev genom sin död
en förstling till livet. Halleluja!

I fromme, vi klagen,
vi misströsten I?
Hur fort är båd dagen
och natten förbi!
Snart jorden upplåter
sin famn till er ro,
snart uppstån I åter,
likt kornen som gro.
Han själv, som dem sådde, skall komma till slut
och samla in skörden, men skilja förut
ogräset från vetet. Halleluja!

JOHAN OLOF WALLIN
(1779—1839)

Hemsjukan

Vart stiger din suck, o mitt klappande bröst?
Var höres, o bedjande hjärta, din röst?
En främling jag står på den ödsliga strand,
    och känner en längtan,
    en traktan, en trängtan. —
Jag vill över havet till okända land!

I överflöd har jag mitt lystmäte fått
av kunskapens träd, så på ont som på gott.
Jag sett huru dagarna komma och gå.
    Som bölja på bölja
    varandra de följa,
och dovt och enformigt mot stränderna slå.

De jublandes gny och de jämrandes skri
jag hört, hur de gå var på sin melodi,
den gamla, bekanta, som var och en kan.
        Ej olika toner,
        blott variationer
till tidsfördriv stundom den dödlige fann.

Om sommaren kläder sig jorden till brud,
om vintern så drager hon svepningens skrud
Så gjorde hon förr, och så gör hon i år,
        om hösten hon gråter,
        om våren hon åter
med barnslig förnöjelse torkar sin tår.

Hon bärgas och härjas, den välvande jord.
De vise där talte mång ståtliga ord
om frihet och dygder och gyllene tid.
        Sin fackla de buro
        för kungar, som svuro
i trötthetens timmar den eviga frid.

De talte så fordom, de tala så än.
De svuro och svära detsamma igen.
Men idligt sig vänder det rullande klot,
        och gyllene tiden
        och eviga friden
få där intet fäste för halkande fot.

Jag sett, hur det tillgår på jordenes ring.
Men nytt under solen jag sett ingenting.
I hundrade former är allt likadant.
        Sin yta det fejar,
        men troget sig drejar
kring samma sin axel, som det varit vant.

Inbyggarne alla på världenes ö,
jag vet hur de födas, jag vet hur de dö,
och hur, dessemellan, de larma en stund.

En myggdans, som stimmar
  i solskenets timmar,
tills natten gör slut på båd strid och förbund.

Ej många de äro, mitt eländes år.
Min tid på långt när ej till fädernas når.
Dock haver jag skådat mig mätt här uppå.
    Det blir som det varit,
    är vad jag förfarit,
och summan av allt vad jag lärt mig förstå.

Nu lägger jag neder min pelegrimsstav,
och ser mot det stilla, det stjärnströdda hav,
förmår ej att vända mitt öga från er,
    I strålande öar
    i azurens sjöar,
som dagens, när dagen hos oss har gått ner.

O, låten mig följa de facklor I tänt!
Jag har ingen lust med den värld, som jag känt.
Jag andas ej fritt på dess kvalmiga strand.
    Mig driver en längtan,
    en aningsfull trängtan,
jag vill över havet till okända land!

Förfarit erfarit, *azuren* här: himmelen, *dagens* (2 pl.) dagas, framträda

Var hälsad, sköna morgonstund

Var hälsad, sköna morgonstund,
som av profeters helga mund
är oss bebådad vorden!
Du stora dag, du sälla dag,
på vilken himlens välbehag
ännu besöker jorden!

Unga
sjunga
med de gamla.
Sig församla
jordens böner
kring den störste av dess söner.

Guds väsens avbild — och likväl
en mänskoson, på det var själ
må glad till honom lända. —
Han kommer, följd av frid och hopp,
de villade att söka opp
och hjälpa de elända,
värma,
närma
till varandra
dem, som vandra
kärlekslösa
och ur usla brunnar ösa.

Han tårar fälla skall, som vi,
förstå vår nöd och stå oss bi
med kraften av sin Anda,
förkunna oss sin Faders råd
och sötman av en evig nåd
i sorgekalken blanda,
strida,
lida
dödsens smärta,
att vårt hjärta
frid må vinna
och en öppnad himmel finna.

Han kommer, till vår frälsning sänd. —
Och nådens sol, av honom tänd,
skall sig ej mera dölja.
Han själv vår herde vara vill,
att vi må honom höra till

och honom efterfölja,
nöjda,
höjda
över tiden,
och, i friden
av hans rike,
en gång varda honom like.

Är oss bebådad vorden har blivit förutsagd för oss, *lända* komma,
villade förvillade

Var är den vän, som överallt jag söker?

Var är den vän, som överallt jag söker?
När dagen gryr, min längtan blott sig öker.
När dagen flyr, jag än ej honom finner,
fast hjärtat brinner.

Jag ser hans spår, varhelst en kraft sig röjer,
en blomma doftar och ett ax sig böjer.
Uti den suck, jag drar, den luft, jag andas,
hans kärlek blandas.

Jag hör hans röst, där aftonvinden susar,
där lunden sjunger och där floden brusar.
Jag hör den ljuvast i mitt hjärta tala
och mig hugsvala.

Likväl ett töcken mig från honom stänger.
Min bön, men ej min blick, till honom tränger.
Ack, såge jag hans anlet, och mig slöte
intill hans sköte!

Ack, när så mycket skönt i varje åder
av skapelsen och livet sig förråder,
hur skön då måste själva källan vara,
den evigt klara!

O, ljusets, fridens, salighetens källa!
När skall för mig din rena våg uppvälla?
Vem förer mig till dina friska flöden?
Den stilla döden.

Var tröst, min ande! Hoppas, bed, försaka!
Dig vännen vinkar. Du skall se och smaka
hur ljuv han är, och sjunka i hans armar.
Som sig förbarmar.

Snart till den strand, där böljor sig ej häva,
lik arkens trötta duva, skall du sväva,
till Herdens famn, lik rädda lammet, ila
och där få vila.

Sig röjer visar sig, *sköte* famn

ESAIAS TEGNÉR
(1782—1846)

Det eviga

Väl formar den starke med svärdet sin värld,
väl flyga som örnar hans rykten;
men någon gång brytes det vandrande svärd
och örnarna fällas i flykten.
Vad våldet må skapa är vanskligt och kort,
det dör som en stormvind i öknen bort.

Men sanningen lever. Bland bilor och svärd
lugn står hon med strålande pannan.
Hon leder igenom den nattliga värld,
och pekar alltjämt till en annan.
Det sanna är evigt: kring himmel och jord
genljuda från släkte till släkte dess ord.

Det rätta är evigt: ej rotas där ut
från jorden dess trampade lilja.
Erövrar det onda all världen till slut
så kan du det rätta dock vilja.
Förföljs det utom dig med list och våld,
sin fristad det har i ditt bröst fördold.

Och viljan som stängdes i lågande bröst
tar mandom lik Gud, och blir handling.
Det rätta får armar, det sanna får röst,
och folken stå upp till förvandling.
De offer du bragte, de faror du lopp,
de stiga som stjärnor ur Lethe opp.

Och dikten är icke som blommornas doft,
som färgade bågen i skyar.
Det sköna du bildar är mera än stoft
och åldren dess anlet förnyar.
Det sköna är evigt: med fiken håg
vi fiska dess gullsand ur tidens våg.

Så fatta all sanning, så våga allt rätt,
och bilda det sköna med glädje.
De tre dö ej ut bland mänskors ätt,
och till dem från tiden vi vädje.
Vad tiden dig gav må du ge igen,
blott det eviga bor i ditt hjärta än.

Vanskligt förgängligt, *Lethe* glömskans flod, *fiken* ivrig

Svea

Pro patria.

Jord, som mig fostrat har och fädrens aska gömmer,
folk, som ärvt hjältars land och deras dygder glömmer!
Ur skuggan av min dal jag ägnar dig en sång.
Dig söver smickrets röst: hör sanningens en gång.
En annan sjunge fritt till våra tiders heder
om våra nya ljus och våra milda seder.
I yppig vilas famn han fritt förakta må
de hjältedar som flytt, den kraft han kallar rå.
För sorglös njutning född, för lekar blott och löjen
han läspe tidens lov och fire dagens nöjen.
Envar sitt lynne har. Jag älskar dig ej, tid,
som smilar över oss i falsk och veklig frid,
Mig gläder stormens sus och fädrens stora minnen.
Jag älskar deras mod och deras höga sinnen,
då Nordens son ej än tog andras seder an
och njöt vad jorden gav och tålte som en man.
Bort med den falska konst som sinnets kraft förvekar,
och flärdens tomma prål och yppighetens lekar! —
Folk! som vid öknens barm växt opp, och med besvär
en knapp och oviss skörd från frusen torva skär,
som, strött kring polens ring bland skogarna och fjällen,
upphugger, nattbetäckt, din bärgning utur hällen!
Vad yra fattar dig? Du säljer utan blygd
ditt fria självbestånd, din ära, ja din dygd,
för tomma njutningar från fjärran stränder förda,
som suga landets märg och sinnets krafter mörda;
du härmar oförsynt, och glömskt av fädrens lag,
all Söderns veklighet, och saknar dess behag.
Naturen lede dig. Hon gav för skilda zoner
åt sederna sin färg, åt språken sina toner.
I Söderns paradis, där solens milda kraft
uppammar självsådd skörd och kokar druvans saft;
där himlen jämt är blå, och i en evig sommar
orangens gull slår opp och lagrens krona blommar,
och mellan bäckars sorl och västanvindars gång
själv språket smälter bort i lena toners sång; —

där bjöd naturen själv den glada mänskan njuta.
Hon leder nöjets dans och knäpper sångens luta,
och livet, fritt för sorg som för behovens hot,
är yppigt som den jord som blomstrar för din fot. —
Kring Roms besegrare, kring Odens ätteläggar
hon gjutit isfylld våg och murat fjällens väggar.
Utöver snöklädd trakt med dristig hand hon satt
det stormbebodda moln, den norrskenslysta natt.
Se kring dig. Flammande kring fjällen fästet svänger,
utöver forsens svall förvägna klippan hänger,
och skogen vart du går, omgjordande din stig,
står hög och allvarsam och blickar ner på dig.
Här sjunker dal vid dal, där klyft på klyfta lastad
står opp, i heden dag av jättehänder kastad.
Tätt över skuldran hän de höga stjärnor gå:
i klippan växer järn, och männer däruppå.
Här vill naturen se det enkla, allvarsamma,
här vill i torftigt bo hon stora sinnen amma.
Här vandre fri och stolt bland fjällarna en ätt
som självmant gör sin plikt och kräver ut sin rätt:
och i sin enfald vis, uti sitt armod ärad,
omfamnar faran glad, och döden oförfärad.
Så växte fordom opp bland tallarna en släkt,
som kuvat Österns våld och Söderns bävan väckt.
O! Sveas forna dar, o! fädrens gudaminnen,
i seklers långa natt I skymten och försvinnen.
I sången leven kvar! Den tiden är förbi,
då trygg som klippans rot, som himlens vind så fri,
och närd utav den skörd, som på hans täppa grodde,
Europas segrare i Nordens hyddor bodde.
För ära och för rätt, för kung och fosterland
han slösade ej ord, men väpnade sin hand.
Han plöjde fädrens jord och ärvde deras seder,
såg glad i livet in och trygg i graven neder;
och skild från vekligt prål och yppighetens flärd
han ej beskattad blev, men ärad av en värld.
Ej Asien klädde än, ej Indier honom födde,
för honom Söderns folk, och ej dess druvor blödde.

Osmakligt var ej än vad helst som nämndes Svenskt;
hans sinne som hans dräkt var varmt och fosterländskt;
och inga nöjens gift, och ingen ångers smärta
stal hälsan från hans kind och modet ur hans hjärta.
Nöjd med vad jorden bjöd och skog och bölja gav,
han sökte ingen skygd, och hade ingen slav.
Med svärdet och en vän han trygg och rik sig trodde,
och gästfrihet var namn på hyddan där han bodde.
Så levde han förnöjd, och utan kvinnligt knot
han gick med öppet bröst sitt ödes storm emot,
förtrodde blott åt Gud sitt hjärtas tysta klagan
och kysste fadrens hand inunder fadersagan.
Hans religion var dygd. Ett handslag var hans ed.
Med samma djärva mod han tänkte som han stred;
och manligt dristig, fri, av ingen fördom fången,
steg djupt i forskningen, och höjde sig i sången. —
I ädle, mossa gror på edra glömda ben,
er levnads hjältedikt är slutad längesen.
En annan värld står opp. Välan, välan, I fäder!
vem är den mänskoätt som på er aska träder?
O blygd! Är detta er, är detta Göters stam,
fåfänglig, glitterströdd, småsinnad, avundsam,
med barnsliga begär, med halva samfundsdygder,
och Söderns yppighet i fattigdomens bygder?
Var är din forna kraft, ditt forna allvar? Var
det hjältenamn, o folk, som trötta ryktet bar?
Och nitet, som gav gods, gav liv för statens heder,
och ärans gudadröm och fädrens rena seder?
Du leker utan blygd på deras helga stoft
och jollrar flärdens ord och fångar blommans doft.
Gå, jag har ingen sång för dylika bedrifter,
lägg bort ditt ärvda namn och köp dig andra grifter.
Vad säger jag? O Gud, o Sverge, Vasars jord!
förlåt den vilda sorg, förlåt en ynglings ord,
som ville ge sitt liv, sin sällhet tusen gånger,
blott att ej se ditt fall, din blygd, din sena ånger.
Se, ifrån fallets brant, där svindlande du stod,
du rycktes nyligen av dina ädlas mod.

Med hjärtat milt och fritt, med håret silverfärgat
beskyddar *Carl* ännu ruiner dem han bärgat,
och *Segrarn* står bredvid, beundrad av en värld,
och *Oscar* växer opp att föra Fingals svärd.
Skall aldrig deras namn ditt duvna sinne väcka?
Skall evigt ditt fördärv var ädel möda gäcka?
Och är den enda lön du ämnar deras dygd
ett fortsatt skådespel, o Svea, av din blygd?
Du bär ej utländskt ok. Ditt eget ok är värre.
Var slav av sitt begär har en tyrann till herre.
Den ej umbära kan, bär lätt en oväns band,
och svärdet trives ej uti hans snåla hand.
Du sover, Svea folk! Vem vill din vila rubba?
Men sveket med sin dolk, men våldet med sin klubba,
de vaka omkring dig. O väckte dig min sång
med djup av gravens röst, med dån av åskans gång!
Se, med de väldige ha dina fäder tvistat,
men nu går solen upp i länder som du mistat.
O Finland, trohets hem! O borg som *Ehrnsvärd* byggt!
Nyss lik en blodig sköld från statens hjärta ryckt!
En tron står opp ur kärr vars namn vi knappast vetat,
och kungar böja knä där våra hjordar betat.
Farväl, du Sveas värn, farväl, du hjältars land!
Se, Bottnens bölja för vår gråt intill din strand. —
Välan, en högre makt nationers öden väger.
Gråt, Svea, vad du mist; men skydda vad du äger.
Från Sundets rika strand längst upp till fjällhög Nord,
där Lappen flyttar kring sin frihet och sin hjord,
vad skogbekrönta berg, vad fält med skördar prydda!
O! älska vi vårt land, nog ha vi land att skydda.
Låt, Svea, dina berg fördubblad ge sin skatt,
låt skörden blomstra opp i dina skogars natt.
Led flodens böljor kring som tamda undersåter,
och inom Sverges gräns erövra Finland åter.
Du äger icke allt av fädrens helga bygd;
hav mer än deras land, hav ännu deras dygd,
den lugna storheten, den djärva frihetsanden:
knyt fastare ihop de sprängda samfundsbanden;

stå ej bekymmerslös mitt i en väpnad värld,
och vila, om du får, men vila vid ditt svärd.
Bliv åter, Svea folk, bliv åter vad du varit.
Lär av vad andra land, av vad du själv erfarit.
Det frihet är och rätt och ljus du vakar för:
hör mänsklighetens bön, om du ej skaldens hör.
Se tiden! Är han gjord för svagheten och flärden?
Erövrare gå fram, som jordskalv, genom världen.
Europas gamla form ej längre hålla vill,
den nya skapelsen med svärdet yxas till.
Vad troner störtas om! Vad riken sönderstyckas!
Förtrycket nämns försvar, och rätt är det som lyckas.
Tror du dig ensam trygg? Så är ej våldets art.
Var viss, det klappar ock uppå din fjällport snart.
Betänksamt ödet står, med griffeln höjd, att rista
i kopparn in vår dom, den eviga, den sista.
Ett ögonblick ännu! Det plånar ut, med köld,
de nötta kronorna, o Svea, från din sköld.
Upp, ännu är det tid att deras helgdom bärga,
än har du kung och stat och gravar till att värja,
och vålnan av ett namn som minnets stolthet gör.
Kan du ej rädda dem, så kan du dö därför. —
Se Bälten kasta än kring dig de fria armar,
och fjällens fästning står, och himlen sig förbarmar.
Än sår du egna fält och kan dem fylla än
med malmstöpt åskas hot, med klingor och med män.
Än kan du med ditt mod en häpen värld förfära,
och rädda, fallande, åtminstone din ära. — — —

*

Så sjöng jag. Solen sjönk. Med stjärnor natten kom.
Till ringa hyddas lugn jag ville vända om.
Bedrövad, tyst, jag gick utöver dödens sängar.
Men hör! Ett sällsamt ljud far genom harpans strängar,
och natten ljusnar opp, och röster ropa mig,
och själen, hög och fri, från stoftet svingar sig.
I glans är världens rund för skaldens syn förgången.
En Gudom fattar mig. Det bor en Gud i sången.

Jag ser en syn!
(O lyssnen till orden!)
Det dånar i jorden,
det flammar i skyn.
Valkyrior rida
på frustande hästar.
Hell, dödsjungfrur, hell!
I dag skall man strida.
I Valhalla gästar
en skara i kväll.

Upp, männer, till striden!
Den kommer ej mer.
I dag fäster tiden
sitt öga på er.
Se högarnas famnar
upplåtas med dån,
och fädernas hamnar
stå upp därifrån.
De se hur I fäkten. —
Den bortdöda värld,
de ofödda släkten
anropa ert svärd.

Mulna hopar
skaka fädrens spjut.
Stridslur ropar,
lösen flyger ut.
Svärdsklingor springa och blodströmmar vandra,
härarna famna i vrede varandra.

Mörker och damm
omhölja jorden.
Framåt, fram!
Strid är för Norden,
strid är för frihet, för barn och för maka.
Vägen går framåt, den går ej tillbaka.

Havet, förskräckt,
tiger och undrar.
Solen är släckt,
Asa-Thor dundrar.
Undan! Där kommer han, där kommer kungen.
Blodiga rosor han sår över ljungen.

Carlarnes svärd
brinner i handen,
slår, och en värld
bleknar i sanden.
Fädren, som skåda hur striden sig vänder,
klappa från högen i dimmiga händer.

Segren är ryckt
till oss av hjälten.
Brusande flykt
gjuts över fälten.
Bävan, förstörarn, förödelsebringarn,
jagar de slagne på flåsande springarn.

Den slaktning är slagen,
och fritt är vårt land.
I blod sjunker dagen
vid himmelens rand.
De fallne nerträda
till Asarnes hov,
och Barderna kväda
de bleknades lov.

En Gud ser jag komma
med kransade hår.
Där växer en blomma
i varje hans spår.
Han lyfter de fria
i faderlig famn,
gör svärdet till lia,
och frid är hans namn.

Och Svea sitter å sin tron på fjällen,
med stjärnekronan omkring gullgult hår.
Hon blickar stilla ner i sommarkvällen.
Dess rykte nyfött genom världen går.
Fullbordat har en dag vad sekler ämnat,
dess kraft är prövad och dess namn är hämnat.

Se, upp till statens nya tempel tåga
ej skilda flockar, men ett brödrafolk.
Det ligger aska över avunds låga,
och tvedräkt faller för sin egen dolk.
Ren som en stjärna blickar religionen,
och lag och frihet hålla vakt kring tronen.

Fördärvet, flärden kan ej längre stanna;
dess smitta flyr för Nordens friska vind;
och allvar vilar på var manlig panna,
och oskuld rodnar på var tärnas kind.
Flit, välstånd blicka ur var hyddas fenster,
och i palatsen bor det blott förtjänster.

Och fritt är varje bröst, och fri var tunga,
och statskonst öppen såsom solens ban.
I forna öknar gyllne skördar gunga,
och skeppen dansa över ocean.
De milda dvärgar, skymtande i kvällen,
uppläsa skrinlagd rikedom ur hällen.

Och hög och fri, på blåa skyar buren,
står sångens mö, ett barn av Nordens land;
högtidlig, dristig, enkel som naturen:
i harpans strängar stormar hennes hand.
Hon sjunger kraft och mod i millioner,
och Södern lyssnar till de höga toner.

*

Så såg jag synen
i norrskensnatt.

Dess bilder försvunno,
och stjärnorna brunno
vid himlabrynen
igen så matt.

Jag lyfte min hand
i natten och svor
att leva och dö för mitt land.
Och stormen for
med orden till himmelens rand;
men stjärnor och havet, och fjällen och heden,
de hörde den dyra, den heliga eden.

Och solen rann opp
ur lågande öster
och sken på mitt hopp.
Och skogarnas röster,
och havsvågens sorl och den susande nordan
de sjöngo den dag då min syn får fullbordan.

Du sover i skyar
bak österns port,
du dag som vår ära förnyar.
Upp, skynda dig, fort,
och stig över blånande sjö!
Du ofödde hämnare, kom utan hinder,
och låt mig få se dina lågande kinder
och värma mitt bröst i ditt sköte — och dö!

Men I som kören med de gyllne tömmar
er stjärnevagn utöver Nordens sfär; —
på Sveas kronor och på Götas strömmar
I höge Carlar! blicken nådigt ner.

Rätt ofta tror jag eder stämma höra
då tyst och rörd jag blickar till er opp.
Hon viskar sakta uti nattens öra
om forntids ära och om framtids hopp.

Men var ert minne, var er dygd förgäves,
skall Svea falla här i tidens höst,
en slav bland folken utan namn, och kväves
er hjältelåga evigt i dess bröst; —

Då styren stjärnbeströdda tistelstången
mot havets avgrund med förtvivlat mod,
att med vår jord vår skam må bli förgången,
och ingen veta var ert Svea stod!

Pro patria för fäderneslandet, *behovens* bristernas, *segrarn* Karl Johan,
Oscar, Fingal namn hämtade från Ossians sånger, *En tron står
opp* ... Rysslands nya huvudstad, Petersburg, som grundades i
sumpmarkerna kring Nevas mynning, *Led flodens böljer kring* syftar
på Göta kanal

Maj-sång

Se, över dal och klyfta
den unga majsol ler.
Sin ishjälm bergen lyfta
från ärrig panna ner.
Men ännu sover jorden
och böljan fängslad står.
Ack! våren här i Norden
har drivor i sitt hår.

Likmycket! Snart han träder
ur vaggan fullväxt opp,
med sina västanväder,
med sina blommors knopp.
Snart står han högt på fjällen
med Nordens vakna sol,
där morgonen och kvällen
satt möte sen i fjol.

Men ack! vad rop jag hörer.
Se krigets båge spänns,
och åter dundrarn körer
sin vagn omkring vår gräns.
Med våren flyga morden
som lösta falkar ut,
och Södern famnar Norden
i envige till slut.

Flyttfåglarna

Så hett skiner solen på Nilvågen ner,
och palmerna ge ingen skugga mer.
Då griper oss längtan till fädernejorden,
och tåget församlas. Mot Norden! mot Norden!

Och djupt under föttren vi se som en grav
den grönskande jorden, det blånande hav,
där oron och stormen var dag sig förnyar,
men vi fara fria med himmelens skyar.

Och högt mellan fjällen där ligger en äng;
där nedslår vår skara, där redes vår säng.
Där lägga vi ägg under kyliga polen,
där kläcka vi ut dem vid midnattssolen.

Ej jägaren hinner vår fredliga dal.
Där hålla gullvingade älvor sin bal.
Grönmantlade skogsfrun spatserar i kvällen,
och dvärgarna hamra sitt gull in i fjällen.

Men åter på bergen står Vindsvales son
och skakar de snöiga vingar med dån,
och hararna vitna, och rönndruvan glöder
och tåget församlas. Mot Söder! mot Söder!

Till grönskande ängar, till ljummande våg,
till skuggande palmer står åter vår håg.
Där vila vi ut från den luftiga färden,
där längta vi åter till nordliga världen.

Vindsvales son vintern

Skaldens morgonpsalm

Sol, som från mig flytt!
Över bergens topp
lyfter du på nytt
strålig hjässa opp.
Jag vill bedja med de myriader.
Hör mig sångens, hör mig ljusets fader.

Tag mig med i skyn
på din himmelsfärd!
Öppna för min syn
diktens sköna värld!
Låt dess gudabilder i det höga
sväva klara för ett dödligt öga!

Lär mig måla se'n
för den dunkla jord
varje himlascen:
giv mig språk och ord,
att de flyktiga gestalter stanna
på mitt papper, levande och sanna.

Giv mig kraft och mod
att förakta rätt
dårars övermod,
tidens kloka ätt,
som beler vad skaldens pensel målar,
fåfängt doppad uti dina strålar!

För den bleka nöd
stäng igen min dörr;
giv i dag mig bröd
som du givit förr;
att den höga himlakraft ej rymmer
ur mitt bröst för jordiska bekymmer!

O! du vet det väl,
hur jag älskar dig.
Därför fyll min själ,
fyll den helt med dig!
Ärans, guldets, maktens åtrå vike
från mitt rena hjärta, från ditt rike!

Se, du hör min bön,
hör mitt lov också!
Jorden syns mer skön,
himlen mera blå.
Andar viska i de svala lunder,
jag hör harpor, jag ser skaparns under.

Tiden flyger bort,
konsten är så lång,
livet är så kort.
Upp min själ till sång!
Guden kommer. Lyssnen myriader
det är sångens, det är ljusets fader.

Myriader oräknelig mängd, *ljusets fader* Apollon, ljusets och skalde-
konstens gud

Hjälten

Varför smädar du mig ständigt,
ögonblickets lumpna skara,
utan vilja, utan märg?
Fånga fjärlarna behändigt,

men jag ber, låt örnen fara
fri kring sina blåa berg.

Ser du, kring den starke anden
växa alltid starka vingar.
Vad rår örnen väl därför?
Duvan plockar korn i sanden,
men *han* tar sitt rov och svingar
mot den ban där solen kör.

Frågar stormen när han ryter,
frågar himlens höga dunder,
när det över jorden far,
om det någon lilja bryter,
om det i de gröna lunder
störer ett förälskat par?

Evigt kan ej bli det gamla,
ej kan vanans nötta läxa
evigt repas opp igen.
Vad förmultnat är, skall ramla,
och det friska, nya växa
opp utur förstörelsen.

Icke jag har härjat fälten,
ej välvt Södern opp och Norden,
det hör högre makter till.
Skalden, tänkaren och hjälten,
allt det härliga på jorden
verkar blint, som anden vill.

Uppe bland de höga stjärnor
skrevs den väldiga bedriften
för vars skull jag kom hit ner.
Icke tidens kloka hjärnor,
ej den falska lyckans skiften
hämma hennes fortgång mer.

Därför går jag, trygg och lika,
huru ock mitt rykte ljudar,
vart mig ock mitt öde för.
Ej för mänskor vill jag vika,
endast för de höge gudar,
vilkas tysta röst jag hör.

Låt dem flykta, låt dem fara,
mina slavars hop som rysa
vid den högre kraftens bud.
Ensam går jag. Natt skall vara
innan himlens stjärnor lysa,
innan hjälten blir en gud.

Falla kan jag. Under, månen,
den omväxlingsrika, bodde
ingen fri för ödets kast.
Lejontämjarn, gudasonen
föll när svekets klädning grodde
vid hans breda skullror fast.

Men han reste sig, och tände
själv sitt bål på höga Oeta
och flög dän, gudomliggjord.
Så min hjälteban ock ände.
Och vill bålets namn du veta
Söder heter det, och Nord!

Lejontämjarn Herkules

Nyåret

1816

Vem rider så sent på sin svarta häst?
I natten droppar det blod.
Vad flyktar han för, den främmande gäst?

Bida, du riddare god!
Förgäves! Han ser sig ej om, får ej stanna,
och stjärnorna slockna omkring hans panna.

Försvunna år, var det du? Farväl!
För en stund sen var du vår kung;
nu är det förbi: på din arma själ
har du mycket, din räkning blir tung.
Där uppe, där uppe en domare sitter,
försvara dig, bleknade, om du gitter.

Din son — det är skönt att ej släkten ännu,
den legitima, dör ut —
din son blir vår konung och hyllas som du,
och på hyllning det tager ej slut.
Till honom, till honom vi krypande vädje,
och tigge av honom vår lumpna glädje.

Han kommer. Du pöbel, till jorden sjunk,
hans häst räknar anor; giv rum.
Hans höghet har klätt sig till tiggarmunk,
och hans blick är orolig och skum.
Svärd förer han icke, den adlige hjälte,
men radband i hand och en dolk i bälte.

Hurra, vad kröningspengar han går!
Betrakta prägeln, du pack!
Frihet därstädes avbildad står,
det är skada att foten har black.
Sanning står även, dock synes mig galet,
att hon predikar från hospitalet.

Fridspalmen blev oss ett stamträd till slut,
i dess skygd bo folken i ro,
ordning går in, och skatten går ut,
och på köpet fås kristelig tro.
Handeln är fri och var lovlig näring,
och vid var kröningsfest fri förtäring.

Visst synes släktet en krympling, men det
kommer av engelska sjukan.
Dvärgen är artig; Hans Majestät
tänker till hovnarr att bruka'n.
Biltog förklaras på dess begäran
en parveny som man kallar Äran.

Hejsan! Religionen är Jesuit,
människorätt Jakobin,
världen är fri, och korpen är vit,
vivat Påven — och Hin!
Ut vill jag resa till Tyskland att lära
dikta sonetter till tidens ära.

Välkommet, nyår, med mörker och mord
och lögn, och dumhet, och flärd!
Jag hoppas du arkebuserar vår jord,
en kula kan hon vara värd.
Hon är orolig som mången annan,
men allting blir lugnt om hon skjuts för pannan.

Legitima lagliga, "äkta", *engelska sjukan* Tegnér ansåg att England
spelade en fördärvlig roll i den europeiska politiken, *artig* välupp-
fostrad, *biltog* fredlös, *parveny* uppkomling, *Jakobin* revolutionär,
vivat leve

Karl XII

På hans minnesfest 1818

Kung Karl, den unge hjälte,
han stod i rök och damm.
Han drog sitt svärd från bälte
och bröt i striden fram.
"Hur svenska stålet biter
kom låt oss pröva på.
Ur vägen, moskoviter,
friskt mod, I gossar blå."

Och en mot·tio ställdes
av retad Vasason.
Där flydde, vad ej fälldes,
det var hans lärospån.
Tre konungar tillhopa
ej skrevo pilten bud.
Lugn stod han mot Europa,
en skägglös dundergud.

Gråhårad statskonst lade
de snaror ut med hast:
den höga yngling sade
ett ord och snaran brast.
Högbarmad, smärt, gullhårig,
en ny Aurora kom:
från kämpe tjuguårig
hon vände ohörd om.

Där slog så stort ett hjärta
uti hans svenska barm,
i glädje som i smärta
blott för det rätta varm.
I med- och motgång lika,
sin lyckas överman,
han kunde icke vika,
blott falla kunde han.

Se, nattens stjärnor blossa
på graven längese'n,
och hundraårig mossa
betäcker hjältens ben.
Det härliga på jorden,
förgänglig är dess lott.
Hans minne uti Norden
är snart en saga blott.

Dock — än till sagan lyssnar
det gamla sagoland

och dvärgalåten tystnar
mot resen efter hand.
Än bor i Nordens lundar
den höge anden kvar,
han är ej död, han blundar:
hans blund ett sekel var.

Böj, Svea, knä vid griften,
din störste son göms där.
Läs nötta minnesskriften,
din hjältedikt hon är.
Med blottat huvud stiger
historien dit och lär,
och svenska äran viger
sin segerfana där.

Aurora morgonrodnadens gudinna, här: Aurora Königsmarck

Epilog

vid Magister-promotionen i Lund 1820

Av promotor.

Den glada fest, den lagerfest är slutad.
Till älskad krets av syskon och föräldrar,
som räknat månader och dar och stunder,
den efterlängtade, den kära yngling
tillbakavänder, nu en bildad man,
med mästerbrevet och med segerkransen.
Betydningsfull bör festen vara för er
I lagerkransade, I nyinvigde!
I ringa bilder har det högsta gått
förbi i dag för edra glada ögon.
Ty detta är det härliga hos mänskan
att hon kan fatta tingens inre väsen,
ej vad de *synas*, men vad de *betyda;*

och verkligheten, vart vårt öga ser,
den är symbolen endast av ett högre.
Parnassens tinnar haven I bestigit,
de solbeglänsta mänsklighetens höjder;
ty högre stiger icke mänskan opp,
än vetenskap och konst ledsaga henne.
Förr stod parnassen i en hednisk värld
och kring dess dubbla toppar dansade
i evigt solsken ungdomsfriska gudar;
men vid dess fot låg världens medelpunkt,
Apollostaden med sitt vishetstempel.
Ingivelsen, den gudasände, hade
sin källa där, och ur orakelhålan
det mörka ödets anderöster stego,
från jordens hjärta skickade i dagen.
Nu står parnassen i den kristna kyrkan,
men vigd och helgad, renad och förädlad.
Ty i dess grannskap tydas himlens under,
och lammets vita fana överskygger
med änglavingar gamla gudaberget;
och orgelns toner brusa därutöver,
den stora orgelns bild, som ingen ser,
vars silverpipor gå igenom världen
och till vars toner, spelade av *Gud*,
naturens hjärta slår och sfärer dansa.
En lagerkrans I hämtat från parnassen,
bevaren den och glömmen ej hans anor.
Från Febus stammar han, från ljusets Gudom.
Ty idealet under Dafnes skepnad
för Guden flydde, som det flyr ännu
för vishetens och sångens vän på jorden.
Andtruten följde han den flyende,
den älskade, utöver berg och dalar,
med lyran på sin arm, och aftonvinden
slog ett adagio i dess silversträngar,
och Gudens suckar svarade därtill.
Och redan är förföljarn henne nära,
hans andedräkt ren bränner hennes skullra,

hans armar öppnas ren att famna henne.
Då bad hon upp till Zeus med sträckta händer:
"Förbarma dig, o giv mig ej till pris
åt snillets Gud, ej sådan som jag är
låt honom fatta mig: förvandla förr,
hur helst du vill, den levande gestalten!"
Och se, på en gång (underbart att höra!)
de späda föttren växte fast i jorden,
det smärta livet reste sig till stam,
till grenar bredde sig de sträckta händer,
och håret susade som löv i vinden.
Rörd tryckte Febus den förvandlade
intill sitt bröst: ännu var trädet varmt,
och hjärtat slog ännu inunder barken.
En kvist han bröt sig utav nyfödd lager
och flätade den in i gyllne lockar,
och bar den jämt till tecken av sin kärlek.
Och från den stunden (det är sagans mening)
nå Febi söner ej det högsta sköna,
det högsta sanna: det flyr undan för dem,
och när det stannar är det ren förvandlat,
en ringare natur, en fallen ängel;
den rätte ängeln bor uppöver stjärnor.
Men ur den fallnes anlet genomskina
de höga dragen av ett himmelskt ursprung,
och Dafnes hjärta klappar under barken.
Bevaren därför eder lagerkrans,
ty den betecknar edert mål i livet.
Han binder eder vid de högre makter,
de eviga som vistas uti ljuset,
och nu sitt tecken på er panna fäst.

Men tecknet är ej saken, vägen är
ännu ej målet, det står fjärran borta.
Vad dagens högmod kallar mästerbrevet
ack! det är ju ett städjobrev allena,
en pantförskrivning av ert hela väsen
till ljusets tjänst, till sanningens. I dag

I haven svurit hennes adelsfana.
Ty mänsklighetens adel samlar hon,
och ingen ofrälst kämpar under henne.
En stormig tid, en vild emottar eder;
en väldig valplats, lika vid med jorden.
Det murkna gamla, det omogna nya
med blind förbittring kämpa nu om världen.
Vart striden lutar, det vet mänskan ej,
dess lotter vägas på de gömda vikter
som hänga dallrande emellan stjärnor;
men ljusets vän vet lätt sin plats i striden.
Det sägs att solen sänks, att dagen grånar:
välan, så kämpen under aftonrodnan;
dag är det nog ännu att vinna slaget.
Tron ej vad håglösheten viskar till er
att striden är för hög för er förmåga,
och att den kämpas ut väl er förutan.
Vad mänsklighetens härlige ha sökt,
sitt hela sköna, rika liv igenom,
väl är det värt att sökas av oss alla.
O! det är skönt att sluta sig till dem,
om också som den ringaste, den siste.
Men för de höga makter ovan skyn
är intet ringa, intet stort här nere.
Härförarn ensam vinner icke slaget,
de djupa leder vinna det åt honom.
Världsanden verkar genom mänskokrafter,
och av det spridda ringa fogar han
med konsterfarna händer hop det stora.
Så bringom villigt till hans hav av ljus
vår ringa gnista, till hans gudakrafter
vår mänskokraft. —

　　　Ty det är *kraft* och *klarhet*,
som Febus fordrar av de kransade.
Den samme Gud som tände dagens fackla
var även Guden med det gyllne svärd,
med silverbågen vilken fällde Python.
Självständig kraft är mannens första dygd.

Fast skall han stånda som en Herkulsstod,
på klubban lutad, höljd i lejonhuden.
Det lösa vacklandet, den blinda lättron
är dagens kräfta uti unga sinnen;
hon fräter tanken bort ur hjärnans kamrar,
och mod och styrka ur det fria bröst.
En var kan icke bli en Genius
på säkra vingar stigande mot ljuset;
men vem som vill kan pröva förrn han dömer,
kan fatta själv den sanning han besvärjer,
kan känna själv det sköna han beundrar.
Helt visst i tankens stilla världshav än
där ligga många obekanta öar,
och mången stjärna speglas där kanske
ej hittills upptäckt utav forskarns öga.
Kan du ej plöja själv de djupa vågor,
så lyssna villigt till de vises röster,
de vittberestes, som med säkra tecken
tillbakavända från de nya landen.
Men tro ej allt vad skeppare förtälja
om oerhörda ting som de erfarit,
om världens gåta, äntlig löst av dem,
och om den vises sten, som de ha funnit.
De arme dödlige! Den vises sten
i knappen sitter på Allfaders spira,
och mänskohänder bryta den ej lös.
Förgäves mana de den höga sanning
med mörk besvärjningsformel; just det mörka
fördrar hon icke; ty hon bor i ljuset.
I Febi värld, i vetande som dikt,
är allting klart: klart strålar Febi sol,
klar var hans källa, den kastaliska.
Vad du ej klart kan säga, vet du ej;
med tanken ordet föds på mannens läppar:
det dunkelt sagda är det dunkelt tänkta.
Den sanna vishet liknar diamanten,
en stelnad droppe utav himlaljuset;
ju renare, ju mera värd han skattas,

ju mera lyser dagen ock igenom.
De gamle byggde sanningen ett tempel,
en skön rotunda, lätt som himlavalvet,
och ljuset trängde in från alla kanter
uti den öppna rund, och himlens vind
melodiskt lekte i dess pelarskogar.
Nu bygger man ett Babelstorn i stället,
en tung, barbarisk byggnad: mörkret kikar
igenom trånga fönstergluggar ut.
Till himlen skulle tornet nå, men hittills
har det dock stannat vid förbistringen. —
I diktens riken är det som i tankens.
All dikt är genomskinlig. Av kristall
dess stad är byggd, och ljuset tusendubblat
tillbakastrålar från dess spegelmurar.
Men på dess gator vandra upp och ner
ovanskliga, olympiska gestalter
av strålar vävda och av rosendoft;
det finns ej fläck på deras gudalemmar
och himlens stjärnor skina dem igenom.
Allt snillrikt träffar som en blixt: det är
ett ögonblickets barn, men ögonblicket
utav dess verkan går igenom sekler.
Tro ej det mörka är betydningsfullt,
just det betydningsfulla är det klara.
Betydelsen är som en spegelbild:
den är ej till då intet öga ser den.
I många strålar bryter sig det sköna
för mänskans syn: till alla sidor blickar
det rika ljuset med sitt Janusanlet.
Den höga konsten är så rik som ljuset,
en stor månghörning är dess tempelbyggnad.
All färg fördrar hon, endast mörkret ej;
var mörkret finnes, där har konsten felat
och solen, himlens snille, har gått ner.

Så leve ljuset! Sprides det av eder
i fosterbygden, i det kära landet

där barndomsvänner bo, och fädren vila.

Frid över deras stoft! Ett minnets land,
en stor stamtavla är det höga Norden.
Vart helst vi blicka står en hågkomst för oss.
I hjältars aska gro de svenska skogar,
om äventyr från fordom sjunger vågen,
och Nordens himmel skrives full var kväll
med gyllne runor om de store döde.
Där blickar *Vasa* till sitt frälsta folk,
Linné ser ner till sina blommor alla,
och *Kellgrens* öga söker än sitt land.
var gång han stämmer in i stjärnesången.
Förtörnen ej de väldige däruppe,
de himlaklara! Siaren har sett dem
betänksamt skakande de visa huvud
åt tidens tecken, åt de feberdrömmar
som spökade i kärnfrisk Nord, åt töcknet
som lagt sig kring den fordom klara himmel.
Men nordanvinden är ej död ännu,
jag hör på avstånd slagen av dess vingar;
han fläktar smittan bort från berg och dalar
och sopar stjärnevalvet rent igen,
och Nordens sinnen klarna med dess himmel.

Med detta hopp jag hemförlovar er,
I ädle ynglingar, I ljusets svurne,
det evigas apostlar uti Norden!
I fosterlandets namn, i mänsklighetens
jag lyser deras frid utöver eder.
Gån ut, prediken evangelium,
det sannas evangelium, det skönas,
det glada budskap från den bättre värld
där allt är gudafrid och himlaklarhet.
Och när I en gång (gälle det er alla!)
igenomstritt den femtiåra striden
för ljusets sak, när er guldbröllopsfest
med sanningen är redo till att firas,
och evighetens gränssten, gravens häll,

som vigselpall står överhängd med blommor:
Välkomna då, I silverhårade,
I Febi svaner, o! välkomna åter
till samma tempel som i dag er rymmer,
till samma lager, ej förvissnad än,
men blott ett halvt århundrade mer mogen!
Ack! icke jag emottar eder då,
förstummad längesen är då min stämma,
och detta hjärta som slår nu så varmt
är stoft, och någon vänlig stam däröver
i vinden skakar sina gröna lockar.
Men anden (hoppas jag) ser ner ännu
till jorden, till de välbekanta ställen,
där tåget skrider över Lundagård
i templet opp att hämta sina kransar.
Och sakta orda mellan sig de gamle
om flydda dagar, om sin ungdoms drömmar,
och jämte dem ett släkte, ofött nu,
med vördnad lyssnar till de visa röster; —
då gläds jag än en gång åt eder högtid.

Mästerbrevet magisterdiplomet, *segerkrans* lagerkrans, *Parnassen*
syftar dels på den estrad, där promotionen ägde rum, dels på det
dubbeltoppade berget Parnassos, som var Apollons och musernas
hemvist, *Apollostaden* Delfi, där den *kastaliska källan* fanns och
där prästinnan Pythia i en håla gav sina orakelsvar, *Dafne* var
enligt myten en nymf, som försökte fly undan Apollon (*Febus*),
som åtrådde henne, *Zeus* förvandlade henne då till ett lagerträd,
ofrälst ofrälse, här: icke utvald, *python* drake, som dödades av
Apollon, *rotunda* rund byggnad, *Janus* romersk ljus- och solgud,
som avbildades med ansikte både framåt och bakåt, *guldbröllopsfest*
jubelpromotionen efter 50 år, *Febi svaner* svanen var helgad åt
Apollon (Febus)

Ur Frithiofs Saga
Vikingabalk

Nu han svävade kring på det ödsliga hav, han for vida som
  jagande falk,
men för kämpar ombord skrev han lagar och rätt. Vill du
  höra hans Vikingabalk?

"Ej må tältas å skepp, ej må sovas i hus: inom salsdörr blott
  fiender stå,
viking sove på sköld och med svärdet i hand, och till tält har
  han himlen, den blå.

Kort är hammarens skaft hos den segrande Thor, blott en aln
  långt är svärdet hos Frej:
det är nog; har du mod, gå din fiende när, och för kort är
  din klinga då ej.

När det stormar med makt, hissa seglen i topp; det är lustigt
  på stormande hav:
låt det gå, låt det gå: den som stryker är feg, förrn du
  stryker, gå hellre i kvav.

Mö är fridlyst å land, får ej komma ombord: var det Freja,
  hon sveke dig dock,
ty den gropen på kind är den falskaste grop, och ett nät är
  den flygande lock.

Vin är Valfaders dryck, och ett rus är dig unt, om du endast
  med sansning det bär:
den som raglar å land kan stå upp, men till Ran, till den
  sövande, raglar du här.

Seglar krämare fram må du skydda hans skepp, men den
  svage ej vägre dig tull.
Du är kung på din våg, han är slav av sin vinst, och ditt stål
  är så gott som hans gull.

Gods må skiftas å däck genom tärning och lott: hur den
     faller, beklaga ej dig,
men sjökonungen själv kastar tärningen ej, han behåller blott
     äran för sig.

Nu syns vikingaskepp, då är äntring och strid, det går hett
     under sköldarna till;
om du viker ett steg har du avsked från oss: det är lagen, gör
     sen som du vill.

När du segrat, var nöjd: den som beder om frid, har ej svärd,
     är din fiende ej;
bön är Valhallabarn, hör den bleknades röst: den är niding
     som ger henne Nej.

"Sår är vikingavinst, och det pryder sin man, när på bröst
     eller panna det står;
låt det blöda, förbind det sen dygnet är om, men ej förr, vill
     du hälsas för vår!" —

Så han ristade lag, och hans namn med var dag växte vida
     på främmande kust,
och sin like han fann ej på blånande sjö, och hans kämpar de
     stridde med lust.

Men han själv satt vid rodret och blickade mörk, han såg ned
     i det vaggande blå.
"Du är djup, i ditt djup trives friden kanske, men hon trives
     ej ovanuppå.

Är den Vite mig vred, må han taga sitt svärd, jag vill falla,
     om så är bestämt,
men han sitter i skyn, skickar tankarna ned som förmörka
     mitt sinne alltjämt." —

Dock, när striden är när, tar hans sinne sin flykt, stiger djärvt
     som den vilade örn,
och hans panna är klar, och hans stämma är hög, och som
     Ljungaren står han i förn.

Så han sam ifrån seger till seger alltjämt, han var trygg på
 den skummande grav,
och han synte i Söder båd öar och skär, och så kom han till
 Grekelands hav.

När han lunderna såg, som ur vågorna stå, med de lutande
 templen uti,
vad han tänkte vet Freja, och Skalden det vet, I som älsken,
 I veten det, I.

"Här vi skulle ha bott, här är ö, här är lund, här är templet
 min fader beskrev:
det var hit, det var hit jag den älskade bjöd, men den hårda
 i Norden förblev.

Bor ej friden i saliga dalarna där, bor ej Minnet i pelare-
 gång?
och som älskandes viskning är källornas sorl, och som brudsång
 är fåglarnas sång.

Var är Ingeborg nu? Har hon glömt mig alltren för gråhårige,
 vissnade Drott?
Ack! jag kan icke glömma, jag gåve mitt liv för att se, för
 att se henne blott.

Och tre år ha förgått sen jag skådat mitt land, den Sagas
 konungasal;
stå de härliga fjällen i himlen ännu? är det grönt i min
 fädernedal?

På den hög där min fader är lagd har jag satt en lind, mån
 hon lever ännu?
Och vem vårdar den späda? Du jord, giv din must, och din
 dagg, o! du himmel, giv du!

Dock, vi ligger jag längre på främmande våg och tar skatt,
 och slår mänskor ihjäl?

Jag har ära alltnog, och det flammande guld, det lumpna,
    föraktar min själ.

Där är flagga på mast och den visar åt norr, och i norr är
    den älskade jord:
jag vill följa de himmelska vindarnas gång, jag vill styra
    tillbaka mot Nord." —

Stryker fäller segel, *Valfader* Oden, *Ran* havets gudinna i nord.
myt., *den Vite* guden Balder, *Ljungaren* åskguden Tor, *synte* be-
såg, *den Sagas konungasal* ett hem för stora forntidsminnen

Mjältsjukan

Jag stod på höjden av min levnads branter
där vattendragen dela sig, och gå
med skummig bölja hän åt skilda kanter,
klart var däruppe, där var skönt att stå.
Jag såg åt solen och dess anförvanter
som, sen hon slocknat, skina i det blå,
jag såg åt jorden, hon var grön och härlig
och Gud var god och människan var ärlig.

Då steg en mjältsjuk svartalf opp, och plötsligt
bet sig den svarte vid mitt hjärta fast:
och se, på en gång allt blev tomt och ödsligt,
och sol och stjärnor mörknade i hast:
mitt landskap, nyss så glatt, låg mörkt och höstligt,
var lund blev gul, var blomsterstängel brast.
All livskraft dog i mitt förfrusna sinne,
allt mod, all glädje vissnade därinne.

Vad vill mig verkligheten med sin döda,
sin stumma massa, tryckande och rå?
Hur hoppet bleknat, ack det rosenröda!
Hur minnet mulnat, ack det himmelsblå!
Och själva dikten! Dess lindansarmöda,
dess luftsprång har jag sett mig mätt uppå.

Dess gyckelbilder tillfredsställa ingen,
lösskummade från ytan utav tingen.

Dig mänskosläkte, dig bör jag dock prisa,
Guds avbild du, hur träffande, hur sann!
Två lögner har du likväl till att visa,
en heter kvinna och den andra man.
Om tro och ära finns en gammal visa,
hon sjunges bäst när man bedrar varann.
Du himlabarn! hos dig det enda sanna
är Kainsmärket inbränt på din panna.

Ett läsligt märke av Guds finger skrivet!
Vi gav jag förr ej på den skylten akt?
Det går en liklukt genom mänskolivet,
förgiftar vårens luft och sommarns prakt.
Den lukten är ur graven, det är givet:
grav muras till, och marmorn ställs på vakt.
Men ack! förruttnelse är livets anda,
stängs ej av vakt, är över allt tillhanda.

Säg mig, du väktare, vad natten lider?
Tar det då aldrig något slut därpå?
Halvätne månen skrider jämt och skrider,
gråtögda stjärnor gå alltjämt och gå.
Min puls slår fort som i min ungdoms tider,
men plågans stunder hinner han ej slå.
Hur lång, hur ändlös är vart pulsslags smärta!
O mitt förtärda, mitt förblödda hjärta!

Mitt hjärta? I mitt bröst finns intet hjärta,
en urna blott, med livets aska i.
Förbarma dig, du gröna moder Hertha,
och låt den urnan en gång jordfäst bli;
hon vittrar bort i luften: jordens smärta
i jorden är hon väl ändå förbi
och tidens hittebarn, här satt i skolen,
får, kanske, se sin fader — bortom solen.

Mjältsjuka numera övergiven benämning på depressiva tillstånd vid sinnessjukdomar, t. ex. melankoli, *Kainsmärket* ett märke, som Gud satte på brodermördaren Kains panna, *moder Hertha* moder jord

Den döde

Du älskade, när jag är död en gång
och likafullt mitt minne och min sång
än några stunder leva kvar i Norden,
då hör du kanske ofta nog de orden:
"I skaldens bröst sin nyckel dikten har,
du kände honom, säg oss hur han var;
ty många rykten genom landet vandra,
förvirrande, motsägande varandra."
Då tänker du: "Jag kände honom väl,
jag läste länge i hans öppna själ,
en rörlig själ, som gjorde själv sin plåga
och slutligt nedbrann i sin egen låga.
Ombytlig, lättrörd, barnslig, misstänksam
han svärmade igenom livet fram.
Hans ungdom såg jag ej, men mannens hjärta
förtärdes lika utav fröjd och smärta:
nu glad som gudar i Olympens sal,
nu dyster, mörk som de fördömdas kval,
en evig yngling med en evig trånad,
en from, en öppen, och likväl en grånad.
Från mången irring, som han medgav fritt,
hans hjärta hamnade till slut vid mitt.
Jag fick hans kärlek, kunde den ej mista,
den var hans varmaste, den var hans sista,
och mannen med det vittbekanta namn
han trivdes ändå bäst uti min famn.
Hur ofta svor han, däri innesluten,
en evig tro, av honom aldrig bruten!
I livet var min kärlek honom nog,
och med mitt namn på läpparna han dog."

Så tänker du, fast du det icke säger,
och då kanhända detta bladet äger
för dig ett värde, som det nu ej har.
Då känner du vad du för honom var,
då minns du rörd de dagar som förflutit,
då ångrar du om du mot honom brutit.
O Emili! när då en gång du står
uppå min grav, och länge väntad vår
nedstigit, liksom nu, från himlarunden
med knopp och löv och fågelsång i lunden:
säg i ditt hjärta då ett vänligt ord
till slumraren som ligger under jord,
ty döden själv kan ej min kärlek hämma,
och var jag är förnimmer jag din stämma.

Du älskade: dikten är tillägnad en Växjödam, Emili Selldén

Sång

den 5 april 1836

Jag stod på stranden under kungaborgen
när dagens oro äntlig somnad var,
och öde voro gatorna och torgen
och på *Kung Gustavs* stod sken månen klar.
Där låg ett uttryck i de milda dragen
som när det åskat i en fredlig dal,
och hjälten var där, men jämväl behagen,
en segerkrans, men som bland blommor tagen,
en blick till hälften örn, till hälften näktergal.

Förunderliga makt som konstnärn äger!
Se anden färdig så till strids som sångs,
en bild som oss sin egen saga säger,
en levande *Gustaviad* i brons!
Ja, sådan var han när han kom ur striden,
men sådan även när han göt sin själ

i folket in, bland konsterna och friden,
ty store andar ge sin form åt tiden,
och *Gustavs* tidevarv bär *Gustavs* drag jämväl.

Min barndom föll uti hans solskensstunder,
jag minns den tiden: hur den är mig kär,
med sin förhoppning, sina sångar-under
och allt det nya liv som rördes där!
Det var som våren när hans värma droppar
ur blånad sky och löser vinterns tvång:
då leka djur, då svälla lundens knoppar,
och kinden färgas, mänskohjärtat hoppar
och allt omkring är lust och mod och fågelsång.

De gamla *Karoliner* hade somnat
i blått och kyller, ifrån splitets dar,
som allt försökt och ingenting fullkomnat,
då ingen kung och ingen ära var.
Vad Norden evigt vill, en kung som känner
sin egen kraft, stod åter fram i glans,
och där vart ordning ibland frie männer
och makt och lydnad blevo åter vänner,
och allt var glatt och tryggt vid tanken, att Han fanns.[1]

I purpur satt förtjusaren på tronen,
och spiran var en trollstav: med var stund
där växte nya hjärtan i nationen
och nya blommor, fast på järnmängd grund.
Vår gamla dröm om bragder och om ära
förflyttades till någon fredlig trakt
där ek och lager sina kronor bära,
och milde vise ljus och seder lära —
och styrkan skar sitt skägg, och vettet blev en makt.

[1]   — Nationen
som sorglöst spridde sig kring tronen,
trygg vid den tanken att Han fanns.

Wallin.

Den svenska äran bröt sig nya banor
i tankens obesökta land: *Linné*
stod segersäll bland sina blomsterfanor,
oskyldig, älskvärd, konstlös liksom de.
Melanderhjelm beräknar himlafärden
för månens skiva, för planetens ring,
när *Scheele* skedar skapelsen i härden,
och *Bergman* drar grundritningen till världen,
och hävdernas mystär rannsakar *Lagerbring*.

Och här, där Mälarn gjuts i Östervågor
och kungastaden mitt i skogen är,
vad sydligt liv inunder norrskenslågor,
vad sångartempel på de öde skär!
Det språk vars toner ligga mitt emellan
vad Norden djupt, vad Södern klangfullt har,
ett bortglömt barn som kom i samkväm sällan,
steg fram och speglade sin bild i källan
och häpnade att se hur högt, hur skönt det var.

Och då sjöng *Gyllenborg*, en mäktig ande,
fast stundom rimfrost på hans vingar låg.
Ack, klippor finnas där vi alla strande,
och även dikten har sin frusna våg.
Men stark var bågen som den ädle spände
och pilen skarp som sökte opp sitt mål,
och allt vad mänskohjärtat djupast kände
steg fram och grät i *Människans elände*,
en djup, oändlig suck, vårt släktes modersmål.

Bredvid hans sida, drömmande och stilla,
satt *Creutz* och band på rosor utan tagg,
och diktade om *Atis* och *Camilla*
en sång av västanvind och morgondagg.
Den sången är en dröm ur gyllne åren,
en gång i livet av vart hjärta drömd,
fast ej så skön, fast ej så himla boren;

en sång så ljuv som lärkornas om våren,
öm, enkel, oskuldsfull — och därför är han glö?

Giv plats, giv plats, ty Nordens vingud nalkas
och sången svärmar kring hans vigda mund.
Hör hur han skämtar, se hur glatt han skalkas
bland nymferna uti den gröna lund.
Men ack! hans glädje ligger ej i kannan,
ej i idyller som han kring sig strött,
hans druckna öga söker än en annan,
och märk det vemodsdraget över pannan,
ett nordiskt sångardrag, en sorg i rosenrött.

I Djurgårdsekar, susen vänligt över
den störste sångarns bild som Norden bar!
Det finns ej tid som dessa toner söver,
det finns ej land som deras like har.
En sång som växer vild, och likväl ansad,
bär konstens regel, men försmår dess tvång,
till hälften medvetslös, till hälften sansad,
en gudadans på gudaberget dansad
med faun och gratie och sångmö på en gång!

Därnäst hör *Lidner:* "Gravens portar knarra
på tröga gångjärn, domen förestår,
och lampans matta sken på marmorn darra,
och midnattsklockan ifrån tornet slår."
Förstörd, förvissnad före mogningsstunden,
en rik, men sönderbruten harmoni,
en genius, ack för djupt i stoftet bunden,
hur ömt begråter han i lagerlunden
var likes kval: du hör hans eget däruti.

Men som en stilla sommarkväll på landet
när daggen darrar uti blomsterskåln,
och aftonrodnan knyter rosenbandet
kring västerns lockar, kring de lätta moln:
på ängen samla sig till dans de unga,

de gamla till rådplägningar i byn,
sitt matta guld i vinden skördar gunga,
var blomma doftar, alla fåglar sjunga
och frid och salighet se ner ur aftonskyn:

så är det i din sång, o *Oxenstjerna,*
Italiens himmel över Nordens berg!
Din sångargratie är en sydlig tärna,
och sydlig även glöden av din färg.
Vad solglans ligger över *Dagens Stunder,*
hur klangfull lian genom *Skörden* går,
och *Hoppet,* livets tröst och diktens under,
hur blev det diktat under furulunder?
Jag undrar mången gång, men gläds att du var vår.

Och *Kellgren* som "av skönhet och behagen
oss än en ren och himmelsk urbild ger!"
Sen *Nya Skapelsen* stått fram i dagen,
vad ha vi andra till att skapa mer?
Hur klingar svenska lyran i hans händer,
hur ren var ton, hur skär, hur silverklar!
Ack i mitt öra, vart jag också länder,
den diktens grundton ständigt återvänder,
en dunkel melodi ifrån min barndomsdar.

Men vad är lyrisk klang på silvervågor,
och evig blomdoft uti blånad luft?
Den ädle skalden har ock andra frågor
och skönhet vill han, men jämväl förnuft.
När *Kellgrens* snille slog de stora slagen,
de blixtrande, för sanning, rätt och vett,
i skämt och allvar, hur det flög för dagen
kring land och rike, och en var betagen
sprang upp och undrade, att han ej förr det sett!

Roms sångargudar flyttade till Norden
med *Adlerbeth* — en romare i släkt
med dem till andan, icke blott till orden, —

och tjuste åter i sin nya dräkt.
Och *Rosenstein*, så hög som han till sinnes,
så klassisk, bandet uti sångens krans,
fast icke själv en sångare, var finnes
den svenske skald, som ej med tårar minnes
en själ så ljus, så ren, så faderlig som hans?

Och han som slöt den långa sångarraden
och levde länge för att sörja den,
en rosenkrans med taggar mellan bladen,
behagens, skämtets, tankens, *Gustavs* vän:
han som bar kronan i de vittras gille,
en lagrad veteran i vettets sold,
kanske ej främst som skald, men främst som snille,
som ville ädelt, kunde vad han ville,
den blinde siaren *Tiresias-Leopold!*

Jag sjöng hans drapa, minnets döttrar sjunga
en dag, och bättre, vad han Sverge var,
ty där bor oväld uppå framtids tunga,
och all förtjänst till slut sin krona har.
Han stod emellan tvenne sångartider,
den enas varning och den andras stöd,
men tid och sansning kämpade hans strider,
tills solen bröt utur sitt moln omsider
och sjönk förstorad ner i gull och purpurglöd.

De gamla gyllne lyrorna ha tystnat
och deras klang är klandrad eller glömd.
Till många toner ha vi sedan lyssnat,
och strängt är *Gustavs* sångarskola dömd.
Naturen växlar, även snillet träder
i växlat skick för skilda tider fram,
i grekisk enkelhet, i galakläder,
med lejonman, med skiftrik turturfjäder
men ett dess väsen är: väl den, som det förnam!

Där låg ett skimmer över *Gustavs* dagar,
fantastiskt, utländskt, flärdfullt om du vill,
men det var sol däri, och, hur du klagar,
var stodo vi om de ej varit till?
All bildning står på ofri grund till slutet,
blott barbarit var en gång fosterländskt;
men vett blev plantat, järnhårt språk blev brutet,
och sången stämd och livet mänskligt njutet,
och vad *Gustaviskt* var blev därför även svenskt.

I höga skuggor, ädla sångarfäder,
jag lägger kransen på ert stoft i dag.
En efter annan bland oss alla träder
snart opp till eder uti stjärnstrött lag.
Där låt oss sitta och se ner till Norden,
förtjuste av vad skönt som bildas där,
och strof-vis om varannan sätta orden
till stjärnmusiken om den fosterjorden
som väl förgätit oss, men dock är oss så kär.

Den 5 april 1836 Svenska akademins 50-årshögtid, *stranden*
Skeppsbron, *Gustavs stod* Sergels staty av Gustav III, *Gustaviad*
hjältedikt om om Gustav, *ek och lager* syftar på belöningar i form
av ek- resp. lagerkrans, *Melanderhjelm* ... *Bergman* naturforskare,
frusna våg anspelar på Gyllenborgs föga lyckade dikt Tåget över
Bält, *en annan* dvs. glädje (än i kannan), *sångarns bild* Bellmans
staty på Djurgården, *gudaberget* Parnassos, *flög om dagen* ... syftar
på Stockholmsposten, *lagrad* lagerkrönt, *Tiresias* blind grekisk siare.
Leopold blev också blind, *hans drapa* Tegnér skrev en minnesdikt
vid Leopolds död 1829, *minnets döttrar* sånggudinnorna

ERIK GUSTAF GEIJER
(1783—1847)

Vikingen

Vid femton års ålder blev stugan mig trång,
där jag bodde med moder min.
Att vakta på gettren blev dagen mig lång;
jag bytte om håg och sinn.
Jag drömde, jag tänkte, jag vet icke vad;
jag kunde som förr ej mer vara glad
    uti skogen.

Med häftigt sinne på fjället jag språng
och såg i det vida hav.
Mig tycktes så ljuvlig böljornas sång,
där de gå i det skummande hav.
De komma från fjärran, fjärran land;
dem hålla ej bojor, de känna ej band
    uti havet.

En morgon från stranden ett skepp jag såg;
som en pil in i viken det sköt.
Då svällde mig bröstet, då brände min håg;
då visste jag vad mig tröt.
Jag lopp ifrån gettren och moder min,
och vikingen tog mig i skeppet in
    uppå havet.

Och vinden med makt in i seglen lopp;
vi flögo på böljornas rygg.
I blånande djup sjönk fjällets topp,
och jag var så glad och så trygg.
Jag faders rostiga svärd tog i hand
och svor att erövra mig rike och land
    uppå havet.

Vid sexton års ålder jag vikingen slog,
som skällde mig skägglös och vek.
Jag sjökonung blev — över vattnen drog
uti härnadens blodiga lek.
Jag landgång gjorde, vann borgar och slott
och med mina kämpar om rovet drog lott
        uppå havet.

Ur hornen vi tömde då mjödets must
med makt på den stormande sjö.
Från vågen vi härskade på var kust —
i Valland jag tog mig en mö —
i tre dagar grät hon, och så blev hon nöjd,
och så stod vårt bröllop med lekande fröjd
        uppå havet.

En gång även jag ägde länder och borg
och drack under sotad ås,
och drog för rike och menighet sorg
och sov inom väggar och lås.
Det var en hel vinter — den syntes mig lång,
och fast jag var kung, var dock jorden mig trång
        emot havet.

Jag ingenting gjorde, men hade ej ro,
för att hjälpa var hjälplös gäck.
Till mur vill man ha mig kring bondens bo
och lås för tiggarens säck.
På sakören, edgång och tjuvar och rån
jag hörde mig mätt — vor' jag långt därifrån
        uppå havet.

Så bad jag — men hän gick ock vintern lång,
och med sippor stränderna strös.
Och böljorna sjunga åter sin sång
och klinga: till sjöss, till sjöss!
Och vårvindar spela i dal och i höjd,

och strömmarna fria störta med fröjd
    uti havet.

Då grep mig det forna osynliga band,
mig lockade böljornas ras.
Jag strödde mitt gull över städer och land
och slog min krona i kras.
Och fattig som förr, med ett skepp och ett svärd,
emot okända mål drog i vikingafärd
    uppå havet.

Som vinden frie, vi lekte med lust
på fjärran svallande sjö.
Vi människan sågo på främmande kust
på samma sätt leva och dö.
Bekymren med henne städs bosätta sig,
men sorgen, hon känner ej vikingens stig
    uppå havet.

Och åter bland kämpar jag spejande stod
efter skepp i det fjärran blå.
Kom vikingasegel — då gällde det blod;
kom krämarn — så fick han gå.
Men blodig är segern den tappre värd,
och vikingavänskap, den knytes med svärd
    uppå havet.

Stod jag mig om dagen å gungande stäv,
i glans för mig framtiden låg,
så rolig som svanen i gungande säv
jag fördes på brusande våg.
Mitt var då vart byte, som kom i mitt lopp,
och fritt som omätliga rymden mitt hopp
    uppå havet.

Men stod jag om natten å gungande stäv
och den ensliga vågen röt,
då hörde jag nornorna virka sin väv

i den storm genom rymden sköt.
Likt mänskornas öden är böljornas svall:
bäst är vara färdig för medgång som fall
    uppå havet.

Jag tjugu år fyllt — då kom ofärden snar:
och sjön nu begärar mitt blod.
Han känner det väl, han det förr druckit har,
där hetaste striden stod.
Det brinnande hjärta, det klappar så fort,
det snart skall få svalka å kylig ort
    uti havet.

Dock klagar jag ej mina dagars tal:
snabb var, men god, deras fart.
Det går ej e n väg blott till gudarnas sal:
och bättre är hinna den snart.
Med dödssång de ljudande böljor gå;
på dem har jag levat — min grav skall jag få
    uti havet.

Så sjunger på ensliga klippans hall
den skeppsbrutne viking bland bränningars svall —
i djupet sjön honom river —
och böljorna sjunga åter sin sång,
och vinden växlar sin lekande gång;
men den tappres minne — det b l i v e r.

Språng sprang, *tröt* fattades, *Valland* närmast Frankrike, *sorg* för-
sorg, *gäck* narr, *sakören* böter, *rolig* lugn, *hall* häll

Odalbonden

Å bergig ås, där står mitt hus,
högt över skog och sjö.
Där såg jag första dagens ljus,
och där vill jag ock dö.

Må ho, som vill, gå kring världens rund:
vare herre och dräng den det kan!
Men jag står helst på min egen grund
och är helst min egen man.

Mig lockar icke ärans namn.
Hon bor dock i mitt bröst.
Min skörd ej gror i ryktets famn.
Jag skär den lugn var höst.

Den jorden behärskar har tusende ben
och väl tusende armar därtill.
Men svårt är dem röra — m i n arm är ej sen
att föra ut, vad j a g vill.

Jag tror ej böljans falska lopp,
som far förutan ro.
Den fasta jord, hon är mitt hopp,
hon visar evig tro.

Hon närer mig ur sin hulda barm
den tid, som mig ödet gav.
Hon fattar mig säkert, hon håller mig varm,
då jag dör, uti djupan grav.

Ej buller älskar jag och bång.
Vad stort sker, det sker tyst.
Snart märks ej spår av stormens gång,
av blixten, sen den lyst.

Men tyst lägger tiden stund till stund,
och du täljer dock icke hans dar.
Och tyst flyter böljan i havets grund;
fast regnbäcken skrålande far.

Så går ock jag en stilla stig:
man spör om mig ej stort.

Och mina bröder likna mig,
var en uppå sin ort.

Vi reda för landet den närande saft.
Vi föda det — brödet är vårt.
Av oss har det hälsa, av oss har det kraft,
och blöder det — blodet är vårt.

Var plåga har sitt skri för sig,
men hälsan tiger still;
därför man talar ej om mig,
som vore jag ej till.

De väldige herrar med skri och med dån
slå riken och byar omkull;
tyst bygga dem bonden och hans son,
som så i blodbestänkt mull.

Mig mycken lärdom ej är tung,
jag vet blott, vad är m i t t.
Vad rätt är, ger jag Gud och kung
och njuter resten fritt.

De lärde, de rike, de bråka sitt vett
att röna, vars rätt som är god.
Mig ren är den rätt, som man värvt med sin svett
och som man värjt med sitt blod.

Jag går ej stadigt stugan kring;
ty blir mig hågen varm,
jag vandrar opp till Svea ting
med skölden på min arm.

Med mång' ord talar vår lagman ej
för kungen i allmän sak.
Men kraftigt är allmogens ja eller nej
under vapnens skallande brak.

Och om till krig han uppbåd ger,
så gå vi man ur gård:
där kungen ställer sitt baner,
där drabbar striden hård.

För älskade panten i moders famn,
för fäder, för hem vi slåss.
Och känner ej ryktet vårt dunkla namn,
Sveakonungar känna oss.

*

Så sjunger glatt vid sprakande spis
i den kalla vinterkväll
den gamle man uppå bondevis
med söner sin' i sitt tjäll.

Han sitter och täljer sin ålders stav.
Må hans ätt ej i Sverige se slut!
Väl bondens minne sänks uti grav;
men hans verk varar tiden ut.

Odalbonde självägande bonde, *tro* trohet, *täljer* räknar, *värvt* förvärvat, *stadigt* ständigt, *stav* runstav, som användes som kalender

Den lilla kolargossen

I skogen vid milan sitter far,
mor sitter hemma och spinner;
vänta, jag blir väl också karl,
får en fästemö efter mitt sinne.
Det är så mörkt långt, långt bort i skogen.

Tidigt med solen jag hemifrån gick;
friskt liv medan solen glimmar!
Till far skall jag bära mat och drick;
nu komma snart kvällens timmar.
Det är så mörkt långt, långt bort i skogen.

Jag är ej rädder på liten grön stig,
där jag ensam i skogen månd gånga.
Men furorna se så mörkt på mig,
och bergen kasta skuggor så långa.
Det är så mörkt långt, långt bort i skogen.

Tralala! Friskt sinne som fågeln i flykt!
Nu vill jag springa och sjunga.
Hu! utur berget det svarar så styggt,
och orden de komma så tunga.
Det är så mörkt långt, långt bort i skogen.

Ack, vore jag väl hos min gamle far!
Jag björnen hör brumma och sjunga;
och björnen, han är den starkaste karl
och skonar varken gamla eller unga.
Det är så mörkt långt, långt bort i skogen.

Och skuggan faller så tjock, så tjock,
som en fäll över ensamma leden,
det tassar, det braskar över sten och stock,
och trollena träda på heden.
Det är så mörkt långt, långt bort i skogen.

Ack Gud! där är ett, där är två; i sitt garn
de mig ta; se hur granna de svinga!
De vinka, — Gud tröste mig, fattiga barn!
Här gäller för livet att springa.
Det är så mörkt långt, långt bort i skogen.

Och natten, den nedsteg och timmen blev sen
och villare och villare blev leden.
Det tassar, det rasslar över stock och sten:
den lille springer på heden.
Det är så mörkt långt, långt bort i skogen.

Med pickande hjärta, med rosblommand' kind
vid milan hos sin far han faller ner:

"Välkommen, välkommen, kär sonen min!"
"Ack, jag har sett trollen och väl mer!
Det är så mörkt långt, långt bort i skogen."

"Min son, jag satt här i så månget år,
och är med Guds hjälp välbehållen.
Den rätt kan läsa sitt Fader vår,
han rädes varken fan eller trollen,
fast det är mörkt långt, långt bort i skogen.'

Braskar prasslar

Tonerna

Tanke, vars strider blott natten ser!
Toner, hos eder om vila den ber.
Hjärta, som lider av dagens gny!
Toner, till eder, till er vill det fly.

Första aftonen i det nya hemmet

Jag vet en hälsning, mera kär
än, värld, vad du kan ge:
den heter f r i d, — G u d s f r i d det är,
och därom vill jag be.

Dröj då, o frid, dröj i mitt tjäll!
Bliv bästa gästen min!
Ty dagen skrider, — det blir kväll,
och natten bryter in.

På nyårsdagen 1838

Ensam i bräcklig farkost vågar
seglaren sig på det vida hav,
stjärnvalvet över honom lågar,
nedanför brusar hemskt hans grav.
Framåt! — så är hans ödes bud;
och i djupet bor som uti himlen Gud.

Natthimmelen

Ensam jag skrider fram på min bana.
Längre och längre sträcker sig vägen.
Ack, uti fjärran döljes mitt mål!
Dagen sig sänker, nattlig blir rymden.
Snart blott de eviga stjärnor jag ser.
Men jag ej klagar flyende dagen.
Ej mig förfärar stundande natten.
Ty av den kärlek, som går genom världen,
föll ock en strimma in i min själ.

SAMUEL JOHAN HEDBORN
(1783—1849)
Vaggvisa

Ute blåser sommarvind,
göken gal i högan lind.
Mor hon går på grönan äng,
bäddar barnet blomstersäng,
strör långa rader
utav ros och blader.

Ängen står så gul och grön,
solen stänker guld i sjön,
bäcken rinner tyst och sval
mellan viden, asp och al.

Bror bygger dammar
åt sin såg och hammar.

Syster sopar stugan ren,
sätter löv i taket sen.
Uppå golvet skall hon så
liljor och konvaljer små,
rosor så rara:
där skall barnet vara.

Skeppet gungar lätt på våg
med sitt segel, mast och tåg,
gångar sig åt främmand' land
hämtar barnet pärleband,
kjortel av siden,
skor med granna smiden.

Lilla gula gåsen ung,
len liksom en silkespung,
ror med moder sin i säv,
pillar vingen med sin näv.
Vallherden vilar
vid sitt horn och pilar.

Lindorm solar sig på sten,
som ett sammet vit och len
vill i barnets vagga gå,
men det skall han aldrig få
han skall bli bunden,
uti gröna lunden.

Trollet sitter vid sin vägg,
kammar ut sitt silverskägg,
sjunger vid den gråa häll:
"Liten kind, kom hit i kväll!
Dig vill jag lova
under guldås sova."

Far han gjordar om sitt liv
sitt bälte och sin blanka kniv,
tar järnsporrar på sin sko,
rider över berg och mo,
trollet att förstöra,
som vill barnet röra.

Snart är liten kind en man;
gångarn grå då sadlar han,
tager brynja, svärd och spjut,
och i kamp han rider ut,
spänner sitt bälte,
strider som en hjälte.

För en flicka sjunges sista versen så :

Liten fager jungfru opp
växer fort som rosens knopp;
virkar sen åt ungersven
kappan blå och får igen
fästring och spänne
och guldspann på änne.

Näv näbb, *kind* barn, *guldspann* guldspänne, *änne* panna

PER DANIEL AMADEUS ATTERBOM
(1790—1855)

Ur *Minnes-runor*

II

O, Paulsbo, kallat efter Guds apostel,
och danat självt till en apostlaboning!
Du prästerliga hydda, öppna åter
den låga dörren för din son, som aldrig

för någon världens härlighet dig glömt!
　　　Ja, allt i denna ängd är oförändrat.
När i dess blida anblick jag försjunker,
mig tycks, jag åter är den pilt, som hörde,
hur näcken nedom backen slog sin harpa,
och såg tvärsöver ån, i almehagen,
hur nattlig eld ur buskarna förrådde
de längst från hedenhös förgömda skatter.
Det var en tid av sång — ej satt i ord,
men klingande i var mitt väsens fiber!
Sin dag förlevde då den glade gossen
bland krönikor och visor, av hans fader
otröttligt till hans gamman sammanbragta;
av ålderstigna män och kloka gummor
emellanåt förnam han äventyr;
på läpparne av mången bygdens tärna
då ljödo ymnigt kvar de forndags-kväden,
i vilka Dikten är en adlig mö,
som from och stolt sin jungfrukrona bär.
Gick slåtterns lia över ängen, hurtigt
av krigsmän fördes hon; och de förtäljde
om Finlands örlig, om de vilda ryssar,
om Jernfeltz, om den milde Gustavs segrar,
och hur av "svenska herrars" fega svek
ur all sin våda kejsarinnan frälstes.
Allt bidrog till hans underbara värld;
son av en karolin berättade
själv sockenskräddarn om den tolvte Karl
och vågade sitt huvud på att Görz
oskyldig mistat sitt för bödelsyxan.
Och när omsider bortom furubergen
den fagra sommarsolen gick till ro,
vallröster klungo mellan hjordens klockor,
från deras hagar, runt kring himlabrynet;
i öster trallades: "Ack, ljuvlig tid",
i väster: "Stilla bygd, mitt sinnes möte".
När sist allt tystnat, mänskor, hjordar, fåglar,
och blott i trädens sus och vattnens porl

naturens ande än förspordes vaken,
då steg tackoffret för den flydda dagen
ifrån en ängshöjd, från min faders flöjt,
som spelade: "Nu vilar hela jorden".

Och Natten grep sin vallmospira, tryckte
den hulda Sömnen till sitt ena bröst,
den än mer hulda Drömmen till sitt andra;
besteg sin månvagn, lät utöver dalen
på välluktskyar silverhjulen rulla
och ropade åt tingen: "Vänden ut
ert innersta, att nu däråt er fägna;
i morgon göms det åter för ert öga!"
Och strax från tallbevuxna klippors branter
på slätten skredo resar ner till kamplek;
när någon föll, då hördes dvärgar skratta
ur smidjorna vid foten av de salar,
där kring sin röda skatt i evig midnatt
vid bergkristallens tusen lampor malmens
urgamla förstar slummertyngda sutto.
Men skogsfrun gick att söka jägarn, fjärran
i skogen strövande med skott och hundar;
och fyrtums-höga älvor, glindrande
av silverskir, framhoppade till ringdans
än omkring eken, på hinsidan kvarnen,
än kring den blomsterkyssta Tuddbo-källan. —
O, ljuva källa, du ännu dem speglar;
men ack, för andra barn — för mig ej mer!

III

Besöka vill jag föräldra-huset.
Hur ödsligt allt, numer, kring fridens bo!
Hur trång den gröna gårdstomt, där dock fordom
jag ägde rum för alla Hübners riken!
— — —

Var hälsad, gråa koja med ditt torvtak,

din förstu-kvist, din dörr, som fryntligt bjuder
åt gästen samma handtag, samma klinka —
vad det är skumt härinne! Och likväl
vad återsken av himmelsk skönhet vill
de halvnatts-mörka rummen genomstråla!
Vad fröjd att tänka: här hon gick, här stod,
här satt den oförgätna! Detta fönster,
med utsikt mellan lummiga syrener
åt bergen, över däld och kvarn och gärden,
var henne enkom kärt. O, huru ofta,
när nedanför bland aplarna i täppan
jag lekte Hannibal, med blommor endast
till romare, ur detta fönster såg
min moders anlete, det bleka, fina,
med sina helgon-ögon utåt nejden!
Vid hennes söm låg Andlig Duvoröst,
vid hennes fötter på en pall Heimskringla,
ur vilken hennes älskling, nyss av henne
i bokstavskonstens hemligheter invigd,
till lön för gillad flit fick föreläsa.
Ej sträng vår granskning var! I mången ljuv,
förtrolig vinterkväll vid brasans skimmer
hon sina tårar blandade med mina,
än vid Susannas sorgespel och än,
när Adalrik begräts av sin Götilda.
O, blott en enda ton från dessa aftnar,
då hon vid sländan, framför spisel-elden,
med klara rösten, helst åt psalmer ägnad,
på gossens böner söng om Saimens ö,
om Kämpen Grimborg eller Malcolm Sinclair!
Och lågan fladdrade i riset högt,
och vinterstormen utanföre tjöt.
Då visste han, att över mo och hed,
från nordanfjälls, på hästar utav moln
i snöig rustning hjältehamnar redo. —
Ej längre lyssna i de tomma kamrar;
ack nej, ack nej, min ängels röst är stum!

Begråtne fader, här du fordom lyfte
din ädla blick, ditt sinnes ljusa spegel,
av manlig kärlek och förtröstan klarnad,
vid bönens timma till naturens Gud.
Du vördsamt blottade din böjda hjässa,
din son med ödmjukt sammanknäppta händer
framjollrade de böner, dem du lärde
hans späda tunga och hans rena själ.
Liksom den å, som, nästan gömd av vassen,
kring dina tegar blygsamt knöt sitt pärlband,
så flöt jämväl, av få bemärkt, i famnen
av däldens enslighet, i helig tystnad
din enkla, fromma lantmans-levnad hän.
Din värma var ej snillets — snillets låga,
vem värmer hon? Hon bränner blott, och lyser
blott mera fort och mera grant till graven!
Dess lusteld — stundom åskeld — utan avund
du såg, dig fjärran, tända sig och slockna.
Med lynnet lika glatt som ömt du bar
på modig skullra Kristi kors. Ej torrt,
ej kalt för dig var dess försoningsträd;
var morgon bar det friska rosenknoppar
och höll sig dygnet om i ständig blomning.
Din kristendom var lik den altarprydnad,
som sinnrik din församlings kyrka smyckar:
en tavla där, som i högtidligt allvar
den första nattvard föreställer, vilar
på pelare, kring vilka glättig lek
fått slinga gyllne rankor, fulla druvor.
Så, ljuv budbärare åt fridens förste,
när i det gamla templet upp du trädde,
hans himmel återglänste i ditt öga,
din vigda tunga bar dess lösenyckel.
Men när du hemkom, sent, till lugna hyddan
och satte dig i dina lönnars skymning,
då talte du med mig om Rom och Sparta,
om svenska hjältar, Sturar och Gustaver:
ditt faderslöje följde gossens blickar,

som druckna häftades vid talarns läppar
och brunno av begär till bragd och ära. —
Nu leder du mig ej på himlens vägar,
förtäljer mig ej forntids hävder mer.
Den gröna höjningen vid kyrkomuren,
ditt namn, förkunnat på den grova stenen,
är allt vad nu jag övrigt har av dig.

— — —

Paulsbo i Åsbo socken i Östergötland, skaldens barndomshem, *Jern-feltz* överste vid Östergötlands livgrenadiärer, fruktad och omtyckt av sina soldater, *Ack, ljuvlig tid* känd sommarvisa, spridd i skilling-tryck, *Stilla bygd* visa av O. von Dalin, *Nu vilar hela jorden* Sv. ps. 442, *resar* jättar, *Tuddbo* gård nära Paulsbo, *Hübner* tysk för-fattare av läroböcker, bl. a. i geografi

Rosen

Den levande fullhetens yppiga prakt,
den eldiga kyssens berusande makt,
sötman av livets festliga dag —
skänkte mig hulda nornors behag.

Spinnande årens ändlösa garn,
smycka de vårens skönaste barn:
kinder av purpur! mun av korall!
pärlor om halsen av daggens kristall!

Bestrålar ej scharlakanslöjan min barm?
Omlindar ej klara rubinen min arm?
Av grönskande sammet min livklädnad är,
och skor av smaragd jag på fötterna bär.

En näktergal plågar mig, tidigt och sent,
med sånger, där himlen blott vet vad han ment!
Hans svärmiska längtan mitt bröst ej förstår,
och blint är mitt öga för sångarens tår.

Men kommer min fjäril, så grann som till dans,
då sänker min törnvakt båd sabel och lans;
på solstrålen rider han in i min borg,
och aldrig gör Rosa den riddaren sorg.

I ensliga valvet av bok och av lind
han kysser skön jungfrun på glödande kind.
Den rodnar, lik jorden, av vällustens vin
vid brudkvällsmusiken från surrande bin.

Jag vet, att den flyktige lämnar mig snart:
som vattnets och ilens är kärlekens fart!
Men tröttsam på längd är en enformig vän,
och fagrare lockar min fägring igen.

Gemensamt, som solens, är skönhetens sken:
en dåre blott vill henne njuta allen!
Bland stjärnornas andar så friast som störst,
oändligt hon stillar det ändligas törst.

E t t hjärta blott slår i det eviga allt!
En lag blott jag lyder: vad detta befallt!
I tusende skepnader klappar dess blod,
och alla sig läska ur varandets flod.

Så delar jag med mig, till tidens fördriv,
den flödande strömmen av tjusande liv;
vad mer, om där skummar förgängelsens våg,
blott rytm är i störtande timmarnas tåg?

Så kyssens i ådrorna blixtrande kraft,
och nektarchampagnens astraliska saft,
och ambran, som höjs från mitt purprade bräm,
förklara dig blommornas drottnings system.

Nornor ödesgudinnor, *astralisk* hörande till stjärnornas värld, *ambra*
dyrbar parfym

Den nya Blondel

Där de ljusa björkar stå
på en enslig höjd,
såg jag först Auroras kind,
såg jag först för stilla vind
silverböljan gå,
mellan ängar böjd.

Ingen delade med mig
livets unga lek;
dock, min fader till mig bar
sagor från förflutna dar;
varje saknad vek,
och min själ blev varm.

Ensam följde du min stig,
hulda fantasi!
Dvärgar små med elfenhorn,
slott av glas med pärletorn,
feer däruti —
fyllde gossens barm.

Och för äventyr jag brann,
drog i härnad ut;
red igenom skog och hed,
stötte troll och resar ned
med mitt blanka spjut,
som en riddersman!

Med en kung jag blev bekant,
dottren bjöd mig vin;
blåa ögon, gyllne hår,
liljans bröst och hindens spår,
kinder av karmin,
klädd i diamant.

Då jag till min cittra tog,
i den höga sal;
och prinsessan mot mig log,
och det lilla hjärtat slog
trångt av lust och kval,
när en blick jag smög.

Och på vita gångarn flög
hon med mig i fält;
följde vigda fanans lopp,
slogo under lagrar opp
våra silkestält
i en emirs park.

Damaskenersabeln ven
i min hand så stark;
bland Jordanens palmer sen
kvällen på min cittra sken,
och vid månens blick
sammanknöts vårt band.

Ack — så säg mig, vart hon gick!
Har hon ömsat land?
Har en jätte henne gömt?
Har jag kanske henne drömt?
Cittran i min hand
likväl än jag har?

Ensam är du hos mig kvar,
trogna fantasi!
Ännu klingar i min barm,
lika frisk och lika varm
själens melodi,
evigt ung och klar.

Blondel fransk trubadur på 1100-talet, *Aurora* morgonrodnadens
gudinna, *resar* jättar, *karmin* rött färgämne, *emir* muhammedansk
furste, *damaskenersabel* praktfull sabel, uppkallad efter staden
Damaskus, *ömsat* bytt

Ur *Lycksalighetens Ö*

Kör av vindarna

Upp genom luften, bort över haven,
hän över jorden, i stormande färd!
Morgonens drottning, med rosiga staven,
vinkar oss ut i sin vaknande värld.
    Upp, till de brusande
        böljornas lek;
    upp, till de susande
        lundarnas smek!
Människan, djuren, i kvalmiga nästen
lyssna med oro till vingarnas dån;
vi sväva fria till himmelens fästen,
komma med budskap igen därifrån!

Stilla, o stilla!

(Svanvit)

Stilla, o stilla!
Somna från storm och snö!
Ensliga lilla,
nu är det tid att dö!
Kallt är kring dal och sjö;
stilla, o stilla!

Stunderna ila,
snart du den sista ser;
vila, o vila!
Vissna, som andra fler! —
Hjärta! vad vill du mer?
Vila, o vila!

Skuggan låt gömma
allt, vad du njöt och led;

311

glömma, o glömma —
sådan är solens sed!
Lär dig, i nattens fred,
glömma, o glömma!

Domna blott, domna!
Snön är din bästa vän;
gott är att somna:
v å r kommer ej igen.
Hjärta! vi slår du än?
Domna blott, domna!

Tystna då, tystna,
töm i en suck din själ!
Upphör att lyssna;
livet dig bjöd farväl:
"Arma, god natt, sov väl!"
Tystna då, tystna!

Svanvit är trolovad med Astolf, konung i ett nordligt land, vilken
övergivit henne

ERIK JOHAN STAGNELIUS
(1793—1823)

Amanda

I blomman, i solen
Amanda jag ser.
Kring jorden, kring polen
hon strålar, hon ler.
I rosornas anda,
i vårvindens pust,
i druvornas must
jag känner Amanda.

När gullharpan klingar,
när västan sig rör
med susande vingar,
Amanda jag hör.
Allt, ängel, bestrålar
din himlagestalt,
lik skaparns i allt
din gudom sig målar.

Se! Själarne ila,
vid dödsängelns bud,
till gyllene vila
i famnen av Gud.
Se! Floderna hasta
med skummande fart.
I havet de snart
sig dånande kasta.

Men aldrig min trånad
till målet skall nå.
Blek, suckande, hånad,
jag enslig skall gå,
skall evigt, gudinna,
lik stjärnan dig se
högt över mig le
och aldrig dig hinna.

Amanda (eg. hon som bör älskas) Stagnelius' sångmö

Till Natten

Redan med Cynthias lampa i hand, omglimmad av stjärnor,
kommer du, vänliga Natt, åter från skuggornas land.

Tystnaden jämte dig går och sömnen, av vallmo bekransad,
    lekande drömmars tropp följer ert segrande tåg.
Heliga Natt, i din famn jag med lågande känslor mig kastar,
    uslingens enda skatt, slavarnes frihet du är.
Dölj mig för människors syn, bjud människorösterna tiga
    och på moderlig arm vagga ditt gråtande barn.
Kan du ej hela de blödande sår mig dagen har givit,
    klaga min smärta för dig skall du ej neka likväl.
O att du evig blev! Men allt är förgängligt i tiden,
    vågorna skifta ej så fjärran på sjöarne om.
Snart är ditt välde förbi, snart strålar den rosiga Eos,
    fordom min glädje och nu fasans och sorgernas bud.
Dock jag känner en natt, som aldrig sig ändar, en vila,
    aldrig av spöken störd, aldrig av drömmarnes här.
Mäktige gudar, unnen mig den! Snart, snart mig den unnen!
    Icke en annan bön har jag att ställa till er.

Cynthia Diana, *uslingens* den olyckliges, *Eos* morgonrodnaden

Till Förruttnelsen

Förruttnelse, hasta, o älskade brud,
    att bädda vårt ensliga läger!
Förskjuten av världen, förskjuten av Gud,
    blott dig till förhoppning jag äger.
Fort, smycka vår kammar — på svartklädda båren
den suckande älskarn din boning skall nå.
Fort, tillred vår brudsäng — med nejlikor våren
    skall henne beså.

Slut ömt i ditt sköte min smäktande kropp!
    Förkväv i ditt famntag min smärta.
I maskar lös tanken och känslorna opp,
    i aska mitt brinnande hjärta.
Rik är du, o flicka! — i hemgift du giver
den stora, den grönskande jorden åt mig.

Jag plågas häruppe, men lycklig jag bliver
  därnere hos dig.

Till vällustens ljuva, förtrollande kvalm
  oss svartklädda brudsvenner följa.
Vår bröllopssång ringes av klockornas malm
  och gröna gardiner oss dölja.
När stormarne ute på världshavet råda,
när fasor den blodade jorden bebo,
när fejderna rasa, vi slumra dock båda
  i gyllene ro.

Grymt verklighetens hårda band

Grymt verklighetens hårda band mig trycka,
av törnen blott en efterskörd jag samlar
på glädjens fält, och lik ett korthus ramlar
var väntad jordisk fröjd, var dröm av lycka.
Allena stödd vid tålamodets krycka
jag i en vild, en nattfull öken famlar,
och i mitt spår den tunga kedjan skramlar
vars länkar döden blott kan sönderrycka.
Dock tröstar mig den himlaburna sången,
från himlens borg en rosenkransad ängel.
I gyllne flykt han sig till jorden svingar.
Milt han mig vidrör med sin liljestängel.
Straxt falla kopparkedjorna av fången
och vingen höjs och silverrösten klingar.

Vän! I förödelsens stund

Vän! I förödelsens stund, när ditt inre av mörker betäckes,
  när i ett avgrundsdjup minne och aning förgå,
tanken famlar försagd bland skuggestalter och irrbloss,
  hjärtat ej sucka kan, ögat ej gråta förmår;

när från din nattomtöcknade själ eldvingarne falla,
  och du till intet, med skräck, känner dig sjunka på
  nytt,
säg, vem räddar dig då? — Vem är den vänliga ängel,
  som åt ditt inre ger ordning och skönhet igen,
bygger på nytt din störtade värld, uppreser det fallna
  altaret, tändande där flamman med prästerlig hand? —
Endast det mäktiga väsen, som först ur den eviga natten
  kysste serafen till liv, solarna väckte till dans.
Endast det heliga Ord, som ropte åt världarna: "Bliven!" —
  Och i vars levande kraft världarne röras ännu.
Därför gläds, o vän, och sjung i bedrövelsens mörker:
  Natten är dagens mor, Kaos är granne med Gud.

Resa, Amanda, jag skall

Resa, Amanda, jag skall till aldrig skådade länder,
  dödens omätliga hem: icke du följer mig dit.
Ej vid dess kopparport jag din hand skall trycka till avsked,
  över dess mörka älv lyser ditt öga ej mig.
O, huru lätt att dö för ett hjärta, som älskar och älskas!
  Aldrig för svepning och grav bävade kärleken än.
Dristigt han går att lösning på livets gåta begära,
  river med segrande hand svarta ridåen i tu.
Himmelska land han skådar bakom: arkadiska bygder,
  sökte förgäves här, flyttas av aningen dit.
Graven ett tempel är, när kärlekens rosor den smycka,
  andars melodiska sång fyller dess heliga kor.
Sörjande genier luta sig ned över gravmonumentet,
  helgon, med böjda knän, bedja för själarnes ro;
tills, i bländande glans, den stora, den eviga dagen
  strålar i gravarnas natt neder och änglarnas röst
väcker de sovandes par, ljuvtklingande: "Vaknen, I vänner!
  Vaknen, I älskande två! Eden begynner sin maj.
Daggiga rosor i parkerna stå: att brytas av eder
  vänta de: livsens träd blommar av njutning och hopp."

Ljuv är de älskandes dröm: jag drömmer ej längre, Amanda!
Hoppet för evigt och tron flydde med kärleken bort.

Arkadisk idyllisk

Vad suckar häcken?

Vad suckar häcken?
Vad nordans storm som i tallen gnyr?
Vad viskar bäcken
där genom dalen han sakta flyr?
Vad talar solen
där över polen
hon majestätisk går?
Vad andas hoppen
i rosenknoppen?
Vad menlös vilja
har dalens lilja?
Vad tänker sippan?
Vad menar klippan
där hotande och mörk hon står?

Vi mena, vi tänka, vi sucka, vi tala:
O mänska! Statt upp ur din nesliga dvala
och höj dig till urlivets riken igen.
Om själv till idéernas värld du vill flytta,
i ljusets idéer från mörkrets förbytta,
som du vi förklarade följa dig än.

Du själv i materiens bojor dig lade:
Ack, samma förfärliga öde vi hade,
ty följa vi måste varthelst du oss för.
Gemensam är kraften som magiskt oss driver,
befria blott tingen och frigjord du bliver,
befria dig själv och du frie dem gör.

Hoppen förhoppningarna

Uppoffringen

Canzone

För dig, o änglaljuva,
jag sista gången tänder
min offereld, av himlens vind omfluten.
Med sångens milda duva
till avsked jag dig sänder
en daggig ros, i diktens lundar bruten.
Av känslans tår begjuten,
Amanda, skönt hon glimmar.
Dock vet, de forna såren
ej pressat denna tåren,
som tindrande i purpurkalken simmar.
Av glädje jag den fällde,
befriad evigt från passionens välde.

Försvunnen är min låga,
lik flamman, som sig höjer
från altaret mot luftens regioner.
Ej av min fordna plåga
ett spår i hjärtat dröjer,
en suck ej hörs i lutans silvertoner,
I eviga äoner
min kärleks blomstersaga
ej mer skall omnämnd bliva,
ej mer en harpa liva,
ej känslovek en ynglings dröm ledsaga.
Nej! Utan namn och minnen,
o långa suckar, evigt I försvinnen.

Se Cyprias purpurblomma,
hur lockande hon blänker
på törnbeväpnad stjälk i vårens dagar.
Snart vissnande den fromma
sitt bleka huvud sänker
och nordanvädret hennes stoft förjagar.

Snart turturn åter klagar
och vårarne, som farit,
å nyo jorden sira,
och nya rosor spira
i dagen fram — dock ej den ros, som varit.
Så jordisk kärlek flyktar.
I höjden av sin prakt dess fägring lyktar.

Död måste blomman bliva,
om hösten skall oss unna
från tyngda grenar sina gyllne frukter.
Sitt larvstånd övergiva
skall fjäriln, för att kunna
i purpurflykt omkryssa källans bukter
och andas vårens lukter
och mellan rosor paras.
Ja, kedjan måste krossas,
den sköra formen lossas,
om tingens väsende skall uppenbaras,
och som för gyllne strålen
ett töcken flyr, — så för idén symbolen.

Ja, om den höga anden
på himlaburna vingar
skall, fri och salig, mot sitt hem sig höja,
de veka blomsterbanden,
vars trollmakt honom tvingar,
han slite först och rive tingens slöja!
I evigt mörker dröja
det inre livets sinnen,
så länge, med förmåga
av vällust eller plåga,
det yttre härskar över deras minnen.
Uppoffringen allena
befriar själarne och gör dem rena.

Farväl då, änglaväsen!
Mig andra världar kalla,

mig vinka stjärnornas keruber sakta.
　　Som blommorna, som gräsen
　　fantomerna här falla,
hell dem som trofast himlarne betrakta!
　　Som tidigt lärt förakta
　　allt vad ej evigt bliver.
　　O flicka, skönt du blommar.
　　All världens rikedomar
jag utan tvekan för din kärlek giver.
　　Men himlens eld mig bränner.
Ett högre liv mitt väckta hjärta känner.

Canzone provensalsk och italiensk diktform, *äoner* tidrymder, *Cypria*
Venus, Cyperns gudinna, vars blomma är rosen, *fantomerna* sken-
bilderna

Tystnaden

O du, som född ur intets underbara
fördolda famn, av yngre säd ej stammar,
du som ur vilans stilla rosenkammar
såg dagens konung första gången fara!

Portvakterska i gudaborgen klara!
Osynliga vestal, som trofast ammar
den himlaeld i hjärtats mörker flammar,
det ljus som ensamt allt kan uppenbara!

Kom, tystnad, kom! Med dunkelblåa vingar
mig överhölj och näps de fräcka ljuden,
som våga själens helga sabbat störa!

Kom! I din famn på gyllne moln du bringar
den efterlängtade till himlabruden,
och glada bröllopskorer sällskap göra.

Vestal se s. 139

Flyttfåglarne

Se fåglarnes skara!
Till främmande land
de suckande fara
från Gauthiods strand.
Med vädren de blanda
sitt klagande ljud.
"Vart skola vi landa?
Vart för oss ditt bud?"
Så ropar den fjädrade skaran till Gud.

"Vi lämne med oro
de skandiske skär.
Vi trivdes, vi voro
så lycklige där.
I blommande lindar,
där nästet vi byggt,
balsamiska vindar
oss vaggade tryggt.
Nu sträckes mot okända rymder vår flykt.

Med rosiga hatten
på lockar av guld,
satt midsommarsnatten
i skogen, så huld.
Ej kunde vi somna —
så dejlig hon var —
av vällust blott domna,
tills morgonen klar
oss väckte på nytt från sin brinnande char.

Ljuvt träden då sänkte
kring tuvor sitt valv,
dem pärlor bestänkte,
där törnrosen skalv.
Nu skövlad är eken,

och rosen har flytt.
Av vindarne leken
i storm sig förbytt.
Av frostblommor vita är majfältet prytt.

Vad göra vi längre
i Norden? — Dess pol
blir dagligen trängre,
mer dunkel dess sol.
Vad båtar att kvida?
Vi lämne en grav.
Att fly i det vida
Gud vingar oss gav.
Så varen oss hälsade, brusande hav!"

Så fåglarne kväda
på skyndande färd.
Snart mottar de späda
en skönare värld,
där rankorna skälva
i almarnes topp,
där bäckarne välva
bland myrten sitt lopp,
och lundarne klinga av njutning och hopp.

När grymt sig förbyter
ditt jordiska väl,
när höstvinden ryter,
gråt icke, o själ!
Det ler bortom haven
mot fågeln en strand.
På hinsidan graven
är även ett land,
förgyllt av den eviga morgonens brand.

Gauthiods strand eg. göternas land, *skandiske* skandinaviska, *char*
vagn, *pol* himmelskrets

Suckarnes mystär

Suckar, suckar äro elementet,
i vars sköte Demiurgen andas.
Se dig om! Vad glädde dina sinnen?
Kom ditt hjärta fortare att klappa,
och med fröjdens milda rosenskimmer
flyktigt stänkte dina bleka kinder?
Säg vad var det? Blott en suck av vemod,
som, ur andelivets källa fluten,
vilsefor i tidens labyrinter.

Tvenne lagar styra mänskolivet.
Tvenne krafter välva allt, som födes
under månens vanskeliga skiva.
Hör, o mänska! Makten att begära
är den första. Tvånget att försaka
är den andra. Skilda åt i himlen,
en och samma äro dessa lagar
i de land där Achamot befaller,
och som evig dubbelhet och enhet
fram i suckarnes mystär de träda.
Mellan livets sorgesuck och dödens
mänskohjärtat vacklar här på jorden,
och vart enda andedrag förkunnar
dess bestämmelse i sinnevärlden.

Ser du havet? Ilande det kommer,
vill med blåa längtansfulla armar
under fästets bröllopsfacklor sluta
till sitt bröst den liljekrönta jorden.
Se, det kommer. Hur dess hjärta svallar
högt av längtan! Hur dess armar sträva!
Men förgäves. Ingen önskan fylles
under månen. Själva månens fullhet
är minutlig. Med bedragen väntan
dignar havet och dess stolta böljor
fly tillbaka suckande från stranden.

Hör du vinden? Susande han svävar
mellan lundens höga poppelkronor.
Hör du? Växande hans suckar tala,
liksom trånsjukt han en kropp begärde
att med sommarns Flora sig förmäla.
Dock ren tyna rösterna. På lövens
Eolsharpa klingar svanesången
ständigt mattare och dör omsider.

Vad är våren? Suckar blott från jordens
dunkla barm, som himlens konung fråga
om ej Edens maj en gång begynner.
Vad är lärkan, morgonstrålens älskling?
Näktergalen, skuggornas förtrogna?
Suckar blott i växlande gestalter.

Mänska, vill du livets vishet lära,
o, så hör mig! Tvenne lagar styra
detta liv. Förmågan att begära
är den första. Tvånget att försaka
är den andra. Adla du till frihet
detta tvång, och helgad och försonad,
över stoftets kretsande planeter,
skall du ingå genom ärans portar.

Mystär hemlighet, *Demiurgen* sinnevärldens härskare, världsfursten,
Achamot Demiurgens moder, *Flora* fruktbarhetsgudinna, *Eolsharpa*
harpa tillhörande Eolus, vindarnas gud

Se blomman! På smaragdegrunden

Se blomman! På smaragdegrunden
hon blänker, oskuldsfull och skär,
en själ i stoftets kedjor bunden,
och Psyches morgondröm hon är.

Om solens rika tempelsalar,
om glänsande kerubers sång

hon drömmer i materiens dalar
i tusenårig dvalas tvång.

Dock svävar även för dess sinne
en dunkel hågkomst av dess fall,
och kronan sviktar, tung av minne,
utöver bäckarnes kristall.

Och blygselns rosenfärga målar
den jungfruliga kindens vår,
och ur det späda ögat strålar
mot dagens strimma ångrens tår.

Gråt, sköna blomma! Så allena
du älskad blir av ljusets gud.
Gråt, sköna blomma! Tårar rena
var fallen själ till ljusets brud.

Än är du lycklig. Milt dig skonar
än för sitt eldprov frestelsen.
Gestalten än ditt liv försonar,
och medvetslös är skönheten.

Snart skall du vakna ur din dvala,
snart dig på ökenfärden ge,
där inga fläktar dig hugsvala,
där inga syskonsjälar le.

I drakars boning skall du fästa
det lätta vandringstältet då.
I lejonkulor skall du gästa,
med leoparder skall du gå.

Tills maktlös du omsider hinner
den höge Demiurgens borg.
Ett brokigt sällskap där du finner
av sminkad fasa, kransad sorg.

Ett moriskt glänsande Alhambra
den stolta kungaborgen är.

I valvet sväva moln av ambra,
och guldet tak och väggar klär.

Kvicksilvrets forsande kaskader
tas där i jaspisbäcken mot,
och under skinande arkader
bär yppig mosaik din fot.

Här tronar sonen av den häxa,
o arma, som förtrollat dig.
I bergens natt hans ådror växa —
järnmänniska han kallar sig.

O, vänd ditt öga från sultanen,
hans dräkt är som en morgon klar.
Tolv stjärnor glimma i turbanen,
sju kungar dra hans segerchar.

Fem blomstrande furstinnor glänsa
omkring hans rika baldakin
och honom leende kredensa
i pärlsatt guld astraliskt vin.

I rosengården hasta neder,
klart skimrar i violers krans,
omhägnad av en väldig ceder,
en källa där med azurglans.

Betraktelse hon kallad bliver.
Förtrolig som en barndomsvän
hon ur sitt blåa sköte giver
din bild och himlarnes igen.

Din forna skönhet där betrakta,
i vissna rosor nu förbytt.
Rys för de härar som dig vakta,
begråt äonerna, som flytt!

Från minnets näktergal din saga
här mystiskt återljuda hör,
och lär av bönens duva klaga
uppå det språk, som himlen rör.

Psyches morgondröm hon är Blomman (själen) är ännu ung och oskuldsfull, *materiens dalar* sinnevärlden, *Gestalten* blommans skönhet, *medvetslös* omedvetne, *ökenfärden* mötet med frestelserna, *Demiurgen* se s. 324, här i en österländsk sultans gestalt, *Alhambra* den praktfulla moriska borgen vid Granada, *ambra* dyrbar parfym, *jaspis* mineral som används som prydnadssten, *häxa* Achamot, se s. 324, *Tolv stjärnor* djurkretsens tolv stjärnbilder, *Sju kungar* de sju planeterna, *Fem furstinnor* de fem sinnena; alla dessa ting håller själen bunden i sinnevärlden, *kredensa* bjuda, *astraliskt* hörande till stjärnornas värld, *äonerna* goda andeväsen

Näcken

Kvällens gullmoln fästet kransa.
Älvorna på ängen dansa,
och den bladbekrönta näcken
gigan rör i silverbäcken.

Liten pilt bland strandens pilar
i violens ånga vilar,
klangen hör från källans vatten,
ropar i den stilla natten:

"Arma gubbe! Varför spela?
Kan det smärtorna fördela?
Fritt du skog och mark må liva,
skall Guds barn dock aldrig bliva!

Paradisets månskensnätter,
Edens blomsterkrönta slätter,
ljusets änglar i det höga —
aldrig skådar dem ditt öga."

Tårar gubbens anlet skölja,
ned han dykar i sin bölja.
Gigan tystnar. Aldrig näcken
spelar mer i silverbäcken.

Endymion

Skön, med lågande hy och slutna ögon,
slumrar herden så ljuvt i månans strålar.
Nattens ångande vindar
fläkta hans lockiga hår.

Stum, med smäktande blick och våta kinder,
honom Delia ser från eterns höjder:
Nu ur strålande charen
svävar hon darrande ned.

Och av klarare ljus, vid hennes ankomst,
stråla dalar och berg och myrtenskogar.
Utan förerska spannet
travar i silvrade moln.

Herden sover i ro: elysiskt glimma
i hans krusiga hår gudinnans tårar.
På hans blomstrande läppar
brinner dess himmelska kyss.

Tystna, suckande vind i trädens kronor!
Rosenkransade brud på saffransbädden,
unna herden att ostörd
drömma sin himmelska dröm.

När han vaknar en gång, vad ryslig tomhet
skall hans lågande själ ej kring sig finna!
Blott i drömmar Olympen
stiger till dödliga ned.

Endymion en yngling, vilkens skönhet enligt myten lockade mångudinnan *Delia* att stiga ned från sin vagn (*char*) och kyssa honom, *ångande* doftande

CARL JONAS LOVE ALMQVIST
(1793—1866)

Ur *Songes*

Den lyssnande Maria

"Herre Gud, vad det är vackert,
att höra toner av en salig ängels mun:
Herre Gud, vad det är ljuvligt,
att dö i toner och i sång.

Stilla rinn, o min själ, i floden,
i dunkla, himmelska purpurfloden:
Stilla sjunk, o min sälla ande,
i Gudafamnen, den friska, goda."

Songes eg. drömmar

Martyrerne

Farväl, du gröna jord!
ej mer din vår
jag skåda får.
Farväl, farväl o sol, o måne!
Ut skall släckas ögats brand
av eldens skarpa hand.

Lågan slår sitt sken om oss!
Intet syns för ljus och bloss.
Död, o kom,
o svalka, kom!
Himlens hus
har annat ljus.

Antonii sång

Ljuvligt en gång i hjärtats hem jag skådade lyssnande:
Vita gestalter mig nalkades, svarade vinkande.
Häpnande såg jag de eviga Solskens land:
Toner sig smögo till mig från de sällas strand.
Sedan aldrig jag fann
i världen behag.
Sedan aldrig aldrig jag fann
i världen behag.

Häxan i konung Karls tid

Här uppå berget ligga gummans svarta knotor:
hon, som i våras här brann uppå bål.
Nu skall du få höra sagan om röda elden:
höra huru gumman i bålet satts, att brinna.
Gumman, hon tog vita stickor av furu.
Men sina stickor satte hon i en mur.
Sakta hon steg till muren och ur stickorna
darrhänt mjölkade hon åt barnena små.
Men utur rika prästens ko var den söta mjölken. —
Barnena fingo stå vid modrens bål.

Hjärtats blomma

En blomma står i hjärtats hem,
hon har ingen färg ännu;
Herren Gud i himmelen
den blomman har gjort, o Du! —
Blomman stod i hjärtats hem,
hon hade ej färg ännu,
men av Herren Gud dock hon hade namnet Törnros.

Rosens törnen såra hjärtat.
Då rinner blod därur.
Hjärtat frågar Herren:
"Vi gav du den rosen åt mig?"
Herren himmelskt svarar:
"Blodet utur ditt hjärta färgar din ros åt dig:
du och ditt hjärtas ros då likna i fägring mig."

Marias häpnad

Lammen så vita på ängen beta;
men barnet Jesus ut med dem går.
Häpen Maria stannar och ropar:
"Jag ser en strålring omkring barnets hår!"

Varför kom du på ängen?

"Varför kom du hit i kväll, säj?"
Jag kom hit att träffa dej.
"Går du åter bort i kväll, säj?"
Nej, jag går ej bort från dej!
"Blir du hela natten kvar, säj?"
Jag blir kvar i natt hos dej.

Nu skola vi våra vålmar vålma.
Skönare hö har ingen på äng.
Rödaste rosor med räfsan räfsa,
det skola vi till en säng.

Tag mig i hand,
se' så, ska' vi bära!
Skönare hand har ingen på äng.
Nej, nej, saktare,
plocka vackrare!
Lägg allt gräs med ans —
på det skola vi,
skola vi ta en dans,
en dans!

JOHAN LUDVIG RUNEBERG
(1804—1877)

Flyttfåglarna

I, flyktande gäster på främmande strand,
när söken I åter ert fädernesland?
När sippan sig döljer
i fädernedalen
och bäcken besköljer
den grönskande alen,
då lyfta de vingen,
då komma de små;
väg visar dem ingen
i villande blå;
de hitta ändå.

De finna så säkert den saknade nord,
där våren dem väntar med hydda och bord,
där källornas spenar
de trötta förfriska
och vaggande grenar
om njutningar viska,
där hjärtat får drömma
vid nattsolens gång
och kärleken glömma
vid lekar och sång,
att vägen var lång.

De lyckliga glada, de bygga i ro
bland mossiga tallar sitt fredliga bo;
och stormarne, krigen,
bekymren och sorgen,
de känna ej stigen
till värnlösa borgen,

där glädjen behöver
blott majdagens brand
och natten, som söver
med rosende hand
de späda ibland.

Du, flyktande ande på främmande strand,
när söker du åter ditt fädernesland?
När palmerna mogna
i fädernevärlden,
då börjar du, trogna,
den fröjdfulla färden,
då lyfter du vingen
som fåglarna små;
väg visar dig ingen
i villande blå;
du hittar ändå.

Nattsolen midnattssolen

Ur *Idyll och epigram*

1

Flickan kom ifrån sin älsklings möte,
kom med röda händer. — Modern sade:
"Varav rodna dina händer, flicka?"
Flickan sade: "Jag har plockat rosor
och på törnen stungit mina händer."
Åter kom hon från sin älsklings möte,
kom med röda läppar. — Modern sade:
"Varav rodna dina läppar, flicka?"
Flickan sade: "Jag har ätit hallon
och med saften målat mina läppar."
Åter kom hon från sin älsklings möte,
kom med bleka kinder. — Modern sade:
"Varav blekna dina kinder, flicka?"

Flickan sade: "Red en grav, o moder!
Göm mig där och ställ ett kors däröver
och på korset rista som jag säger:
En gång kom hon hem med röda händer,
ty de rodnat mellan älskarns händer.
En gång kom hon hem med röda läppar,
ty de rodnat under älskarns läppar.
Senast kom hon hem med bleka kinder,
ty de bleknat genom älskarns otro."

Målat fått färg på

13

Lutad mot gärdet stod
gossen vid flickans arm,
såg över slagen äng:
"Sommarens tid har flytt,
blommorna vissnat ren;
skön är din kind likväl,
rosor och liljor där
blomstra som förr ännu."

Våren kom åter; då
stod han allena där.
Flickan var borta, — låg
vissnad i jordens famn;
ängen var grön igen,
leende, blomsterrik.

Gärdet gärdesgården

17

Flickan knyter i Johanne-natten
kring den gröna broddens späda stänglar

silkestrådar utav skilda färger,
men på morgonstunden går hon sedan
dit att leta ut sin framtids öden.

Nu, så hör, hur flickan där beter sig:
Har den svarta, sorgens stängel, vuxit,
talar hon och sörjer med de andra.
Har den röda, glädjens stängel, vuxit,
talar hon och fröjdas med de andra.
Har den gröna, kärleksstängeln, vuxit,
tiger hon och fröjdas i sitt hjärta.

Johanne-natten midsommarnatten

22

Till en bondes koja kom en krigsman,
tung av år och vandrande på träben.
Bonden fyllde lugnt ett glas för honom,
bjöd och talte till den gamle knekten:
"Fader, säg, hur var det dig till sinnes,
när i striden fiender dig omvärvt,
skotten knallade och kulor veno?"
Gamle knekten tog sitt glas och sade:
"Såsom dig, när någon gång om hösten
hagel kring dig vina, blixtar ljunga
och du bärgar tegen för de dina."

25

Högt bland Saarijärvis moar bodde
bonden Pavo på ett frostigt hemman,
skötande dess jord med trägna armar;
men av Herren väntade han växten.
Och han bodde där med barn och maka,
åt i svett sitt knappa bröd med dessa,

grävde diken, plöjde opp och sådde.
Våren kom, och drivan smalt av tegen,
och med den flöt hälften bort av brodden;
sommarn kom, och fram bröt hagelskuren,
och av den slogs hälften ned av axen;
hösten kom, och kölden tog vad övrigt.
Pavos maka slet sitt hår och sade:
"Pavo, Pavo, olycksfödde gubbe,
tagom staven! Gud har oss förskjutit;
svårt är tigga, men att svälta värre."
Pavo tog sin hustrus hand och sade:
"Herren prövar blott, han ej förskjuter.
Blanda du till hälften bark i brödet,
jag skall gräva dubbelt flera diken,
men av Herren vill jag vänta växten."
Hustrun lade hälften bark i brödet,
gubben grävde dubbelt flera diken,
sålde fåren, köpte råg och sådde.
Våren kom, och drivan smalt av tegen,
men med den flöt intet bort av brodden;
sommarn kom, och fram bröt hagelskuren,
men av den slogs hälften ned av axen;
hösten kom, och kölden tog vad övrigt.
Pavos maka slog sitt bröst och sade:
"Pavo, Pavo, olycksfödde gubbe,
låt oss dö, ty Gud har oss förskjutit!
Svår är döden, men att leva värre."
Pavo tog sin hustrus hand och sade:
"Herren prövar blott, han ej förskjuter.
Blanda du till dubbelt bark i brödet,
jag vill gräva dubbelt större diken,
men av Herren vill jag vänta växten."
Hustrun lade dubbelt bark i brödet,
gubben grävde dubbelt större diken,
sålde korna, köpte råg och sådde.
Våren kom, och drivan smalt av tegen,
men med den flöt intet bort av brodden;
sommarn kom, och fram bröt hagelskuren,

men av den slogs intet ned av axen:
hösten kom, och kölden, långt från åkern,
lät den stå i guld och vänta skördarn.
Då föll Pavo på sitt knä och sade:
"Herren prövar blott, han ej förskjuter."
Och hans maka föll på knä och sade:
"Herren prövar blott, han ej förskjuter."
Men med glädje sade hon till gubben:
"Pavo, Pavo, tag med fröjd till skäran;
nu är tid att leva glada dagar,
nu är tid att kasta barken undan
och att baka bröd av råg allena."
Pavo tog sin hustrus hand och sade:
"Kvinna, kvinna, den blott tål att prövas,
som en nödställd nästa ej förskjuter;
blanda du till hälften bark i brödet,
ty förfrusen står vår grannes åker."

Sorg och glädje

Sorg och glädje båda
bodde i mitt hjärta,
sorg i ena kammarn,
glädje i den andra.
Oförsonligt skilda,
rådde än den ena
än den andra ensam.
Sen den enda kom dit,
lär hon öppnat dörren
och förenat båda,
ty min sorg är sällhet
och min glädje vemod.

Den enda stunden

Allena var jag,
han kom allena;
förbi min bana
hans bana ledde,
han dröjde icke,
men tänkte dröja,
han talte icke,
men ögat talte. —
Du obekante,
du välbekante!
En dag försvinner,
ett år förflyter,
det ena minnet
det andra jagar;
den korta stunden
blev hos mig evigt,
den bittra stunden,
den ljuva stunden.

Ur *Fänrik Ståls sägner*

Vårt land

Vårt land, vårt land, vårt fosterland,
ljud högt, o dyra ord!
Ej lyfts en höjd mot himlens rand,
ej sänks en dal, ej sköljs en strand,
mer älskad än vår bygd i nord,
än våra fäders jord.

Vårt land är fattigt, skall så bli
för den, som guld begär,
en främling far oss stolt förbi;

men detta landet älska vi,
för oss med moar, fjäll och skär
ett guldland dock det är.

Vi älska våra strömmars brus
och våra bäckars språng,
den mörka skogens dystra sus,
vår stjärnenatt, vårt sommarljus,
allt, allt, vad här som syn, som sång
vårt hjärta rört en gång.

Här striddes våra fäders strid
med tanke, svärd och plog,
här, här, i klar som mulen tid,
med lycka hård, med lycka blid,
det finska folkets hjärta slog,
här bars, vad det fördrog.

Vem täljde väl de striders tal,
som detta folk bestod,
då kriget röt från dal till dal,
då frosten kom med hungrens kval,
vem mätte allt dess spillda blod
och allt dess tålamod?

Och det var här, det blodet flöt,
ja, här för oss det var,
och det var här, sin fröjd det njöt,
och det var här, sin suck det göt,
det folk, som våra bördor bar
långt före våra dar.

Här är oss ljuvt, här är oss gott,
här är oss allt beskärt;
hur ödet kastar än vår lott,
ett land, ett fosterland vi fått,
vad finns på jorden mera värt
att hållas dyrt och kärt?

Och här och här är detta land,
vårt öga ser det här;
vi kunna sträcka ut vår hand
och visa glatt på sjö och strand
och säga: se det landet där,
vårt fosterland det är!

Och fördes vi att bo i glans
bland guldmoln i det blå,
och blev vårt liv en stjärnedans,
där tår ej göts, där suck ej fanns,
till detta arma land ändå
vår längtan skulle stå.

O land, du tusen sjöars land,
där sång och trohet byggt,
där livets hav oss gett en strand,
vår forntids land, vår framtids land,
var för din fattigdom ej skyggt,
var fritt, var glatt, var tryggt!

Din blomning, sluten än i knopp,
skall mogna ur sitt tvång;
se, ur vår kärlek skall gå opp
ditt ljus, din glans, din fröjd, ditt hopp,
och högre klinga skall en gång
vår fosterländska sång.

Vem täljde väl vem kunde räkna

Sven Duva

Sven Duvas fader var sergeant, avdankad, arm och grå,
var med år åttiätta ren och var ren gammal då;
nu bodde på sin torva han och fick sitt bröd av den
och hade kring sig nio barn, och yngst bland dem sin Sven.

Om gubben haft förstånd, han själv, att dela med sig av
tillräckligt åt en sådan svärm, det vet man ej utav;
dock visst lär han de äldre gett långt mer än billigt var,
ty för den son, som sist blev född, fanns knappt en smula
kvar.

Sven Duva växte opp likväl, blev axelbred och stark,
slet ont på åkern som en träl och bröt opp skog och mark,
var from och glad och villig städs, långt mer än mången klok,
och kunde fås att göra allt, men gjorde allt på tok.

"I Herrans namn, du arma son, vad skall av dig väl bli?"
så talte gubben mången gång allt i sitt bryderi.
Då denna visa aldrig slöts, brast sonens tålamod,
och Sven tog till att tänka själv, så gott han det förstod.

När därför sergeant Duva kom en vacker dag igen
och kuttrade sin gamla ton: "Vad skall du bli, o Sven?"
sågs gubben, ovan förr vid svar, bli helt förskräckt och flat,
när Sven lät upp sin breda näbb och svarte: "Jo soldat!"

Den åldrige sergeanten log föraktligt dock till slut:
"Du slyngel, skulle få gevär och bli soldat, vet hut!"
"Ja", mente gossen, "här går allt helt avigt mig i hand;
kanske det mindre konstigt är att dö för kung och land."

Den gamle Duva häpnade och grät helt rörd en tår;
och Sven han tog sin säck på rygg och gick till närmsta kår.
Målfyllig var han, frisk och sund, allt annat sågs förbi,
och utan prut blev han rekryt vid Dunckers kompani.

Nu skulle Duva få sig pli och läras exercis,
det var en lust att se därpå, det gick på eget vis.
Korpralen skrek och skrattade, och skrattade och skrek,
men hans rekryt förblev sig lik vid allvar som vid lek.

Han var visst outtröttelig, om nånsin någon ann',
han stampade, att marken skalv, och gick, så svetten rann;

men roptes vändning åt ett håll, då slog han bom på bom,
tog höger-om och vänster-om, men ständigt rakt tvärtom.

Gevär på axel lärde han, gevär för fot också,
att skyldra, fälla bajonett, allt tycktes han förstå;
men roptes skyldra, fällde han som oftast bajonett,
och skreks gevär för fot, flög hans på axeln lika lätt.

Så blev Sven Duvas exercis beryktad vitt omkring,
envar, befäl och manskap, log åt detta underting;
men han gick trygg sin jämna gång, var tålig som förut
och väntade på bättre tid, — och så bröt kriget ut.

Nu skulle truppen bryta opp, då blev i fråga ställt,
om Duva kunde anses klok och tagas med i fält.
Han lät dem prata, stod helt lugn och redde saken så:
"Om jag ej får med andra gå, får jag väl ensam gå."

Gevär och ränsel fick han dock behålla, även han,
fick vara dräng, där man höll rast, soldat där striden brann;
men slåss och passa opp gick allt med samma jämna ståt,
och aldrig blev han kallad rädd, blott tokig mellanåt.

På återtåg var Sandels stadd, och ryssen trängde på;
man drog sig undan steg för steg längs stranden av en å.
Ett stycke fram på härens väg gick över ån en spång,
där stod en liten förpost nu, knappt tjugu man en gång.

Som den var sänd i ändamål att bota vägen blott,
låg den i ro, sen det var gjort, långt skild från hugg och skott,
tog för sig i en bondgård där allt vad den kunde få,
och lät Sven Duva passa opp, ty han var med också.

Men plötsligt blev det annat av, ty utför närmsta brant
i sporrsträck på en löddrig häst, kom Sandels' adjutant:
"Till bryggan, gossar", ropte han, "för Guds skull i gevär!
Man sport, att en fientlig trupp vill över älven där."

"Och herre", talte han till den, som förde folket an,
"riv bron, om ni det kan; om ej, så slåss till sista man!
Armén är såld, om fienden här slipper i vår rygg.
Ni skall få hjälp, genralen själv han ilar hit, var trygg!"

Han flög tillbaka. Men till bron hann truppen knappast ned,
när högt på andra strandens vall en rysk pluton sig spred.
Den vidgades, den tätnade, den lade an, det small;
dess allra första salva ren blev åtta finnars fall.

Det var ej gott att dröja mer, man sviktade envar.
Ännu en åska, och man såg blott fem kamrater kvar.
Då lydde alla, när det ljöd: "gevär i hand, reträtt!"
Sven Duva blott tog miste han och fällde bajonett.

Än mer, hans svängning till reträtt gick ock besatt på sned,
ty långt ifrån att dra sig bort, bröt han på spången ned.
Där stod han axelbred och styv, helt lugn på gammalt vis,
beredd att lära vem som helst sin bästa exercis.

Det dröjde heller länge ej, förrn han den visa fick,
ty bron sågs fylld av fiender i samma ögonblick.
De rände på, man efter man, men åt envar, som kom,
gavs höger-om och vänster-om, så att han damp tvärtom.

Att störta denna jätte ned var mer än arm förmått,
och ständigt var hans närmsta man hans skygd mot andras
        skott;
dock djärvare blev fienden, ju mer hans hopp bedrogs;
då syntes Sandels med sin flock och såg hur Duva slogs.

"Bra, bra", han ropte, "bra, håll ut, min käcka gosse du,
släpp ingen djävul över bron, håll ut en stund ännu!
Det kan man kalla en soldat, så skall en finne slåss.
Fort, gossar, skynden till hans hjälp! Den där har räddat oss."

Tillintetgjort fann fienden sitt anfall innan kort,
den ryska truppen vände om och drog sig långsamt bort;

när allt var lugnt, satt Sandels av och kom till stranden ned
och frågte var den mannen fanns, som stod på bron och stred.

Man viste på Sven Duva då. Han hade kämpat ut,
han hade kämpat som en man, och striden, den var slut;
han tycktes hava lagt sig nu att vila på sin lek,
väl icke mera trygg än förr, men mycket mera blek.

Och Sandels böjde då sig ned och såg den fallne an,
det var ej någon obekant, det var en välkänd man;
men under hjärtat, där han låg, var gräset färgat rött,
hans bröst var träffat av ett skott, han hade ren förblött.

"Den kulan visste hur den tog, det måste erkänt bli",
så talte generalen blott, "den visste mer än vi;
den lät hans panna bli i fred, ty den var klen och arm,
och höll sig till vad bättre var, hans ädla, tappra barm."

Och dessa ord de spriddes sen i hären vitt och brett,
och alla tyckte överallt, att Sandels talat rätt.
"Ty visst var tanken", mente man, "hos Duva knapp till mått;
ett dåligt huvud hade han, men hjärtat, det var gott."

Avdankad avskedad såsom uttjänt, *billigt* skäligt, rättvist, *målfyllig*
som fyller måttet, *bota vägen* iordningställa vägen

Döbeln vid Jutas

Herr prosten talte: "Döbeln är en hedning,
förtappad är han evigt, om han dör.
Jag kommer, varnar, bjuder tröst och ledning,
och han, han ligger tyst en stund och hör;
då reser han sig plötsligt upp i sängen:
'Driv ut prelaten', ropar han åt drängen,
'och akta dig, om han släpps in härnäst!'
Är det ett språk av en, som nalkas döden?

Dock, han må svara själv för sina öden,
jag har gjort nog som människa och präst."

Så talte vid sitt middagsbord, det rika,
herr prosten, där han satt i all sin stått,
han talte så och drog en suck tillika
och skar en bit av steken än och åt.
Men på sin bädd låg Döbeln, tärd av plågor,
hans barm sågs kämpa, ögat brann i lågor,
och feberflammor färgade hans hy.
I sträcktåg nyss hans skaror norrut ilat,
på tvenne dygn, de sista, icke vilat;
själv var han kommen till Nykarleby.

Han led av pulsens brand, men i sitt sinne
en eld, mer tärande än den, han bar;
såg man hans öga, röjde sig där inne
en oro djupare, än feberns var.
Han räknade var stund, som hann förlida,
han tycktes lyssna, vänta, ängsligt bida,
och ofta var hans blick på dörren fäst.
Den uppläts, flärdlös trädde genom salen
en yngling fram till bädden, till genralen;
och Döbeln talte till sin unga gäst:

"Herr doktor, flärd är mycket, som vi dyrke,
och bland fritänkare är jag visst en;
två ting dock lärt mig akta läkarns yrke:
min bräckta panna och min vän Bjerkén.
Vad ni förordnat, har jag därför tagit,
har som ett barn här legat och fördragit
det batteri, ni radat på mitt bord.
Jag vet det väl, ni följer konstens lagar;
men binda de mig här för timmar, dagar,
så bryt dem som en man, det är mitt ord.

Jag vill, jag skall bli frisk, det får ej prutas,
jag måste upp, om jag i graven låg.

Lyss, hör, ni hör kanonerna vid Jutas;
där avgörs finska härens återtåg.
Jag måste dit, förrän min trupp är slagen.
Skall vägen spärras, Adlercreutz bli tagen?
Vad blir, du tappra här, ditt öde sen?
Nej, doktor, nej, tänk ut en sats, min herre
som gör mig för i morgon sjufalt värre,
men hjälper mig i dag på mina ben!"

Den unge läkarn hörde mulen ordet,
dock plötsligt fick hans ädla anlet dag;
han sänkte lugnt, helt lugnt, sin arm mot bordet
och strök det tomt uti ett enda drag.
"Nu, herr genral, gör ej min konst er hinder." —
En högre rodnad flög på Döbelns kinder,
och upp han sprang, fast sviktande och svag:
"Hav tack, min unge vän, en kyss på pannan!
Ni har förstått mig, ni, som ingen annan;
ni är en man, och så är även jag."

Vid Jutas hade skotten tystnat alla,
sen döden gjort där ren sin första skörd,
den finska truppen, färdig blott att falla,
ej segra mer, stod bruten, spridd och störd;
ett anfall var tillbakakastat bara,
och Kosatschoffski ordnade sin skara,
beredd att allt förkrossa med ett nytt.
En dyster stillhet rådde under tiden,
som då en åsksky, nyss från valvet skriden,
står dubbelt hotfull åter, där den flytt.

Vem skulle samla våra glesa leder,
en återstod från dyra segrars dar?
Av mod, av kraft, av guldren tro och heder
fanns nog, ja nog, men ordnarn borta var.
Den man, som tänt vårt hopp i nödens tider,
som fört i hundra blodigt sköna strider
sin tappra björneborgska skara an,

han skulle nu ej se dess sista öden
hans veteraners lugna gång mot döden,
den skulle slumpen leda, icke han.

Det glömmes ej, du var dock där tillstädes,
du, som så ofta sågs i stridens lek,
du, vid vars namn det fosterland än glädes,
som djupt har sörjt ditt öde, tappre Eek!
Men du och dina ädla vänner alla,
I kunden kämpa, icke så befalla;
det var hans konst, den sjukes, endast hans.
Du stod där, du, men stum, med klingan dragen
kall bidde Kothen, sluten red Grönhagen,
blott Konow svor, och bister röt von Schantz.

Giv akt, tyst hör! Det ljöd hurra på höjden.
En man till häst syns nalkas. Vem är han?
Hör, vilken storm av rop! Vad vållar fröjden,
som brusar jublande från man till man?
Hurra, hurra, far över fält och kullar,
det slukar massor, vidgas, växer, rullar
som en lavin av röster ned mot daln.
Ha, han har kommit, han och ingen annan,
den lilla mannen syns med band om pannan,
den ädla, tappra, varma generaln.

Han bjuder tystnad. Hör hans röst! Han ropar
till detta folk, som striden nyss förspred;
han rider fram, de sluta sig hans hopar,
och det blir skick på nytt från led till led.
I täta rader blixtra ren gevären,
den svartnade, i trasor klädda hären
står ordnad, hotfull, fruktansvärd igen;
den har ej mer blott döden att förbida,
den tänker segra nu, ej endast strida,
en annan ande vilar över den.

Men Döbeln red längs fronten av sin skara,
sen han den åter stark och tryggad fann,
hans skarpa öga tycktes överfara
var trupp, var rote, varje enskild man.
Det syntes klart för alla, svensk som finne,
att stora planer välvdes i hans sinne,
och sluten var han mer, än han var van;
dock var han ovant mild också den dagen,
och ofta ljusnade de bistra dragen
mot någon välkänd, trumpen veteran.

En sådan stod då i din trupp, von Kothen,
det var korpralen numro sju, Standar.
Han stod med söndrig sko på ena foten,
den andra foten blödde och var bar.
Då Döbeln hann den gamle, sågs han stanna.
Med blicken mörk, med handen på sin panna,
besåg han stum den gråa krigarns skick.
"Du var dock med", så talte han omsider,
"på Lappos slätt, vid Kauhajokis strider,
är det den lön, du för vår seger fick?"

"Herr general", så svarte veteranen,
"se här är det gevär, ni själv mig gav.
Ännu är pipan utan fel, och hanen
ger eld som fordomdags, det är nog av.
Att jag är dåligt klädd, lär ingen klandra;
man är ej sämre, då man är som andra,
och dräkten är ej mannen, vill jag tro.
Skodd eller oskodd gör till saken ringa;
sörj ni blott för att vi få stå, ej springa,
så hjälper nog sig foten utan sko."

Och Döbeln talte icke mer, men höjde
av aktning hatten vid den gamles ord.
Så red han hän till Brakels trupp; där dröjde
på nytt han nu, han såg trumslagar Nord.
Det var en gubbe, känd sen åttiåtta;

nu var han stel i armen utan måtta
och kunde föga mer en virvel slå;
men fast han sällan släpptes till paraden,
stod han, där blod det gällde, med i raden.
Till honom talte generalen så:

"Kamrat, får du då aldrig nog av slagen?
Finns ingen yngre här till hands än du?
här har du stått och styvnat hela dagen,
hur vill du röra dina pinnar nu?"
Den tappre hörde halvt förtrytsam orden:
"Herr general, väl är jag gammal vorden,
och att som pojkar drilla blir mig svårt;
men att ha kraft i armen, det är summan.
Skrik ni som Armfelt: 'Marsch, framåt, rör trumman!'
och Nord slår trögt sin virvel, men slår hårt."

Och Lappos hjälte log och räckte handen
åt mannen från den tappre Armfelts dar.
Så red han hän och kom till ån, till stranden,
där Gyllenbögels frikår uppställd var.
Där stod en yngling, nyss från plogen tagen;
genralen såg de bleka anletsdragen,
höll in sin häst och röt med vredgad ton:
"Vem är du, bonde? Säg, vad gäller nöden?
Har du ej lärt dig än förakta döden,
din kind är vit som snö, är du pultron?"

Men ynglingen steg fram och höjde armen
och rev sin slitna gråa tröja opp.
Då lyste fram ett blottat sår ur barmen,
och frisk en ström av blod i dagen lopp.
"Det fick jag, herr general, här nyss i striden.
Jag blött kanske för mycket under tiden,
och därför har min kind ej rodnad mer;
dock kan jag än de tappres antal öka,
jag låg väl fallen, men låt mig försöka,
jag har fått kraft på nytt, sen jag såg er."

Då bröt en tår ur Döbelns stolta öga:
"Välan då, ädla folk, till strid, till slag!
Jag har sett nog, att tveka båtar föga,
vår kamp blir skön, i dag är Döbelns dag.
Spräng av, herr adjutant, vår skörd är mogen;
befall på höjd, på slätt, längst bort i skogen
vår hela front, att den sig framåt rör.
Ej här, därborta må vi pröva svärden:
med dessa trupper kan man trotsa världen,
man väntar ej med dem attack, man gör."

Längs linjen hördes snart ett jubel skalla:
"Framåt, framåt till seger eller död!"
En åska var, Standar, din röst för alla,
och gamle Nord slog trumman, att det ljöd,
och ynglingen med barmen sönderskjuten
gick fram på slätten, med hans blod begjuten,
och främst red Döbeln själv med draget svärd.
Och innan kvällen hann sin skugga sända,
var ryska styrkan kastad överända,
och räddad Adlercreutz, och fri hans färd.

Och krigets skaror hade ren försvunnit
ifrån den nejd, där först de mött varann;
men på det fält, där striden hetast brunnit,
stod kvar i kvällens sena frid en man.
Invid hans sida var hans stridshäst bunden.
Han stod där ensam i den hemska runden
bland lik och spillror på en blodstänkt jord.
Långt, långt i fjärran hördes segerfröjden;
den bleka mannen såg med lugn mot höjden,
och från hans läppar ljödo dessa ord:

"En plikt är fylld, de segra, mina leder;
ett värv är övrigt, även det är mitt.
Fritänkare jag nämns, det är min heder;
friboren är jag, och jag tänker fritt.
Dock vet jag, att varthelst min tanke hunnit,

har ytterst dig den sökt och dig blott funnit,
du, i vars vilja livets banor gå.
Det är till dig jag blickar mot det höga;
här, där blott döden ser med slocknat öga,
kan utan vittnen jag dig tacka få.

Du skänkt mig åter fosterland och vänner
den stund, vårt hopp var djupt i mörker sänkt:
Du skådar allt, rannsaka, vad jag känner,
och se, om jag vet skatta vad du skänkt!
Må slaven för sin Gud i stoftet ligga;
jag kan ej krypa, har ej lärt att tigga,
jag söker gunst ej och begär ej lön.
Jag vill blott glad inför ditt anlet stanna
med eldat hjärta och med upprätt panna,
det är min manliga, min fria bön.

Du gav mig kraft att stridens massor välva
i omotståndlig fart från trakt till trakt;
min kropp är bräckt, och mina lemmar skälva,
vad hade jag förmått av egen makt?
Ja, jag har segrat. Kringvärvd, innesluten,
ser Finlands här en väg till räddning bruten,
en ban till bragder öppnad genom mig;
dock är det du, blott du, som frälst oss alla,
min Gud, min broder, hur jag dig må kalla,
du segergivare, jag tackar dig."

Så talte mannen, och hans öga sänktes,
han steg till häst och syntes snart ej mer;
och dagen slöts, och nattens tårar stänktes
på dödens skuggomhöljda skördar ner.
O fosterland, vem spanar dina öden?
Förborgat är, om lyckan eller nöden
en gång skall röjas i din framtids drag;
men hur du jublar då, men hur du klagar,
skall ständigt dock bland dina skönsta dagar
du minnas denna, minnas Döbelns dag.

BERNHARD ELIS MALMSTRÖM
(1816—1865)

Ur *Angelika*

— — — *Ma tombe est verte!*
Sur cette terre déserte
Qu'attends-tu? Je n'y suis pas!
LAMARTINE

1

Säg mig, du doftande vind, som dansar i fröjd över fältet,
    såg du min lilja, o säg, såg du min rodnande ros?
Säg mig, du sorlande bäck, som rullar ditt silver i lunden,
    såg du min kärlek, o säg, såg du min flyende brud?
Blommor, dränkta i tårarnas dagg, kanhända I kyssten
    flyende ängelens fot — lyckliga, gråten och dön!
Sky, som löser dig upp i västerns skimrande guldstoft,
    var det av dig som hon bars stilla till himmelens rand?
Klaga, du sångare, fritt: ack, ingen din stämma förnimmer;
    sucka, du flämtande bröst! — ingen, ack, ingen dig hör!
Ingen, ack, ingen förstår den sorg, som i själarnas midnatt
    gömmer sin mäktiga rot, växer och näres av blod;
och ej irrar ändock här nere en själ, som ej välver
    fröjdernas skimrande hjul runtom en axel av kval.
Människohjärtat är sjukt: därför det dväljes i mullen,
    ömmar för himmelens hand, ömmar, men helas ändock.
Icke mot jordens flyktiga lust jag byter de tårar,
    vilka i minnenas natt stilla jag gråter ibland,
stilla jag gråter ibland, när de blånande rymder jag skådar
    dit jag förlägger mitt hopp, dit min Angelika gått.
Ack, men hur ofta ändock mitt ensliga hjärta vill brista!
    Minnenas ljuvliga tyngd trycker till jorden mig ned;
ty jag har ägt för min kärlek en vår och en ros för mitt
                                hjärta. —
Stormen har härjat min vår, döden har tagit min ros.

2

Vila din vinge, min själ! — Dig hölj i ett töcken av tårar,
  gjut ur ditt innersta djup sorgens elegiska ljud!
Klaga som fågeln i skog, när hans bo är plundrat och öde,
  sucka, som vinden i säv suckar, när hösten är när!
Tro ej det smickrande hopp, som vaggas på luftiga skyar,
  tro ej den svalkande frid, vindarna ljuga för dig.
Men när härjaren går i höstdräkt fram över fältet,
  stormarna ryta i sky, vågorna brytas å strand,
då, min själ, får du tro: det språk, de tala, är sanning:
  dödens, förgängelsens språk, kärnan av levnadens dikt.
O vad drömde jag ej, vad hoppades, ägde jag icke,
  medan jag trodde ännu livets bedrägliga sken?
Friden krönte min natt, min dag var fylld av triumfer,
  morgonen lyste av hopp, kvällen av minnenas fröjd.
O, min Angelika, hör du ännu den jordiska sångens
  svävande, darrande ljud fjärran ur mödornas däld?
Hör du, när natten är ljum, och på genomskinliga skyar
  vindarna vaggas i sömn, suckar ur sorgernas dal?
Hör du kanhända en suck ur mitt bröst, en ton ur min lyra?
  Ler i din himmelska ro? Känner kanske dem igen?
O, min Angelika! då, då bruste mitt hjärta av glädje,
  och med en segrande sång flöge min ande till dig!...

GUNNAR WENNERBERG
(1817—1901)

Ur *Gluntarne*

III

Uppsala är bäst

MAGISTERN

Svara mig, Glunten, på ära och tro,
utan avseende på små fataliteter —
sådana, vet du ju, bygga och bo,
varhelst du kommer inom alla fakulteter —
är inte Uppsala märkvärdigt bra,
bättre än alla andra städer här i Norden?
Jag vågar till och med påstå — jaha!
bättre än någon annan fläck på hela jorden?

GLUNTEN

Du talar som en häst,
Uppsala är *bäst*,
bäst utav allt, som finns på denna sidan solen,
och maken till den sta'n,
finns ej, ta' mig fan,
letar du också från ekvatorn och till polen.

BÆGGE

Nej!
Ingenstädes i vida världen finns en vrå,
där man hela dygnet om kan leva så
utan risk och bara immerbadd gå på
just som turkar och få heta folk ändå.
Och finns det, så är det på en annan planet,
vars namn ej självaste Bredman vet.

MAGISTERN

Ja, du har ovedersägligen rätt
och, såsom du, så tycker jag och många flera,

men det finns andra, som inte så lätt
vårt kära Uppsalas förträfflighet sentera.
Somliga skryta med sitt Göteborg,
andra i Stockholm fram och åter vilja ränna,
somliga tänka på Karlstad med sorg,
andra på päron och på äpplen ner i Gränna.

GLUNTEN

Ja, ser du, kära bror,
regeln är för stor
att den ej skulle kunna någon jämkning tåla;
men, är det solens skuld
att dess klara guld
aldrig beundras av en mullvad i dess håla?

BÄGGE

Nej!
Ingenstäds i vida världen finns en vrå,
där man hela dygnet om kan leva så
utan risk och bara immerbadd gå på
just som turkar och få heta folk ändå.
Och finns det, så är det på en annan planet,
vars namn ej självaste Bredman vet.

Immerbadd alltid, *Bredman J.* (1770—1859) astronom och docent
i matematik i Uppsala, *sentera* uppskatta, sätta värde på

VIKTOR RYDBERG
(1828—1895)

Kantat
vid jubelfest-promotionen i Uppsala den 6 september 1877

Kör

Ur nattomhöljda tider
emot ett mål, fördolt för dig,

o mänsklighet, du skrider
i sekler fram din ökenstig!
Din dag är blott en strimma,
som lyser blek och matt —
se, framom henne dimma
och bakom henne natt!
Och släkten, där du tågar,
i öknen segna ned,
och bävande du frågar:
allsmäktige, vart bär min led?

I jordens syner röjes,
att allt här nere ändligt är;
och då till himlen höjes
din forskarblick, du spanar där,
att solars banor stäckas,
och världar gå i kvav,
och stjärnsystemer släckas
i eterns djupa hav.
Du hörer röster ropa:
allt är förgängelse,
och tid och rum tillhopa
ett hemskt oändligt fängelse.

*

Recitativ

Och dock, om du i tvivel sjunkit ner
och dröjer dystert grubblande vid vägen,
du griper åter ditt baner
och bär det genom öknen oförvägen.
Vad mer, om spejarblicken ser,
hur bort från fästet tusen solar fejas?
Vad mer, om stjärneskördar mejas
som gyllne säd av tidens lie ner?
Vad rätt du tänkt, vad du i kärlek vill,

vad skönt du drömt, kan ej av tiden härjas,
det är en skörd, som undan honom bärgas,
ty den hör evighetens rike till.
Gå fram, du mänsklighet! var glad, var tröst,
ty du bär evigheten i ditt bröst.

*

Arioso

Varje själ, som längtan bränner
till vad ädelt är och sant,
bär uti sitt djup och känner
evighetens underpant.
Blir vad själviskt är förgätet,
blir inom dig gudsbelätet
härligare danat ut
genom släkte efter släkte,
skall, hur långt än öknen räckte,
du Jordanen nå till slut.

*

Kör

Blir vad själviskt är förgätet,
blir inom dig gudsbelätet
härligare danat ut
genom släkte efter släkte,
skall, hur långt än öknen räckte,
du Jordanen nå till slut.

*

Theologia
(Exod. 17. I Kor. 10:4.)

Tvivlar du, att där i fjärran väntar ett förlovat land?
Smäktar du av törst och dignar hopplös ned i hetan sand?
Se, då manar Moses-staven vatten fram ur klippans häll —

därför genom öknen framåt, mänsklighetens Israel!
Staven har du än, som öppnar helga källan, där han slår;
klippan — vilket himmelskt under! — följer dig, var än du
går.
Böj ditt knä vid hennes flöden, känn, hur hennes rena våg
svalkar dig med underbara krafter för ditt vandringståg!

*

Juris prudentia
(Exod. 19.)

Som för heta ökenvinden virvla moln av stoft och damm,
så drev Israel från Horeb än i lösa skaror fram.
Kan det tåget nå Jordanen, när ej ordning är däri?
Se, då reser sig mot himlen blixtomstrålat Sinai!
Berg och dälder återskalla åskans dån och lagens röst,
och ett genljud svarar amen ur de häpna mänskobröst,
och de lösa skaror växa, sedan rätten fått en tolk,
växa till ett härligt rike, växa till ett heligt folk.

*

Medicina
(Num. 21:6)

Nu kring lagens tabernakel går ett enat folk sin ban,
bryter genom svärd och lansar fram mot frihetens Jordan.
Men vi blekna kämpeskaror? Varför sjönk baneret ned?
Lömska feberormar smyga härjande i härens led.
Var är räddning? Här är räddning! Se det tecken Herren gav,
se, hur kopparormen glänser, slingrad om profetens stav!
Och, som Israel går frälsat av den helande symbol,
vandre friska, starka släkten fram mot mänsklighetens mål!

*

Philosophia
(Exod. 13:21. Deut. 34.)

Vandre visa sköna släkten mot det mål oss Herren satt!
Men hur finna rätta vägen genom hägringar och natt?
Se, en eldstod visar stråten, när han är av mörker skymd;
det är tankens ljus, som lyser folket genom nattlig rymd.
Se, i dagens kvalm framför oss drar en stod av skyar; men
skyn är vävd av idealer, Herrens ande är i den.
Siarn står på diktens Nebo, jublande från bergets kam:
Salem, Salem ses i fjärran! Fram till fadershemmet, fram!

Kantat sångkomposition med solo- och körpartier, *Recitativ* sång-
parti av mera deklamatorisk än melodisk karaktär, *var tröst* var
förtröstansfull, *Arioso* melodiöst sångparti med lyrisk stämning,
underpant säkerhet, bevis (på något), *du Jordanen nå* ... Rydberg
liknar människans jordevandring vid Israels barns vandring genom
öknen, *Exod.* Exodus, dvs. andra Mosebok, *Num.* Numeri, dvs.
fjärde Mosebok, *Deut.* Deuteronomium, dvs. femte Mosebok, *Nebo*
berg öster om Jordan, varifrån Herren lät Mose se det utlovade
landet, *Salem* Jerusalem

Tomten

Midvinternattens köld är hård,
stjärnorna gnistra och glimma.
Alla sova i enslig gård
djupt under midnattstimma.
Månen vandrar sin tysta ban,
snön lyser vit på fur och gran,
snön lyser vit på taken.
Endast tomten är vaken.

Står där så grå vid ladgårdsdörr,
grå mot den vita driva,
tittar, som många vintrar förr,
upp emot månens skiva,

tittar mot skogen, där gran och fur
drar kring gården sin dunkla mur,
grubblar, fast ej det lär båta,
över en underlig gåta.

För sin hand genom skägg och hår,
skakar huvud och hätta —
"nej, den gåtan är alltför svår,
nej, jag gissar ej detta" —
slår, som han plägar, inom kort
slika spörjande tankar bort,
går att ordna och pyssla,
går att sköta sin syssla.

Går till visthus och redskapshus,
känner på alla låsen —
korna drömma vid månens ljus
sommardrömmar i båsen;
glömsk av sele och pisk och töm
Pålle i stallet har ock en dröm:
krubban han lutar över
fylls av doftande klöver; —

Går till stängslet för lamm och får,
ser, hur de sova där inne;
går till hönsen, där tuppen står
stolt på sin högsta pinne;
Karo i hundbots halm mår gott,
vaknar och viftar svansen smått,
Karo sin tomte känner,
de äro gode vänner.

Tomten smyger sig sist att se
husbondfolket det kära,
länge och väl han märkt, att de
hålla hans flit i ära;
barnens kammar han sen på tå
nalkas att se de söta små,

ingen må det förtycka:
det är hans största lycka.

Så har han sett dem, far och son,
ren genom många leder
slumra som barn; men varifrån
kommo de väl hit neder?
Släkte följde på släkte snart,
blomstrade, åldrades, gick — men vart?
Gåtan, som icke låter
gissa sig, kom så åter!

Tomten vandrar till ladans loft:
där har han bo och fäste
högt på skullen i höets doft,
nära vid svalans näste;
nu är väl svalans boning tom,
men till våren med blad och blom
kommer hon nog tillbaka,
följd av sin näpna maka.

Då har hon alltid att kvittra om
månget ett färdeminne,
intet likväl om gåtan, som
rör sig i tomtens sinne.
Genom en springa i ladans vägg
lyser månen på gubbens skägg,
strimman på skägget blänker,
tomten grubblar och tänker.

Tyst är skogen och nejden all,
livet där ute är fruset,
blott från fjärran av forsens fall
höres helt sakta bruset.
Tomten lyssnar och, halvt i dröm,
tycker sig höra tidens ström,
undrar, varthän den skall fara,
undrar, var källan må vara.

Midvinternattens köld är hård,
stjärnorna gnistra och glimma.
Alla sova i enslig gård
gott intill morgontimma.
Månen sänker sin tysta ban,
snön lyser vit på fur och gran,
snön lyser vit på taken.
Endast tomten är vaken.

Prometeus och Ahasverus

(Ett utkast.)

I

Sedan Noa lämnat arken, gick han med sina söner bort mot den högsta toppen av Elbrus att där bygga ett altar åt den Evige.

Medan de vandrade upp för höjden, hörde de i rymden dova suckar och kände sig svårmodige, huru mycket än deras hjärtan fröjdades över frälsningen ur världsfloden.

Än tycktes dem, att suckandet kom från bergets inre, än från molnen, som tunga och regndigra drevos av vinden öster ut.

Så hunno männen till fjällets topp. Där stod en vall av eldfrätta klippor, och Noa såg på de märken, som vattnen efterlämnat, att den stora floden hade svallat upp till vallens rand, men icke översvämmat honom.

Där inom gapade ett svalg, vars branter stupade mot en allt djupare skymning. Suckarne kommo ur detta djup. Vandrarne lutade sig över randen och sågo något, som rörde sig där nere.

Himlen hade klarnat mer och mer, och över deras huvud skred nu det sista molnet, följande de andra, som långsamt upplöste sig i skurar över högslätten. Solen sken på den mörkrandade skyväggen i öster, och den Eviges båge visade sig i skyn, och då Noa skådade upp och såg bågen, sade han: se förbundets tecken mellan den Evige och oss!

Solen sken även ned i fjällsvalget, och hennes strålar skimrade, som vore de vilsekomne och förfärade, på det som fanns där i djupet. De lyste på en jättegam med brungul rygg och gulstrimmiga vingar, som överskyggade och piskade ett rov, vari han slet, då han icke sträckte upp den långa ormbuktande halsen med den bloddrypande fjäderkragen för att nedsvälja delar av sitt byte.

När gamen varsnade männen, flög han upp och kretsade skriande kring rovet. Då sågo Noa och hans söner en skepnad, lik en människa, men övermänskligt stor och skön. Han låg med upprivet bröst utsträckt mellan klippor, från vilka glänsande kedjor, fästa med ofantliga gyllene naglar, slingrade sig kring hans lemmar.

Då sade Noa till sina söner: huru skola vi frälsa honom? Men ur djupet hördes en röst: gån till edra värv! Människohänder lossa icke mina kedjor.

Noa sade: kunna vi intet göra till din hugsvalelse? Rösten svarade: förakten tidens gud! Tillbedjen evighetens!

Noa och hans söner återvände till sina hustrur och omtalade vad de hade sett och hört. Och alla anade, att den framtid, som deras efterkommande ginge till mötes, väntade dem med många lidanden. De byggde ett altar nära det ställe, där arken stod, och offrade tackoffer för sin frälsning och böneoffer för sina efterkommande och försoningsoffer för fången i svalget.

Om aftonen vid solnedgången sporde sönerna och kvinnorna den sägenrike gamle, vad han tänkte om den pinade i bråddjupet. Noa svarade:

Jag vill förtälja något från urfädernas dagar och må kvinnorna noga lyssna; ty medan männen jaga eller sköta jorden eller slöjda redskap och smida vapen, är det kvinnorna, som skola omtala för barnen heliga arvsägner och bära dem från släktes mun till släktes.

I urtiden nedstego till jorden många den Eviges söner, serafim och kerubim, gudar över tidsskeden och himlakroppar. Många lägrade sig på toppen av Hermon, andra på Olympus, och bland dem var störst och mäktigast han, som rösten ur fjället kallat tidens gud. De jämförde sin kunskap, skönhet och kraft med Adams söners och kände övermod och härsklystnad och avföllo från den Evige. Tidsguden, som äger troner på många världsklot, byggde sig ännu en på Olympus och gjorde sig till herre över alla folk. Och han och hans serafim och kerubim funno behag till människornas döttrar, och ur deras famntag föddes ett släkte, de forntidsväldiges, som slog folken i träldom och uppfyllde jorden med orätt.

Men tidsguden sade till titanerna: min nåd vill befria människorna från den Eviges lag, som är en pinsam lag och aldrig kan av dem fullbordas. Gören fördenskull människornas ok tyngre, så att deras tankar aldrig må skiljas från deras trälsysslor, att de må glömma den Eviges lag, som de hava i sin ande, för min egen lag, som bjuder dem utifrån och ålägger dem lydnad, men fritager från ansvar och tillåter dem följa lustens lag i deras kött! Och släcken elden på deras ärilar, att deras oroliga själar må varda delaktiga av djurens lycka, som trivas utan att tarva min eld, ty det ljus, som solen, månen och stjärnorna giva dem, är dem nog; men allt annat ljus och all annan värme skola vara i de väldiges ägo och tjäna dem!

Nu släcktes elden på alla ärilar, och människorna ledo mycket och glömde under sitt trälande den Evige och den Eviges beläte och lag, som äro uti dem. Deras anleten miste sin fägring, och blicken vart skygg och ryggen krökt och tanken slö och hugen dolsk under det för tunga oket.

Då fanns bland titanerna en enda, som sörjde över att det sköna, öppna och fria skulle försvinna bland människorna. Han förbarmade sig över dem, och medlidandet skärpte hans förnimmelse, så att han kunde höra inom sig den Eviges röst, som sade, att människorna borde återfå skönhet och frihet och väckas att lyssna till lagen i deras ande.

En dag, då tidsguden och hans väldige voro borta att befästa sin makt i andra rymder, bar den misskundsamme titanen eld från Olympus ned till människorna, och de spredo med glädje elden från äril till äril, och föräldrar och barn funno varandra vid härden, och de heliga sägnerna om deras gudaursprung vaknade på deras läppar, och de tänkte på en framtid och strängade harpor och sjöngo om paradiset, som är förlorat, och om paradiset, som kan vinnas.

Då förgrymmades tidsguden och hans väldige och kallade den barmhärtige titanen förrädare och ville förgöra honom. Titanen ropade människosläktet till kamp vid sin sida, men dess rädsla var stor; och när tidsguden lovade det att få behålla elden, förrådde det var dess vän dolt sig under bergen för att smida starkhetsvapen åt de svage, och han övermannades av de andre titanerna och lades med diamantkedjor i ett brådjup att lida de värsta plågor.

Men tillintetgöra honom kunde de icke. Hans oavlåtliga trots störde dem i deras glädje, och tidsgudens välde i världsrymden syntes honom själv föga hugnande, då han icke förmådde kuva en enda trotsande varelses ande. Den pinades suckar blandade sig i luften, som människorna andas, och ingåvo dem en längtan till frihet. Då lämnade de väldige Olympus och Hermon för att slippa höra huru han hånade dem.

Men från himlakropparne vilja de behärska och trälbinda oss på nytt. Och de skola lyckas, om vi glömma den Eviges lag, som är inom oss. Må våra avkomlingar veta detta!

Så berättade den sägenrike Noa, och sägnen levde efter honom.

Sems söner mindes länge den orätt, som de forntidsväldige läto vårt släkte lida, och hebréernas siare fäste minnet därav i sina heliga böcker med gåtfulla, men sinnrika ord.

Jafets helleniske ättlingar kallade tidshärskaren Zeus, men den medlidsamme titanen nämnde de Prometeus. Och ehuru de visste, att Zeus, tidens herre, själv är en tidens son, dyrkade de honom. Dock ängslades de vid tanken, att Prometeus, människovännen, skulle ständigt plågas, och trodde därför gärna, att Herakles gått ned i svalget och sönderryckt hans länkar. Men Prometeus är fängslad än i dag.

De skaror, som folkvandringarna drivit över Kaukasus, ha hört hans suckar. Rysslands mot Kolkis framträngande härar höra dem.

Hävande sig över Elbrus smälta de underligt samman med sorlet av folkens liv och blanda vemod i vindarne och i himmelens färgspel och mest, när dagen dör, i aftonrodnadens sken.

En forntidssägen förkunnar, att titanen med en enda bön till Zeus kan uppstå fri från sina länkar och gå att vinna all jordens makt och härlighet. Men ve vårt släkte, om den bönen ginge från hans läppar!

Om Prometeus förnekar lagen i sitt inre och böjer sig under

Zeus' lag, då uppstår han som Antikrist, och världens yttersta tid är inne.

Det finnes en, som går och väntar detta och därur motser sin förlossning. Han väntar det dag för dag genom århundraden, ännu städse gäckad, men med förtvivlat tålamod. Han är ock den ende dödlige, som finner vägen ner i titanens håla och stundom visar sig där. Det är den gamle vandringsmannen från Jerusalem, Ahasverus.

Senast kom han till Elbrus söder ifrån genom kurdernas och georgiernas landsändar. Där han gick fram, tystnade fåglarne, slöto blommorna sina kalkar, kände varma människohjärtan kyla och hårda människohjärtan lust att pina.

Mot aftonen stod han vid foten av Kaukasus och gick vidare genom de skogar av sekelgamla ekar, lönnar och askar, som skugga fjällets nedersta trappsteg. Solen hade längesedan gått ned, när han vandrade under de högre utsprångens granar och tallar, och natten var framskriden, då han genom dvärgbjörkarnas rike steg mot Elbrus' ishöljda topp.

Då han hunnit dit, lyste månen redan från väster på lämningarna av arken, som sticka upp ur jökel-isen. Där stannade han och såg sig omkring.

Samvetslagen får intet rum i hans bröst och verkar därför liksom utifrån på honom och skapar en blödande vålnad, som förföljer honom och ropar: gå!

Men denna vålnad såg han icke nu. Han kunde andas ut. Stödd mot ett av arkens väldiga revben, bildat av en jätteask, stod han där och såg dystert upp till stjärnorna, som besvarade hans ihåliga blickar med ett ängsligt sken över hans förstenade och förvittrade anletsdrag, präglade av slavisk undergivenhet, outrotlig självrättfärdighet och ångerlösa kval.

Han gick vidare till det översta av toppen och klättrade ned i Prometeus' däld på en stig, som vägrar fäste för stengetens fot, men ej för hans.

Stjärnljuset dallrade på titanens panna, som var blid och svärmisk. Om natten drömmer han halvvaken sköna drömmar och skådar inom sig hävdernas liv, men på sitt eget sätt, färgat av det odödliga hoppets skimmer. Nattens timmar hade helat de sår ga-

men slitit, och endast några bloddroppar på hans marmorvita
bröst vittnade om vad han lidit.

Ahasverus stod bredvid honom, och deras blickar möttes.

II

Prometeus.

Hav tack för att du icke glömmer fången,
som dväljes ensam här i smärtans dal!

Ahasverus.

Nej, ingen tack! Jag kommer denna gången
blott för att lindra mina egna kval.
Jag hoppas någon hugnad av att skåda
en varelse, som lider dag för dag
igenom sekler grymma ve som jag:
så usel tröst förenar nu oss båda.

Prometeus.

Du arme, kunde jag din börda lätta!

Ahasverus.

En var må bära sin så gott han kan
och äga för sig själv den tröst han fann.

Prometeus.

Min egen tröst är känslan av det rätta,
förakt för Zeus, som mig i kedjor lagt.

Ahasverus.

En tom och usel tröst är även detta,
ty rätt har den allena, som har makt.
Dock varför kom jag hit att finna hugnad?
En villsam tröst! Det ser jag redan nu:
en jäktad själ kan aldrig varda lugnad

inför en gåta djup och hemsk, som du.
Jag är av Herren dömd för alla tider —
han ger, som honom täckes, skymf och lön —
men du kan vara fri från allt du lider,
om blott du ber till Zeus en enda bön,
och världen lyss, men bönen kommer ej,
och medan sekel efter sekel skrider,
vill Gud din frälsning, och du ropar nej!
Ödmjuka dig, titan, och lär dig bedja,
och vredens son är åter nådens son!

Prometeus.
Jag ber om kraft att bära stolt min kedja —

Ahasverus.
Vars länkar sammanhållas av ditt hån.
Den svages trots är dårskap eller brott.

Prometeus.
Vad Makten tänker kan du tolka gott.

Ahasverus.
Dess tankar tolka sig, var än vi blicke,
i varje tids, i varje tings gestalt.

Prometeus.
Ja, Zeus, den grymme, råder överallt,
men i min egen värld gör han det icke.

Ahasverus.
Din egen värld, det är ett hädiskt jag.

Prometeus.
Utur vars djup förnims en helig lag.

Ahasverus.
Nu sover gamen där i bergets skreva,
men när han hungerrasande slår klon
i detta jag, då vill det dö.

Prometeus.
Nej, leva
till skam för världstyrannen på hans tron.

Ahasverus.
Var dag, som stiger ned i denna dal,
ser dig med avsky under ögonbrynen
och går till Zeus att vittna om ditt kval —

Prometeus.
Och bär utav mitt hjärtblod till hans sal
och kastar det världshärskaren i synen.

Ahasverus.
När gam-demonen sliter dina leder,
slå dina suckar töckentungt mot skyn,
och solen mörknar vid en sådan syn
och vill ej se till gudahädarn neder,
och vinterstormen djärves icke stanna:
han slår ett moln omkring sin bistra panna,
när han på bud av Makten drager fram
att gissla dina sår med hagelskurar,
och när ett jordskalv skakar dalens murar,
då flämtar djupets eld av skräck och skam
och måste nödgas genom rämnan ut
att genomstinga dig med glödgat spjut.

Prometeus.
Hör upp! Vill du förslösa vilans stund
med att för mig förtälja mina plågor?
Det språk, som tolkar dem, har ord av lågor
och höres endast ur vulkanens mund.
Jag känner dem och känner vad de mäkta:
jag själv är oförskräckt, men *de* förskräckta;
de säga bävande i hemska ljud,
att den, som sänt dem, är en neslig gud.

Ahasverus.
Så skall du dväljas här, i fjället gömd,
i evig pina av demoner vaktad.
En gudlös dåre är med rätt fördömd.

Prometeus.
En gudlös gud med bättre rätt föraktad.

Ahasverus.
Var är din egen?

Prometeus.
   Här i detta bröst,
där talar evighetens gud.

Ahasverus.
      Där talar
ett svekfullt eko av din egen röst.

Prometeus.
En röst, som råder, varnar och hugsvalar.

Ahasverus.
Vad har då detta tomma genljud sagt?

Prometeus.
Vad det skall säga genom alla tider:
giv tröst och hjälp och värn åt den som lider,
och böj dig aldrig för en självisk makt!

Ahasverus.
Den röst, som alltet hör, är Adonaj's,
är Zeus' — han hyllas under många namn.

Prometeus.
Du var ju fordom denne herres gunstling,
som än hans träl?

Ahasverus.

En av de allra minste.

Prometeus.

När vrok dig Adonaj utur sin gunst?

Ahasverus.

Då nasarenen gick till Golgata.

Prometeus.

Om det kan lända dig till minsta tröst,
så vill jag, medan stjärneskaror draga
fram över Elbrus, lyssna till din saga.

Ahasverus.

(Ser sig omkring, och då han ingenstädes varsnar vålnaden av
Messias, sätter han sig på en klippa bredvid titanen, försjunker tyst
i sina minnen och säger därefter:)

Min fader var en ättestor rabbin,
en skriftlärd, frejdad i Jerusalem.
Där sutto stolte män i Sanhedrin,
men han var väl den stoltaste av dem.
Dock var han ej för god att ta i arv
av far och farfar deras yrkesvärv,
och ur hans hand i min gick först hans slöjd,
och sen hans domarkall på Sions höjd.
Jag hade slavar, flere hundratal,
som gjorde byssos-skor åt furstebrudar
och mången gyllne pärlbeströdd sandal,
som glittrat under Asiens konungsskrudar.
De sulor, varpå Tiberns legioner
framstormade att trampa alla land
och sparka riken ned och kungatroner,
de skuros just av mina slavars hand.
Mitt namn var stämplat på var caliga,

som, lysande med lejonbronsens prydnad,
gick fram i blod på lik otaliga
att tvinga folken under Romas lydnad.
Mitt yrke gav ej lagrar, har man sagt;
men jag var stolt att kläda romarns fot:
jag klädde då en omotståndlig makt,
ja, foten av min Herre Sebaot.
Och yrket gav mig guld: ofantligt rik
jag tyckte mig en Österns konung lik,
och Davids ättelägg var med de gäster
Pilatus gav epikureiska fester;
på purpurkuddar hos den höge herrn
vid silverbord jag tömde hans falern.
Och Sions döttrar sade, att jag var en
skönvuxen man, ifrån vars skuldra bred
den böljande och vita rådstalaren
föll präktig som en furstemantel ned,
och genom slöjan glänste mången blick
från fönster och altan, då fram jag gick
i mantel med violblå purpurrand,
fäst över axeln med demantprytt spänne,
och gyllne bönebindeln på mitt änne
och lagens helga rullar i min hand.
Så gick jag lycklig på min bana hän,
men ödmjukt lycklig och i hjärtat from:
jag tackade min Gud på mina knän
för lärdom, värdighet och rikedom;
var morgon sjöng jag vid min psaltare,
hur Herren ger långt mer än man förtjänar;
min gärd jag lade fromt på templets altare,
min panna fromt på tempelgolvets stenar,
och när jag genom folkets vimmel skred,
var blicken höviskt fälld till jorden ned.
Men om jag såg mig kring, vad såg jag då?
I hundras ögon där och där i hundras
jag läste: du är värdig att beundras
och värdig avund, skräck och hat också. —
Nåväl, vad är väl kryddan på ens makt,

om ej att vördnad och beundran väckas,
och att man själv, för hög att kunna räckas,
kan gälda hat och avund med förakt?
Som solen går sin stråt i glans och ära,
går den sin bana fram, som Gud är huld,
och som hon växer, månens gyllne skära,
så under Herrens hand den frommes guld.
Jag njöt mitt nu; du vet det kom ett sedan,
min sol brann ut, och månen gick i nedan —
man säger det var galiléerns skuld.
Jag var bland dem, som dömde nasarenen,
jag skar från Jakobs stam den onda grenen.
Du känner det, jag har ju sagt det förr:
hans väg till döden gick förbi min dörr,
och då jag såg den man, som slungade
sitt ve mot jordens mäktige och lärde
och, själv en träl, all Herrens nåd beskärde
åt trälarne och de betungade,
då brusade jag upp i vredens glöd
och sade: gå, du usling, till din död!
Och då — du vet det — ljöd det djupt ur jorden
och högt från fästet, men till mig de orden:
du själv skall gå in till din sena död!
Jag har alltsedan vandrat jorden kring.
Vems skulden var, det gör nu ingenting:
om hans, om min, däri vill jag ej leta;
jag bär min lott, och det är nog att veta,
att hur vi tolke Herrens dunkla råd,
och hur vår tanke livets gåta rede,
står lyckan fram som tecken av hans nåd,
eländet fram som tecken av hans vrede.

Prometeus.

Mig tycks, beklagansvärde vandrare,
att Zeus belönade din trohet illa.

Ahasverus.

Det är min egen sak, du klandrare,

på det må du ej minsta ord förspilla,
ty Makt är rätt och gör vad hon behagar,
Gud giver lag, men lyder inga lagar.
Det sägs, att jag var offer för ett svek:
Guds son lät föda sig som träl på lek,
slog nödens mantel över gudomsprakten,
och när jag så förgrep mig på en vek,
förgrep jag mig, olycklige, på Makten.
Så sades det, så sägs det än i dag;
dock kan jag icke tro på denna saga,
ty är jag själv ett offer att beklaga,
är nasarenen det så väl som jag.
Vid vägar, gator, torg och in i husen,
var jag med denna stav i handen kom,
såg jag ju tusen kors och åter tusen,
där han är spikad fast i andanom.
Han har ett Golgata i varje by,
och högt upp över städernas palatser
uppmuras nya huvudskalleplatser,
som resa sina kors i himlens sky.
Förklädda Golgata'n, var jag må gå!
De siras ut med höga pelarrader,
med runda bågar, spetsade arkader,
men vad de äro vet jag nog ändå.
Därinom orgelbrus och hymn och psalm,
därovan dån av klockors vigda malm,
men högst på gyllne kors i solens lågor,
där ser jag honom vrida sig i plågor.
Det sägs: därinne sjunger man hans pris:
han tros ha makt, och därför får han ära;
men världen går sin gång på vanligt vis
och straffar så oblidkeligt hans lära.
Du vet, han spred med sina upprorstal
bland folket ut, att oss är föreskrivet
att leka barn och syskon genom livet
och leka så oss in i himlens sal.
Hans syskonliv ser man dock intet av,
som förr är mänskan herre eller slav;

ty hell dig, starke! ve dig som är svag!
Det är nu världens evigt samma lag,
som ingen rubbar — lika litet han
som du, i bojor lagde upprorsman.
Guds vilja visar sig i det som är;
er vilja blott i det som "borde" vara;
Gud bjuder över alla stjärnors här;
I bjuden över edra hugskott bara.

Prometeus.

Ja, Zeus behärskar detta stjärnevimmel
ännu en tid. Dock finns en annan himmel:
där vandra stjärnor skönare än de,
och, vad de dina vilja hugskott kalla,
de äro klara stjärneskott, som falla
från denna härlighetens empyré,
och där de sväva ned i ädla själar,
där tändes desse gudasöners hug
till kamp mot denna värld av våld och trug,
mot denna värld av härskare och trälar.
Så förs en strid för det, som borde vara,
mot allt det svek, den lögn, den nöd som är.
Fast jag är fängslad, finns det väl en skara,
en prometeisk, som mina vapen bär.
Jag vet, det måste finnas stark och svag,
men denna lag är ej förtryckets lag.
Jag står i tankarne på Hellas' strand,
där blåa glitterströdda böljor smeka
den långa bräddens silvervita sand
med händer, kärligt glidande och veka
och genomskinligt klara som kristall.
Där ser jag ynglingar och gossar leka
och ser en liten pilt betänksam tveka
att vada i det friska böljesvall.
Då kommer ynglingen, som är hans vän,
och simmar ut på djupet med den lille
och bär till stranden åter liten sven

och ser med fröjd, hur han, som nyss ej ville,
nu längtar ut i böljors dans igen.
Så skall det starka på sin skuldra taga
och bära genom farorna det svaga
och ge det härdighet och mannamod;
ja, offra ömt och troget sina krafter,
som modersbröstet offrar sina safter,
som pelikanens barm sitt hjärteblod.
På dina långa färder såg du ju,
hur *är* och *bör* gå härgång mot varandra?
Och är ej världen något bättre nu,
än när du arme började att vandra?
Jag hör i luften klangen av de glavar,
som mina stridsmän svänga emot Zeus';
i jorden dova spadtag ur de gravar,
med vilka tyranniet undergrävs.
Jag hör i natten ljuva modersböner,
och varom bedja de för sina söner,
om rätt jag fattade och rätt förstod?
De bedja ej: giv gossen självisk lycka,
giv honom makt att kuva och förtrycka!
Nej, sucken är: gör honom stark och *god!*
När soln går upp och när hon sjunker neder,
det tågar så en här av böner ut
ur tusen bröst till kamp i mina leder
med vita fanor, liljeprydda spjut.

Och sångar-anden, skaldesvärmeriet,
den starke fienden till tyranniet,
han, strängalekarn med profetisk syn,
som manar bilder fram, en härlig skara,
ifrån det paradis, som borde vara,
som hägrar för hans skarpa blick i skyn!
Min aning ser, hur skalden står i kretsen
av mina kämpar hög och allvarsam;
jag ser, med harpan vandrar han i spetsen
för hären, sjungande sitt stolta: fram!
Han livar trötta steg i dagens kvalm,

och om, när sol går ned, min flock är slagen,
han viger hoppfull in den nya dagen
till nya fejder med sin morgonpsalm.
Han sjunger hjältens strider mot sitt öde,
hans kamp mot Makten och hans undergång,
och tusen hjärtan klappa vid hans sång,
och tusen huvud böjas för den döde.
Ty när han skildrar, hur i dagar svunne
mot Zeus stod upp en ädel stoftets man,
då rysa vi för härskaren, som vann,
och ge vår kärlek åt den övervunne.
Men ej åt hjälten blott han flätar lager,
men ock åt svaghet, som är ljuv och huld.
Se, över kvinnans fägring vilken dager
från dallringen av harpsträngens guld!
Hur täck den knubbigt mjuka barnahanden,
som smeker sälle faderns bruna kind!
Hur vän den lilla blomman där vid randen
av bäcken, viskande med vårens vind!
Han sjunger makens kärlek till en maka,
en systers hulda ömhet för en bror,
och hur den svagaste är gudastor,
när han har lärt att älska och försaka.
Ja, Maktens rike lutar till sitt fall,
ty skalder verka ännu i sitt kall
att emot själviskhetens bud de hårda
med harpstormar väcka hjältetrots
och att i hägn av milda toner vårda
allt blygt, som annars trampats och förgåtts.

Och sedan konstnärn, skaldens hjärtevän!
Han var min kämpe, och han är det än:
i marmor bygger han min samhällslära,
då han ger skönhet, ädelhet och ära
ej blott åt kransad fris och gavelgrupp,
som bäras högt av pelarrader upp,
men ock åt själva pelarne som bära.
Och för en värld med hemska missljud i,

där kamp om makten förs av vilda horder,
förkunnar han i färger och ackorder
min längtan till en himmelsk harmoni
och tolkar harmoniens högsta lag
i ett förädlat släktes sköna drag.
Ur känslor varma och ur tankar rene
skall, som ur marmorn Anadyomene,
det mejslas ut en bättre mänskostam.
Se, vilka typer konsten trollar fram!
I dem vårt gudajag hon återger oss,
i Hebe flickans älskliga gestalt,
den smärte gossen träder fram som Eros,
och varje man skall danas till en heros,
och skönhet, skönhet stråla överallt.

Och där som sångens, konstens söner strida,
där ser jag tänkarne vid deras sida:
den eld jag bar i tidens morgonväkt
ifrån Olympen ned, den avundsamma,
vid den har forskarn tänt sin facklas flamma
och bär den genom natt och töcken käckt.
Där fram han tränger, fly ur altarröken
de falske gudarne som hemska spöken,
förklädda villor i en helig dräkt.
Och medan så han frälsar bundna själar,
så manar han ur bergen andra trälar,
en stark och känsellös kabirisk släkt,
som bär förutan skam sitt slaveri,
på det att människan må vara fri,
och flåsar eld ur lungor av metall
och gör ett strävsamt verk med id och värma,
att mänskan må ha tid att tänka och att svärma,
ty det är hennes väsens rätta kall,
ty endast så kan hon den värld sig närma,
för vilken även gudars blick är skum:
den outsägligt härliga och höga,
som jag har anat bakom tid och rum.

Ja, Zeus förnekas ren av barnets öga,
vars oskuldsblick, om du har givit akt,
bär jäv emot hans kärlekslösa makt.
Och ynglingen och flickan där i lunden,
vad bry de sig om makt och höghetskiv?
Ett kärleksoffer tänka de sitt liv,
om ej de glömma livet bort för stunden.
Och mannen, som vid smattret av trumpeten
har ställt sin barm mot övermaktens stål
till värn för fädrens stad och akropol,
förnekar därmed Zeus och självviskheten.
Och gubben sen med nyfött barnasinne,
som knyter aningsfull sin barndoms minne
till känslan av en kommande mystär
och glömmer mer och mer den värld som är;
ja, döden själv med sina djupa frågor,
och bålet själv med sina helga lågor
och sina hymner, sina kransars prakt
förneka världstyrannen och hans makt.

Ahasverus.

Nu är jag trött att längre lyssna till
ditt tal om vad I sjungen, vad I anen.
Ert stridsrop är som fläderpipans drill
mot braket av den åskande orkanen.
Om dina skalder sjönge dagen lång,
går världen dock förkrossande sin gång,
och tänkarns tanke lyfter intet lod,
än mindre världssystemet ur dess hakar.
Fördenskull gör du bäst, om du försakar
att visa dårens trots och övermod.
Väl förs en strid, men ej mot maktens gud —
han dyrkas överallt, var än jag vandre —
nej, fejden gäller: värna egen hud,
kan du ej taga huden av de andre.
Det är de byten, du, varom man strider.
Nu säger jag dig, galning, kort och kallt:
en kamp för liv och makt står överallt

och måste rasa genom alla tider.
Jag gick i skogens djup: hur tyst där är,
hur långt från livets stormande begär,
där träden drömma vid varandras sida!
Dock drömma ej de hycklarne — de strida
förrädiskt med varann i jordens mull,
och sakta, sakta kronan ut de sprida
att stjäla från varandra solens gull.
Förgät-mig-ej lär vara skalden kär,
och dock hur lömsk den lilla blomman är!
Hon skjuter ut en knippa av polyper
och trevar under jorden, tills hon stryper
densamme grannen, som av henne fick
ur ögon blå så mången vänlig blick.
Så döljer sig en oförsonlig strid
inunder slöjan av den djupsta frid.
Och vad allt annat liv är föreskrivet,
det är en lag jämväl för mänskolivet:
där kämpas öppet eller med försåt,
och aldrig, aldrig skall den fejden dämpas.
Man är en tiger, då det öppet kämpas;
i fred bland vänner är man myosot.
Där kämpas här mot här och man mot man,
de svage slaktas eller varda slavar,
de skönsta landen äro jättegravar
för folk, som skändat och förött varann.
Det folk försvann, som byggde pyramider,
det folk försvann, som byggde Panteon;
jag stod bredvid den siste av gepider,
när stolt han dignade i vapendån.
Den svartes tjäll föröds vid Nigerns stränder,
där kastar mänskojägarn sina bränder,
i Nubien såg jag nyss hans karavan,
av gissel driven och med järn betungad,
i gul och brännhet öken gå sin ban.
Snart är från bågen sista pilen slungad
av Nya Världens siste indian.
Tasmaniens stam förmultnar hos de döde,

jag ser den siste australierns öde,
då ur hans hand för sista gången sprang,
i luften kretsande, hans bumarang.

Så stöta folken hop i blodigt möte,
men vad är denna fejd med udd och järn
mot den jag sett och ser i statens sköte,
med lag som vapen och med lag som värn?
Där förs en strid, en dolskare och värre:
stånd trampas där av stånd och klass av klass:
den som ej gör sig till de andras herre
är viss därom att överväldigas,
och tyranni i lagens mantel klätt,
det kallas rätt och är för visso rätt.
Förr såg jag romarn i senatorsskrud
nedstörta slaven i piscinans vatten
att göda karpen till sitt gästabud.
Förr såg jag borgherrn famna trälens brud
i kraft av helgad rätt till första natten.
Och fast det där är längesen förbi,
ty sed och stadgar skifta ju i längden,
så ser jag även nu ett slaveri,
som ruvar tryckande på mänskomängden.
Kabirerna, den starka träläätt,
de dina manat fram till släktets väl,
ha ej gjort Adams söner livet lätt,
ty nu är mänskan desse trälars träl.
På landets bygd, där lärkor ännu sjunga,
förstummas mänskosång och strängaspel;
de gula skördar, som på fälten gunga,
i dem har skördemannen ringa del;
hans usla hydda blir för trång till slut,
och barnen då ur solens sken han sänder
att fastna i de nät av mörka gränder,
som slöjdens jättespindel spänner ut.
Jag ser i belgierns, ser i brittens länder
det hemska djuret spinna nät vid nät —
en stad är vart och ett, så kallas det,

men ej en stad, som ler i solens strålar
och klättrar upp för kullar gosseglad
att löga sig i eterns blåa bad
och allra högst på bergets hjässa prålar
med propylé och tempelpelarrad.
Nej, ständigt över dessa städer hänger
en himmel klädd i sorg, en rökkupol,
igenom vilken knappt en solglimt tränger
längs svarta murar ned i källarhål,
som hysa jämmer, laster, nöd och skarn
och hysa trälaskarans bleka barn.
Hur skördar växa där för Dödens lia!
Befriaren, den ende värd sitt namn,
har brått där inne att de små befria
ur kranka mödrars och eländets famn.
Dock överallt jag möter samma rön:
naturen slösar ju med livets frön,
och när vårt eget släkte förelades
att med förkvävda själar fylla Hades
och kyrkogårdarne med späda lik,
så vad gör det? Den evige är rik,
och ständigt ökas ju den dvärgastam,
som vältrar sig ur källarhålen fram.

Så är det ställt. Du finner det förfärligt
och ropar trotsigt på en annan gud;
jag säger ej, att det, som är, är härligt,
men böjer mina knän för Maktens bud.
Är världen icke som hon "borde" vara,
är hon likväl den yppersta som givs,
och någon bättre lär väl ej din skara,
och du ej heller, mana fram till livs.
När prometeiske svärmare förstått
att sätta svärd i hand på de förtryckta,
kan stundom sådan lek med seger lykta,
men då är segern sken och villa blott,
ty Maktens lag tar ut sin rätt igen,
om än i annan form med andre män;

och följden är, du dåre, att din lära,
som nyss så skön för skaldens öga stod,
för honom även mister glans och ära,
då hon besudlad är med smuts och blod.
Jag är som du ett maktens offer jag,
men ser med undergiven blick på lagen,
ser därför mildhet i hans sträva drag
och solen glimta i den mulna dagen,
jag ser ur nödens schakter brytas gull
och rosor spira ur eländets mull;
och vad i övrigt Adonaj beskärde
åt sina slavar här på jordens ö,
mig synas alla, alla avundsvärde:
de ha, vad jag ej har, sin rätt att dö.

Vad mest jag undrat över är att se,
att den som själv fått makten att förtrycka
så ofta känner ve med andras ve,
av andras sorger störes i sin lycka.
Som genom skogens lövvalv strålar dugga
till bleka örter, som inunder stå,
så öppnar makten gärna ock sin skugga
för mången blick av solen till de små.
Man säger, det är Herren till behag:
det lindrar blott, men trotsar ej hans lag,
och därför klandrar jag ej denna nyck,
fastän jag länge sett, att vad han mäktar
är blanda bitterhet i glädjens nektar
långt mer än sötma i eländets dryck.
Hör upp att grubbla på vad andre lida!
En bön till Zeus kan ända dina kval,
och bojan ligger bruten vid din sida,
och du går fri och glad ur smärtans dal.
Stig upp, beskratta Indiens Gautama,
Britanniens Owen, Galliens S:t Simon,
som ville själviskhetens lag förlama
och rubba universums stolta gång!
Kom, du är gudason, du är titan!

Din väg betecknas dig av solens ban.
Gå fram ett väldigt själv igenom världen!
De skrämda folken hylla dig på färden,
allt brytes ned, som vågar stå dig mot,
i stoftet sänkas kungarnes standarer,
och dina hästar sadlas av Cesarer
Napoleoner kräla för din fot.
Av allt det silver, som ur bergens schakt
är brutet, gjuter konsten ditt beläte,
och allt det guld, som tjänar jordisk makt
skall stöpas till ett enda härskarsäte,
där du, titanen, tronar i din prakt. — — —

Prometeus.

Blod sköljer jorden i en hejdlös fors,
och det är du, mitt hjärtas gud, som blöder,
och världens öster, väster, norr och söder
de äro armarne utav ditt kors.
Är du den svage, evigt lidande?
Är jag den evigt frihetsbidande?
Vad mer? I härskarpurpurn av ditt blod
är du allena Gud, ty du är god.

Ahasverus.

Den bönen var en Zeusförsmädare
och löser icke dina starka remmar.
Vill du då, fräcke gudahädare,
att gamen evigt sliter dina lemmar?
Stig upp, titan! Det hövs dig ej att dyrka
så ömklig gud, en blödande och svag.

Prometeus.

Men nej, men nej! Jag känner, att min styrka
igenom seklen växer dag för dag.
Den morgon gryr, då med ett enda ryck
jag spränger denna kedja av demanter
och stiger upp för dessa svarta branter

klippan, där hon över dälden står på stup
milan med sin glöd i furumoens djup. —

Ack, ur trälbestyr
fantasien flyr
gärna bort till sina gryningsäventyr,
lyckas då ibland
lossa sina band,
återse sin barndoms underland.
Länge nu det är,
sen vi bodde där;
månget år har gått i möda och besvär,
som oss skåda lät,
hur med näpna fjät
nya släkten tultat in i det.

Utanför dess port
möte sen vi gjort
med en poesi, som livets tyngd försport —
vingtrött poesi
gör nu dagsverk i
verklighetsexakt fotografi.

Men hur än därute livets öden välva,
är därinom porten dikten glad och ung.
Drottningen därinne, det är sångens älva,
Mytos, skaldegossen, är därinne kung.
Fursten i vårt släktes barndomsålders värld
har i barnens rike än en tron och härd.

Må de där förbli
med sitt feeri,
med sitt joller, nonsens, ljuva tokeri!
Må hon där förbli,
evigt ung och fri,
livets morgonrodnads poesi!

Än därinne finns

slottet, som du minns,
och där leker än den vackre sagoprins;
än i måneglans,
klädd i flor och krans,
sångens älva svävar där i dans.

Än som förr, när snö
yr kring land och sjö,
prata kråkor om att få på fjärran ö
skor och pepparkorn;
än från luftigt torn
katten blåser där i silverhorn.

"Svalesyskon fem". Enligt en folksägen, omtalad redan av Agrippa av Nettesheim, Luthers samtida, uppföder svalan samtidigt fem ungar, mellan vilka hon fördelar vård och föda så, att ingen gynnas mer än den andre. Sedan ungarna blivit tillräckligt övade i vingarnas bruk, göra föräldrarna med dem en utflykt, som räcker några dagar och har till mål någon trakt, som sagan bättre än geografien kan skildra. Därefter återvända de och stanna i hemnejden till den stora höstflyttningen.

Snällt snabbt, *Mytos* personifikation av sagan (grek. mythos)

Jungfru Maria i rosengård

Maria drömmer i rosengård,
på vägen till Tabor från Nasaret,
hon drömmer om stundande modersvård
åt en leende gosse av Davids ätt.

Över jungfruns drömmar är himlen blå
och sjunger i linden en fågelkör,
medan höstmoln driva i flockar grå
för klagande vindar därutanför.

Därinne är rosornas skara ung;
den vissnar ute på Jisreels slätt.

Därute är gången av tiden tung;
vid drömmerskan smyger han tyst och lätt.

Därute är träldom och våld och kiv,
en döende värld, av synder frätt;
därinne drömmar om evigt liv,
om frid på jorden och mänskorätt.

Maria vaknar i rosengård
— det blixtrar över Genesaret —
och sömmar en linda med blodröd bård
åt folkmartyren av Davids ätt.

Tabor berg i Galiléen, *Jisreels slätt* slättlandet söder om Nasaret

På verandan vid havet

Minns du de skymnande böljornas suck, att vid målet de
hunnit
endast en jordisk kust, icke det evigas strand?
Minns du ett vemodssken från himlens ovanskliga stjärnor?
Ack, åt förgängelsens lott skatta de även till slut.
Minns du en tystnad, då allt var som sänkt i oändlighets-
trängtan,
stränder och himmel och hav, allt som i aning om Gud?

Ur *Den nya Grottesången*

I

Grotte får trälinnorna

På sin tron kung Frode sitter
i demantprydd purpurrock,
ser med välbehag, hur glitter-
strödda dansarinnan spritter

som i rytmiskt rus vid citter-
knäppars klang och flöjters lock.
Kanslern-Mammonsprästen kommer,
gör en sirlig bock,
säger: större arbetskraft
kräver Grotte än han haft,
vida större
än den förre,
den han hittills haft.
Dina trälars kraft förslår ej,
fastän hundratusen män,
och den helga kvarnen går ej,
om ej flere draga den.

Större, större arbetsflock
kräves för de ständigt tyngre,
ständigt tyngre kvarnstensblock.
Giv mig ock trälinnorna
som de äldre, så de yngre!
Kungen sade: o de yngre,
o de vackra kvinnorna!
Käre präst och kansler, måtte
du förskona dem från Grotte!
Skona dem, min käre präst! —
Nej, de yngre draga bäst. —
Nå, så tag trälinnorna!
O, vad offer gör ej jag för
Grotte! Tag trälinnorna,
märk likväl: med undantag för
glädjelivsprästinnorna,
dansarinnorna!

II

Grotte får trälbarnen

På sin tron kung Frode sitter
och betraktar, nästan vek,

kungabarnens muntra lek.
Hör, den låter fågelkvitter,
fågelgnabb och fågellock!
Kanslern-Mammonsprästen kommer,
gör en sirlig bock,
säger: större arbetskraft
kräver Grotte än han haft.
Lyckligt, att trälinnors kved
ger oss barn i djupa led.
Många arbetsbäckar små
varda till en mäktig å.
Grottekvarnen,
ständigt tyngre,
har behov av trälabarnen,
även tioårs och yngre.

Kungen svarar: trälabarnen,
tarva icke även de
leka någon gång och le,
medan de
växa upp att driva kvarnen? —
Herre konung, giv mig barnen!
Minns att utan tukt och vård
växer detta lata yngel;
nyss ju stal en sådan slyngel
äpplen i din örtagård.
Större, större arbetsflock
fordras för de ständigt tyngre,
ständigt tyngre kvarnstensblock.
Giv mig trälabarnen ock,
även tioårs och yngre! —
Nå, så tag dem! Kungen sitter
kvar och känner hugen vek
vid de egna barnens kvitter,
fågellock och fågellek.

III

Grotte är vorden en världsmakt

På sin tron kung Frode sitter.
Flöjt och puka och cymbal
ljuda i hans pelarsal,
där i nåd han skåda gitter
gossefägring, frisk och huld,
köpt med Grottekvarnens guld,
hålla bal.
Unge svear, sachser, britter,
även en och annan grek,
apollinisk än och vek,
dansa där i vapenglitter,
leka där sin sista lek,
svinga runt och storma an
mot varann,
lans mot svärd och svärd mot lans,
i förtvivlad vapendans,
av förtvivlan oförsagda,
tills de siste ligga lik,
vackra, blodbesköljda lik,
på det guld- och jaspislagda
golvets glada mosaik.

Kanslern-Mammonsprästen kommer,
gör en sirlig bock,
tar ur fickan i sin rock
fram ett papper. — Här, du gode
konung Frode,
här i rund
summa har du räkning över
vad din Grotte nu behöver
under år och dag och stund.
Årets offer av personer
är ej mer än tre miljoner,
icke en i var sekund —

offer ej fördömliga,
då i länder, som du vunnit,
arbetskrafter ju vi funnit
nästan outtömliga,
och dessutom trälajakt
hålles nu i varje trakt
över hela vida världen
genom Grotteguldets makt.
Folk mot folk ha lyftat svärden,
och, hur fejders öde gångar,

göras fångar, säljas fångar,
säljas kvinnor, män och barn
till din helga Grottekvarn.
Icke brista
vederlag för vad vi mista,
trälamassor varje dag
drivas hit i vederlag.

När vår kvarn är viss om maten,
trygg är staten,
trygg, orubbelig din tron,
trygg och strålande i ära
är nu ock vår rena lära,
Plutus-Mammons religion.
Grotte går sin jämna ban
med ett guldregn hela dan.
Kung, nu kan du verkliggöra
det du tänkt och det vi böra:
din beundransvärda plan,
och på trygga
grundmurjättestenar bygga
det ofantligt stora templet
åt vår gud och talisman.
Värdig form åt vad du ämnat
har vår arkitekt från Rom
här i denna ritning lämnat
till gud Mammons helgedom.
Jord och himmel skola undra,

när de se en byggnad, hundra —
hundrafalt så bred och vid
som kung Cheops' pyramid;
tjugu gånger högre opp
når dess topp,
där gud Mammon å ett torn
håller ymnighetens horn
och på dig å kungastolen
öser, glimmande i solen,
en kaskad av gyllne korn.
Och där nedom — vilken syn!
Tjugu rader
svindelhöga kolonnader,
likt en trappa ned ur skyn!
Varje sådan kolonnad
svarar till ett stånd, en grad
i din stat och bär upp stoder
svarande till stånd och grad:
överst, högt i eterns bad,
jättestoder av vår moder
kyrkans söner, präst vid präst,
lutande på herdestavar;
å kolonnerna därnäst
dina riddare med glavar
över stegrad häst.
Låt så ögat glida ned
utför sjutton pelarled
till den lägsta kolonnaden!
Var kolonn är här en slav,
träl vid träl är hela raden,
som bär upp dess arkitrav.
Nog man ser, att bördan känns:
sena sträcks och muskel spänns,
ryggen böjs och söker vägg,
stela, ådersvällda händer,
kramplikt sammanbitna tänder
inom tovigt skägg,
svullna fötter, krökta tår,

vaden stram,
dyster uppsyn i en ram
svettigt hår.
Och se blicken! Se, däri
ur det trötta, slöa, skumma
gnistra mot oss trälens stumma
hat och lama raseri!
Denna templets bottenvåning
bygges upp, som du befallt,
av basalt;
men till seklernas förvåning
bygges allt,
allt det övriga av guld,
som ett tecken av vår skuld
till den gud, som är oss huld:
nitton våningar av guld,
murar, kolonnader, stoder,
torn och tak i ljusets floder
stå i eld av Grottes guld.

Frode sade: det är gott.
Nog blir templet guden värdigt.
Men när blir det färdigt?
Jag har brått.
Går din Grotte, som han gått
med en arbetskraft som senast,
räkna vi, att templet står
färdigt inom tjugu år,
konung, tjugu år allenast,
men då må vi börja genast. —

Tjugu! Jag som tänkte fem! —

Konung, skall du minska dem
ända ned till fem?
Nådige gud Mammon, måtte
då ett medel ges oss snart,
ett, som verkar underbart

och ger Grotte
fyradubbel fart!
Mäktige gud Mammon, du,
du, vars vishet saknar gräns,
inspirera medlet nu!
O, jag har det,
och jag tar det,
ger det namnet konkurrens.
Medlet eggar, hetsar, sporrar,
sticker, stinger, gnager, borrar,
nerv, som slaknat, överspänns,
och det sveder och det bränns!
Fogdar har du tjugufyra,
de som Grottes gång bestyra.
Låt dem för sitt fögderi
redogöra varje månad,
och du själv skall bli förvånad
över trollerit däri.
Den som då av Grottes mäld
överbringar allra mest
blir vid nästa Mammonsfest
på din högra sida ställd
och i riddarekapitel
prydd med fursterang och titel,
ärad som ett samhällsstöd
och får bo,
Frode, på ett slott i ro
till sin död.
Men den arma fogdesjäl,
som fått minst av Grottes mäld,
han är fälld,
han blir träl,
bindes vid en Grottestång
och får draga dagen lång,
gisslad över rygg och häl,
tills han dignande ihjäl-
trampas under hälarne
av de andre trälarne.

Konung, det är konkurrens;
hur den eggar, hetsar, sporrar,
sticker, stinger, gnager, borrar,
hur den sveder och den bränns!
Så kan Grottekvarnen snart
gå med rent helvetisk fart.

IV

Grotteproblemet

Gör med minsta kraftförslösning
guld av muskelenergi!
Det var frågan. Här dess lösning
i praktik och teori.
Grottes hållande i gång
dagen lång och natten lång
kräver, i ett överslag,
tio tusen liv per dag.
Var sekund; dess draghjul dansar,
skänker guld åt Frodes tron
och ger tempelguld och plansar
åt hans dyra religion.
Slika massors närande
vore för besvärande,
tid- och guldförtärande.
Utan vederlag förbrukad
arbetskraft är billigast.
För envar av kvarnen slukad
fös en annan fram i hast!
Varför ock en lag förkunnar
statsaritmetikens dom:
ej ett bröd åt deras munnar,
ej en dryck åt deras gom!
Drevs du inom Grottes stätta,
vräks du ut som lik.
Grymhet är det ej i detta,
blott aritmetik.

V

Grotte på avstånd och nära håll

Stackars lilla trälabarn,
som med far och mor och andra
har från härjat hem att vandra
vägen till kung Frodes kvarn —
målet, med förfäran anat,
målet för de tunga fjät,
ser du det, ser du det?
Ser du där vid himlens bryn
något likt ett kägeldanat
moln, som stiger upp mot skyn?
Ser du det,
målet för de tunga fjät,
vad med skräck, åt alla håll,
far och mor ha efterspanat?
Det är Frodes Grottetroll,
det är Frodes Mammonskvarn,
som skall krossa er, I flarn;
spindeln, som ur edra safter
snart skall suga nya krafter
till att spinna,
till att tvinna
åt kung Frode gyllne garn,
åt den store mänskojägarn
gyllne garn till jägarnät.
Ser du det, ser du det,
ser du altaret, mitt barn,
där ditt blod, det lätta, unga,
varma, rena, offras skall
åt den kalla syndatunga,
världsförhärjande metall?

Vad som, skådat fjärmare,
tedde sig som kägelskyn,
formar sig för häpen syn,

när du drivits närmare,
till ett fjällhögt Geyserfall,
ett kupolgestaltat svall.
Det är Grottemäldens doft.
Våg på våg av gyllne stoft
ses i aftonsolens glöd
glänsa eld- och purpurröd.
Guldvågen kommer i strålar, som höja sig,
spruta mot zenit och dröja och böja sig,
sluta sig samman i dallrande fall
till ett valvgestaltat svall.
Guldregnskur på guldregnskur
bygger skimmermur,
gjuter glimmerskal
runt en kärna av skräck och kval,
höljer och döljer vad trollet gör
därinnanför.
Men du hör . . .
Det ljöd på milslångt avstånd redan
som uvars hu i furusus,
som lommars skri i vågors brus,
och ljudet stiger och sväller, medan
du drives fram mot kupolens ljus;
det störtar upp i cykloniskt gny
ur guldregnvalvet mot himlens sky,
det vräker ut
i forsar av kvidan och stön och tjut,
av jämmer och hånskri, en ryslig sång
till rytmen och takten i Grottes gång,
till rytmen i kvarnens skakande,
i axelstolpens brakande,
i bommars och stängers knakande,
i löparstenens
och liggarstenens
gnisslande
och visslande,
och klagan och hån
och vin och dån

bli en enda röst
som ur helvetets bröst.

Vilket vimmel över ängden!
Grottekärnans glitterskal
öppnar sig för nyanlända
trälaskaror utan ända.
hundratal och hundratal.
Flock på flock
drives fram till Grottes block.
Det är ordning i det hela,
ingen villervalla spord,
fogdetjänare fördela
rätterna för Grottes bord.
Främst i varje flock gå barnen,
förda av en offerpräst,
till sin vridstång in i kvarnen,
kvinnor sen och män därnäst.

Ja, vad vimmel över ängden!
Över mängden
blinka lansar,
skina pansar,
det är Frodes män till häst.
Krigarglavar,
fogdestavar
reda allt. Framåt, I slavar!
Fram, I slavar,
fram vid slag och hugg och spark,
in bland Grottehjulets navar
på dess blod- och gallbesköljda,
dess av trampade kroppar höljda
mark.
Fram, fram,
offerlamm!

Grotte mal med kraft och hast,
dagar, nätter, utan rast;

löparstenens klippa svänger,
bjälkar, bommar, hjul och stänger
kretsa kring sin axelmast,
ila, så att ögat hissnar
inför denna vilda färd.
Närmast mittelstolpen vissnar
barnaskarans blomstervärld.
Märks den lilla kroppen slapp,
livas han med gisselrapp.
Grotte har ej råd att mista
ens den sista
gnista
av dess späda levnadskraft;
därför hugg med snärt och skaft!
Tårar strömma, kinder blekna,
läppar darra, senor vekna.
Kvid, du trälabarn, och gråt,
om det lindrar, men framåt!
Gråten sinar i den djupa,
hemska ångesten att stupa
under deras fötter, som
komma närmast där bakom.
Själv du nödgas trampa mången,
som för dina fötter kom
där du skjuter för dig stången.
O, vid detta dova tramp,
som du ständigt hör bakom,
gripen liten hand i kramp
om den stygga, stygga stången.
Själva krampen är för svag
och du famlar, släpper tag,
tumlar ned på trötta knän,
stupar så i döden hän,
trampad till en blodig deg
under tusen andras
kvalförtyngda steg.
Röda droppar ymnigt pärla
från de gaddbeslagna remmar,

varmed fogdedrängens färla
flänger mäns och kvinnors lemmar.
Värst av hugg och slag det regnar,
där man vacklar, där man segnar.
Och likväl
är ej sådan bödelssjäl
grymmare än mången annan.
Ångestsvett på fogdepannan!
Fogden ock är Grottes träl.
Minns: för honom valet gäller:
statens högsta ära eller
nödgas draga dagen lång,
likt hans offer, Grottes stång,
tills han dignar och ihjäl-
trampas under hälarne
av de andre trälarne.
Därför ila, ila, ila!
Blott en enda timmes vila
kräver trollet varje år:
när den stora Mammonsfesten
förestår,
när för guldets store gud
och för Frode, hedersgästen,
Grotte kläds i högtidsskrud,
axelns topp med flaggor siras,
rosor strös på blodig sand,
och kring stång och bjälke viras
gyllne kedja och girland,
trälen kläds till Harlekin
trälamön till Kolumbin,
dräkt i grönt och karmosin
höljer deras sår och trasor,
och i drag, som spegla fasor,
trollas fram ett lustigt grin
medels pensel och karmin —
medels streck som göra, att
munnen syns förlängd till skratt.
Då, hur ståtlig Grotte dansar,

prydd med fanor, bjäfs och kransar!
Ser du offrens glada min?
Då, hur muntert Grotte maler,
liksom eldad av musik!
Tusen pukor och cymbaler
överljuda kvalens skrik.
Vrål av röster, som förbanna,
dränks i stolta toners gång,
i fanfarers hosianna,
dränks i tusenstämmigt ode
till gud Mammon och kung Frode,
helga körers jubelsång.

VI

Till Herren Sebaot

Träl i Grottekvarnen

(Med anledning av Mammonsfesten är han, likasom de andre
trälarne, klädd till harlekin och målad i ansiktet, så att han tyckes
skratta.)

Herre Sebaot, jag ropar till Dig:
hämnd över de eländas bödlar!
Hämnd över de väldige!
Herre Sebaot, *är* Du?
Är Du icke, åkallar jag Dig fåfängt,
men åkallar Dig,
åkallar Dig av förtvivlan.
Jag vill icke, kan icke undvara Dig.

Du skådar i min själ,
och Du, den sannfärdige, vittnar:
"Vad som pinar detta mitt arma barn,
ej är det hans gisslade sår eller hans glödheta törst
eller döden, som han hör bakom sig.

Icke är det hans lekamens plågor,
icke är det de, som ropa ur hans flämtande bröst.
Jag ser, att han vill prisa mitt namn
under hårdare kval än dessa.
Och bättre aktar han sig icke
än dem han förbannar."
Ja, Herre, jag prisar ditt heliga namn,
och bättre aktar jag mig icke
än dem jag förbannar.
Men jag förbannar dem.
Vad är det, som pinar mig
och nödgar mig till vilda hämnderop?
Tysta dem, Herre!
Låt mig dö lik din son,
som bad för sina bödlar!
Nej, jag kan det icke.
Hämnd, hämnd!

Är det då en gnista
av din egen rättfärdighet,
tänd i din avbilds hjärta,
som bränner mina lungor,
att de framskälva dessa rop?
Är det Du, som ropar ur mitt bröst?
Du har lovat komma till dom.
Du har lovat komma,
emedan trälarnes lön ropar,
emedan ditt folk förtrampas
och den fattige krossas.
Det är Du, som varnat:
"Gråten, I väldige,
och jämren eder
inför det öde, som eder väntar!"
Men de tro, att Du sover.
Eonerna gå, och Du kommer ej.
Dina straffänglar dröja.
Herre Sebaot,
jag får ju tro på rättfärdigheten?

Det är ju Du,
som med rättfärdigheten förtär mitt hjärta,
Du, som ropar ur mig,
Du, som i mig förgrymmar Dig i din vrede?

Herren Sebaot förgrymmar sig i sin vrede.
Det är Hans rättfärdighet, som bränner ditt hjärta.
Det är Han, som ropar ur ditt bröst.
Då han höjer sin stav och sin gissel.

Ve då jorden och haven!

Är det hans straffänglar jag hör?
Men vi dröjen I?
Skolen I ej trampa Guds vinpressar?

Vi skola trampa Guds vinpressar.
Bärarne av vilddjursmärket
skola vi slå med bölder,
och de skola tugga sina tungor av smärta.

Men vi dröjen I?

Vi fördröja oss icke.
Vi hava snöret i hand
och murarelodet
och mäta längden, höjden och djupet
av de förbannelsefyllda världsklotens rymd,
rymden, vari de välva
skarn och synder.

I skolen ödelägga den.

Vi skola lägga den samman som ett brev,
och som fikonträdets löv
skola dess stjärnor falna.
Vi binda av miljoner eldris
kvasten, som skall bortsopa dem.

När kommen I?

Jag längtar.

När kommen I?

Se tecknen!

Hör dem!

Belsasars facklor blända de väldige,
de dövas av vällustfestens sorl.

De se dem icke, höra dem icke.

Men du, vars hörsel skärpes av kvalen,
vars syn av rättfärdighetsträngtan,
du ser skenet av hämnarnes pansar,
du hör deras hästars hovslag i fjärran.

Jag ser skenet av svavelgula pansar,
jag hör hästars hovslag som tordön i fjärran.

Jag hör bruset av ett stigande hav.

I kommen.

Jag varder hämnad och ropar:
förbarmande över mina bödlar!
förbarmande över mig!

Herre Sebaot!

frälsa, då Du straffar!

Herren Sebaot frälsar, då Han straffar.

Det är i kärlek Han vredgas,

det är i kärlek...

Välsignat Hans namn!

(Trälen dignar under gisselhuggen, släpper vridstången, faller framstupa och trampas till döds.)

I Eddadikten *Grottesången* berättas om hur två trälinnor, Fenja och Menja, på kvarnen Grotte mal lycka och rikedom åt sin herre, kung Frode. När han tvingar dem att mala dag och natt vredgas de emellertid och mal så att kvarnen går sönder. I Rydbergs dikt är Grottekvarnen en symbol för industrialismen, som ger rikedom och njutning åt ett fåtal men nöd och elände åt massorna. *Mammon* den personifierade rikedomen, *kved* sköte, *Plutus* rikedomens gud, *glavar* svärd, *arkitrav* rak tvärbjälke som vilar på pelarna och bär upp byggnadens övre del, *basalt* sammanfattande benämning på flera bergarter, *plansar* (eg. plantsar) tjock plåt av guld eller silver, *färla* bestraffningsredskap bestående av ett skaft med en klump i ena ändan, *Herlekin* ... *Kolumbin* stående typer i den gamla italienska teatern (Commedia dell 'arte), *karmosin* ... *karmin* rött färgämne, *Belsasar* babylonisk konung, som profanerade de heliga tempelkärlen genom att använda dem vid ett dryckeslag

Betlehems stjärna

Ur *Vapensmeden*

(Vättern var så klar och stämde så in i himmelsfärgen, att om icke en vindkåre då och då dragit silvergrått vattrade band över sjöns yta och om icke guldstänk blänkt kring jullens årblad, kunde en åskådare å stranden tyckt, att den hade sin väg i luften. Margit sjöng i takt med årbladen och med de svala, friska suckarne framför jullens bog:)

Gläns över sjö och strand,
stjärna ur fjärran,
du, som i Österland,
tändes av Herran!
Barnen och herdarne
följa dig gärna,
Betlehems stjärna.

Natt över Judaland,
natt över Sion,
Borta vid västerrand
slocknar Orion.
Herden, som sover trött
ute å fjället,
barnet, som slumrar sött
inne i tjället,
vakna vid underbar
korus av röster,
skåda en härligt klar
stjärna i öster,
gånga från lamm och hem,
sökande Eden,
stjärnan från Betlehem

visar dem leden
fram genom hindrande
jordiska fängsel
hän till det glindrande
lustgårdens stängsel.
Armar där sträckas dem,
läppar där viska,
viska och räckas dem
ljuva och friska:
"stjärnan från Betlehem
leder ej bort, men hem."
Barnen och herdarne
följa dig gärna,
strålande stjärna.

CARL SNOILSKY
(1841—1903)

Noli me tangere

Jag torgför ej mitt hjärtas lust och kval
att skrynklas ned av obekanta händer.
Min fantasi dig bjärta lekverk sänder,
men känslans helgedom hålls aldrig fal.

Om du ej misslynt strax mig ryggen vänder,
kom i min park! Den är så mörk och sval.
Gå där bland blommor ifrån södra länder
och se skulpturerna kring min portal!

Men över tröskeln skall jag dig ej föra.
Förstenad dörrvakt blott får äga öra
för skygga gäster utav doft och ljus.

Du nödgar mig — välan, ett ord jag ropar,
som slott och park i blinken undansopar,
och vad du ser är virvelsand och grus.

Noli me tangere "rör icke vid mig", *fal* eg. till salu

O tänk, att bilda i en lycklig stund
den bägare, som anstår var mans mund,
som fylls vid tidens djupa brunn en gång
för tusenden, som törsta efter sång!

Ur *Svenska bilder*

Herr Jans likfärd

Rivna fanor, segertecken
med en dubbelörn i vecken,
täcka murens nakna kalk.
Dimmigt brinner vaxljusveke
vid en enkel bår av eke,
i det halvt förstörda koret
ställd på svartklädd katafalk.

Där det matta skenet irrar,
sjunken ögonhåla stirrar
från det vita örngottsvar.
Jan Banér, så nämns den döde,
Habsburgs skräck och olycksöde,
Wittstocks, Chemnitz' segerherre,
Sveriges hjälte och försvar.

Flydd är nu det namns förtrollning,
som gav kraft och sammanhållning
åt en brokigt blandad här.
Brusten är den blick, som tämde,
mer än rättarsvärdet skrämde,
spänd inunder fjäderhatten
i en trotsig soldenär.

Re'n kring högkvarteret skocka
fräcka hopar sig och pocka:
"Prompt vår sold vi vilja ha,

annars gå vi till Oranien,
eller sälja oss åt Spanien,
turken, påven eller satan,
bara han betalar bra."

Mitt i själva upprorsflamman
bergfast sluter sig tillsamman
svenskars, finnars ringa flock.
Deras trogna tårar falla
ned på fältherrns hand, den kalla,
på den vissna lagerkransen,
virad om den dödes lock.

Att det kära stoftet värna
håller härens bästa kärna
vapenvakt kring hjältens lik
i en halvbränd by, vars kyrka
gömmer Sveriges sista styrka,
medan ute myteriet
fyller allt med vilda skrik.

Upp de tunga portar springa,
och mot golvets stenar klinga
svärd och sporrbeväpnad häl.
Det är män, som världen känner,
lyckans svurne följesvenner,
tysken, skotten och fransosen,
utländskt värvat krigsbefäl.

Veteraner ärrbetäckte,
ett i pansar härdat släkte
i dens tjänst, som lovar mest,
trampande med breda sulor
fridens skördar ned i smulor,
högbestövlat, stålomgjordat,
fruktat mer än eld och pest.

Främst i denna djärva skara,
nalkas att dess språkrör vara
gammal skottländsk hövitsman.
Stödd på träben, se'n det andra
ned i Lützens mull fått vandra,
till den lilla svenska gruppen
buttert rättfram talar han:

"Kavaljerer, vapenbröder!
Endast den som honom föder
knekten liv och lemmar ger;
om för Sverige han tar slängar,
vill han ock se Sveriges pengar.
Släppa till sitt skinn för intet
gör han blott för en Banér.

"Utan knot intill det sista
honom där uti sin kista
vi i lust och nöd följt åt.
Nu, då han ej finnes mera,
vi med värjan salutera
eder unga krönta Fröken
och gå sedan var sin stråt."

Svensk och finne dystert tiga.
Äventyrarena stiga
sakta fram i tyst förbund,
som de avsked taga ville
av de drag, där eld och snille
lyst för dem vid festpokalen
och i segerns sköna stund.

Gamle skotten mulet bister
stått och sett — nu ut han brister:
"Rynkar han ej ögonbryn
som vid Wittstock sent på dagen,
då hans här, så gott som slagen,
ordnades till sista stormen?
Än jag ser det för min syn.

"Blek, med värjan sönderbruten,
munnen järnhårt sammansluten,
lyssnande han såg sig om.
Blott mot döden fram vi fördes,
då på flygeln salvor hördes —
det var Stålhandske med hjälpen,
som i elfte timmen kom.

"Då begynte riktigt festen,
sporrande den svarta hästen,
flög herr Jan från led till led.
Som orkanen gick attacken
upp mot sachsarne på backen,
när de flydde ur sin vagnborg,
hur vi sablade dem ned!"

På hans läppar talet stäckes —
lyssna! Månn' i fjärran väckes
Wittstockdundrets återljud?
Är det åskans djupa toner?
Nej, men kejsarens kanoner —
mot det herrelösa lägret
rycker fienden, vid Gud!

Allt förvirring är och häpnad.
Med förtvivlans styrka väpnad,
ger sig luft de svenskes harm:
"Må de fega och de fala
gå till dem, som bäst betala!
Här vi hålla stånd så länge
än en droppe blod finns varm."

"Svenske herrar, tonen dämpen",
säger gamle höglandskämpen,
"inga flera slika ord!
Den som vi i alla öden
följt och älskat intill döden,
fältherrn, som vi svuro lydnad,
han finns ännu ovan jord.

"Än ett värv oss står tillbaka:
att bestyra och bevaka
som sig bör hans jordafärd.
Re'n tillräckligt tårbegjuten,
nu han väntar på saluten,
och så sant jag heter Ruthven,
den skall bliva honom värd.

"Kransen vissnat har kring pannan,
men vi skära lätt en annan
friskare, förr'n sol gått ner.
Den som här är äldst i graden
tar befälet vid paraden —
hären ställd på gamla sättet,
som vi lärde av Banér!" —

Knotet tystnat. Ordnad, färdig,
hjältens stora skugga värdig,
under vapen hären står.
Ingen gärd hans stoft skall sakna:
alla Wittstocks genljud vakna,
Wolfenbüttels segeråskor
rulla stolt omkring hans bår.

Herr Jan den berömde fältherren Johan Banér (1596—1641), *katafalk* upphöjning, varpå kistan ställs vid begravning, *soldenär* legosoldat, *kavaljerer* ädlingar, *krönta Fröken* Kristina, *de fala* de som man kan köpa

På Värnamo marknad

Vid Värnamo på marknaden
en aftonstund det var,
då Per och Kersti bytte ring
som troget fästepar.
Se'n skildes de att taga tjänst,

envar med mod och hopp.
"Om sex år ses vi här igen" —
så hade de gjort opp.

Och Per han kom till kyrkherrgåln.
Fastän hans tjänst var sträng,
så slapp han att gå ut som knekt —
man tar ej prästens dräng;
och Kersti hos befallningsmans
fick sköta plog och harv,
som blivit kvinnfolksgöra nu
i Carols tidevarv.

I sina träskor gingo de
den tunga mödans stråt
och rörde aldrig av sin lön
en enda kronans plåt.
"Om sex år", så det hette jämt,
"då blir det annat slag,
då ha vi sparat samman nog
att bygga hjonelag."

Och tiden skred med snäckans fjät
evinnerligen lång,
på många månader ibland
de tu knappt mötts en gång.
För dans och lek var ingen böjd
i dessa sorgens år,
men efter väntans mulna tid
vart sjätte gången vår.

Av ljuvlig oro brunno då
båd' ungersven och mö,
från alla hagar kom en doft,
det glittrade på sjö.
Utav ett vårregn tvagen nyss
den späda grönskan log,
och göken gol för fästefolk
långt hän i dunkel skog.

Den arma svenska jorden nu
sig gjorde riktigt grann
och sken som utur tårar upp
till lust för fattigman
och strödde glada färgers prål
längs varje dikesvall,
liksom i vintras aldrig smällt
ett skott vid Fredrikshall.

Vid Värnamo på marknaden
de möte stämt, de två.
Bland magra stutar var ej svårt
varann att hitta på:
med rörelse och köpenskap
det jämmerligt gått ned,
fastän det sports att herrarne
snart skulle göra fred.

Men prästgårds-Per han hade mynt
och var så morsk och käck,
och slantar hade Kersti ock
uti sin kjortelsäck.
Med ögon strålande av fröjd
de satt sig i en vrå
och klingade med pengarne
och viskade som så:

"Nu vännen lilla" — sade Per —
"är jag min egen karl
och kan ta upp ur ödesmål
det torpet efter far.
Med nitti daler fick jag ut
min lön i kyrkherrgåln —"
"Och jag har sexti", Kersti sad',
"då står man sig i Småln."

"Men hör du Per" — från Kerstis drag
här leendet försvann —

"den sortens pengar, som vi fått,
jag aldrig lika kan.
De kallas nödmynt, säger folk,
och det är visst och sant
det kostat nöd att skrapa hop
den styvern slant för slant.

"Men det är bara koppar, Per —
med Görtzens gudar på
och namn, som ingen kristen själ
kan lära sig förstå.
Jag vore nöjd, om pengarne
blott bure kungens bild —
tänk Per, om smulan, som vi ha,
rakt skulle gå förspilld!"

"En stolla är du, Kersti lill'!
Mig klockarn bättre lärt:
det är den höga kronans mynt
och guld och silver värt;
och denne krigsman, som du ser,
med lejonet bredvid,
så flink och färdig, är kung Karl
just som han drog i strid.

"Nog är det rätta pengar du,
det har ej någon nöd!
Ej kronan tar med svek och list
från fattigman hans bröd.
Kom nu, så gå vi gladeligt
att köpa till vårt bo
båd' slev och gryta, tösen min,
och först och sist en ko."

I marknadsbråket vandrade
de tu med muntert mod
och tittade och prutade
på allt från bod till bod.

Då skar igenom folkets sorl
en röst av välkänt ljud...
Hos Per och Kersti klack det till —
här kommo onda bud.

I rock av blanka knappar prydd,
med ämbetsnäsa röd
och stämma barsk, klev länsman fram
och allmän tystnad bjöd.
Han öppnade ett tryckt plakat,
och hastigt runt omkring
slöt sig med häpna anletsdrag
en stum åhörarring.

Det var med *alldenstund, ithy*
och mer av samma sort
ett kungligt brev, där meningen
så kunde fattas kort,
att kopparbiten, som i går
för daler gått och gällt,
numera gällde ingenting —
och så var det beställt.

Så gruvlig dom i förstone
ej Kersti fullt förstod:
"*I nåder* slöts ju skrivelsen,
och Drottningen är god!"
Men Per, som stod där blek, begrep
omsider denna nåd:
"Ack nej, du Kersti, stackars tös,
här finns ej någon råd." —

Vid Värnamo på marknaden
det var en aftonstund,
där vandrade ett fästepar
med sorg i hjärtegrund.
Med bittert löje Per såg fly
sin fagra lyckodröm,
och bakom randig förklädssnibb
flöt Kerstis tåreström.

De satte sig bland blommorna
på daggig åkerren,
bak fjärran skogar dunkelblå
sjönk kvällens rosensken.
Emellan tallar steg en rök
ifrån ett litet hem —
ack, hoppet om en egen härd
var slocknat ut för dem!

Det suckade så tungt i norr —
det var en sorgegök,
och djupare i förklä'ts famn
då Kerstis huvud dök.
Så månget bröst i Sveriges land
hans dubbelsuck förstod:
den ena tonen sade *sorg*,
den andra *tålamod*.

Den starke Per han lindade
om hennes liv sin arm,
och veka ord sig bröto fram
ur svallet av hans harm.
Så mild som månen över sjön,
kom trösten till hans brud:
"Och finns för oss ej lag och rätt,
så finns dock Herren Gud!

"Vi ha ju hälsan, hurtigt mod
och raska armar tu
och börja bara om igen,
det är ej värre, du.
Vi ta oss tjänst, så får det bli,
tills glatt en annan vår
vi sätta bo och köpa kon,
som ej vart köpt i år."

Han talte många andra ord
av kraft och bergfast hopp,

och Kersti mellan tårarne
såg ur sitt förklä' opp
och frågade med ögat ljust
av kärlek och av tro:
"Så råkas vi om sex år då
på nytt vid Värnamo?"

Ödesmål torpet låg öde, *Görtzens gudar* en del nödmynt bar bilder
av antika gudar

AUGUST STRINDBERG
(1849—1912)

Sångare!

Sångare!
Hur länge viljen I sjunga vaggsång
och skallra med skallra för unga släktet?
Vi bjuden I än på flaskor och nappar?
Han ej I sett att söta mjölken är orörd?
    Och barnen fått tänder?

Sångare!
Hur länge viljen de små I skrämma
med busar byltade in i multna paltor?
Dran hop de rostiga hárnesk och värjor
och skicka dem sen till sista beskådan
    i Nordiskt Museum!

Sångare!
Vi jämren I jämt om idealen som svekos?
Var tid har sina idéer om ting och om saker;
och vi ha våra idéer om verkligheten!

Förblin I verkligen trogna Era idéer;
    vi svika ej våra!

    Sångare!
Vi sjungen I endast i höga ton om de höga?
Det höga i livet ges för oss är det högsta.
Vi sätten I ännu det skönas sken för det sanna?
Det sanna är fult så länge sken är det sköna.
    Det fula är sanning!

    Sångare!
Må smäktande serenader i månsken tystna!
Fast ljuset ännu i fönstret brinner,
har idealet dock lagt sig i varma lakan.
Hon börjar bli gammal, den gamla sköna
    och håller på nattron!

    Sångare!
Om icke nattluft spräckt Era vackra röster
och om I viljen lära Er nya sånger;
välan så låten den gamla sköna få sova!
Vi ta tillsammans en sång för den nya dagen,
    ty solen är uppe!

Esplanadsystemet

Där gamla kåkar stodo tätt
och skymde ljuset för varandra,
dit sågs en dag med stång och spett
en skara ungfolk muntert vandra.

    Och snart i sky
    stod damm och boss,
    då plank och läkt
    de bröto loss.

Det ruttna trät,
så torrt som snus,
det virvlar om
med kalk och grus.

Och hackan högg
och stången bröt
och väggen föll
för kraftig stöt.

Och skrapan rev
och tången nöp,
att taket föll
och skorsten stöp.

Från kåk till kåk
man sig beger,
från syll till ås,
allt brytes ner.

En gammal man går där förbi
och ser med häpnad hur man river.
Han stannar; tyckes ledsen bli,
när bland ruinerna han kliver.

— ”Vad skall ni bygga här, min vän?
Skall här bli nya Villastaden?”
— ”Här skall ej byggas upp igen!
Här röjes blott för Esplanaden!”

— ”Ha! Tidens sed: att r i v a hus!
Men bygga upp? — Det är förskräckligt!”
— ”Här rivs för att få luft och ljus;
Är kanske inte det tillräckligt?”

Läkt virke, som används till taktäckning m. m.

Lördagskväll

Vinden vilar, viken ligger som en spegel,
kvarnen somnar, seglarn tar ner segel.
Oxarna bli släppta ut i gröna hagen,
allting rustar sig till vilodagen.

Morkullsträcket drager över skogen,
drängen spelar dragklavér vid logen,
förstukvisten sopas, gården krattas,
trädgårdssängar vattnas och syrener skattas.

På rabatten ligga barnens dockor
under brokiga tulpaners klockor.
Bolln i gräset lagt sig i skym unnan,
och trumpeten drunknat uti vattentunnan.

Gröna luckor äro redan slutna,
låsen stängda, reglar skjutna,
frun går själv och släcker sista ljuset,
snart i drömmar sover hela huset.

Ljumma juninatten slumrar stilla,
still står gårdens nötta vädervilla,
men i stranden ännu havet gormar;
det är bara dyningar från veckans stormar.

Solnedgång på havet

Jag ligger på kabelgattet
rökande "Fem blå bröder"
och tänker på intet.

Havet är grönt,
så dunkelt absintgrönt;

det är bittert som chlormagnesium
och saltare än chlornatrium;
det är kyskt som jodkalium;
och glömska, glömska
av stora synder och stora sorger
det ger endast havet,
och absint!

O du gröna absinthav,
o du stilla absintglömska,
döva mina sinnen
och låt mig somna i ro,
som förr jag somnade
över en artikel i
Revue des deux Mondes!

Sverige ligger som en rök,
som röken av en maduro-havanna,
och solen sitter däröver
som en halvsläckt cigarr,
men runt kring horisonten
stå brotten så röda
som bengaliska eldar
och lysa på eländet.

Vid avenue de Neuilly

Vid avenue de Neuilly
där ligger ett slakteri,
och när jag går till staden,
jag går där alltid förbi.

Det stora öppna fönstret
det lyser av blod så rött,
på vita marmorskivor
där ryker nyslaktat kött.

I dag där hängde på glasdörrn
ett hjärta, jag tror av kalv,
som svept i gauffrerat papper
jag tyckte i kölden skalv.

Då gingo hastiga tankar
till gamla Norrbro-Bazarn,
där lysande fönsterraden
beskådas av kvinnor och barn.

Där hänger på boklådsfönstret
en tunnklädd liten bok.
Det är ett urtaget hjärta
som dinglar där på sin krok.

Gauffrerat mönsterveckat

Ur *Trefaldighetsnatten*

Chrysäëtos

Vad vänta de tråkiga kråkorna
därnere på höstlig hed?
Förr var det bara råkorna
som fällde i nakna träd.
Vad vänta de bråkiga kråkorna
som stryka i hundratal?
Är det åtel och agn
på hemslaktarns vagn?
Eller ligger på strö
ett djur, som skall dö,
eller hålla kråkorna bal?

Vad vänta de bråkiga kråkorna
därnere framför mitt hus?
De hänga i lindarne,

och gunga för vindarne;
på nattkvist kraxa de,
på morgonkvist flaxa de,
och vänta att dager blir ljus.

Vad tjuta de svarta hundarna
i tobaksplantörens gård?
De luffa och leta i lundarna;
de hålla väl vaka och vård.

Vad sjunga de svarta hundarna?
De sjunga väl icke ut lik?
De sitta i klunga,
och tjuta och sjunga,
halsarne sträckta,
öronen stäckta...
Nosarne heta och torra...
Nu höras de morra,
när ugglorna börja sitt skrik.

Vad skrika de gula ugglorna
på tobaksladornas tak,
när rostiga flöjeln med bugglorna
knappt håller i vinden sig rak?
Vad sjunger den rostiga flöjeln
vid nattvindens sorgemusik?
Är det lik eller vitt?
Gäller mitt eller ditt?
Är det sorg eller nöd,
eller varslar det död?
Det är död, det är nöd, det är lik!

Vad göra de krokiga karlarne
därnere på hedens snö?
De sätta väl snaror för hararne
men marken ligger i tö.
Granris bära de,
störar skära de,

ruska ut vägen,
måta ut stegen;
vinterväg är det,
brister eller bär det
där bortnast på islagd sjö?

Vad göra de krokiga karlarne
vid ingången till mitt hem?
Nu knakar porten i nararne,
en snöil slår den i kläm.
Karlarne strö
granris i snö;
flingorna falla,
snöstjärnor kalla,
spåren fylla de;
ner mylla de.
Allt! Allt! Allt!
Vit och bitter är snön som salt!

Slädorna komma, kuskarne skrika,
lyktorna flämta, dagen går ut.
Karlarne bära, karlarne spika...
Sagan är slut! Sagan är slut!

Då gick ett skrik...

Då gick ett skrik igenom trappors valv,
det rungar över gårdar in i gränder,
och vandrarn ut' på gatan skalv
och stannade med knäppta händer.
Däruppe i en våning av det öde hus
vid öppet fönster, över nakna träden,
en svartklädd man sig sträcker med ett ljus
som om han ville lysa ut på heden:
och med en dåres röst han ryter som ett djur,
nyss sargat i dess trånga bur:
Chrysáëtos är död!
Och ropet kryper över snöig hed, och gråter

tills det mot höjderna i norr dör bort,
men skogen, som har liv, ger ropet åter,
och svarar snyftande men kort:
Chrysáëtos är död!

I tomma rummen ensam nu han irrar
och tänder lampor, kandelabrar överallt...
Ifrån salongens vägg mot honom stirrar
porträttet främmande och kallt...
Han rasar kring från rum till rum och letar,
han söker vad som icke mera finns,
ett lönlöst sökande, som den förryckte retar,
och vad han letar icke mer han minns...
Han öppnar lådor, skåp och skänkar...
Från korridorn till köket kommer sedan turn;
han tittar under bord och bänkar...
Till sist han stannar i tamburn.

Där hänger glömd en liten kappa
med kragens skinn så sirligt nött,
där rundad kind den plägat klappa...
Då vaknar minnet, ögat brinner rött!...

Och ut i natten...

Och ut i natten på nersnöad hed
han springer och söker,
han går över diken och över led,
me'n yrsnön kring honom röker!
Tag upp! Tag upp! Har du spår?
I skur och i ur
han stapplar mot sten,
han snärjes i snår,
och snötjockan står som en mur...
Som en tjur han rusar mot vind',
han är blind, han är blek om sin kind
fast pulsarne gå! Gå på!
Gå på tå, eller sjunker du ner,

och ingen dig ser,
och ingen dig hör, om du ber, när du dör,
när du myllas i snöblommors bädd!
Är du rädd, min son?
Se, himlen är svart som ett plån
utan skrift, som en sten på en grift
men ingen uti.
Stå bi! Håll ut eller bli!

Han hunnit fram till kullarne i söder,
där unga björkar ibland lärkträd stå...
Här vakna minnen, hjärtat blöder...
här arm om liv med henne plägade han gå...

Längst bort i norr — är det en febervilla? —
han skymta ser det öde husets grå fasad,
liksom ett iltåg på station står stilla
han ser sin vånings fönster i en upplyst rad!

Och han ropar:

När skall tåget gå?
Hallå! — Hallå!
Är det bröllopståg?
Var det bruden jag såg,
min majbrud i fjor
i grönt och i vitt,
i siden och flor,
i grönt och i vitt
som den blommande hägg
därute mot vägg?
I solen jag satt med sol i mitt sinn...
Det var då! Chrysáëtos var min!

Och han sjunger:

Sommardagar, ljumma vindar,
blåa vågor, varmgul jord,

murgrön sig kring stugan lindar,
hänger över dukat bord.

Ut på havets långa vågor
simma vi nu arm vid arm,
svala havet släcker lågor
solen tände i vår barm.

När du steg ur havets sköte,
föll jag för din skönhet ner:
väl förlåtligt om jag skröte —
Nemesis dig icke ser!

Chrysáëtos!...

Chrysáëtos, Guldörn, i ditt gyllne öga
såg jag soln gå upp den sista gång...
När vi möttes över molnen i det höga
lockade jag ner dig med min sång...
Ur din vinge röck jag då en penna,
uti guldbläck sen jag skrev
sångerna du känner — från Gehenna,
som vårt paradis ju blev!

Sommarafton...

Sommarafton, stillt i vinden,
ifrån bokars gröna ljus,
sol i ögat, sol på kinden...
hemåt till vårt murgrönshus...

Eftersommar, tyst i skogen,
fåglarne ej sjunga mer,
när som blomman först är mogen,
falla bladen på er ner!

*

Guldpudra vid järnkällan,
kopparorm under silverlind,
det är huldrans gåta!
Det är din och min!

Medan minnena yra...

Medan minnena yra som barvinters snö
han tränger allt djupare in i skogen,
men skogen tar slut, han står vid en sjö
där fåror skönjas efter stora plogen —
vintervägen är ruskad rak som ett streck,
på sidorna kantad med stubbade granar;
men över vägen går en strimma av bläck...
Han stannar modfälld och spanar.
Då hörs från mörkret ett plaskande, ett dunkande,
ett pustande, ett stönande, ett klunkande,
och så ett tjut, ett fasans utan slut.
Ut ur mörkret rusar
en svart och röd koloss,
isen gungar, vattnet brusar,
de böjda granar med varandra slåss.
Isflaken knäckas som rutor,
bitarne klinga som glas,
musik som ur tusende lutor
av en jordbävning slås i kras.
Förbi som en sårad val,
går ångarn, flåsande stenkolsröken,
begraver allt i svallvågens dal
och skummet dansar som vita spöken.

När soln går upp...

När soln går upp över isfält blått,
då komma de krokiga karlarne
att skåda var ångarn gått;
och kråkor komma som stararne
att plocka upp smått och gott.

På iskanten sitta hundarna
och tjuta som förr i lundarna — — —
Det gick som de hade spått!

Åtel dött djur, som används som lockbete, *Nemesis* gudinnan, som
tilldelar lycka eller olycka

Flöjeln sjunger

Det sitter en flöjel på ladans tak,
tobaksladans...
Han sjunger bara rakt på sak
vid nordlig vind...

I frost,
med ros-
tigt gap;
skrap;
skrap;
det är en drake
på en hake;
vassa tänder;
vinden vänder.

Vip;
rip;
lip;
lipa,
stripa
bladen.
Vad sa den?
Tobaksbladen.

Ala;
mala;
snus;

kardus;
karduser
förtjuser
magistern.
Gardister;
sprit,
split,
plit
på baln!
Korpraln!!!

Mästarn,
tobaksmästarn
på lur,
ur, ur, ur,
ursinnig,
finnig;
irr, irr, irr
klirr;
klirrsporre;
orre,
rus,
sinkadus,
kris — — —
polis!!!

Det sitter en flöjel på ladans tak,
tobaksladans.
Han visar stundom mera smak,
vid sydlig vind.

Höst,
tröst!
Trösta mej!
Brösta dej
ej!
Järn brytes,
ljus snytes.

Du hoppas —
du snoppas.
Draken
på haken
visslar,
gnisslar
tänder;
bänder.
Vicka,
vricka —
err, err, err,
spärr —
spärras?
Förvärras
slit, slit, slit.
Än en bit.
Vänster, höger,
rostig, tröger,
norr och söder,
sorg och döder.
Lip,
lip!

ERNST JOSEPHSON
(1851—1906)

Svarta rosor

Säg, varför är du så ledsen i dag,
du, som alltid är så lustig och glad?
Och inte är jag mera ledsen i dag
än när jag tycktes dig lustig och glad;
ty sorgen har nattsvarta rosor.

I mitt hjärta där växer ett rosendeträd,
som aldrig nånsin vill lämna mig fred,
och på stjälkarna sitter det tagg vid tagg,
och det vållar mig ständigt sveda och agg;
ty sorgen har nattsvarta rosor.

Men av rosor blir det en hel klenod,
än vita som döden, än röda som blod.
Det växer och växer. Jag tror jag förgår,
i hjärtträdets rötter det rycker och slår;
ty sorgen har nattsvarta rosor.

Paris 1884

Violoncell

Jag från mitt hjärtas hjärta hör
en klagoton, som darrar klar;
han cellosträngens vemod har,
och smältande han sakta dör. —

Men skruven sköter sorgen om;
allt hårdare hon strängen spänt;
för varje gång hon honom vänt
alltmera klangfullt ljudet kom.

Det taget gjorde ont likväl!
Men skönare blev tonens klang —
ack, herre gud, om strängen sprang —
då höjde sig min fria själ!

OLA HANSSON
(1866—1926)

Ur *Notturno*

X

Hälsingborg i juli 1885.

Sommarnattens
daggigt svala dunkel
ligger över allt som en mattblå slöja.
Över allt,
som lyste vasst
och glödde hett,
över allt som stack och skar,
över de varmt gulgrå strandbrinkarne,
över stadens hus och villor, som stodo
lysande vita
inne i sluttningarnas
frodigt hängande grönska,
höljer sommarnattens
svala dunkel
sitt kylande, mattblå flor.

Ute i sundet,
där dunsterna tätna,
synas skeppslanternorna
som skumma ljuspunkter,
likt sömnigt glimmande blickar
under tunga ögonlock.

Och tystnaden böljar
fram genom sommarnatten
i ymniga dyningar.
Stundom, inne från staden,

en ångares tutande,
en klockas pinglande,
en hunds skall,
höjer sig stort och mörkt
som ett skeppsskrov i vågytan,
för att plötsligt
åter sjunka
ned i sommarnattens ljudlöst glidande dyningar
ned i tystnadens
bottenlösa djup.

Stillnade vågor
våta halka
över spolade, glatta stenar.
Tunga och långa
in de välta
mot strandbrädden.
Med läskande svalka
och frisk sälta
och lukt av tång,
leende komma de,
svalla och plaska de,
sjunga och nynna de,
bädda de heta,
sjuka tankarne
i sina vyssande
visor in.

Men, liksom i nattluften
dröjer en pinsam skälvning
av dagens hetta
och dagens larm,
något som våndas och vrider sig,
som skorrar så smärtsamt
som ett falskt ackord,
som kvider så hjälplöst
som ett sjukt barn, —
så sitter i mitt väsens

innersta gömslen,
i det hudlösa köttets nervnät,
som en aldrig domnande oro,
livsångestens ryckande,
hullingtäckta tagg.

XII

Höstens nattvind
sorgset susar,
tungt och dovt
i skogen far.
På nakna kvistar
ensamma blad i
frysande skälvning
glömt sig kvar.

Månens ägg-gula
skära hänger
på sammetstäcke
i fuktat blått.
Stora stjärnor
spricka ut i
strålig darrning,
blankt och vått.

Nedför i väta
mörknade stammar
ljuset flyter
i klibbig glans,
ut över markens
tjocka matta
av multnande blad
i andfådd dans.

Höstens nattvind
sorgset susar,
tungt och dovt
i skogen far,
under en himmel,
vid och stjärnig,
senhöstkall och
oktoberklar.

Ensliga blad, som
ängsligt fladdra,
gråtande den
kring sig strör.
Under dess skräck och
yrsels kvida
livets sista
andning dör.

Och jag ser ett
vaxblekt anlet
skymta inne
i naket snår,
ser en sid och
månvit dräkt, ett
tjockt och regnvätt
kvinnohår,

ser en hukad
skepnad mitt i
alltings död och
förruttnelse.
Tvenne stora,
fuktiga ögon
skrämt och smärtsamt
på mig se.

Psyche

I

Blå mellan gröna bräddar
tungt flyter livets älv.
Sakta för slaka segel
glider mot natt du själv.
Melankoliens fågel
med trötta vingslag slår.
Tystnad av solnedgång
kring vitnande rymder rår.

Aftonens sista kåre
spelar på sävens rör
evighetsvisans moll,
som långsamt i fjärran dör.
Ensamt i natten lyser
kölgången av din slup;
ensamt din stjärna tindrar
upp ur oändlighetsdjup.

II

Grå mellan gröna bräddar
tungt flyter livets älv.
Bortvänd från tomma vidder,
spanar du mot dig själv.
Fågel med trötta vingar
flyger mot aftonro,
söker med tunga vingslag
in mot sitt hjärtebo.

Rött mellan glesa stammar
lyser ett ensamt ljus
djupt ur ett mörker, fyllt av
granskogens orgelsus —
ödsligt och varmt för själen,

ångestfullt i sin frid
liksom en senhöstmaning
mitt i försommartid.

III

Vit mellan branta bräddar
strid skjuter livets älv.
Liksom en snövit fågel
av böljestänk är du själv,
vilken mot rymden svävar,
stigande, frigjord, allen,
högt över ursprungsvågor,
bundna i ramens sten.

Barn utav sol och fradga,
steg du ur intets famn.
Ensam i blåa vidder
lyste din vita hamn:
ton, som löste i välljud
böljgångens öde dån,
mullens och stundens drömliv
med evighetskänslans lån.

IV

Bred mellan vikande bräddar
stilla står livets älv,
ettvorden med sin himmel,
spegelbild av dig själv.
Gyllene blankt, är alltet
ljus av en högsommardag;
hela det vida varat
tindrar av dina drag.

Timme av middagsskimmer,
timme av middagsro.
Ut ifrån ändligheten

spännes av ljus en bro
högt över bräddlöst vidgad
mynning av livets älv,
bottenlöst genomskinlig
spegelbild av dig själv.

VERNER VON HEIDENSTAM
(1859—1940)

Moguls kungaring

Sen hundra år försvunnen
var Moguls kungaring.
Man sökte den i brunnen,
man sökte staden kring.

Det där fick Hafed höra,
som stadens sopor bar.
Han ställde sopetunnan
på öppna torget kvar.
— ”Att bära tunnan bröder,
blir tyngre år från år.
Jag letar kungaringen
och sätter på mitt hår!”

Med gräfta, spett och spade
han sökte dag och natt.
Men gyllne kungaringen
den fick han aldrig fatt.

När han i soluppgången
smög ut långs husets vägg,
fick folket sed att pricka
hans rygg med ruttna ägg.

Han grät. Han bad. Han grävde.
När han om kvällen fått
turbanen löst vid badet,
var unga håret grått.

Men Hafeds bror, Umballa,
låg kvar på torget trygg.
Han låg i soln som alla
och skubbade sin rygg.
Han snarkade åt myggen,
åt lopporna han log;
när bromsen kom för nära,
då såg han upp och slog.
— Mot fyra kopparslantar
han sopetunnan tog.

Och var han syntes, höllo
för näsan alla män
och alla dörrar föllo
som av sig självt igen,
och månglaren sköt undan
sitt salubord med frukt:
ty fyllde sopetunnan
kvarteret med sin lukt.

Så snart han kom ur staden,
han stjälpte tunnan kring.
Bland vissna sallatsbladen
låg Moguls kungaring!!
Sen hundra år försvunnen
för sol och hackas hugg,
den krönte återfunnen
Umballas svarta lugg.

Ur stadens hästskoportar
kom folket helgdagsklätt.
Och bagarn, som om natten

sett syner var han sett,
som drömt, att mitt i degen
han kungaringen fann,
och drömt sin dröm så länge
att soln i fönstret brann,
lät brödet stå i ugnen,
sprang ut med lyftat tråg
och stänkte mjöl, så vägen
låg vit så långt man såg.
Och smeden, som i grubbel
lagt släggan vid sin fot,
han slog av fröjd i städet,
så luften yrde sot.
Och tapetserarn, vilken
stått blek i pipans rök,
han lastade med silken
och silvertyg sitt ök.

Han kom och klädde tunnan
med friska fikonblad,
med pärlor och rubiner,
med glimmande brokad.
Och högt på tunnan bars
vid darabuckors dunder
Umballa, Österns under!

Nu sade segerdrucken
Umballa till sin bror,
när svarta liveunucken
med mjuka ibisvingen
strök dammet av hans skor:
"Nå, Hafed, kungaringen?"

Då knäföll bleke Hafed
i glada skarans mitt
med pannan tryckt mot jorden;
men nu var håret vitt.

Han stötte i sitt hjärta
sin långa, krökta kniv.
"Du fann bland sopor kronan,
jag sökte med mitt liv."

Umballas ätt hon njuter
all lyckans gunst sen dess.
Är spel med trumf i ruter,
så har hon ruter äss.

Att Hafed lämnat söner
vet jag, som ung till år,
i dag i bibeln lägger
mitt första gråa hår.

Gräfta stor hacka, *darabuckor* ett slags trummor, *eunuck* harems-
vaktare

Ur *Ensamhetens tankar*

IV

Jag längtar hem sen åtta långa år.
I själva sömnen har jag längtan känt.
Jag längtar hem. Jag längtar var jag går
— men ej till människor! Jag längtar marken,
jag längtar stenarna där barn jag lekt.

XVI

Min stamfar hade en stor pokal,
en jättepokal av tenn.
Mitt hjärta blir varmt, när jag bräddar den
och höjer den i min sal.

Då susar ur ölet en minnessång,
vars strofer flamma som bloss.

Gud hjälpe att våra barn engång
må höra den sången om oss!

XVIII

Kring halva jorden jag letat har
en punkt, som jag vackrast fick kalla.
Så vackra voro de alla,
att ingen vackrare var.

Tag allt som är mitt och mitt kan bli,
men lämna min yppersta gåva
att kunna njuta och lova,
där en annan går kallt förbi!

Hemmet

Jag längtar hem till skogen.
Där finns en stig i gräset.
Där står ett hus på näset.
Var plockas under träden
så stora rosenhäger,
var vaggar blåsten säden
med sådant sus som hemma?
Var bäddas så mitt läger
vid aftonklockans stämma?

Var leva mina minnen?
Var leva mina döde?
Var lever jag i njugga
och långa år, som väva
av gråa garn mitt öde?
Jag lever som en skugga
där mina minnen leva.
Träd huset ej för nära,
fast portarna stå låsta,
fast deras trappsteg bära

av alla sammanblåsta
och torra löv en matta.
Låt andra röster skratta,
låt nya flöden skumma
i brons förvuxna dike
och bär mig till de stumma.
Jag sitter dock därinne
vid fönstret, själv ett minne.
Där är mitt kungarike.

Säg aldrig att de gamla,
när de sitt öga sluta,
att de, vi övergiva,
att de, som vi förskjuta,
snart doft och färg förlora
likt blommorna och gräsen,
att vi ur hjärtat riva
ett namn, som från din ruta
ett gammalt damm du blankar.
De resa sig så stora
som höga andeväsen.
De överskygga jorden
och alla dina tankar,
som, hur din lott är vorden,
var natt till hemmet vända
likt svalorna till nästet.
Ett hem! Det är det fästet,
vi rest med murar trygga
— vår egen värld — den enda
vi mitt i världen bygga.

Pilgrimens julsång

(Ur *Hans Alienus*)

Höstens slagregn och stäppens sol
blekte pilgrimsdräkten.
Upp jag stod, då hanen gol

tidigt i morgonväkten.
Hundramilade
hän mot Sverge
vägarna stego, och först mot kvälln
trött jag vilade;
natthärbärge
bjöds på halmen vid spiselhälln.

Korsfararsagor och pilgrimsskrock
letade tanken tillrätta.
Snart i dörren en lantlig flock
tyst mig hörde berätta.
Kvinnorna lutade
tätt sig samman
arm i arm i lyssnande led.
Gnistorna sprutade
högt ur flamman,
lågorna slickade härdens ved.

Äventyr på villande väg,
månget vallfartsminne
sorglöst tolkades, men jag förteg
elden, som falnar mitt sinne.
Självförpinande
helig broder
döljs ej under den rock jag bär.
Ej den skinande
fru Gudsmoder
mina aningars drottning är.

Genomvandrat har jag allen
skuggornas land de öde.
Långt i öknen bland tistlar och ben
talade jag med de döde.
Sund och levande
gick jag dem nära,
log och snyftade samman med dem.
Följde dem bävande,

fick dem kära,
sökte i skuggornas hem ett hem.

Skuggorna rörde min panna — och skönt
steg en fornvärld ur graven.
Ninives döttrar virade grönt
runt kring pilgrimsstaven.
Stjärnorna blossade
bibliskt klara.
Sakta susade strängaspel.
Skuggornas krossade
underbara
skönhetsrike betog min själ.

Lyss jag i kåpans musselskal,
brusar Arkipelagen.
Ekon av tympanon och cymbal
dallra vid böljeslagen.
Jungfrur rövande
utan ånger
frusta centaurer i flyende tramp.
Avgrundsbedövande
vilda sånger
skratta i takt med hovarnas stamp.

Trolöst flydde jag skuggornas land.
Trånade åter till livet,
gators vimmel och lampors brand,
dock — mitt öde stod skrivet.
Livets böljande
städer och länder
lockad av sorlet jag genomgick,
men de förföljande
skuggornas händer
lades skymmande över min blick.

Runt mig hälsa de unga fritt
andra vaknande tider.

Främmande står jag i deras mitt.
Som en vålnad jag skrider.
Dagens krigande
skara spänner
ordets båge av senor och stål;
drömsjukt tigande,
arm på vänner
vandrar skuggornas son utan mål.

Aldrig kan jag som fordom glatt
stundens frågor dryfta;
tankarna famla dag och natt
nederst i skuggornas klyfta,
där ej flämtande
facklan sänder
livets sken, men en underjords.
Aldrig bland skämtande
bröder och fränder
skall jag muntert sitta till bords.

Skriande tranorna flyktat ren.
Vita bolstrar och putor
flingorna bädda kring häll och sten.
Kojornas trånga rutor
glimta immiga.
Sparven i hunger
letar kärven vid bondens skjul.
Djupt ur dimmiga
höstkvälln sjunger
pilten vid foran om vinter och jul.

Röster från barndomens år, till er
snöiga stigar mig föra,
men ni nå ej mitt hjärta mer,
mumla blott i mitt öra.
Stilla, saliga,
soningsfulla
stämmor, fåfängt kallen I.

Hotfullt otaliga
syner rulla
upp ur Hades min blick förbi.

Glömska drickes ur Lethes våg,
men med ögonen slutna
drack jag ur mörka Styx — och såg
sedan allen det förflutna.
Bleka och krokiga
skuggorna locka
anden att drömma vid Karons flod,
men det brokiga
livet vill plocka
frukter, som vinkande trås av mitt blod.

Kedjad vid livet min stav jag bär.
Rolös kring världen jag ledes.
Längtar dit, där jag icke är.
Främmande allestädes.
Hades sig hämnade.
Skuggornas like
strafflöst av livets frukter ej stjäl.
Skuggornas jämnade
skönhetsrike
vann för eviga tider min själ.

Ninive assyrisk stad, *tympanon* ett slags trumma

Jairi dotter

JAIRI DOTTER
(vaknar och reser sig på armbågen).

Takets sotiga timmer
trycka mitt bröst och förfära.

Orka kolonnerna bära?
Blott likt sorl jag förnimmer
edra röster, fast nära,
blott som buller från vida
gårdar utom min port.
Bleke man vid min sida,
ängslad din maning jag sport.
Orden, du viskar, skrämma,
orden: statt upp och lev!
Varför bjuder din stämma
slutna ögon att vakna?
Här, där jag förr var hemma,
skall jag den sällhet sakna,
vilken de dödas blev.

Långt på de saligas ängar
vita jungfrur mig förde.
Dansande foten berörde
knappast tuvornas strå.
Giga, cymbaler och strängar
ljödo i skymningens blå.
Halsband av jordiskt smide,
minnen från bröllopsåret,
buros i lyftat svepe,
och på skakande håret
höllos vid buktad grepe
blomsterkorgar av vide.
Flockvis mot öde kullar
skredo i gulnande sken
män med papyrusrullar,
gubbar med bilder av sten.
Trötta att viska och vandra,
trötta på år av betryck,
räckte de mellan varandra
skålen, där ovän och fränder
krossat med drypande händer
glömskans vallmo till dryck.
Men den äldste, som lade

sista vallmon i brygden,
knäböjd, som vandrarn förärar
kryddor från fädernebygden,
då till templet han länder,
signade vinet och sade:

— Skriften, vars ord som härar
radvis stampa i sång,
bilden, som ädelt vi skuro,
blomstret och kärleksgåvan,
allt vad i offrande fång
skönhetens gudom vi buro
längtar tillbaka dit ovan
— längtar som silvret i slitna
myntet med mörknad prägel
längtar att smältande vitna
och i darrande degel
rusigt med brinnande tunga
skaparedrömmarna sjunga.
Bilden, den stelnade döda,
snart av åren står nött.
Låt oss förströ som flarn
allt vad vi danat i möda!
När det vart till, blev det dött.
Bakom det sängomhänge,
där vi somnade hädan,
drömma nu våra barn.
På våra lämnade sätens
dynor leka de redan.
Länge vi gått och länge,
ryckta ur evighetens
breda vingar, likt fjäder
tumlat för himmelens väder.
Ack, som ett hjärta längtar
hem till sin moders hus,
allt vad vi samlat trängtar
att försjunka begravet
djupt i det kaos, där färgen

klarnar till solars ljus.
Vi bli stormen på havet,
vi bli stjärnan på bergen. —— ——
   (Jairi dotter sluter ögonen som för att hålla kvar de svinnande
                     synerna.)

Mörkret, som steg över ängen,
tystade flöjten och strängen.
Vilsen ett berg jag beträdde.
Aldrig en morgon sågs ljusna.
Inga mossor beklädde
klippor, som hängde frusna
högt i stjärnkalla nätter.
Systrar! Då glänste ett sken.
Hon, till vilken min levnad
ropat på darrande knän,
stod ovan drivornas slätter.
Kjortelns töckniga vävnad
blåste med fållar, som brunno.
Foten mätte mitt öga;
höfterna redan försvunno
i det ändlösa höga.
Först från en topp jag såg
pannans fårade kupa.
Hättan om tinningen låg
blank som en vintermåna
över en ättestupa.
Håret, som börjat gråna,
syntes likt garn på en vinda
knutet om hättans rand,
moderligt räckt hennes hand;
men de vidgade, djupa
ögonen stirrade blinda.
Blek jag med armarna sträckta
sprang genom skuggornas hop.
Natten, där aldrig en timmes
klockslag darrat förskräckta,
fylldes av viskande rop,

tyst som vid Herkules' stoder
suset av havet förnimmes:
— Moder, vi se dig, moder!
Lyror och jordiska smycken
yrde som damm ur handen.
Korgarna brusto i stycken.
Över den knäckta randen
forsade aska och mull.
Raka som stenar på grifter
skuggorna välte dem kull.
Falnande bilder och skrifter
än mellan fingrarna glödde,
när de askan förströdde.
Öppna himlarna bävade.
Fallande haglet slog
klyftornas frusna floder.
Askans virvlar jag drog
kring mina bröst och svävade
hän till min Gud, min moder.
Läpparna glömt hennes namn,
men med mitt huvud begravet
bärnagott i en famn,
släcktes på kinderna färgen
Jag blev stormen på havet.
Jag blev stjärnan på bergen.

LEKSYSTRARNA SJUNGA
(ängsligt stödjande hennes rygg)

Sval och stilla är kvällen.
Lamporna glimma i tjällen.
Hjordarna samlas fredligt
lösta från ok och rem.
Varma lantmän, som redligt
fyllt sina sysslor, vända
sorglöst mot längtade hem.

att störta Zeus och krossa hans förtryck.
Då står jag på den gletschervita marken
å Elbrus' topp bland spillrorna av arken,
dem rycker jag ur jökel-isen loss
och samlar dem till ett gigantiskt bloss
och ilar så för fjällets trappa neder
med hjälpens fackla och förstörelsens,
med vredens eld, förtryckare, till eder,
till de förtryckte med bönhörelsens.

Ahasverus.

Så trösta dig med det i seklers lopp,
om någon hugnad är därur att hämta.
Men hör! Det finns för oss ett annat hopp:
du ser, hur himlens många lampor flämta,
och om jag världens gåta rätt förstått,
har deras olja sitt bestämda mått.
Ja, deras vekar skola slockna alla —
och vet! när denna sol har brunnit ut,
skall själviskhetens makt på jorden falla,
då äro dina kval och mina slut.

(Ahasverus fattar staven och går. Han ser sig omkring, och då
han varsnar Messias' gloria framskimrande genom mörkret, påskyn-
dar han sina steg upp för klipporna.)

Messias.

(Går fram till Prometeus och lutar sig över honom.)

Prometeus.

Du sköna syn, jag känner dig igen.
Du sänker tyst ditt ädla huvud ner,
och in i djupet av min själ du ser
med blicken av en överjordisk vän.
Är du en gud? Är du en dödlig man?
När helst den arme slav, som nyss försvann,
kom hit med sorgebud, hur världen går,
kom du som morgonen i nattens spår.
Jag ser som förr, hur dina ögon bedja

och viska milt, att när min kärlek först
befriats från mitt hat, min hämndetörst,
kan du befria mig ifrån min kedja.
Men nej, ur kärlek går det hat jag hyser,
och skuggan finns, så länge ljuset lyser.
Må då jag ha mitt hat och mina band
och i eoner mina plågors brand!
Jag är nu den jag är och ej en annan;
men på mitt huvud lägg ändå din hand!
Det känns så svalt, så kylande på pannan
och i min själ så varmt och underbart. —
Det dagas i den mörka dalen nu,
och kanske dagas det i världen snart.
Farväl! Välsignad du!

Messias.
Och även du!

(Messias försvinner i morgongryningen. Gamen vaknar, flyger ur
klyftan, slår ned på titanen och borrar sina klor i hans bröst.)

Äril eldstad, *Adonaj* ett annat judiskt namn på Javhve (Herren),
vrok vräkte, *Sanhedrin* Stora rådet, *slöjd* hantverk, yrke, *caliga*
romersk soldatsko, *epikureiska* epikuré: eg. anhängare av filosofen
Epikuros, äv. njutningsmänniska, *falern* falernervin, *talar* fotsid
ämbetsdräkt, *änne* panna, *empyré* himmel, *pelikanen* uppföder enligt
folktron sina ungar med blod från sitt eget bröst, *glavar* svärd,
Anadyomene Afrodite, skönhetsgudinnan, *Hebe* den eviga ungdo-
mens gudinna, *heros* hjälte, *kabirisk släkt* maskinerna; kabirerna
var tjänare åt smideskonstens gud, *akropal* stadsborg, *myosot* förgät-
migej (lat. Myosotis), *Panteon* en av de märkligaste byggnaderna
i det antika Rom, *gepider* germansk folkstam, *piscina* fiskdamm,
slöjdens spindel industrin, *propylé* portalbyggnad till ett tempelom-
råde, *Gautama* stiftaren av buddismen; han avstod från Nirvana
för att först lära människor frälsningens väg, *Owen* engelsk sam-
hällsreformator och arbetarvän, *S:t Simon* fransman, som förkun-
nade ett slags kristen socialism, *eoner* evigheter

Barndomspoesien

Har du från vår barndom dagen i ditt minne,
då vi lärde litet fågellåt förstå?
Vinter var det ute; varmt och trevligt inne,
där vi vid vårt fönster hörde båda två,
hur en kråkfamilj, som satt på grannens tak,
högljutt lade råd om någon viktig sak.
Obegripet krax
tydde åt oss strax
Anna, där hon satt och skötte nål och sax.
Kråketöser små,
sade hon oss då,
tala till sin moder så:

Ack, vi frysa, mor,
värre än du tror.
Flyg med oss till ön, där sunnanvinden bor!
Där vi köpa skor,
nätta franska skor,
för att skydda våra stackars klor.
Där vi värma opp
frusen liten kropp
med att plocka korn ur nejlikblommans knopp,
runda pepparkorn,
trinda pepparkorn,
katten blåser där i silverhorn.

*

Anna, kunna vi, som inga vingar äga,
även komma dit, till sunnanvindens ö? —
"Ja, det lyckas nog, som gamla visor säga,
om man hittat fram till svanegossens sjö;
där vid blommig strand man ser en liten båt,
prydd med gyllne rand och flagg och annan ståt.
Dragen av en svan

över böljans ban
mellan vattenliljor far han hela dan
på den blåa sjön
till den gröna ön —
silverhornets klang är gäll och skön."

Ja, men säg oss nu, kan någon visa vägen,
om vi gå och söka svanegossens sjö? —
"Djupt i skogen vid ett vägskäl, enligt sägen,
står en visarstolpe, grå av år och tö.
Finner du ej den, så fråga fåglar små,
siskan och steglitsen, som i lunden slå,
svalesyskon fem,
om du möter dem,
eller vandringsmannen från Jerusalem,
eller månens ny,
eller silversky,
eller tomtefar i nästa by."

*

Så i vinterdygnen språksam vid vår sida
barndomsdikten satt vid björkvedsflammans sken,
och när våren kom, och västanfläktar blida
lekte i vid fönstret knoppande syren,
kom med dem en skara sommarsagor ock,
kom och kvad i kapp med vingad sångarflock,
som till Norden snällt
återfärden ställt
och på nytt från lund och äng och åkerfält
och i skogens sal
hän ur skugga sval
livade med sånger berg och dal.

Var en väg bar hän i fjärran, förde leden
vandringsmannen bort till någon sagoängd,
enslig kvarn vid forsen, mossigt bo på heden,
sjö och strand förtalde äventyr i mängd,

Gammalt porslin

En kung i Sachsen samlade porslin,
  men samlingsvurmen blev en riktig sjuka.
  Han bytte bort till kungen i Berlin
  sitt garde — tänk — mot en kinesisk kruka!

Femhundra man med sabel och karbin,
  som preussarn visste att förträffligt bruka,
  i exercisen smidiga och mjuka,
  i krig en mur, tänk, mot — en blå terrin!

Femhundra man med hårpung och med puder!
  Slikt dårhusdåd allt vanvett överbjuder
  från världens början — ja, så tycker ni.

Se'n bytet gjordes, har ett sekel svunnit:
  femhundra tappra hjärtan brista hunnit,
  den gamla krukan — hon står ännu bi.

Svarta svanor

Svarta svanor, svarta svanor
glida som i sorgetåg,
leta sjunkna solars skimmer
i den nattligt dunkla våg.

Mörk, liksom i eld förkolnad,
är den rika fjäderskrud,
näbben, stum i blodig purpur,
ännu bär om branden bud.

Vita svanor tamt i vassen
kryssa efter gunst och bröd.
Ut på djupet, svarta svanor
ut, I barn av natt och glöd.

I porslinsfabriken

Jag på fabriken haft min ögonfröjd
att se porslinsarbetarn strävsamt böjd
att svarva utan rast det mjuka ler,
tills än en kanna, än ett fat sig ter.

Mig är du mer än drivet silver dyr,
du kanna, skapt för konstlös vit glasyr;
mer än en vas för furstetaffel gjord
min aktning har du, fat för ringa bord.

Jag vördar eder, enkla bohagsting,
som inom kort i tusental gå kring
till hantverksmannens och till bondens bo,
där mödan har sin knappa måltidsro.

På gagnlöst glitter har jag sett mig mätt,
dess vackra tomhet umbär folket lätt;
men hell den hand, som skapar tyst för dem,
de arbetströtte i de låga hem!

Ja, hell och åter hell var okänd hand,
som skänkte form åt skålen, till vars rand
går varm och brådskande en törstig mund,
då nötta verktyg vila för en stund!

Ack, denna hand, vars verk vi gå förbi,
långt mera oumbärlig är än vi,
som blåsa bubblor blott av granna ord
till lek vid övermättad bildnings bord.

O, den som kunde skänka dikten så
den enkla form, som tusenden förstå,
den form, som frambär kraftigt vardagsbröd
till tjänst för hunger, ej för överflöd!

Hustrur med fallen slända
sitta på tröskelträt
sjungande sånger och bleka.
Pilten som slumrat på knät,
yrväckt och lysten att leka,
kramar vid fadrens kyss
frukten han plockade nyss
djupt i örtagårdsgångar,
där bland myrten, som ångar,
sommaräpplena hängde
klara och purpursprängde.

Tiggande kommer på vägen
ödmjuk och skygg och förlägen
lutad en Bacchuspräst.
Arme helleniske gäst!
Dammig är skjortan och hatten,
vitt hans hängande hår.
Bröd han tigger för natten.
Än han vid hundrade år
brådskande haltar och går
undan och undan sin bår.

DEN VANDRANDE BACCHUSPRÄSTEN
(medan han tiggande räcker förklädet genom dörren)

Leva! Famnande rika,
varma, välsignade ord!
Än medan smärtorna skrika,
sjunger för örat du lika,
sjungs av de svenner, som spika
kistan, där hjärtat blir jord.
Jairi dotter, stig ut!
Förr när systrarna trätte
trumpet i dörren och mätte
sparsamt bröd i min klut,

grep du ur väderbitna
tiggarehänder den slitna
staven med pinjenötter.
Än skall din pipas drill
locka till dans mina fötter
första afton du vill.

JAIRI DOTTER

Stöd mig ej, låt mig falla.
Paradiset jag såg.
Ensamt jag bland er alla
vet, hur ljuvligt det låg.
Salighet, salighet brann
skönt som en krans på mitt änne,
blev den krona jag vann.
Den, som har burit henne
men ej bär henne mer,
låter sitt sår förrinna,
gitter ej sitta och spinna,
arbetssystrar, bland er.

Känn hur mitt huvudkläde
än från de lyckligas fält
örternas lukt försprider
liksom vid midsommartider
ännu i herdens tält
skördeflickornas kläder
dofta av mejade grönskan.
Sällaste bädd för min önskan
reddes på bårens bräde.
Systrar, en bön till eder!
Kvällens tryckande vind
sveder min tinning och kind.
Skynden att portarna låsa!
Trängtan jag alltid förnam

att få undrande blåsa
livets grumlande damm
från min bägares vatten,
smaka en klarare drick,
stiga närmare natten
och i din öken, som fick
tröskel i Akerons floder,
somna med pannan i knät,
blinda, tigande moder,
gåtfulla evighet!

Jairi dotter: enligt Matteusevangeliet uppväckte Jesus henne från
de döda, *Herkules' stoder* två på var sin sida om Gibraltar sund
belägna klippor, *Akeron* här: underjorden

Sverige

Sverige, Sverige, Sverige, fosterland,
vår längtans bygd, vårt hem på jorden!
Nu spela skällorna, där härar lysts av brand,
och dåd blev saga, men med hand vid hand
svär än ditt folk som förr de gamla trohetsorden.

Fall, julesnö, och susa, djupa mo!
Brinn, österstjärna genom junikvällen!
Sverige, moder! Bliv vår strid vår ro,
du land, där våra barn en gång få bo
och våra fäder sova under kyrkohällen.

Åkallan och löfte

Och ropade trenne grannfolk: Glöm
den storhet du bäddat i jorden!
Jag svarade: Res dig, vår storhetsdröm

om herraväldet i Norden!
Den storhetsdrömmen lyster oss än
att leka i nya bedrifter.
Låt upp våra gravar, nej, giv oss män
i forskning, i färger och skrifter!

Ja, giv oss ett folk på ett bråddjups rand,
där en dåre sin nacke kan bryta.
Mitt folk, det finns annat att bära i hand
än en bräddfull egyptisk gryta.
Det är bättre, den grytan rämnar itu,
än att levande hjärtat förrostar;
och intet folk får bli mer än du,
det är målet, vad helst det kostar.

Det är bättre av en hämnare nås
än till intet se åren förrinna,
det är bättre att hela vårt folk förgås
och gårdar och städer brinna.
Det är stoltare våga sitt tärningskast,
än tyna med slocknande låge.
Det är skönare lyss till en sträng, som brast,
än att aldrig spänna en båge.

Jag vaknar om natten, men kring mig är fred.
Blott vattnen storma och sjuda.
Jag kunde i längtan kasta mig ned
som en bedjande stridsman av Juda.
Ej vill jag tigga om soliga år,
om skördar av guld utan ände.
Barmhärtiga öde, tänd blixten, som slår
ett folk med år av elände!

Ja, driv oss samman med gisselslag,
och blåaste vår skall knoppas.
Du ler, mitt folk, men med stela drag,
och sjunger, men utan att hoppas.
Du dansar hellre i sidenvåd

än tyder din egen gåta.
Mitt folk, du skall vakna till ynglingadåd
den natt du på nytt kan gråta.

Må främst du stiga, du dotter av nöd,
som skygg ditt öga vill täcka.
Så älska vi dig, att vore du död,
vår kärlek skulle dig väcka.
Om natten blir sömnlös, om lägret blir hårt
vi svika dig ej på den färden,
du folk, du land, du språk, som blev vårt,
du vår andes stämma i världen.

Egyptisk gryta symbol för materiellt välstånd

Vid vägens slut

Vis, o människa, det blir du först,
när du hinner till de aftonsvala
höjders topp, där jorden överskådas.
Konung, vänd dig om vid vägens slut,
vila där en stund och se tillbaka!
Allt förklaras där och allt försonas,
och din ungdoms riken hägra åter,
strödda än med ljus och morgondagg.

Vårens tid

Nu är det synd om de döda,
som ej få sitta i vårens tid
och värma sig i solen
på ljus och ljuvlig blomsterlid.
Men kanske viskade de döda
då ord till vivan och violen,
som ingen levande förstår.

De döda veta mer än andra.
Och kanske skulle de, när solen går,
då med en glädje, djupare än vår
bland kvällens skuggor ännu vandra
i tankar på den hemlighet,
som bara graven vet.

Om tusen år

En dallring i en fjärran rymd, ett minne
av gården, som sken fram bland höga träd.
Vad hette jag? Vem var jag? Varför grät jag?
Förgätit har jag allt, och som en stormsång
allt brusar bort bland världarna, som rulla.

Vi människor

Vi, som mötas några korta stunder,
barn av samma jord och samma under,
på vår levnads stormomflutna näs!
Skulle kärlekslöst vi gå och kalla?
Samma ensamhet oss väntar alla,
samma sorgsna sus på gravens gräs.

Månljuset

Jag vet ej, varför jag vaken sitter,
fast dagen ingen glädje skänkt,
men allt i mitt liv, som likt solar blänkt,
och allt som i mörker och kval blev sänkt,
det darrar i natt i en flod av glitter.

Undret

Under över alla under,
höga, outgrundligt stora!
Ulvens klyfta blev ej ditt hem,
ej det mörka havets djup.
Född blev du att vandra
i den gyllene människoleken.
Broder, syster, du som än
går din färd på jordens stjärna,
kort är livets väg och kvällen snar,
blid och glatt förnöjsam ändå var.
Strid på stridens dag och lek på vilans!
Sök försynt din ro bland goda hjärtan,
yr i våren, vis i åldern,
och när vitt ditt huvud sjunker,
prisa undret, att du föddes
människogestaltad, gudalik,
undret över alla under!

Paradisets timma

När människorna sova
vid sommarnattens sken
och tusen röster lova
sin fröjd från gren till gren,
då purpras lingonriset
av stilla skyars gull;
då hägrar paradiset
än över jordens mull.

Du äng, låt kalkar glimma
kring älvans lätta häl!
Du paradisets timma,
din dagg gjut i vår själ!

Än jublar fågelsången
kring gryningsljusa sund
så klar som första gången
i tidens första stund.

Himladrottningens bild i Heda

"Åtta hundra julenätter
såg jag tända sina ljus.
Barn, hör vad jag täljer!
Konungar kysste min fot.
Glömd sitter jag. Damm höljer mig.
Bed mig ej om vad du har kärt,
ej om guld och ej om namn.
Gå, förnekare!
Blott hos den, som tror, ske under."

När jag hörde från bildens röda
läppar av trä så tunga ord,
flög på muren ett sken och jag bad:

"Skänk mig hellre det gyllne hjärta,
skänk en droppe av den goda,
kärleksrika ödmjukhet,
som, förgätet och utan namn,
sirat och satt dig med dok och krona
hög och sträng på drottningstolen.
Lär mig vörda så och besjunga
hela den stora, ljusa värld,
som står fylld av vingars surr,
ängar och berg och underbara,
ädelt visa människoverk.
Den har tro, för vilken mycket är heligt."

OSCAR LEVERTIN
(1862—1906)

En gammal nyårsvisa

Staffan, Staffan stalledräng
vattnar sina hästar fem,
klar är nyårsnatten.
Jesus ställt dem i hans vård,
låtit kvälla på hans gård
brunn med livsens vatten.

Just då klockorna slå tolv
träda de från stallets golv
ut i gårdens driva.
Himmelen är hög och blå,
klart bland alla stjärnor små
lyser månens skiva.

Där går älskogs unga hingst,
ljus och grann som sol i pingst,
prydd med bröllopstömmar.
Betslet är en blomsterrad,
sadeln vävd av rosenblad,
silverskir till sömmar.

Lustigt gnäggar lyckans sto,
guldsmidd sele, guldsmidd sko,
van vid vilda ritter.
Längtar ut mot drömda land,
röda aftonhimlars brand,
gyllne solars glitter.

Långsamt haltar fram därnäst
nödens gula, blacka häst.
Matta släpa stegen.

Ögat glåmigt utav svält
letar hackelse och spält
på den frusna vägen.

Men vid pilens nakna stam
som en svart och spöklik ham
sorgens fåle dröjer.
Blicken stel mot rymden går,
huvut med dess dunkla hår
han mot marken böjer.

Sist med man och mule grå
som den sista dagen på
ålderdomens himmel,
hovens slag mot sten och stock
dovt som mull mot kistelock
dödens isgrå skimmel.

Staffan, Staffan stalledräng
vattnar sina hästar fem.
Ljuvt är livsens vatten.
Festlikt blänka himmelns bloss.
Jesus huldrik hjälpe oss
uti nyårsnatten.

På judiska kyrkogården i Prag

Lägg icke blommor, band och fransar
på vården över deras ben,
ej livet gav dem gröna kransar
men sten. På vårdarne lägg sten!

Så gjorde fädren, de som jagats
från land till land i spe och skam
och genom sekel som ej dagats
sett ghettots jämmer slå sin stam.

Där den förtröttade fått somna
från hemlös vandrings tistelstråt,
och ängslat hjärta äntligt domna
från andras hån och egen gråt,

där ej med sommarns löften gäcken
den döda ro, som vunnits ren.
Ej blommor lägg som kärlekstecken
på vårdarne, ej grönt. Lägg sten!

Åter

Alltså den smärtan kunde domna
trots allt sitt vilda sus och larm,
också den sorgen kunde somna,
som en gång helt fyllt upp min barm.
Den sista dyningen förrunnit,
en nattens suck i årens sand,
av våg, som brusat och försvunnit,
blott snäckskal ligga kvar på strand.

Men åter lika ljust och blått
som förr en vår är havets vatten,
jag åter hoppas, åter sått,
jag vet det gror i juninatten.
Du hårda liv, du rika liv,
hur dina träd av frukter digna.
Jag räknar ej; tag eller giv!
Jag lika fullt vill dig välsigna.

Folket i Nifelhem

Sällsamt folk bor i Nifelhem,
mjältsjuka männer och kvinnor,

tjäna längtan som tärer dem
troget som präst- och prästinnor.
Alla samma slags sådd de så,
alla de saknad skörda,
och som ej vägen var tung nog att gå,
lägga de sten på börda.
Året runt ha de vinter och köld,
snö att vulkaner kyla,
men med frostens och isens sköld
ändock de sinnet skyla.
Skymningen är deras rätta tid,
hågkomst- och avskedstimman,
då deras dröm susar vemodsblid.
Först med den bleknande strimman
dag och sol, som sjunka och gå,
bliva dem riktigt kära.
Nyckfulla lyckan de aldrig förstå
då hennes fackla är nära.
Livets mening läsa de bäst
i den falnande askan.
Glädjen krusas som motvillig gäst,
mutas med guldet i flaskan.
Sinnets fröjd är en drivhusväxt,
vissnar som blomma i kruka.
Blodets språk blir en bibeltext,
lust kallas synd eller sjuka.
Kärlek är ej befrielsens sång,
men ett svårmod gemensamt.
Stolta och blyga på samma gång
bära det bästa de ensamt.
Alla de drömt om en högsta lott,
men sig dock nöja med niter.
Även på samma örongott
hjärtana bli eremiter.
Gömma bak lås sina kostbara ting,
nycklarna själva tappa —
fattiga gå med en kungaring
dold under vardagens kappa,

sitta vid samma bord och se
ljusen långsamt förbrinna,
ständigt mer främmat och fruset le,
aldrig försoningen hinna!
Mognad visdom och strävsamt liv
vira ej krans kring håren,
vassare blott som en slipad kniv
viljan varder med åren.
Hårdare ord och hårdare drag,
strängare självplågarrisen,
men med vilda och brusande slag
känslan än slår under isen.
Kärva och mörka i åldern de stå,
stormslitna furornas likar,
brottas och blöda än gamla och grå
tills deras kistor man spikar.
Så de myllas i frostkall jord.
Tungt döljer snötäcket spåren.
Alla osagda kärleksord
gräset först viskar i våren,
när i suset kring tysta hem
äntligt blir sång deras trängtan —
sången om folket i Nifelhem
med sin begravda längtan.

Nifelhem är i Snorres Edda urköldens värld

Drömmen om mullen och vindarne

Höjen mot himlen mig, vindar!
Tungt jag drömmer, men ej mäktar
lyfta bundna ögonlocken.
Salomo från värld, som jäktar,
sträckts i mulln i svepningsrocken.
Mull jag skapats av, och mullen
vill till masken och till jorden.

Levande i griftekullen
tycks mig jag är gravlagd vorden.
Höjen mot himlen mig, vindar!

Lyften ur dunklet mitt huvud!
Handen domnade, som öste
i de bottenlösa sållen.
Banden sig från livet löste.
Marken vek från mantelfållen.
Alla anleten, mitt hjärta
älskat, doldes djupt i dimman.
Allt det brokiga och bjärta
slocknade i skiljotimman.
Lyften ur dunklet mitt huvud!

Bär till ditt land mig, östan!
Solens, morgonens, min egen
bygd, ur vilkens gula töcken
släktet stigit med sin sägen,
ljuv av Eden, het av öken.
Där i dunkla blickar brinna
skaparkvalet, skaparglöden,
och med nattens visdom rinna
djupa brunnars mörka flöden.
Bär till ditt land mig, östan!

Bär till ditt land mig, västan!
Längtans med det gröna suset
och sin synrand ständigt skiftad,
men med hamn i slutna huset,
hemmets frid vid härden stiftad.
Högt om segerfanor tala
stämmors ord och viljors vimmel,
och av framtid stråla svala
blåa ögon, hav och himmel.
Bär till ditt land mig, västan!

Visen mig än en gång världen!
Än en gång vill hjärtat höra
sångers sång och sagors saga
och farväl med syn och öra
tacksamt av all världen taga:
blomman, frukten, kvinnokroppen
och de stora, stilla träden,
speglingen i vattendroppen,
axets tyngd i mogna säden.
Visen mig än en gång världen!

Låten mig än en gång leva!
ändlöst genom ljuset följa
havets gator, markens vägar,
vara sältans skum på bölja,
frö, som gror i tysta tegar,
blomma liksom sommarängen,
stå i glöd för livets gnista,
som den alltför spända strängen
sist i avskedskyssen brista.
Låten mig än en gång leva!

Bädden sen Salomo åter
ner i djupa griftekullen.
Över drifter, drömmar, minnen
strön den tunga svarta mullen.
Sova skola trötta sinnen.
Jord på händerna, som vridit
sig i lust och kval, men frid ej funnit.
Jord på ögonen, som svidit.
Jord på hjärtat, som förbrunnit.
Höljen i jorden mig, vindar.

GUSTAF FRÖDING
(1860—1911)

Vallarelåt

Hör du ej bjällrorna, hör du, hur sången
vallar och går och går vilse i vall?
Korna de råma och påskynda gången,
följa i lunk efter jäntans trall.

Hör, hur det ljuder kring myr och mo:
Lilja — mi Lilja — mi Lilja — mi ko!
Eko vaknar i bergigt bo,
svarar ur hällarne
långt norr i fjällarne:
Lilja — mi Lilja — mi ko!

Bjällklangen dallrar och faller och stiger,
suset är stilla och vilar i ro,
skogen är kvälltung och sömnig och tiger.
Endast den vallande
låten går kallande
fram genom nejden kring myr och mo.

Natten är nära och solskenet rymmer,
ser du på tjärnet, hur töcknet står!
Skuggan förlänges, förtätas och skymmer,
snart över skogarne mörkret rår.

Mörk sover tallen, mörk sover granen,
dovare sorlar en bergbäcks fall.
Fjärmare klingar den höga sopranen,
vallar och går och går vilse i vall.

Våran prost

Våran prost
är rund som en ost
och lärd som själva den onde,
men gemen likväl
och en vänlig själ
och skäms ej, att far hans var bonde.
Han lever som vi
och dricker sitt kaffe med halva i
som vi
och ratar icke buteljen,
älskar mat
som vi
och är lat
som vi
— men annat är det vid helgen.

Så fort han fått prästrocken på,
vi andra känna oss ynkligt små,
men prosten likasom växer,
för då är han prost från topp till tå
och det en hejdundrande prost ändå
i stort pastorat med annexer.
Jag glömmer väl aldrig i all min dar,
hur vördig han var
här om sistens i kappan och kragen,
hur världens barn
han malde i kvarn
och läste för köttet lagen!
Och prosten grät
— tacka för det,
han talte om yttersta dagen!

Och alla gräto vi ymnigt med,
ty köttet sved
och själen var allt satt i klämma.

Och kyrkrådet smög sig med ryggen i kut
vid tjänstens slut
efter prosten ut,
ty rådet var kallat till stämma.
Men det förstås,
vi repade oss,
när prosten klarade strupen
till sist och sade: "välkomna
till smörgåsbordet och supen!"

Jan Ersa och Per Persa

Jan Ersa ägde Nackabyn,
Per Persa ägde Backabyn
i By i Västra Ed.
Jan Ersa,
Per Persa,
de höllo aldrig fred.

Var havren god i Nackabyn,
så slog den fel i Backabyn.
Då blev Per Persa vred,
då svor i mjugg Per Persa,
då gren och flen Jan Ersa,
så mun gick halvt ur led.

Var klövern grann i Backabyn,
så var den klen i Nackabyn,
där växte blomst och bär.
Då gren och flen Per Persa,
då hyttade Jan Ersa
med näven bortåt Per.

Gick det på tok i Nackabyn,
var det kalas i Backabyn
och glädjen stod i tak.

Var mörk i håg Per Persa,
som solen sken Jan Ersa
och gjorde brygd och bak.

De trätte och processade.
Om friden prosten mässade
— det var som vått på gäss.
Ty vann en gång Jan Ersa,
så började Per Persa
en splitter ny process.

Ju mera de bedagades,
dess mer det stämdes, klagades
och tappades och vanns.
Var domen för Per Persa,
så vädjade Jan Ersa
till närmaste instans.

Så stredo de, så trätte de,
så levde de, så mätte de
varandra skäppan full.
Processen bröt Jan Ersa
och brännvinet Per Persa,
för bägge gick det kull.

Och ingen av dem mjuknade,
när de på slutet sjuknade
och stoppades i jord.
"Ve' nästa ting, Jan Ersa!",
"vi möts, vi möts, Per Persa!",
var deras sista ord.

Men "trilsk som Jan i Nackabyn"
och "ilsk som Per i Backabyn"
är stäv i Västra Ed.
Jan Ersa,
Per Persa,
de höllo aldrig fred.

En ghasel

Jag står och ser på världen genom gallret;
jag kan, jag vill ej slita mig från gallret,
det är så skönt att se, hur livet sjuder
och kastar höga böljor upp mot gallret,
så smärtsamt glatt och lockande det ljuder,
när skratt och sånger komma genom gallret.

Det skiftar ljust av asp och al och björk,
där ovanför står branten furumörk,
den friska doften tränger genom gallret.
Och över viken vilket präktigt sken,
i varje droppe är en ädelsten,
se, hur det skimrar härligt genom gallret!

Det vimlar båtar där och ångare
med hornmusik och muntra sångare
och glada människor i tusental,
som draga ut till fest i berg och dal;
jag vill, jag vill, jag skall, jag måste ut
och dricka liv, om blott för en minut,
jag vill ej långsamt kvävas bakom gallret!

Förgäves skall jag böja, skall jag rista
det gamla obevekligt hårda gallret
— det vill ej tänja sig, det vill ej brista,
ty i mig själv är smitt och nitat gallret,
och först när själv jag krossas, krossas gallret.

Ghasel arabisk-persisk diktform, som bl. a. kännetecknas av att ett
rimord ofta upprepas

Ur Anabasis

— När så barbarerna fördrivits eller dödats,
lät Xenofon hellenerna slå läger

och taga fram av de förråd, som ännu ej förödats,
och bjuda in till gästabud hellenernas strateger.
Och runt omkring han lät soldaterna
få samla sig i jämna lag om sina matransoner
allt efter städerna och staterna,
arkader hos arkader och lakoner hos lakoner.

Och Xenofon, som jämt gav akt, när något samtal fördes,
att få besked om tankarne hos männen,
förvånades och i sitt hjärta rördes
av tal, som gick från man till man, från vännen och till
            vännen
med tänkespråk från filosoferna
och trösterika stycken från Homeros
i växling med de glättigt sjungna stroferna
till Foibos och Athena och till Eros.

Och segervinnare i knytnävskamp bedömdes och berömdes,
Euripides med Sofokles han hörde sammanställas,
och allt som glädjen steg och krus och skålar tömdes,
blev männens sinne mer och mer liksom försatt till Hellas.
De togo ris och löv och skönt bekransade
de gjorde lek och dans i trädens svalka,
och ganska väl och vackert dansade
stymfaliern Sofainetos citalka.

Men Xenofon, som kom ihåg den hårda vedermöda
hellenerna fått genomgå och ännu måste bida,
och hungersnöd och frost och efterblivna döda,
var stolt och glad att se hellener kunna lida
och ändå kunna glädja sig och höja sig
till mera ädla ting än sorgen över nöden
och icke som barbarer böja sig
i skräck och vanvett under hårda öden. —

Anabasis den grekiske författaren Xenofons skildring av hellenernas
återtåg efter en krigisk expedition in i Persien, *stymfalier* från
staden Stymfalos, *citalka* segersång med dans

En fattig munk från Skara

Mitt liv är i nedan och klent nu mitt verk,
jag fattige olärde bortrymde klerk,
en bortlupen broder bara,
fördömd av kapitlet i Skara.

Nu är jag en gammal och böjder man,
åt den onde given av kyrkans bann
för dråp och trilska och kätteri
och av kungen förklarad för fågelfri.

Alltsedan Lasse Kanik jag slog,
de hava mig jagat som ulven i skog.
Det enda de funno till rätta,
det var min munkehätta.

Jag var väl en dårlig och genstörtig munk,
jag tog väl törhända för mången en klunk
i lönn ur herr Abbatis tunna
och syndade svårt med en nunna.
Jag hade armar och ben av järn,
med löskemän slogs jag i var tavern,
med konor och gigare drog jag
och Lasse Canonicus slog jag.
Och ånger och plåga kom ut därav,
jag levde i främmande land av drav,
det självaste svinen rata,
som det är sagt i Vulgata.

Dock var jag ej än i den ondes klor,
ty mycket gott i människan bor.
Jag var på en stormig och villsam stråt,
som när Väneren kastar en fiskares båt
och äntligen honom till stranden bär,
fast sargad och slagen av klippor och skär
och det som brister och felas
kan ännu lagas och helas.

Då satte de mig i en nattmörk bur,
sen drevo de mig, som när vilda djur
sig trängta att bytet slita
och riva och gnaga och bita.
De lärde mig dödssynd och dolskhet och hat
och bitterhet blev mig till dryck och mat.
Jag kände mig död och dömd och såld,
en förtappad i satans våld,
mitt hem var byggt i Gehenna,
jag ville mörda och bränna.
Men suset i skogen och forsens röst
och morgonens sken, som går upp i öst,
och regn, som i hösten gråter,
de gåvo mig kärleken åter.

Och daggen och bäcken och fågelens sång
och ängarnes blommor och älgens gång
och ekorrens glädje i granens topp,
de gåvo mig åter levnadens hopp
och gåvo mig åter min ära
och lärde mig ny en lära.

Det är icke sant, som jag lärde förr,
att någon är utanför himlens dörr,
ty varje själ därinom går,
och ingen är get och ingen är får.
Den gode han är väl ej så god,
som själv han tror i sitt övermod.
Den onde han är ej så ond ändå,
som själv han tror, när kvalen slå.
Thy skall du ej mycket berömma,
ej mycket häckla och döma.

Och han, som sitter så mäktig i Rom,
han får väl utan mig sin dom
med munkar och höga präster,
som kalla sig doktor och mäster.
Och herren, som sitter så stolt i sin borg,

han får väl att bära, han ock, sin sorg,
och sorgen den träffar väl hertig och kung,
på kejsaren själv faller sorgen tung,
och alla på villvägar vandra,
vi skulle jag banna och klandra?

Och människan vandrar på jorden om
och ingen vet, varifrån hon kom,
och ingen vet, vart leden bär,
och ingen vet, vad livet är.
Men fram genom långliga strider
det dagas väl bättre tider,
då ingen är ond och ingen är god,
men bröder, som kämpa i ondskans flod
och räcka varandra handen
att hjälpa fram till stranden.

Om världen ock min ära tog
och ensam jag sitter i mörkan skog
och aldrig skall bättre tider nå,
så vill jag ej sörja och klaga ändå,
ty fågelen flyger så glad emot sky
och solen går upp var morgon ny
och björken om vårarne knoppas,
vi skulle då jag ej hoppas?

Törhända, när tusende år ha gått
som skyar hän över kojor och slott,
det drager i skogen en ryttare fram
och binder sin häst vid björkens stam
och gläntar på dörren och tittar in
på torftigheten i hålan min.
Och då får han se mitt fattiga pränt,
med vildpenna skrivet på pergament.

Då säger han: "Se, han visste, han,
vad nu är känt av varje man,
men kostat så långan långan strid

på jorden i långan långan tid
— och ändå var han bara
en fattig munk från Skara!"

Broder klosterbroder, *kanik* medlem av domkapitlet, *dårlig* dåraktig,
Abbatis (lat. gen.) abbotens, *tavern* krog, värdshus, *konor* lösaktiga
kvinnor, *gigare* spelemän, *drav* det som blir kvar av malten efter
ölbrygd, *Vulgata* den latinska bibelöversättningen, *gehenna* helvetet,
thy därför

Den gamla goda tiden

Stjärnorna tindrade tysta för hundrade
år tillbaka och skogen sov.
Forsen dånade, hjulen dundrade,
gnistorna sprakade,
marken skakade,
hammaren dunkade tung och dov.

Bälgen blåste och blästern ljungade,
kvävande hetta ur ässjorna slog,
svettiga sotiga smederna slungade
släggan mot stängerna,
nöpo med tängerna,
formade järnet till harv och plog.

"De giva oss slagg för malm
och spark för vårt släp och slit,
de tröska oss ut som halm
och läska oss sen med sprit.

Min käring har svälten knäckt,
min dotter är brukets skarn,
förvaltarn själv är släkt
med stackarens första barn.

Han eldar oss helvetet hett

med rapp och med knytnävsslag,
han får allt ett vitglött spett
i nacken en vacker dag!"

Forsen dånade, hammaren stampade
överdundrande knotets röst,
ingen hörde ett knyst från de trampade,
skinnade, plundrade
ännu i hundrade
år av förtvivlan och brännvinströst.

Säv, säv, susa

Säv, säv, susa,
våg, våg, slå,
I sägen mig var Ingalill
den unga månde gå?

Hon skrek som en vingskjuten and, när hon sjönk i sjön,
det var när sista vår stod grön.

De voro henne gramse vid Östanålid,
det tog hon sig så illa vid.

De voro henne gramse för gods och gull
och för hennes unga kärleks skull.

De stucko en ögonsten med tagg,
de kastade smuts i en liljas dagg.

Så sjungen, sjungen sorgsång,
I sorgsna vågor små,
säv, säv, susa,
våg, våg, slå!

"Skalden Wennerbom"

Genom stadens park går sommarsuset,
skalden Wennerbom från fattighuset
kommer raglande — butelj i hand
— kryssar varligt över gångens sand,
tar en klunk ibland,
ler och mumlar saligt under ruset.

Bin fly kring från trädgårdsmästarns kupa,
kryp och larver störta huvudstupa
ned från träden, allt står högt i blom,
allt är fyllt av doftens rikedom
— skalden Wennerbom
sätter sig i gräset till att supa.

Fåglar tokiga av glädje kvittra,
gräsets hundra syrsor spela cittra.
Wennerbom han lyss med bitter min
— när han klunkar sitt eländes vin,
super som ett svin,
solens strålar mot buteljen glittra.

Brännvinet och han de hålla gille
och han mumlar: "Brännvinet ger snille,
brännvinet ger tröst, när hoppet far,
skål för ungdomen och det som var,
låt oss ta en klar,
om det här får gå, så får jag dille.

Jag var glad i tron och stor i tanken,
tills jag drunknade i denna dranken,
det är slut med mig sen femton år,
hejsan, bror butelj, allt skönt förgår,
låt oss ta en tår,
Wennerbom är full, det ger han fanken!"

Och han somnar in, han går till vila,
parkens medlidsamma kronor sila
litet ljus kring skalden Wennerbom,
milt kastanjen regnar ned sin blom,
flaskan ligger tom,
krypen härs och tvärs däröver kila.

Djup och rik är nu hans gudagåva
och i själen stinga inga dova
ångerns smärtor över last och brott,
till sin ungdoms drömland har han nått,
sover ganska gott,
det är skönt för skalder att få sova.

En syn

Helvetet såg jag öppet ligga,
stämmor hörde jag stöna och tigga
om en droppe vatten,
stämmor hörde jag stöna och stamma
hest i lågor, som vita flamma
mot den eviga natten.

Blickar såg jag kvalfullt irra
efter hopplös tröst och stirra
i förtvivlans kamp.
Anleten såg jag hemska skälva,
bröst jag såg av ångest välva
sig i kramp.

*

Då reste sig en av de pinade,
hans drag voro djävulens drag,
förvridna, förstörda, förtvinade,
med spår av ett stolt behag.

Det flög som ett sken över dragen,
det var liksom åter dagen

lyst in i hans skuggade själ
och bådat ett nyfött väl.
Han sade: "Det är ju vi själva,
som slipa vårt pinostål,
som elden och marterna välva
omkring vårt eget bål,
men låtom oss själva förlåta oss,
så varda vi marterna loss,
och låtom oss alltid sträva
och låtom oss aldrig gräva
i gammal synd och skam,
men blott se fram!"

Och lågorna slocknade sakta
kring djävulens gestalt,
och skönt det var att betrakta,
hur ljust det blev i allt,
hur ärkeängelns pannas valv
blev åter vitt och klart
och hur hans läpp av lycka skalv
och smålog underbart
— det gick genom allt som en salig fläkt,
och helvetet var släckt.

Atlantis

Livssorlet forsar från staden,
tung är den välvande kampens musik.
Högt ur den dova kaskaden
stänker ibland som ett skrik.
— Här är det stilla,
här ligger vattnet
stilla i tigande vik.

Här är det ödsligt och stilla,
här är det långt från det verkligas strand,

drömmarnas svävande villa
väves om vatten och land.
Luta ditt huvud
hit mot min skuldra,
se över relingens rand!

Tingen, som skymta på botten
äro ej klippor och revlar och skär
— ser du de glänsande slotten,
ser du palatserna där?
Sagans Atlantis,
drömmens Atlantis,
världen, som sjönk, det är!

Skinande vita fasader
runt kring en skimrande marmorborg,
heliga stoder i rader,
gårdar och gator och torg!
Nu är det öde,
hän genom staden
vandrar dess minne i sorg.

Guldet fick makt att förtrycka,
rikmännens kast, en förnäm myriad,
stal millionernas lycka,
åt och drack och var glad,
vann sin förfinings
segrar, och nöden
växte med segrarnas rad.

Så efter mäktiga öden
sjönk och förgicks Atlantidernas makt,
folket, som självt gav sig döden,
ligger i gravarna lagt.
Härligt begåvat,
sjunket, förfallet,
sist till sin undergång bragt

Havet har prytt med koraller
dödsdrömmens stad, där de hänsovne bo.
Solljus likt stjärnskimmer faller
matt över gravarnas ro.
Algernas fibrer
grönskande näten
kring kolonnaderna sno.

En gång, ja en gång för oss ock
slocknandets kommande timme är satt.
En gång, ja en gång på oss ock
faller väl slummer och natt,
vagga väl vågor,
lyser väl solens
sken genom vågorna matt.

Staden, som sorlar från stranden,
står på en grund, som är lera och slam.
En gång går hav över landen,
går över städerna fram.
Över oss sorlar,
över oss gungar
folk av en främmande stam.

Atlantis sagoö i Atlanten, som enligt Platon sjönk i havet, därför
att folket på den hade förfallit, *myriad* tiotusental, syftar här på de
rika i samhället

Strövtåg i hembygden

I

Det är skimmer i molnen och glitter i sjön,
det är ljus över stränder och näs
och omkring står den härliga skogen grön
bakom ängarnas gungande gräs.

Och med sommar och skönhet och skogsvindsackord
står min hembygd och hälsar mig glad,
var mig hälsad! — Men var är min faders gård,
det är tomt bakom lönnarnas rad.

Det är tomt, det är bränt, det är härjat och kalt,
där den låg, ligger berghällen bar,
men däröver går minnet med vinden svalt,
och det minnet är allt som är kvar.

Och det är som jag såge en gavel stå vit
och ett fönster stå öppet däri,
som piano det ljöd och en munter bit
av en visa med käck melodi.

Och det är som det vore min faders röst,
när han ännu var lycklig och ung,
innan sången blev tyst i hans dödssjuka bröst
och hans levnad blev sorgsen och tung.

Det är tomt, det är bränt, jag vill lägga mig ned
invid sjön för att höra hans tal
om det gamla, som gått, medan tiden led,
om det gamla i Alsterns dal.

Och sitt sorgsna och sorlande svar han slår,
men så svagt som det blott vore drömt:
"Det är kastat för vind sedan tjugo år,
det är dött och begravet och glömt.

Där du kära gestalter och syner minns,
där står tomheten öde och kal,
och min eviga vaggsång är allt som finns
av det gamla i Alsterns dal."

II
Och här är dungen, där göken gol,
små töser sprungo här

med bara fötter och trasig kjol
att plocka dungens bär,
och här var det skugga och här var sol
och här var det gott om nattviol,
den dungen är mig kär,
min barndom susar där.

III

Här är stigen trängre, här är vildskog,
här går sagans vallgång vild och lös,
här är stenen kastad av ett bergtroll
mot en kristmunk långt i hedenhös.

Här är Vargens gård av ris och stenrös,
här ljöd Vargens tjutröst gäll och dolsk,
här satt Ulva lilla, Vargens dotter,
ludenbarmad, vanvettsögd och trolsk.

Här går vägen fram till Lyckolandet,
den är lång och trång och stängd av snår,
ingen knipslug mästerkatt i stövlor
finns att visa oss, hur vägen går.

IV

Kung Liljekonvalje av dungen,
kung Liljekonvalje är vit som snö,
nu sörjer unga kungen
prinsessan Liljekonvaljemö.

Kung Liljekonvalje han sänker
sitt sorgsna huvud så tungt och vekt,
och silverhjälmen blänker
i sommarskymningen blekt.

Kring bårens spindelvävar
från rökelsekaren med blomsterstoft
en virak sakta svävar,
all skogen är full av doft.

Från björkens gungande krona,
från vindens vaggande gröna hus
små sorgevisor tona,
all skogen är uppfylld av sus.

Det susar ett bud genom dälden
om kungssorg bland viskande blad,
i skogens vida välden
från liljekonvaljernas huvudstad.

Ett gammalt bergtroll

Det lider allt emot kvälls nu,
och det är allt mörk svart natt snart,
jag skulle allt dra till fjälls nu,
men här i daln är det allt bra rart.

På fjällets vidd där all storm snor
är det så ödsligt och tomt och kallt,
det är så trevsamt där folk bor,
och i en dal är så skönt grönt allt.

Och tänk den fagra prinsessan,
som gick förbi här i jåns
och hade lengult om hjässan,
hon vore allt mat för måns.

Det andra småbyket viker
och pekar finger från långt tryggt håll,
det flyr ur vägen och skriker:
tvi vale för stort styggt troll!

Men hon var vänögd och mildögd
och såg milt på mig, gamle klumpkloss,
fast jag är ondögd och vildögd
och allt vänt flyktar bort från oss.

Jag ville klapp'na och kyss'na,
fast jag har allt en för ful trut,
jag ville vagg'na och vyss'na
och säga: tu lu, lilla sötsnut!

Och i en säck vill jag stopp'na
och ta'na med hem till julmat,
och sen så äter jag opp'na,
fint lagad på guldfat.

Men hum, hum, jag är allt bra dum,
vem skulle sen titta milt och gott,
en tocken dumjöns jag är, hum, hum,
ett tocke dumt huvud jag fått.

Det kristenbarnet får vara,
för vi troll, vi är troll, vi,
och äta opp'na, den rara,
kan en väl knappt låta bli.

Men nog så vill en väl gråta,
när en är ensam och ond och dum,
fast litet lär det väl båta,
jag får väl allt drumla hem nu, hum, hum!

En morgondröm

I

Jag sov och jag drömde
om Ariens land,
där solguden tömde
med givmild hand
kring allt överallt i en lycklig ängd,
som sedan vulkaniskt vart bränd och sprängd,
sitt liv, sina håvors mängd.

Jag drömde om aplar i mäktiga hag
kring urskogens väldiga vattendrag,
om körsbärsdungar och vinbärssnår
kring floden, som enslig i dälden går,
om vete, som självsått ur jorden stiger
i ödemarksdalen, där allting tiger,
om humle, som klänger och slingrar sig fram
i skogens tystnad från stam till stam.

Och ängar sig breda
kring bäckars fall,
där herdarna leda
sin hjord i vall,
när kvällen sin dagg över landet strör,
vid lidren med byttor till mjölk och smör
stå väntande hustrur och mör.

Och mannen är stark och kvinnan vek
och ungdomen yster och vig i lek,
ett naket folk, för stolt för ok,
för rent för dräkternas skökodok.
Men skymtar det stundom bland flickornas flockar
ett mångfärgat kläde om höfter och lockar,
det är för att göra sig särskilt grann
och vacker och kär för en älskad man.

Vid viken, vid kröken,
som älven slår,
den stigande röken
ur tjällen går,
där syssla i ro med de yngsta små,
som lipa och le, där de tulta och gå,
de gamle, de silvergrå.

Men högt på en klippa i frihet och ljus
och högt över töcknen är konungens hus,
på vidden och branterna runtomkring
vid midsommartid hålles folkets ting,

och konungen dömer från domarestolen
och tänker för folket och talar med solen,
och solen sår ned sina gudomssvar
om allt som skall bliva och är och var.

II

Där strövar i skogen en fri ung man
och ingen är fri ung man som han,
hans blod är en störtsjö i vårstormstider,
hans trots önskar strider
och allt vill han fresta och allt han kan.
Den säkraste brottarn och måttarn
han prövar med näven och lansen
och kysser, när rast är i dansen,
de vackraste flickorna fritt
i vredgade friares mitt.

Jag såg i min dröm, hur hans gång var glad,
hur allt, när han strövade muntert åstad,
bar skick av en fri ung man,
hur hemlighetsfullt det om läpparne log,
som visste han nog
att gudarnas ättling
och älskling och like var han.

Han strövar med glättiga fjät framåt
på skogens vilda stråt,
han stannar och ler åt små kryp,
som måtta åt tån med ett nyp,
han gäckas med gökar, han retas med trastar,
han följer för ro skull ett spår,
på hällen han vilar, vid tjärnet han rastar
att se på en fisk som slår,
han faller på knä invid randen
och ligger och dricker ur handen.

Jag såg i min dröm, hur hans blick blev klar
av glädje åt bilden, som vattnet bar,

den visade gudarnas ättling,
hur manvuxet vacker han var.

III

Fina fötter, nätta små,
kliva långt och slugt på tå,
än de skynda, än de väja,
knätt och kny, för ljud och speja,
om ej någon hörde små
fina, nätta fötter gå.

Kny och knätt, nu le och lura
glada ögon bak en stam,
och en flickas axlar kura
sig ihop som rädda lamm
och försiktigt förtänksam
smyger hon sig fram.

IV

Och med ett som en vind
stryker flickans arm över jägarens kind
och har täckt honom ögonen till,
och hon ler åt sin fånge, haha och hihi,
han kan inte bli fri,
han må sträva så mycket han vill.

"Stackars Dum och Egenkär
där,
kan du gissa vem det här
är?"

Och hon kniper och drar
och hon rycker och slår för att frampressa svar
och att skrämma den älskade rädd,
och hon plågar och pinar hans rygg med sitt ben,
men den pinan är len
som ett smek på en kärleksbädd.

Blint han kämpar att bli lös,
trevar, gissar: "Nyp och Klös
är ditt namn och Udd och Sticka,
Riv och Ryck och — släpp mig, flicka!"

Och med ett med ett skratt
blev han fri, sprang han upp, fick han flickan fatt
och han drog henne tätt
mot sin mun för att kyssa sig munnen mätt,

och hon klängde sig fast,
och hon snyftade till och i gråt hon brast,
och hon sökte hans blick,
och en glimt av hans innersta själ hon fick.

Och som knoppen av Ariens ros en vår
sina skylande blad från pistillerna slår
inför sol, inför vindar och frön
låg hon naket och utslaget skön
och med vittskilda knän och med skälvande sköte
var den älskades åtrå i möte.

V

Själ i flamma, blod i dans,
han var hennes, hon var hans,
han blev hon, hon blev han,
ett och allt och tvenne,
när hans unga makt av man
trängde in i henne.

Och med huvudet bakåt i kyssande böjt
och med skötet mot famnaren höjt
drack hon livets och kärlekens yppersta drick
i var störtvåg, hon fick
av hans livseldsaft,
i var gnista, som gick
av hans kraft.

Och som samma andedrag,
samma puls och hjärteslag
själ vid själ i samma kropp
sammanhöll,
steg och föll
rytmens ned och opp,
mot och in och från,
tills med ens en stråle sköt
ur hans liv och livsvarmt göt
faderkraft i moderfröt
och som två förenta floder
ström av fader, ström av moder
blevo ett i son.

VI

Och som hjärtblad i en blomsterskida,
heltförenta nyss, när skidan brast,
än vid sömnen hålla troget fast,
höft vid höft och sida invid sida,
syskonkärligt lågo hon och han
ännu flämtande och ännu röda
av sin kärleks första bråda möda
tätt med armen knuten om varann.

Men med ljuset, som i rymden flammar
av den evigtklara lyckans rike,
kom lycksalighet som sändebud,
milt välsignande från ljusets gud
likt en solglimt mellan skogens stammar
över gudens sons och dotters like,
mänskosonen och hans brud.

Det borde varit stjärnor

Det borde varit stjärnor att smycka ditt änne
som länkar och spänne

och stråldiadem om ditt hår,
där silverljusa skira och svagt gyllne bleka
små strimmor sågos leka
likt strimmor, dem ett norrsken i kvällrymden sår.

Din fot var späd och liten, din vrist var fin och spenslig,
din väg var så enslig,
och blygtförnäm och skygg var din gång,
du liknade de syner, som drömmarna väva,
de lysa och sväva,
och stjärnor de bära om håren till spång.

I skimret om din panna var sorgen och musiken,
men frusen, besviken
av toner, din visa på läpparne låg.
Din växt var full av gratie, men aldrig fick den följa
sitt väsen att bölja
med frigjort behag i var linjevåg.

Ditt huvud höll du lutat som säven för vinden,
och blek var du om kinden
som blekaste blomst som i skogsmon står,
men mörka som en kvällhimmel ögonen sågo
mot länder, som lågo
för fjärran och skumt för en blick som vår.

Och alltid jag förnam det förpinade ljuset,
det slocknande suset
av gudom, som dör i din blick, i din röst.
Du var mig som en sångmö, som blott vågar viska,
för sjuk bland de friska,
för vek bland de starka med vittvälvt bröst.

Jag tänkte: "Du är rik i att älska och svärma,
att fostra och värma
all skönhet, all kärlek, allt ljus i din själ.
Vad båtar dig din rikedom? — till skam skall den vända
och trampas och skändas

som skogens viol av en stigmanshäl."

"I träldom och förnedring din rygg skall du kröka
som slav och som sköka
en gång för din kärleks och vekhets skull.
Ty det, som drömmer vackrast, och det, som blickar mildast,
brutalast och vildast
skall brytas mot jord och besudlas med mull."

Men kanske har det bättre och ädlare gått dig
— när mänskorna försmått dig,
kanhända hava peris beskyddat din gång.
För mig var du en ljusgestalt i nattens tid upprunnen,
vid morgonen försvunnen,
jag minns dig som en stjärna, en saga, en sång.

Änne panna, *spång* spänne, *peris* enligt persisk mytologi goda och
sköna andeväsen

Sagan om Gral

Efter en dvala med hemska och skakande
syner och röster och tvivelskval
halvt som i sovande, halvt som i vakande
drömde jag sagan om Gral.

*

Gral är allt varandes hopp och hugsvalan,
Gral är juvelen med underligt sken,
siad är Gral av Sibyllan och Valan,
Gral är de vises sten.

Fordom ett kärl av smaragd, som har flutit
över i urtid av livets vin,
nu kring sin dryck har det helt sig slutit,
vinet är vordet rubin.

Gral är smaragd och rubin, och han hyser
kraft av de två i sitt väsens glöd,
grönt, det är hoppet, men kärleken lyser
skimrande, gnistrande röd.

Kraft suger Gral ifrån nedan och ovan,
han bringar enhet åt allt, som är delt,
han har den frälsande läkande gåvan,
allt, som är bräckt, gör han helt.

Synd signar han till det luttrande saltet,
vilket kan rena till bragd ett brott,
han kastar skönhetens ljus över Alltet,
han gör det onda till gott.

Högt genom himmelens glänsande hallar,
långt genom dödsrikets skumtgråa dal,
djupt genom Hyle, där djurtjutet skallar,
sökes den helige Gral.

Finns han där uppe i renhetens riken,
högt dit den helgade trånaden går,
eller i djup, dit på himlen besviken
tanken förtvivlande når?

Ingen det vet, men han finnes och formas
åter till kalk efter spådomens ord
en gång, när himlar och helveten stormas
djärvt av en man från vår jord.

Den, som går ned genom Hades, att väcka
sovarnes mörker med ljusets bud,
den, som går ned genom Hyle, att släcka
hatarnes tjutande hat mot Gud.

Den, som är älskad av Gud som av Satan,
den, som har Gud liksom Satan kär,
den, som går fram över Vintergatan,
följd av all helvetets här,

kuvande himmelens hat mot de dömda
med de förbannades kärleksbragd,
han är den rätte, som finner det gömda
vin i dess kärl av smaragd.

Trotsarn i kärlek, den starke, som mätte
gudom och mandom och helvetesfall,
famnande alla, han är den rätte
hjälten, som komma skall.

*

Så att besvärja mitt lidandes makter,
så att hugsvala och göra mig väl
tankarne sjöngo i rytmiska takter
sagan om Gral för min själ.

Gral enligt legenden den kalk, som Jesus använde vid den första
nattvarden och i vilken man uppsamlade hans blod vid korsfästelsen
I den medeltida diktningen berättas hur riddare drog ut för at
söka gral, *Vala* (isl.) spåkvinna, *Hyle* helvetet

Tiga och tala

Varföre skulle du mässa
också din själs litania,
också din sorgs miserere?
Hånande ögon bevaka
den, som har blottat sin sorg.
Stoltare vore att pressa
smärtan i barmen där nere
hårt och beslutsamt tillbaka,
än att den förs i det fria
naken kring gator och torg!

Klangen, som världen behöver,
är ej ett vekt miserere —
tonen, som läte sig vässa
uddvass till pil eller klinga
finnes väl ock i din barm.
Smärtan, som bundits där nere,
skall, när en tid har gått över,
väpnad från fot och till hjässa
upp ur sitt fängelse springa
djärv som befriande harm!

Sanning till hälften du säger,
harm vill till vapen jag smida,
dock skall ej smärtan, ej sorgen
tigas ihjäl, ty att tiga
är hos en sångare brott.
Stoltare är det att stiga
mitt ibland vimlet på torgen
fram med all sorg, som jag äger,
tolk för de tyste, som lida,
tiga och lida blott.

En kärleksvisa

Jag köpte min kärlek för pengar,
för mig var ej annan att få,
sjung vackert, I skorrande strängar,
sjung vackert om kärlek ändå.

Den drömmen, som aldrig besannats,
som dröm var den vacker att få,
för den, som ur Eden förbannats,
är Eden ett Eden ändå.

Gråbergssång

Stå
grå,
stå
grå,
stå
grå,
stå
grå,
stå
grå-å-å-å.
Så är gråbergs gråa sång
lå-å-å-å-å-å-å-ång.

Ett grönt blad på marken

Grönt! Gott,
friskt, skönt vått!
Rik luft, mark!
Ljuvt stark,
rik saft,
stor kraft!
Friskt skönt
grönt!

Djävulskärlek

Bita ihjäl
var kropp och själ,
pina,
förtvina,
ej våga se
i ögon, som le,
dem som le,
ve.

Vilja kyssa,
vilja vyssa
små barn i min famn
— vad jag vill?
giva vänliga namn,
bita till.

Änglakärlek

Dig, som biter,
dig, som sargar,
dig, som sliter
mig i trasor,
dig som slår
mig i sår,
dig, som gett av
tacksamhet
slag och bett av
tigrar, vargar,
dig, som slog, och dig, som bet,
mitt ibland fasor,
bett och slag
älskar jag.

Växtliv

Jag sov ej, men låg såsom sjuk till sängs
och trodde mig nära nog drömma
mig vara ett blomfält, en vanlig ängs,
en vanlig att se och förglömma.

Jag tänkte ej mänskliga tankar just,
men kände det vekliga svaga
av morgondrömmande blommors lust
att njuta och lust att behaga.

Då kom som jag tror av små barn en flock,
de började bryta och draga
— jag led ej, jag smärtades ej, men dock
jag kände ett vemod betaga
min själ av att vissna till torrt, till torrt,
men kunde ej vredgas och klaga,
mig tyckes att liv är för blommor kort,
men liknar ju endast en saga
om dvalan att vissna i höstar bort.

Den sagan jag drömde, emedan mitt liv
bortflyter i svaghet likt växters,
allt kött är som hö, är som säv och siv,
så läses i bibeltexters
bestämmande "är" och "var" och "bliv".

ERIK AXEL KARLFELDT
(1864—1931)

Sång efter skördeanden

Här dansar Fridolin,
han är full av det söta vin,
av sin vetåkers frukt, sina bärmarkers saft,
av den vinande valsmelodin.
Se, med livrockens väldiga skört på sin arm
hur han dansar var flicka på balen varm,
tills hon lutar — lik vallmon på slokande skaft —
så lycksaligen matt mot hans barm.

Här dansar Fridolin,
han är full av minnenas vin.
Här hugsvalades far och farfar en gång

av den surrande bondviolin.
Men nu soven I, gamle, i högtidens natt,
och den hand, som gned strängarna då, är nu matt,
och ert liv samt er tid är en susande sång
som har toner av sucksamt och glatt.

Men här dansar Fridolin!
Sen er son, han är stark, han är fin,
och han talar med bönder på böndernas sätt
men med lärde män på latin.
Och hans lie går skarp i er nyodlings gull,
och han fröjdas som I, när hans loge står full,
och han lyfter sin mö som en man av er ätt
högt mot höstmånens röda kastrull.

Skördeanden (and betyder eg. också skörd) ung. skördearbetet.

Månhymn vid Lambertsmässan

Träd ut mellan brokiga bäddomhängen,
stig upp från ditt läger i skogarnas fukt
och skin på den nakna ängen
och apelgårdarnas frukt.

Du nalkas och daggen dig stiger till möte,
och örterna fyllas med flödande sav.
Din makt är i kvinnornas sköte,
din makt i det svallande hav.

Din makt är i själarna; skälvande stiger
en flodvåg av längtan och följer din gång,
vart bröst som älskar och tiger
blir svämmande fullt av sång.

Till dig i sin längtan lantmannen skådar,
ty sådden blir skörd i ditt nattliga hägn;

din rodnad stormen bebådar,
din blekhet ger nejderna regn.

Nu är som ett bud genom midnatten fore:
"Han kommer i fullhet, bereden hans fest!"
Mig är som en gudom du vore
och jag din tjänande präst.

Det är som jag levde i fjärran trakter,
i fädernas länder, i sagornas tid,
då drömmens och trånadens makter
man tillbad i månljusets frid.

Dig offra de sorlande lundar och brunnar
och suckarnas ånga och vildmarkens lukt.
All jorden ditt lov förkunnar,
du höstkung, med kärna och frukt.

Lambertsmässan inföll den 17 september

Höstens vår

Nu är den stolta vår utsprungen,
den vår de svaga kalla höst.
Nu blommar heden röd av ljungen
och vitt av liljor älvens bröst.
Nu är den sista visan sjungen
av sommarns kvinnligt veka röst;
nu stiger uppför bergens trappa
trumpetarn storm i dunkel kappa.

Nu äro alla drömbarn döda
som fötts ur vårens sköra lek —
likt buskens rosentyll, den röda,
som första skumma natt gör blek.
Men alla starka känslor glöda
som snårens nypon, kullens ek

och viska varmt i frost och nordan
om gyllne mognad och fullbordan.

Min sång flög drucken kring det bästa
av färg och doft i ängars ljus,
och det var ljuvligt nog att gästa
de många hjärtans honungshus;
nu vill jag, mätt på sötman, fästa
min boning långt från lust och rus
och vila under fasta bjälkar,
ej under lösa blomsterstjälkar.

Väl mig, då lekens minnen tvina,
att du var allvar och står kvar,
att ingen sol behövs att skina
vår kärlek varm i svala dar!
Hör, himlens hårda väder vina
sin högtidshymn för trogna par.
Vi le, när jorden reds och darrar;
vår lyckas hus har goda sparrar.

Längtan heter min arvedel

Längtan heter min arvedel,
slottet i saknadens dalar.
Sakta ett underligt strängaspel
tonar igenom dess salar.

Säg, vadan kväller du, klagande ström,
djupt ur de skumma gemaken,
du som mig sjunger om dagen i dröm,
sjunger om natten mig vaken?

Vem är den själ som i suck och i ton
andas från hemliga strängar,
ljuvligt som doften från humlornas bon
flyter på gulnande ängar?

Somrarna blekna och solar gå ner,
timmarna varda mig tunga,
rosorna dofta i vissna kvarter,
minnena viska och sjunga.

Klinga, du klagande strängaspel,
sällskap i drömmande salar!
Längtan heter min arvedel,
slottet i saknadens dalar.

Dina ögon äro eldar

Dina ögon äro eldar och min själ är beck och kåda.
Vänd dig från mig, förr'n jag tändes som en mila innantill!
En fiol jag är med världens alla visor i sin låda,
du kan bringa den att spela, hur du vill och vad du vill.
Vänd dig från mig, vänd dig till mig! Jag vill brinna, jag vill
svalna.
Jag är lust och jag är längtan, gränsbo mellan höst och vår.
Spända äro alla strängar, låt dem sjunga, rusigt galna,
i en sista dråplig högsång alla mina kärleksår.

Vänd dig till mig, vänd dig från mig! Som en höstkväll låt
oss brinna;
stormens glädje genomströmmar vårt baner av blod och
gull —
tills det lugnar och jag ser i skymning dina steg försvinna,
du, den sista som mig följde för min heta ungdoms skull.

Jone havsfärd

Bäst som skeppet låg för ankar
under strandens gröna bankar,
då stod skepparen på däck och skrek: "Hej, västanväder, blås

Hej, I jungmän och matroser,
    som förlusten er bland roser,
glömmen lundens turturduvor för den salta vågens mås!"
Och se här går skeppet på den saltande våg,
och små dalmasar hänga i dess tackel och tåg;
    och den krigsherrn där på backen
    med den bakåtböjda nacken,
han som super bakom seglet, är kaptenen, glad i håg.

Men all skyns och djupsens drakar
    gny och spy, och skeppet skakar,
så att skepparn tappar flaskan mitt i havets vilda göl.
    Då i vredesmod han ryter:
    "Det är nätt att skutan flyter.
Vem är tjockast av allt folket? Vi få kasta ut en knöl."
Och se här står Jona, den beskedelige man!
Han är stor och grov och vördig, som en sådan karl står an.
    Han är blek om anletsdragen,
    och han håller sig för magen;
man kan se att han är ganska sjuk och önskar sig i land.

Och de lägga hand på Jona,
    men han beder: "Käre, skona,
ty I se jag är en andans man och vördnadsvärd profet."
    Men de svara: "Har du trona,
    kan du trampa vatten, Jona,
fast du flyter nog på hullet, o profet så prostafet."
Och se här står Jona uti vädret upp och ner
med sin skörtrock över nacken, så man livstycksryggen ser;
    och i djupet rakt inunder
    ses ett gapande vidunder,
och ur breda käftar lysa hemskt de vita tandklaver.

Väl må lantmän sälla heta,
    att de ingen fara veta
av de odjur som gå rytande i havets vilda svaj!
    Må de väl den dom besinna,
    som så många skeppsmän finna,

vilka varda svulgna upp utav en valfisk eller haj!
Och se här står Jona uti valfiskens buk!
Man kan se han längtar dädan, ty han synes ganska sjuk.
    Där är unket, kallt och naket,
    där är trångt och lågt i taket,
ty vi se ju att profeten måste hålla sig på huk.

    Men vi veta utav skriften
    huru Jona slapp ur griften,
se'n han drivit långt och länge uti havets vilda svaj;
    och här visas hur syrtuten,
    när som valen stängde truten,
vart beskuren och förvandlad till en något spräckt kavaj.
Och se här går Jona på den grönskande strand!
Hur han ler emot en skylt, som sticker ut på vänster hand!
    Och se här står han vid disken
    och begär en sup på fisken,
och jag önskar samma goda åt var yngling i vårt land.

Jone havsfärd är en s. k. dalmålning på rim (jfr kurbitsmålningar)
och det är alltså profeten Jona som figurerar i dikten, *dädan* där-
ifrån, *syrtut* lång rock

Jungfru Maria

Hon kommer utför ängarna vid Sjugareby.
Hon är en liten kulla med mandelblommans hy,
ja, som mandelblom och nyponblom långt bort från väg
    och by,
där aldrig det dammar och vandras.
Vilka stigar har du vankat, så att solen dig ej bränt?
Vad har du drömt, Maria, i ditt unga bröst och känt,
att ditt blod icke brinner som de andras?
Det skiner så förunderligt ifrån ditt bara hår,
och din panna är som bågiga månen,
när över Bergsängsbackar han vit och lutad går
och lyser genom vårliga slånen.

Nu svalkar aftonvinden i aklejornas lid,
och gula liljeklockor ringa helgsmål och frid;
knappt gnäggar hagens fåle, knappt bräker fållans kid,
knappt piper det i svalbon och lundar.
Nu gå Dalarnes ynglingar och flickor par om par;
du är utvald framför andra, du är önskad av en var,
vad går du då ensam och begrundar?
Du är som jungfrun, kommen från sitt första nattvardsbord,
som i den tysta pingstnatt vill vaka
med all sitt hjärtas bävan och tänka på de ord
hon förnummit och de under hon fått smaka.

Vänd om, vänd om, Maria, nu blir aftonen sen.
Din moder månde sörja, att du strövar så allen.
Du är liten och bräcklig som knäckepilens gren,
och i skogen går den slående björnen.
Ack, den rosen som du håller är ditt tecken och din vård,
den är bringad av en ängel från en salig örtagård:
du kan trampa på ormar och törnen.
Ja, den strålen som ligger så blänkande och lång
ifrån aftonrodnans fäste över Siljan —
du kunde gå till paradis i kväll din brudegång
på den smala och skälvande tiljan.

I Lissabon där dansa de

I Lissabon där dansa de
på kungens röda slott,
bekrönta och bekransade,
vid hurrarop och skott.
Där spelar havet som basun
och fjärran violin
och varje kind är purpurbrun
som starkt oportovin.

Där sjunga rossignolerna
i dunkel muskottlund

för prinsarne och gemålerna
i nattens ömma blund.
Där fladdra kupidonerna
på vingar av kristall
kring grevarne och baronerna,
som sucka dagen all:

Du västanvind av Salvador
som blåser stark och vek,
väck upp en hind ur liljesnår,
att vi må driva lek.
Jag är en hjort i myrtendagg,
min krona är av gull
och bär en ros på varje tagg
för all min längtans skull.

Från brinkarna vid Munga strand
hörs mäktigt gny och brus.
Där dansa paren hand i hand
i Pillmans glada hus.
Var man som lyfter sina lår
till gamman i hans sal
är som en präktig matador
och prins av Portugal.

En trulsig sky går tung av bly
och spyr sin hagelsvärm,
men flickan lutar vårlig hy
mot Pillmans lena ärm.
Från buktig stång med höstligt bång
en väderhane gal,
men flickan ler i Pillmans fång
som maj i Munga dal.

En fruktröd gren står gungande
och slår mot vägg och glas,
i humlegången sjungande
går östans druckna bas.

De vittna att blickens duva
kan lyftas till korpens flykt,
att drömmen, den jungfruljuva,
haft skydrag av hemligt och styggt.
De vittna: änglarnas like,
ett stänk din lekamen bär
av sot från Diaboli rike,
en skugga av skumma begär.

2

Gå ej bland olvonträ och slån,
då kvällens luft är ljum!
Där dväljs en underbar demon
i trädens dunkla rum.
Det är den gamle Liothans son,
benämnd Isacharum.

Du hör hans gång i lundens fläkt,
som irrar skygg och vill
på mark av bruna höstlöv täckt
i tinande april,
och ångan av hans andedräkt
är mull som kvicknar till.

När korsmässmånen nyss var tänd
och göt sitt svaga stril,
då stod i skyn en båge spänd
och sköt en plötslig il.
Då skalv du, frysande och bränd;
det var demonens pil.

Minns du en lilja, dystert grann,
i skuggan där du gick?
Dess mörka eld ur kalken rann
som en förtrollad drick.
Ditt öga drack och sansen svann;
det var demonens blick.

Vad vill han i din barndomslund?
Vi kom han dristelig
så när den vigda altarrund
och lammens frälsta stig?
Rys, jungfru, i din hjärtegrund:
han söker dig, han söker dig.

Han följer dig i storm som gnyr
vid dina vägars brädd,
han är den lösa hamn som flyr,
för dag och lärksång rädd,
när ur en mardröm het och yr
du vaknar i din bädd.

Ty allt vad skumt det unga år,
det unga bröst bär gömt,
allt som slår ut med suck och tår,
av sol och himmel glömt,
allt trånsjukt liv i höstsjuk vår
är honom underdömt.

Din fader står på vredens dag
rättfärdig, stark och vis
och dömer häxor med Guds lag
från liv och paradis,
gå, bikta vid hans fot och tag
hans tuktans hårda ris!

Vik bort från slån och olvonträ
och snårens falska sång!
Bland häckarna är saligt lä
på kyrkogårdens gång.
Bed vid din moders grav på knä,
då Satan gör dig bång!

3
"Dansen går på grobladsplan.
Dansa mot, herr Burian!

Du är den gamla ärkedraken,
häxornas bålde storsultan.
Dig har jag vigt mitt levnadslopp,
allt se'n jag stod i min mörka knopp.
Genom paltorna ser du mig naken:
svart är min själ och svart min kropp."

"Luften är full av djur i kväll,
full av eld, herr Uriel.
Mellan ugglevingarna brinna
vintergatsormens blanka fjäll.
Tag mig i famn och städ mig till din,
dansa mig yr i din lustgård in.
Jag är en ung och lågande kvinna,
röd är min själ och vitt mitt skinn."

"Stolt är din dans på bullig fot,
studsande mjuk, herr Behemot.
Sluten hårt i scharlakansdräkten,
välver din kropp sina svällda klot.
Är jag dig värd, min ädle patron?
Har du ett fetare tjänstehjon?
Dansar en digrare fru i släkten,
vaggande fostret med tunga ron?"

"Spel hör jag gå ur lönnliga rum.
Dansa mig död, Isacharum!
Yngling, främling, du är min like,
smäktande, längtande, blek och stum.
Glömt har jag allt, den grå kaplan,
graven i blom under sorgsen gran,
drömmer jag flyr till ett fjärran rike
bort med dig som en svartnande svan."

4

Långt, långt
                    bort i kvällarnas kväll

har skymningsfursten sin boning.
Grå står hans borg under blekblå päll
med irrande eldsken till skoning.
Tungt, tungt går vindarnas spel
och bruset ur flodernas töcken.
Det är Isacharums arvedel,
de ruvande drömmarnas öken.

Kom, kom, du skall drömma en dröm
som aldrig en kvinna drömde.
Trädet vid Pisons heliga ström,
ett frö av dess frukt jag gömde;
långt, långt bort i höstarnas höst
vaggar dess nya krona,
tusende år har jag hört dess röst
sina paradisvisor tona.

Evigt i höstarnas höst bär det frukt,
dess grenar bågna och bäva,
sköna till åsyn och ljuva till lukt
som väntande åter på Eva.
Kunskapens frukt av glädje och sorg,
som Eva blott flyktigt fick smaka,
flödar ur kvistarnas flätade korg
till lust för Isacharums maka.

Långt, långt bort på hedarnas hed
skall du sitta i ödsligt Eden.
Jordlivets solar gå upp och gå ned,
men du skönjer ej år och skeden.
Vissnande snabbt, skall du vandra tungt
här uppe mot hemliga målet,
till dess du bestiger leende lugnt
din flammande brudbädd, bålet.

Oxen i Sjöga

Biskopen drog till Sjöga,
borterst upp i sitt stift,

steg i stolen,
sken som solen,
tydde den heliga skrift.
Bönderna lyssnade stumma.
Då från kyrkans kor
hördes det mäktigt brumma:
Ljug ej, bror!

Häpen såg bispen en mule
röras på målad mur,
tänkte: Lukas,
du skall stukas,
ditt katolska djur!
Kyrkan lät han limma
vit som ett skinande lärft.
Templet stod som i dimma,
svalt, kalt, kärvt.

Långa tider därefter
skrapas nu sten på sten.
Fram ur putsen,
töcknet, smutsen
växer kött och ben.
Kyrkfolkets undrande öga
hänger vid bildrikt kor.
Ypperst är oxen i Sjöga,
sträng, stark, stor.

Stor är oxen i Sjöga.
Pannan är som ett valv.
Satan, den lede,
flyr för hans vrede,
lik en ringa kalv.
Månförgylld om horna
går han på himmelens äng,
vaktar de fromma korna,
stor, stark, sträng.

Heliga oxe i Sjöga!
Heliga äro dina horn.
Helig är svansen
du lyfter i dansen
upp mot kyrkans torn.
Heliga äro dina klövar,
som trampat Kanans mark.
Bland pelarträd du strövar,
stor, sträng, stark.

Åldriga evangelister,
träden nu alla fram!
Kitt och klister,
allting brister,
världen står i damm.
Märken I ej hur det grånar
åter till medeltid?
Luften morlar och dånar:
storm, ström, strid.

Ängel, blås i basunen,
bryt ditt sista sigill!
Smattra, örn,
kring kyrkans hörn
din apokalyptiska drill!
Ryten, I lejonlundar,
ert blodsevangelium!
Oxen ensam begrundar,
stor, sträng, stum.

Fjärran i fridens ängder,
ledd som med solskensgarn,
följer stuten,
glansbegjuten,
himmelens förstfödda barn.
Ensam vid drömmande tjärnen
går han i oljeskog;
blommor bär han på stjärnen,
vingar gro kring hans bog.

Sub luna

Sub luna amo.
    Mörk är min brud,
brinner i bruna kvällar,
        dansar i månglitterskrud,
doftar som nattglim
        under en kornblixtsky,
svalkar som morgondaggen,
        växlar som nedan och ny.

Sub luna bibo.
    Mörkt är mitt öl,
svartmältat korn dess kärna,
        skummet som månglittermjöl.
Tankar och löjen
        sväva kring kannans rund,
sväva som läderlappar,
        sväva som guldlöv i lund.

Sub luna canto.
    Mörk är min sång,
suckar som vågor i vassen,
        rullar som bränningens gång,
reser sig trotsig,
        sjunker tillbaka tung,
ebbar sin tid och flödar,
        gammal och kvalfullt ung.

Sub luna vivo.
    Mörkt är mitt liv,
ringa och vanligt i öden,
        sorger och tidsfördriv.
Gärna jag delar
        tingens förgängliga lott,
lycklig att lida och njuta
        jordlivets fulla mått.

Sub luna morior.
    Mörk är min grav.
Giv mig åt namnlös torva
        eller åt vind och hav:
vilan i mullen,
        eller ett skärat stoft,
fladdrande som min längtan
        fladdrat mot månklara loft.

Kornknarr, sänghalm

Nu när de trötta sova,
kornknarr, sänghalm,
vill jag gå ut och lova
skymningens unge gud.
Ned över gula bingar,
kornknarr, sänghalm,
sänker han mjuka vingar,
sakta och utan ljud.

Två äro de som vaka,
kornknarr, sänghalm,
medan hans blonda maka
öppnar sig kärleksvarm,
tjust av hans ögonsvärta —
kornknarr, sänghalm,
sången ur åkerns hjärta,
doften av jordens barm.

Lovsång och vällukt välla,
kornknarr, sänghalm.
Dimman från ängens källa
smyger sig till hans bröst.
Nejden befriat andas,
kornknarr, sänghalm,
sommar och svalka blandas,
avlande sonen höst.

Bären, min barndoms vänner,
kornknarr, sänghalm,
allt vad av andakt känner
min lågande bondesjäl.
Lyften på sträng och ånga
kornknarr, sänghalm,
bönen och mina många
brinnande års farväl.

Höstens glädje

— Gallhumlen tumlar kring min förstubro,
östanvinden mumlar sin långlåt utan ro.
Sommarns kvava ängslan förlåter mitt bröst,
höstens rama kryddor förlossa min röst.
Bocktörnet svajar med svans av ametyst.
Högt vill jag sjunga som suttit så tyst.
Högt vill jag braska som gått så sorgesam,
stilla natt skall höra mitt mäktiga glam.
Sök, min dräng, en man jag röjt ibland i mark och gränd,
hög och stolt att skåda, men mörk, av ingen känd.
Här skall han sitta och vara min kompan,
skön är fröjdesalen med purpuraltan.
Öppna bod och källrar och gamla glömda krus.
    Jag vill taga mig rus.

— Gallko och gallhöna vanka på min gård.
Brittmässvind, o kärleksvind, o vad du blåser hård!
Alla längtans vårar och alla spillda år
blåser du tillsammans, och bördan blir mig svår.
Svällande och överfull jag är av jungfrudom,
andra sätta frukter men jag vill gå i blom.
Vrestörnets nypon förkunna frost och höst,
samma tecken yvas som knoppar på mitt bröst.
Ofta nedom fönstret jag hört en veklig sträng.
Skynden, mina pigor, och reden min säng.

Öppnen mina kistor och kläden mig grann.
　　　Jag vill taga mig man.

— Gallsteklar flyga och bromsar hålla brum.
Galläpplen frodas på ädla frukters rum.
Spelfåglar flytta men sorgsna bliva vid.
Rädens, I som glädjens, ty nu är gallans tid.
Gärna, du gammalsven, jag kommer till ditt bord.
Mången tapper buss har jag druckit i jord.
Jag är ock den samme som rörde giljarsträng.
Mången trånsjuk mö har jag fört i evig säng.
Breden duk och lakan och reden vår fest.
Vägfolk skall kallas och följe och präst.
Kistor skola öppnas och kistor slås igen.
Kvinnor skola sjunga med dånande män.
Ringen, alla klockor: gall, gall, gall.
　　　Nu är sommarn all.

Vinterorgel

Ditt tempel är mörkt och lågt är dess valv,
Allhelgonadag!
Där slocknar sommarens hymn som ett skalv
av klämtande slag.
Sin mantel river den svarta sky,
och lundarnas bleknade trasor fly,
och natten mässar om allt som är dött,
allt hö, allt kött.

Det dagas ånyo, det klarnar så vitt,
det blånar så vasst.
Det växer en värld ur förgängelsens mitt,
en vit och fast.
I frostiga kvällar skönjs en arkad
med pipor av silver i glittrande rad;
nu reser vintern sitt orgelhus
ur mörker och grus.

Nu höves ej lövens lösa lek,
ej susande äng.
För svag är den saviga bågen, för vek
är blomsteräng.
Men furan på höjd och granen i dal
de ljuda alltjämt som en sträv principal:
Cecilia stämmer sitt instrument
till Guds advent.

Nu ligger det stora tempeltun
som en liljevret.
Drag an registren, drag dov bordun,
drag gäll trumpet.
Stäm upp för din konung, du stämmornas mö!
Han kommer på gången, den flingor beströ,
och stilla ekar ett svävande svall
från himmelens hall.

Tungt trampar Eol, alltid beredd,
sin flåsande bälg
och håller väderkistan försedd
från helg till helg.
Där väntar nordan på nyårsny
att stöta i smattrande horn av bly
och östan att följa med herdesång
de vises gång.

Du höga orgverk, jag är en man
i din menighet
och samlar din mångfald, så gott jag kan,
till enighet.
Nu lär min ande din egen ton,
den fulla klangen, den djupa ron,
att jag må gå som på sabbatsfärd
i min vintervärld.

Från tidig skymning, då lamporna tänts
i östligt kor

och vintergatans valvsegel spänts
av flammande flor,
det susar ibland intill gryningens väkt,
som stjärnornas lugna andedräkt,
en enda ton, en glasigt klar
och underbar.

En fimbulnatt som i hedenhös
med bävan jag hör,
när svällaren öppnas och blästern går lös
ur flöjtverk och rör.
Det skallar basun som i håligt trä
av knäckta ekar som sjunka på knä,
och stämmor dansa i vild mixtur
som rykande ur.

Jag vill gå ut en violbrun kväll
bland isig björk
och höra den strykande violoncell
som sväller mörk;
och jag vill höra i fastlagskoral
det växande visslet av salcional,
den första vårliga eolin
i morgonens vin —

till dess Maria går skär av sol
på skarens glans
och fäster kring skogens mörka kjol
en hasselfrans
och säger: "Syster, det töar från kvist.
Nu vila, du vita organist!
Av musikanter ett brokigt band
styr upp mot vårt land."

BO BERGMAN
(1869—1967)

Marionetterna

Det sitter en herre i himlens sal,
och till hans åldriga händer
gå knippen av trådar i tusental
från vart människoliv han tänder.
Han samlar dem alla, och rycker han till,
så niga och bocka vi som han vill
och göra så lustiga piruetter,
vi stackars marionetter.

Vi äta och dricka och älska och slåss
och dö och stoppas i jorden.
Vi bära den lysande tankens bloss,
vi äro så stora i orden.
I härlighet leva vi och i skam,
men allt som går under och allt som går fram
och allt som vår lycka och ofärd bådar
är bara ryck på trådar.

Du åldrige herre i himlens sal,
när skall du tröttna omsider?
Se dansen på dockornas karneval
är lik sig i alla tider.
Ett ryck på tråden — och allting tar slut
och människosläktet får sova ut,
och sorgen och ondskan vila sig båda
i din stora leksakslåda.

Stadsbarn

Jag älskar dimman som släpar våt
över kajer och torg i natten
och lyktornas ögon, röda av gråt,
och lukten från gatan och visslans låt
från en spöklikt skymtande båt
ute på Mälarns vatten.

Jag älskar novemberdagens grå
förtvivlan och grändens fasa,
fabrikernas hjärtan som bulta och slå
och droskan som rullar och löven som gå
i dans kring en bänk i en vrå
med en ensam människotrasa.

Barnvisa

Hunden skäller och tuppen gal,
tuppen han gal,
elden slår i spisen.
Lövet darrar i liten grön dal,
liten grön dal, liten dal
lätt för morgonbrisen.

Svalan flyger i himlens sky,
klaraste sky,
vitaste sky på taken.
Klockan ringer till otta i by,
bing bång, otta i by.
Nu är dockan vaken.

Käraste dockan min, god dag,
nicka god dag,
skratta högt i sängen.

Livet leker ett litet tag.
Glad är du och glad är jag,
gladast mor på ängen.

Melodi

Bara du går över markerna,
lever var källa,
sjunger var tuva ditt namn.
Skyarna brinna och parkerna
susa och fälla
lövet som guld i din famn.

Och vid de skummiga stränderna
hör jag din stämmas
vaggande vågsorl till tröst.
Räck mig de älskade händerna.
Mörkret skall skrämmas.
Kvalet skall släppa mitt bröst.

Bara du går över ängarna,
bara jag ser dig
vandra i fjärran förbi,
darra de eviga strängarna.
Säg mig vem ger dig
makten som blir melodi?

Månsken på strömmen

Som klippt i sotat papper
står södra bergens kontur,
och Strömmen rullar med svarta
virvlar längs kajens mur.

Men över virvlarna spänner
månen sin blanka stråt,
och mitt i det blanka gungar
en fiskare i en båt.

Nu vevar han upp sitt sänke.
Låt se vad han får i kväll.
Det lyser i nätets maskor
som idel glimmande fjäll.

Men det är bara vatten,
som glittrar och rinner bort.
Han fiskar månsken och sjunger
och ror sin väg inom kort.

Poet vad har du fiskat
i kväll i den strida ström?
En bubbla. En månskensdroppe.
En snabbt förrunnen dröm.

Martyren

På hatets kokande vågor
har jag slungats upp och ner.
Jag är profet. Jag närs av lågor.
Jag ser vad ingen ser.
Den öppna himlen ser jag.
Med tecknet på pannan ber jag,
hotar jag, jublar jag, ger jag
mitt liv för vad jag ser.

Säll den som döden förlossar
från förödmjukelsens lag.
Guds nåd är i stenen som krossar
min tinning en dag.
Som vilddjur vrålar hopen.
Välsignade vare ropen.

När blodig jag slängs i gropen,
då har jag vunnit mitt slag.

Ty blott det ord som betalas
med blod har frälsningsmakt,
och ingen kan hugsvalas
av vad en munfläkt sagt.
Men det i mig som är över
mig själv, jag vet det behöver
ett vittnesbörd, mitt liv behöver
min död i hån och förakt.

Så vill jag redo vara,
du kvalda själ, till din tröst.
Jag är en människa bara,
men jag skall bli en röst,
och röster kan ingen stena.
Det mörknar på världens arena.
En kväll förtvivlat allena
skall jag ropa i ditt bröst.

VILHELM EKELUND
(1880—1949)

Kastanjeträden trötta luta ...

Kastanjeträden trötta luta
efter regnet sina tunga
vita spirors blom.
Syrenernas
stora våta klasar
sakta gunga.

Skyggt och tvekande
börjar redan
näktergalen sjunga.

Hjärta, och du känner
pånyttfödelsens,
stillhetens oändliga lisa
strömma över dig:
hjärta, och dock är din sång
denna molltons —
denna stumma längtansvisa.

Då voro bokarna ljusa

Då voro bokarna ljusa, då var ån av
simmande vit ranunkels öar sållad,
ljus sin krona häggen gungade här där
        gosse jag vandrat. —

Tyst det regnar. Himlen hänger lågt på
glesa kronor. En vissling; tåget sätter
åter i gång. Mot sakta mörknande kväll jag
        färdas vänlös.

Aldrig kan själens längtan stillas

Aldrig kan själens
längtan stillas,
icke jordens riken,
brusande städer
och havens glans
förmå att lindra
dess eviga oro.
O, vem spelar
dessa toner,
denna svidande musik

på mitt hjärtas
strängar, spända
alltid, alltid
alltför hårt?

Jag diktar för ingen

Jag diktar för ingen —
för vinden som vandrar,
för regnet som gråter,
min sång är som blåsten,
som mumlar och går
i höstnattens mörker
och talar med jorden
och natten och regnet.

Lunaria

Här tätt vid den yppiga klyftan
flammar din ensamma prakt,
sig hög i skuggan reser
din spensliga ljusa växt.

Din gestalt, så lätt och så kraftig,
aldrig beundrar jag nog,
ett ädelt barn du är
av den blomsterrika dunkla jorden,
dess klara safter välla
i din höga friska kropp
så genomskinliga rena,
där spänstigt fri och stolt
i skönhetsbräddad kraft
du över svarta grunden strålar
det levandes symbol.

Så skild från de andra du synes stå
så främmande och tyst,
och din blick är egen och kall;
men djupet är tungt av längtan.
Ingen ditt lynne liknar.

Men soliga klyftan upptill
är full av den sorlande sommar,
där dallrar törnros, konvolvel glad
och kaprifol i flamma;
de spela i vinden, de vaja mot varann,
de le och sjunga,
och alla blommor äro glada mot varandra,
och alla blommor äro vackra mot varandra.
Ingen dig ser,
ingen märker dig av de andra.
Var har du din vän, du blomma kall?

Eller kanske när allt i slummer sänkts
och djupen blanka darra
och den tysta klyftan fylls
av svart och hemligt sus,
med stjärnorna du talar?

Eros

Den i vars själ du bildat
din eviga gestalt,
o Eros, skall aldrig, aldrig finna
hem och frid.
Hans anlet över dunkel
är sänkt. En oavlåten lyssnan
hans ande spänt och fängslat,
och livets sorgsna fråga störtar
sig darrande i djupet.
En främling skall han vandra

över den dunkla jorden,
en glänsande saga minnet
igenom tiden för själarna
och för de oroliga hjärtan
underligt stråla
långt fjärran oändligt ut i den höga natten.

Än står över darrande djup,
än beskådas av stjärnornas sorg
Leukadia ödestung.
Det strålande havet brusar
i den heliga nattens glans,
och slagen av eviga kval,
den härliga vandrar och hinner
till klippans, den glänsandes, spets.
Stjärnorna blixtra ännu
i de bristande ögonens natt.
Läpparna bäva av sång.

Havet

O tillflykt, säkra ro!
Hur själen än har tröttnat,
du ständigt dock, o hav,
i härlighet är nytt.
Hur månget hjärta glömt
vid denna djupa syn,
hur mången själ har stillnat!
Och mänsklighetens ädle, tankens
och sångens väldige, ha mättat sina själar,
o heliga, av dina brus, som sjunga
i morgonbrus ur Pindaros och mörkna
med Psaltaren till väldigt aftonbrus!

Requies

Grå faller du, tysta afton.
Den gråa höstdag lutar
sig i ro.
Trakten i tystnad vilar stum.

Stum högtidlig ljus.
*
Vid brunnens kant i skuggan
av skogens vackra kronor
vandraren dröjer.

Sköna stilla trakt, hur talar
till hjärtat du ljus.
Har väl ett heligt minnes andakt
sig lägrat för alltid
i ditt anletes höga skönhet?
Har från sin irring blinda
vid brunnen här gudinnan
lutat sig till kväll?
Har här sitt hjärta stillat
vid kvällens stråle blid
den höga smärtefyllda
Demeter?
*
Hugsvalande faller
på mitt sinne ro.

O Lycka! Livets sommars klara hopp

O Lycka! Livets sommars klara hopp:
min själ skall vinna
ett hem, ett fäste här i världen mörka.
Min själ som sov inunder kalla stjärnor,

i villande skog, i markens kulor hårda,
sig bygger ett härligt hus att vara i.
Högt skall det stiga,
långt, långt ut i världen djupa
dess anlete, dess klara
ports kolonners morgon blicka.
Själ av min själ,
blod av mitt blod —
allt!
Min egen viljas kamp
de ljusa bågar spände,
min andes smärta lyfte
dess tinnar upp till solen.

IVAR CONRADSON
(f. 1884)

Kvällen

Mörk fladdrar luften i sensommarkvällen,
träden viska sin oro.
Stundom av månljus vitt
vägen framför mig blir blek,
blek den sträcker under den fladdrande skyn.

Hur tjusar mig icke, o afton, din vindångest mörk!
Hur är ej din rymd, du vindomjagade jord,
för mitt hjärta att sjunga i,
sjunga den ymnigt sköna
sången,
sången om hjärtats röda begär!

ANDERS ÖSTERLING
(f. 1884)

Lantlig kyrkogård

Konvolvens lätta blomsterrevor hänga
som tusen klockspel på de dödas gravar,
i allvarsam ligusterhäck de klänga
och snärja vandraren, som namnen stavar.
Här vilar salig kantorn och poeten,
så ljuv i rim som väldig i koraler,
och själen fröjdar sig, att menigheten
har rest en vård för modiga riksdaler.
Här står i vattenglas konvaljbuketteñ
som gärd åt hustrun Boel Andersdotter,
en av de små som knöto stramt schaletten
och höllo ut i undanskymda lotter.
Här slumrar sjökaptenen, havets offer,
som kände hamnarna från Kap till Kalmar,
här unge åbosonen Lars Kristofer,
vars värld begränsades av hembyns almar.
Det är ett folk av levande personer,
ehuru boende på undantaget,
och den som läser korsens inskriptioner
blir snart bekant med hela byalaget.
Se — blott en kalkmur skiljer från varandra
en by för livet och en by för döden
och vad den ena dock är lik den andra
med sol och lummighet och mänskoöden.
Den enas gröngräs är den andras svepning,
och i min dröm fördjupas detta grannskap
och blir en släktidyll, en livsupprepning
av samma människor i samma landskap.
Byns barnaröster äro eftermälen,
som klinga trösterikt bland korsens skogar,
och död är liv så länge bygdesjälen
går lugnt i arv med sädesfält och plogar.

Ales stenar

Där kusten stupar mellan hav och himmel
har Ale rest ett jätteskepp av stenar,
skönt på sin plats, när axens ljusa vimmel
med blockens mörka stillhet sig förenar,
en saga lagd i lönn
vid brus av Östersjön,
som ensam vet, vad minnesmärket menar.

I sluten ordning dessa gråa hopar
stå vakt från hedenhös; och folket säger
att backen spökar — att den gnyr och ropar
i senhöstmörkret som ett krigiskt läger.
Ty mitt i bondens jord
har Ale gått ombord
på dödens skepp, det sista som han äger.

Storvulen handlingskraft behärskar kullen.
Järn mötte brons, när äventyret hände.
Sjökungens skepp, som sitter fast i mullen,
gör här sin långfärd intill tidens ände.
Det har blott sten till stäv
och moln till segelväv,
men är trots allt de fria skeppens frände.

En brigg på väg till Skagerak och Dover
i disigt fjärran glider tyst om knuten
av närmsta sten, och medan platsen sover
har seglaren tillryggalagt minuten.
I detta skådespel
vet ingen, vilken del
som just förflyter eller är förfluten.

Kring skepp och gravskepp glittrar böljeskummet
mångtusenårigt och mångtusenmila,
och tiden byter hälsningar med rummet

i seglens rörelse och blockens vila,
och marken strör sin blom
kring stentung ålderdom,
och lärkan slår, och Skånes somrar ila.

DAN ANDERSSON
(1888—1920)

Jag väntar ...

Jag väntar vid min stockeld medan timmarna skrida,
medan stjärnorna vandra och nätterna gå.
Jag väntar på en kvinna från färdvägar vida —
den käraste, den käraste med ögon blå.

Jag tänkt mig en vandrande snöhöljd blomma,
och drömde om ett skälvande, gäckande skratt,
jag trodde jag såg den mest älskade komma
genom skogen, över hedarna en snötung natt.

Glatt ville jag min drömda på händerna bära
genom snåren dit bort där min koja står,
och höja ett jublande rop mot den kära:
Välkommen du, som väntats i ensamma år!

Jag väntar vid min mila medan timmarna lida
medan skogarna sjunga och skyarna gå.
Jag väntar på en vandrerska från färdvägar vida —
den käraste, den käraste med ögon blå.

Vårkänning

Jag vet var spindlarna spänna
i vassen nät över vattnet,
var den skummaste dagningen dallrar
i den blommande ljungens skogar.
Jag har räknat bäckarnas dammar
av korslagda, nerblåsta grenar,
från kärrlandets mörkgula björkar —
jag har sett var de unga uttrarna
gå att jaga i grumliga vågor
under lösa, gungande tuvor
och gula, vaggande land.
Jag har känt det dunklaste dunkla,
som lever och njuter och lider
under gräsens flätade täcke,
som kravlar och krälar och kryper
och fångar och dödar och äter
och avlar och dör för att leva
pånyttfött i kommande tider ...
Jag vet alla vägar för vattnet
där de nyfödda bäckarna mumla,
under mossornas multnande skogar,
under böljande lövverk, som myllra
av kvickbent och svartbrunt och maskvitt,
som väntar på växande vingar
till soldans i berglandets vår.

*

Det visslar en bondtrygg stare,
det skymtar en räv över mon,
det hoppar en jagad hare —
jag trampar en mask med skon.
Jag blev väckt av liv som larmar —
jag har vaknat i vårens armar,
och fast hungrig jag strängat min lyra

bland alarnas droppande blom,
är jag rusig av vårens yra,
där jag går i min fattigdom...

Helgdagskväll i timmerkojan

Bort, längtande vekhet, ur sotiga bröst,
vik, bekymmer, ur snöhöljda bo!
Vi ha eld, vi ha kött, vi ha brännvin till tröst,
här är helg, djupt i skogarnas ro!

Sjung, Björnbergs-Jon, ur din fullaste hals
om kärlek och rosor och vår!
Stäm fiolen, Brogren, och spela en vals
för spökblåa, månlysta snår!

Under stjärnornas glans flyger nattens dis
som ett sus över barkhöljt tak,
och det tjuter i Lammeloms sprickande is,
där det stöper från öppen vak.

Det är mil efter mil till lador och hus
där frosten går tjurig vid grind,
här är lustigt i stockeldens gula ljus,
som darrar i nattens vind.

Du är fager, Brogren, i eldglans röd,
där du gnider din svarta fiol,
för mat och för brännvin du glömt all nöd,
och din panna är ljus som en sol.

Och Jon, där du sitter vid grytan din,
en baron i din mollskinnsskrud,
se, fast åren ha garvat ditt sega skinn,
i ditt sot är du ung som en gud!

Och Vargfors-Fredrik, du skrattande man,
som vill alla uslingar väl —
kom, sjung om din ungdoms synd, om du kan,
och en skål för din gossesjäl!

Och när morgonens stjärnor blekna och dö
och när ångorna stelna till is,
och när dagningen skälver på myr och sjö
vi sova på doftande ris.

Då sova vi alla på granris tungt
och drömma om bleka mör
och snarka och vända oss manligt och lugnt,
medan elden falnar och dör.

Omkring tiggarn från Luossa

Omkring tiggarn från Luossa satt allt folket i en ring,
och vid lägerelden hörde de hans sång.
Och om bettlare och vägmän och om underbara ting,
och om sin längtan sjöng han hela natten lång:

"Det är något bortom bergen, bortom blommorna och sången,
det är något bakom stjärnor, bakom heta hjärtat mitt.
Hören — något går och viskar, går och lockar mig och beder:
Kom till oss, ty denna jorden den är icke riket ditt!

Jag har lyssnat till de stillsamma böljeslag mot strand,
om de vildaste havens vila har jag drömt.
Och i anden har jag ilat mot de formlösa land,
där det käraste vi kände skall bli glömt.

Till en vild och evig längtan föddes vi av mödrar bleka,
ur bekymrens födselvånda steg vårt första jämmerljud.
Slängdes vi på berg och slätter för att tumla om och leka,
och vi lekte älg och lejon, fjäril, tiggare och gud.

545

Satt jag tyst vid hennes sida, hon, vars hjärta var som mitt,
redde hon med mjuka händer ömt vårt bo,
hörde jag mitt hjärta ropa, det du äger är ej ditt,
och jag fördes bort av anden att få ro.

Det jag älskar, det är bortom och fördolt i dunkelt fjärran,
och min rätta väg är hög och underbar.
Och jag lockas mitt i larmet till att bedja inför Herran:
'Tag all jorden bort, jag äga vill vad ingen, ingen har!'

Följ mig, broder, bortom bergen, med de stilla svala floder,
där allt havet somnar långsamt inom bergomkransad bädd.
Någonstädes bortom himlen är mitt hem, har jag min moder,
mitt i guldomstänkta dimmor i en rosenmantel klädd.

Må de svarta salta vatten svalka kinder feberröda,
må vi vara mil från livet innan morgonen är full!
Ej av denna världen var jag och oändlig vedermöda
led jag för min oro, otro, och min heta kärleks skull.

Vid en snäckbesållad havsstrand står en port av rosor tunga,
där i vila multna vraken och de trötta män få ro.
Aldrig hörda höga sånger likt fiolers ekon sjunga
under valv där evigt unga barn av saligheten bo."

En spelmans jordafärd

Förr än rosig morgon lyser över Himmelmora kam,
se, då bärs där ut en död från Berga by.
Över backarnas små blommor går det tysta tåget fram,
under morgonhimlens svala, gråa sky.
Tunga stövlar taga steg över rosensållad teg,
tunga huvuden sej böja som i bön.
Bort ur ödemarkens nöd bärs en drömmare som död,
över äng som under daggen lyser grön.

Han var underlig och ensam, säja fyra svarta män,
han led ofta brist på husrum och bröd. —
Se en konung, säja rosorna, och trampas på igen,
se en konung och en drömmare är död!
Det är långt, säja bärarna, det känns som många mil,
och när hetare blir dagen går man trött. —
Gången varligt, talen sakta, susar sälg och sjunger pil,
det är kanske någon blomma som har dött.

Men när kistan vaggar svart genom vårens gröna skog,
går en tystnad genom morgonvaknad teg,
och då stannar västanvinden för att lyssna vem som tog
mitt i rosorna så stora tunga steg.
Det är bara Olle spelman, susar tall och sjunger gran,
han har lyktat sina hemlösa år. —
Det var lustigt, svarar vinden, om jag vore en orkan,
jag skulle spela hela vägen där han går!

Över ljung och gula myrar gungas hårda döda ben,
gungas tröttsamt genom solens bleka ro.
Men när kvällen svalkar härlig över lingonris och sten,
hörs det tunga tramp i Himmelmora mo.
Tramp av fyra trötta män, som i sorg gå hem igen,
och de böja sina huvun som i bön.
Men djupt i djupa grova spår trampas rosorna till sår,
mitt i äng som under daggen lyser grön.

Han är borta, säja fyra, det blir tungt för hans mor,
som på fattiggåln i Torberga går. —
Varför trampas vi av klackar, varför slitas vi av skor?
jämra rosorna och visa sina sår.
Det är Döden som har dansat genom Himmelmora mo,
susa tistlarna på klövervallens ren.
Han har slipat er till träck med sin gamla grova sko,
när han dansade med drömmarens ben.

Över gräs och gråa hus flyger natten som ett sus,
bleka stjärnor blinka fattigt från sin sky.

Över heden ifrån väster nedåt tjärnen går ett ljus,
går en sång över näckrossållad dy.
Och stormen sjunger svart och vitt
och i skum kring Härnaön
sjunga vågorna om ödemarkens nöd.
Över svarta vreda vatten spelar natten upp till bön,
ty en spelman och en drömmare är död.

ERIK LINDORM
(1889—1941)

En död arbetarhustru

I

Ej längre med tillbringaren du går, så rädd att spilla,
och aldrig mer du frågar efter oxköttets pris,
och aldrig mer din äkta man skall göra dig illa
och rödbrusig törna mot dig vid vagga eller spis.

Och aldrig mer behöver du i husen gå och tvätta
tills i hajande svindel du hjälplöst segnar ner,
och du har icke längre någon barnkull att mätta
och behöver icke gruva dig för hyran mer.

De minsta skreko till, när du sänktes ner i gropen.
Så rasslade bland blommorna de trenne skovlar sand.
Din man klev upp på graven och glodde, blek och snopen,
och konvaljbuketten höll han med grov och ovan hand.

Och därhemma vid din leriga och fula förstadsgata
går livet lika vanligt som om döden ej fanns.
Blott samma farstus fruar än ett par gånger prata
om hur du blev hämtad en dag av ambulans.

II

Men går du nu i himlens sal på guldgolv som skina
— och ej behöva skuras — och har det lugnt och bra,
du längtar ändå därifrån till jorden och de dina
och plågar dig med grubbel om hur barnen kan det ha.

Visst är det skönt och härligt att i evigt solsken blunda,
att riktigt sova ut ifrån barnskrik och gräl.
Här är så ljust och luftigt, och man själv så annorlunda,
och här blir man bemött som om man ägde en själ.

Men i den blanka friden ett bekymmer ändå bränner:
Hur står det till därhemma, och vilken ser nu åt
att icke Andrea ut om kvällarna ränner
och att icke lille Torsten om fötterna blir våt?

Du vill ej sitta vacker och ung i himlasalen,
från hemmet över gården du ville icke dö.
Du ville gå i jordens rusk i gamla fula schalen
och släpa hop till hyra och mat och stå i kö.

Du ville icke skiljas, ville vara hos de dina
och styra och ställa med skurning och byk.
Du längtar ifrån detta främmande och fina
till gubben och ungarna, till fattigdom och stryk.

Konfirmander

Öronen för stora, ögonen för runda,
byxorna för långa, ej barn, ej män.
Jämkande manschetterna gå de och grunda
över oblaten, som de smaka än.

De titta högtidligt på sin första klocka,
som går för sakta, ty aldrig blir man stor.

Vördsamt omkring dem kvarterets barn sig skocka,
granska deras handskar, kläder och skor.

"Sannerligen, sannerligen säger jag eder"
sakta förtonar för vardagens prat.
Orgelbruset surrar ännu i deras leder
när de se på "Chaplin som brandsoldat".

Med läppar knappast torra av nattvardsvinet
draga de hostande förbjudna bloss,
men det går dåligt med svordomen och grinet
innan de kommit ur stärkkragen loss.

Kristus, som korsfästs för dem, ha de förgätit
innan deras byxor mist sina veck.
Fastän de av honom ha druckit och ätit
gå de och fundera på rackarstreck.

De kamma och borsta sig, när ingen ser'et,
och lyssna på det nya i sin röst,
svärma för den stiligaste i kvarteret
och krama hennes brådmogna bröst.

Det är den sköna tid, då träden stå skira
i sin första grönska och rymden är ljum,
då gravarna våras och ogräsen spira
och allt är ett väldigt mysterium.

PÄR LAGERKVIST
(f. 1891)

Ångest, ångest är min arvedel

Ångest, ångest är min arvedel,
min strupes sår,

mitt hjärtas skri i världen.
Nu styvnar löddrig sky
i nattens grova hand,
nu stiga skogarna
och stela höjder
så kargt mot himmelens
förkrympta valv.
Hur hårt är allt,
hur stelnat, svart och stilla!

Jag famlar kring i detta dunkla rum,
jag känner klippans vassa kant mot mina fingra
jag river mina uppåtsträckta händer
till blods mot molnens frusna trasor.

Ack, mina naglar sliter jag från fingrarna,
mina händer river jag såriga, ömma
mot berg och mörknad skog,
mot himlens svarta järn
och mot den kalla jorden!

Ångest, ångest är min arvedel,
min strupes sår,
mitt hjärtas skri i världen.

Lyft dig på blodiga vingar

Lyft dig på blodiga vingar,
gamle rättfärdige gud,
du som världar betvingar,
du alla himlars gud.

Lyft dig ur blodiga redet,
där du din tanke tänkt,
den enda, den stora och starka,
den du åt oss har skänkt.

Herre, vi tänka som trälar
det du tänkte som gud.
Hör du vårt skri i natten,
till dig, till dig för det bud.

Bryt dig på dånande vingar
väg genom mörkrets hav.
Djupast här nere du finna
skall vår blodiga grav.

Se vårt blodiga rede,
där vi nu kämpat till slut.
Tanken vi kunde ej fatta
och tänkte den likväl ut.

Kampens och livets tanke,
blodets mäktiga röst
blev blott ett vrål i natten
ur söndersargade bröst.

Alltför stort var det stora,
vi gjorde det grovt och smått.
Men den längtan som drev oss i döden
var av ditt eget mått.

Se vårt rede som klibbar
fast vår dödströtta kropp.
Inga vingar oss lyfta
till dig, o herre, opp.

Inga vingar oss lyfta,
du måste komma till oss.
Fjärran och dold är din klyfta,
fjärran och dold för oss.

Det är vackrast när det skymmer

Det är vackrast när det skymmer.
All den kärlek himlen rymmer
ligger samlad i ett dunkelt ljus
över jorden,
över markens hus.

Allt är ömhet, allt är smekt av händer.
Herren själv utplånar fjärran stränder.
Allt är nära, allt är långt ifrån.
Allt är givet
människan som lån.

Allt är mitt, och allt skall tagas från mig,
inom kort skall allting tagas från mig.
Träden, molnen, marken där jag går.
Jag skall vandra —
ensam, utan spår.

Som ett blommande mandelträd

Som ett blommande mandelträd
är hon som jag har kär.
Sjung du vind, sjung sakta för mig
om hur ljuvlig hon är.

Som ett blommande mandelträd,
så späd, så ljus och skär.
Bara du, ömmaste morgonvind,
vet hur ljuvlig hon är.

Som ett blommande mandelträd
är hon som jag har kär.
När det nu mörknar så tungt omkring mig,
kan hon väl leva här?

Det kom ett brev om sommarsäd

Det kom ett brev om sommarsäd,
om vinbärsbuskar, körsbärsträd,
ett brev ifrån min gamla mor
med skrift så darrhänt stor.

Ord intill ord stod klöveräng
och mogen råg och blomstersäng,
och Han som över allting rår
från år till år.

Där låg i solen gård vid gård
inunder Herrens trygga vård,
och klara klockor ringde fred
till jorden ned.

Där var en lukt av trädgårdsgång
och av lavendel, aftonsång,
och söndagsfriden då hon skrev
till mig sitt brev.

Det hade hastat natt och dag,
utan att vila, för att jag
långt borta skulle veta det
som är från evighet.

Den väg du går allena

Den väg du går allena
den förer dig blott bort
dit där vi livet stena,
till öde trakter bort.
Dit där vi grymt föröda
vad vi inom oss bär,

det som ej blott vårt eget,
som också andras är.

Hur stort att ensam träda
i öde rymder ut,
att i sin djupa smärta
blott se mot livets slut.
Att känna hjärtat svälta
i bitter ensamhet
och lyfta sällsam gåva
i hand av längtan het.

Den nämndes ofta starkast
som bara livet svek,
som bort från allfarvägen
i bittert armod vek.
Hans öde var hans trasor,
hans lidande var sår —
Och den som blott förblöder
han ej mot seger går.

Den ensamme är svagast.
Ej för han ensam är,
men för att han förnekar
det han inom sig bär.
Vår ande då den djupnar
är livets breda älv.
Den väg du går allena
för bort ifrån dig själv.

I själens gränder

I själens gränder
där lyktorna står långt ifrån varandra
så att det är svårt att kunna finna husnumren.
Där har jag sökt länge.
Förgäves.

Kanske sökte jag efter för höga nummer,
som inte finns.
Kanske så.
Nu står jag vid grändens slut
och ser med torra ögon ut i en natt
som inte längre skrämmer mig.

Bakom skränar de som funnit vad de sökte,
numren som vi fann alla,
och skrålet stiger i glädjehusen där manslemmen kastar sitt
                                                            slem
och anden pejlar djupen,
de slutliga,
vid skramlet av pottor och hinkar
och avloppets kluckande ut mot rännstenen och mörkret
i Själarnas gränd.

*

Men som livets eget mäktiga sköte,
hemlighetsfullt och fördolt,
syns mig hela gränden.
Som en älskande, redo till allt,
blottad och uppslängd på sitt läger
för vem som behöver henne.

Men med sitt ansikte hängande ute i nattens mörker
under stjärnorna
i en outsäglig ödslighet och smärta.

Madonna och moder,
himladrottning med stjärnetörne kring din hjässa,
hos dig vill jag vaka
i denna natt.

Vem korsfäste dig i detta rum,
att vi skulle leva.
Vem höljde natten över ditt anlete,
att vi inte skulle ängslas.

Mater dolorosa.
Ljuvt är ditt sköte,
där vi finner hugsvalelse.
Ljuvt såsom blomsterängar heta av brännande sol.
Och girigt griper vi alla efter dig.

Men vad är din blottade kropp,
vad dina vällustiga lemmar,
vad din vidöppna blygd —
mot ditt anletes fruktansvärda nakenhet,
som du döljer
för oss.

Giv dig hän åt mig,
jag som begär dig!
Giv mig dig själv,
sådan som du är!
Jag som längtar efter din nakenhet
så som ökendjuren längtar efter vatten.

Och som i en syn ser jag hennes ansikte...
Slitet och fårat, märkt av alla lidelser
och alla laster.
Av längtan, lusta och kval.

Men alldeles s t i l l a.

I ljuset av blott ett oändligt, outsägligt svårmod
ler hon mot mig.

Som en jordisk moder.

Vem gick förbi min barndoms fönster

Vem gick förbi min barndoms fönster
och andades på det,

vem gick förbi i den djupa barndomsnatten,
som ännu inte har några stjärnor.

Med sitt finger gjorde han ett tecken på rutan,
på den immiga rutan,
med det mjuka av sitt finger,
och gick vidare i sina tankar.
Lämnade mig övergiven
för evigt.

Hur skulle jag kunna tyda tecknet,
tecknet i imman efter hans andedräkt.
Det stod kvar en stund, men inte tillräckligt länge för att jag
    skulle kunna tyda det.
Evigheters evighet skulle inte ha räckt till för att tyda det.

När jag steg upp om morgonen var fönsterrutan alldeles klar
och jag såg bara världen sådan som den är.
Allt var mig så främmande i den
och min själ var full av ensamhet och ängslan bakom rutan.

Vem gick förbi,
förbi i den djupa barndomsnatten
och lämnade mig övergiven
för evigt.

EDITH SÖDERGRAN
(1892—1923)

Dagen svalnar...

I

Dagen svalnar mot kvällen...
Drick värmen ur min hand,

min hand har samma blod som våren.
Tag min hand, tag min vita arm,
tag mina smala axlars längtan...
Det vore underligt att känna,
en enda natt, en natt som denna,
ditt tunga huvud mot mitt bröst.

II

Du kastade din kärleks röda ros
i mitt vita sköte —
jag håller fast i mina heta händer
din kärleks röda ros som vissnar snart...
O du härskare med kalla ögon,
jag tar emot den krona du räcker mig,
som böjer ned mitt huvud mot mitt hjärta...

III

Jag såg min herre för första gången i dag,
darrande kände jag genast igen honom.
Nu känner jag ren hans tunga hand på min lätta arm...
Var är mitt klingande jungfruskratt,
min kvinnofrihet med högburet huvud?
Nu känner jag ren hans fasta grepp om min skälvande kropp,
nu hör jag verklighetens hårda klang
mot mina sköra, sköra drömmar.

IV

Du sökte en blomma
och fann en frukt.
Du sökte en källa
och fann ett hav.
Du sökte en kvinna
och fann en själ —
du är besviken.

Höstens dagar

Höstens dagar äro genomskinliga
och målade på skogens gyllne grund...
Höstens dagar le åt hela världen.
Det är så skönt att somna utan önskan,
mätt på blommorna och trött på grönskan,
med vinets röda krans vid huvudgärden...
Höstens dag har ingen längtan mer,
dess fingrar äro obevekligt kalla,
i sina drömmar överallt den ser,
hur vita flingor oupphörligt falla...

Jag

Jag är främmande i detta land,
som ligger djupt under det tryckande havet,
solen blickar in med ringlande strålar
och luften flyter mellan mina händer.
Man sade mig att jag är född i fångenskap —
här är intet ansikte som vore mig bekant.
Var jag en sten, den man kastat hit på bottnen?
Var jag en frukt, som var för tung för sin gren?
Här ligger jag på lur vid det susande trädets fot,
hur skall jag komma upp för de hala stammarna?
Däruppe mötas de raglande kronorna,
där vill jag sitta och speja ut
efter röken ur mitt hemlands skorstenar...

Vierge moderne

Jag är ingen kvinna. Jag är ett neutrum.
Jag är ett barn, en page och ett djärvt beslut,
jag är en skrattande strimma av en scharlakanssol...

Jag är ett nät för alla glupska fiskar,
jag är en skål för alla kvinnors ära,
jag är ett steg mot slumpen och fördärvet,
jag är ett språng i friheten och självet...
Jag är blodets viskning i mannens öra,
jag är en själens frossa, köttets längtan och förvägran,
jag är en ingångsskylt till nya paradis.
Jag är en flamma, sökande och käck,
jag är ett vatten, djupt men dristigt upp till knäna,
jag är eld och vatten i ärligt sammanhang på fria villkor...

Smärtan

Lyckan har inga sånger, lyckan har inga tankar, lyckan har
    ingenting.
Stöt till din lycka att hon går sönder, ty lyckan är ond.
Lyckan kommer sakta med morgonens susning i sovande snår,
lyckan glider undan i lätta molnbilder över djupblå djup,
lyckan är fältet som sover i middagens glöd
eller havets ändlösa vidd under baddet av lodräta strålar,
lyckan är maktlös, hon sover och andas och vet av
    ingenting...
Känner du smärtan? Hon är stark och stor med hemligt
    knutna nävar.
Känner du smärtan? Hon är hoppfullt leende med förgråtna
    ögon.
Smärtan ger oss allt vad vi behöva —
hon ger oss nycklarna till dödens rike,
hon skjuter oss in genom porten, då vi ännu tveka.
Smärtan döper barnen och vakar med modern
och smider alla de gyllene bröllopsringarna.
Smärtan härskar över alla, hon slätar tänkarens panna,
hon fäster smycket kring den åtrådda kvinnans hals,
hon står i dörren när mannen kommer ut från sin älskade...
Vad är det ännu smärtan ger åt sina älsklingar?
Jag vet ej mer.

Hon ger pärlor och blommor, hon ger sånger och drömmar,
hon ger oss tusen kyssar som alla äro tomma,
hon ger den enda kyssen som är verklig.
Hon ger oss våra sällsamma själar och besynnerliga tycken,
hon ger oss alla livets högsta vinster:
kärlek, ensamhet och dödens ansikte.

Triumf att finnas till ...

Vad fruktar jag? Jag är en del utav oändligheten.
Jag är en del av alltets stora kraft,
en ensam värld inom miljoner världar,
en första gradens stjärna lik som slocknar sist.
Triumf att leva, triumf att andas, triumf att finnas till!
Triumf att känna tiden iskall rinna genom sina ådror
och höra nattens tysta flod
och stå på berget under solen.
Jag går på sol, jag står på sol,
jag vet av ingenting annat än sol.
Tid — förvandlerska, tid — förstörerska, tid — förtrollerska,
kommer du med nya ränker, tusen lister för att bjuda mig
        en tillvaro
som ett litet frö, som en ringlad orm, som en klippa mitt
        i havet?
Tid — du mörderska — vik ifrån mig!
Solen fyller upp mitt bröst med ljuvlig honung upp till randen
och hon säger: en gång slockna alla stjärnor, men de lysa
        alltid utan skräck.   (1916)

Världen badar i blod ...

Världen badar i blod för att Gud måtte leva.
Att hans härlighet fortbestår, skall all annan förgås.
Vad veta vi människor hur den evige smäktar
och vad gudarna dricka för att nära sin kraft.

Gud vill skapa ånyo. Han vill omforma världen. Till ett
    klarare tecken.
Därför gjordar han sig med ett bälte av blixtar,
därför bär han en krona av flammande taggar,
därför höljer han jorden i blindhet och natt.
Därför skådar han grymt. Hans skaparehänder krama jorden
    med kraft.
Vad han skapar vet ingen. Men det går som en bävan
över halvvakna sinnen. Det är som en svindel inför
    avgrunders blick.
Innan jublande körer brista ut i en lovsång
är det tyst som i skogen förrän solen går upp.

(1918)

Månens hemlighet

Månen vet ... att blod skall gjutas här i natt.
På kopparbanor över sjön går en visshet fram:
lik skola ligga bland alarna på en underskön strand.
Månen skall kasta sitt skönaste ljus på den sällsamma
    stranden.
Vinden skall gå som ett väckarehorn mellan tallarna:
Vad jorden är skön i denna ensliga stund.

Sällhet

Snart vill jag sträcka mig ned på mitt läger,
små genier skola täcka mig med vita slöjor
och röda rosor skola de strö på min bår.
Jag dör — ty jag är alltför lycklig.
Av sällhet skall jag ännu bita i min svepning.
Min fot skall krama sig av sällhet i mina vita skor
och då mitt hjärta stannar — vaggas det in av vällust.
Man före min bår på torget —
här ligger jordens sällhet.

Prinsessan

Alla kvällar lät prinsessan smeka sig.
Men den som smeker stillar blott sin egen hunger,
och hennes längtan var en skygg mimosa, en storögd saga
    inför verkligheten.
Nya smekningar fyllde hennes hjärta med bitter sötma
och hennes kropp med is, men hennes hjärta ville ännu mer.
Prinsessan kände kroppar, men hon sökte hjärtan;
hon hade aldrig sett ett annat hjärta än sitt eget.
Prinsessan var den armaste i hela riket:
hon hade levat alltför länge på illusioner.
Hon visste att hennes hjärta måste dö och söndersmulas helt,
ty sanningen fräter.
Prinsessan älskade icke de röda munnarna, de voro främmande.
Prinsessan kände icke de druckna ögon med is på bottnen.
De voro alla vinterbarn, men prinsessan var från yttersta
    södern och utan nycker,
utan hårdhet, utan slöjor och utan list.

Ingenting

Var lugn, mitt barn, det finnes ingenting,
och allt är som du ser: skogen, röken och skenornas flykt.
Någonstädes långt borta i fjärran land
finnes en blåare himmel och en mur med rosor
eller en palm och en ljummare vind —
och det är allt.
Det finnes icke något mera än snön på granens gren.
Det finnes ingenting att kyssa med varma läppar,
och alla läppar bli med tiden svala.
Men du säger, mitt barn, att ditt hjärta är mäktigt,
och att leva förgäves är mindre än att dö.
Vad ville du döden? Känner du vämjelsen hans kläder sprida,
och ingenting är äckligare än död för egen hand.

Vi böra älska livets långa timmar av sjukdom
och trånga år av längtan
såsom de korta ögonblick då öknen blommar.

Landet som icke är

Jag längtar till landet som icke är,
ty allting som är, är jag trött att begära.
Månen berättar mig i silverne runor
om landet som icke är.
Landet, där all vår önskan blir underbart uppfylld,
landet, där alla våra kedjor falla,
landet, där vi svalka vår sargade panna
i månens dagg.
Mitt liv var en het villa.
Men ett har jag funnit och ett har jag verkligen vunnit --
vägen till landet som icke är.

I landet som icke är
där går min älskade med gnistrande krona.
Vem är min älskade? Natten är mörk
och stjärnorna dallra till svar.
Vem är min älskade? Vad är hans namn?
Himlarna välva sig högre och högre,
och ett människobarn drunknar i ändlösa dimmor
och vet intet svar.
Men ett människobarn är ingenting annat än visshet.
Och det sträcker ut sina armar högre än alla himlar.
Och det kommer ett svar: Jag är den du älskar och alltid
     skall älska.

ELMER DIKTONIUS
(1896—1961)

Jaguaren

I

Ur gröna blad sticker fram
röd nos
ögon med
trekantiga blickar
spräckligt;
morrhår vågrörelse
klotass — du flyger ju! mitt hjärtas jaguar —
så flyg och bit och riv och söndersarga!
Din — min moral: att slå.

Att bita är ett tvång så länge bett ger liv
att riva är en helighet så länge ruttet stinker
och söndersargas måste livets fulhet
tills skönhet-helhet ur dess mull kan gro.
Så är vi två, min dikt och jag: en klo.
En vilja är vi två, ett gap en tand.
Tillsammans är vi: en maskin som slår.

Vi vill döda de känslolösas skri
de hjärtlösas medlidande
de vantrognas religiositet
det starkas maktlöshet
det godas onda svaghet;
vi vill föda med att döda
vi vill bereda plats
vi vill engång se
solfläckar dansa.

II

Tror man ej
att starka tassar känner svedan?
Tror man ej att jaguaren har hjärta?
Ack den har
fader moder henne ungar.
Ödemarken är stor
kall är höstens vind
i jaguarens mage bor
ensamhet förtvivlan.
Jaguaren kan kyssa en blomma.
Den har tårar;
sentimentalitet.

III

Natt.
Vattenfall mumlar långt.
Jaguaren sover.
En myra slickar dess klo.
Vem viskar:
morgonen kommer
solfläckar dansar?

IV

Solfläckar dansar! —
vigt virvlar allt.
Med ett skutt
slungar sig jaguaren över
granarnas toppar —
hör stjärnskrattet i dess rytning —
en blixtvolt i luften:
som en pil djupt i jordens bröst.

Barnet i trädgården

Barnet i trädgården
är ett underligt ting:
ett litet litet djur
en liten liten blomma.
Det myser som en katt åt nejlikorna
och skubbar sitt huvud
mot solrosens jättestängel.
Tänker kanske: sol är gott —
grönt är gräsfärg.
Vet kanske: jag växer!

Arbetare

Män rör sig
på isigt plåttak
50 m. över jorden.
Med tunga zinkskivor
i frusna nävar
de viga kattor likt
pressar fötterna
mot starkt sluttande plan,
hoppar över avgrunder
där döden ruvar
i form av tom luft
och jordens dragningskraft —
på fotsbred takås går de nu
rakryggiga
med blåfrusna ansikten grinande
i röda vintersolljuset.

Gudar? filmartister? profeter
som gör nya underverk
för moderna biblar? —

nej: arbetare
som utför sitt vanliga jobb
för en ringa penning.

Dostojevskij

En stad.
En gränd.
En tiggare.
En sköka.
Mörkt.
Vått.

Denna skorviga mun!
Detta stripiga hår!
Denna brännvinslallande stämma!
Elände!
Oh!

Då kommer du; tyst.
Du kysser den munnen.
Du lägger din hand på det håret.
Du går; tyst.

Stämman stummas.
Grinet dör.
Men jag skriker:
vadan allt detta? —
i morgon är allt lika!

Men allt är icke lika.
Det lever minnet av dig,
din kristusblick,
din kristustystnad,
hos oss alla som du smekt,
hos oss alla som du kysst
lille bror.

Södergran

Stjärnfångerska! —
din håv är glitterfull
av gudabrak
och döda blommors prassel.
Ofödd såg du allt;
sjuk botade du friska.
Ingen avlade diktmygg som du:
livslevande,
blodsugande.

Den lustiga våren

I

Det är så lustigt om våren:
man bara gråter,
man bara skrattar,
man bara —
är.

II

Tja-tja, säger den halta skatan.
Nu går dom så där,
och sen gör dom så där —
men vem skall sköta ungarna
om hösten?

Murket talat, halta skata!
Jag nästan tror
du har kova på banken
och "Andliga betraktelser"
till aftonspis.
Så de anständiga kan vara oanständiga —
om våren!

III

Får jag kyssa dig på handen, lilla enrisbuske,
och lägga armen kring dig, stora sten?
Får jag kittla dig i skägget, mossetuva du,
och bita i din silvernäver, björk?
Får jag riktigt vara ljus igen
och riktigt mörk igen?
Och fråglöst växa
svarlöst dö —
som gräs som gror?

IV

Ryck till dig fröjden! —
som en islossning.
Begär ej, fråga ej om lov —
tag!
Bevara ej — slösa!
Bliv ej —
var!

Maskinsång

(Orlodoffa doschkoff
orlodoffa doschkoff:)
det är maskinen —
jag.

Stänger och hjul
och
nitnaglar skruvar och muttrar
drivremmar (doschkoff) —
många män har gjort mig
släggat och putsat och hamrat och filat
fin är jag fin (orlo)

skinande
sjungande
rungande
skakande
golv och tak.
(Rökning förbjudes!
Spotta ej på golvet!
Osnygghet förbjudes!
Drick ej ur karaffen!
Tillträde förbjudes!
W. C. Kontor.)

Såg du mannen som kom i går? —
han krälar i dag på kryckor,
och flickan som gnolar i dag
blir i morgon rännstensavfall,
och barnet som de avlat
är som de och blir som de —
orlodoffa doschkoff —
min mat.

(Orlodoffa doschkoff
orlo — orlo — orlo:)
Olja och olja
(ha — så jag skrattar!)
mänskosvett och olja
och blod
(he — så jag ryter!).
Musklerna tvinar.
(hi — så jag flinar!)
hyn färgas gul.
Nacken blir böjd
(hå — så jag suckar!)
sparken i ändan
(ho — så jag hastar!)
en åter färdig
(i väg).

Röd-Eemeli

allad från anno 18

I

Röd-Eemeli föddes
i torpets bastu:
smuts och gråt.
Flickan knöt näven
kring horungens strupe:
bättre för dej och
bättre för mej —
men hon blödde och dog.
Ett kvidande barn
i modrens stelnade blod
såg vintermorgonen gry.

II

Röd-Eemeli vallar
gårdens kor.
Hans toviga linlugg
fladdrar,
han springer
jagar
piskar
kon:
satans värdinna!
störtar mot tjuren:
satans husbonn!
Han kliar sig,
leker i leran,
tröttnar,
somnar.
— Sommaren vacker
kring honom.

III

Röd-Eemeli svettas
i timmerskog,
sjunger:
Det finns ingenting
utom bojan min,
och kronans polis
skall få sej en fis. —
Satans häst
din förbannade best:
nog vet du det själv
att här ej vankas mat
förrän femton lass släpats hem.
— Det finns ingenting
utom bojan min —.
Det är kväll,
det är hunger och hat.

IV

Röd-Eemeli sitter
i gardets stab
med sabel och colt.
Det tredskas i byn;
i gården hans
har de gömt sin säd
och palvade skinkor, ostar, mjöl
fan vet vad
medan folket hungrar.
— Tio man ut på gården
och kvickt: marsch-marsch!
Vi skall läsa dem folkets lag
fast den ej står i bok —
framåt: marsch!

V

Röd-Eemeli rusar
i stugan in:
hans ögon spyr eld,
hans colt spyr bly —
ej värdinnan hann öppna sin käft
förrn hon låg där
med magen i vädret;
och husbonn som skynda från kammarn
med pluntan i hand
fick också sin brödkortsportion.
— Hej, pojkar: ta allt vad som finns! —
blir nåt kvar må det brännas
till snus!

VI

Röd-Eemeli ligger
bak stenen och svär:
nu fick fan oss när tysken kom!
Tar geväret och skjuter —
det bränner i handen, patronerna slut —
med puukkon i näven han hoppar vilt,
får ett kolvslag i skallen,
ramlar perklande raklång i snön.

VII

Röd-Eemeli står
inför rättens bord,
under lugg
bligar dystert framför sig.
— Bekänn, din fan,
att du mördade, stal,
och var chef för ett dödskompani!

575

Nå bekänn, din satan,
eller vill du att colten talar!
Under lugg
mumlar Eemeli själv sin dom:
hellre colten då.

VIII

Röd-Eemeli dog
på en avstjälpningsplats;
jämmer och smuts.
Rackarn drog liket
till närmaste kärr:
vila för dej och
fem mark för mej —
vill du byta, så går det väl an.
En slocknande stjärna
på massgravens sörjiga jord
såg förvårsmorgonen gry.

Barn i stjärnljus

Det finns ett barn,
ett nyfött barn —
ett rosenrött, nyfött barn.

Och barnet kvider —
det gör alla barn.
Och modren för barnet till sitt bröst:
då tystnar det.
Så gör alla mänskobarn.

Och taket är ej alltför tätt —
det är ej alla tak.
Och stjärnan sticker

silvernosen genom springan,
och söker sig till den lilles huvud:
stjärnor tycker om barn.

Och modren blickar mot stjärnan
och förstår —
alla mödrar förstår.
Och trycker lillungen skrämd
till sitt bröst —
men barnet diar lugnt i stjärnljus:
alla barn diar i stjärnljus.

Det vet ännu intet om korset:
det vet inget barn.

Vik

En båt,
ett moln,
en solblänksinnervik.
Du hav,
och jag,
och något ungdomsvåldsamt
förr-gemensamt.
Tidlöst och tid.
Hur mina kloka öron
lent förnimmer
mognadsekot.

GUNNAR BJÖRLING
(1887—1960)

Och släckt var allt

Och släckt var allt, och mina gudar sprang i stycken.
Jag kom till dig, jag vet ej vem du var.
Jag kom som nattens il:
jag kom, som du: du kommit!
Jag kom som lyckans Gud när svar är släckta
och en fråga lyser.
Jag kom som storm, som slagregns syndafloder kom jag
och i bittert tände du
den nya morgon för mitt öga.

Som "mumlare"

Som "mumlare" eller solochelds dykare är vi alla
                               i vällust
att famna ett stolsben, att riva sönder marken och förgås
          som en mull, ett blod, en saliv
i vårt förlamades ansiktsstrimmighet.
Ett ljud, ett kroppsligt, sinnligrörelsernas utträngdhet,
                               uppträngdhet
till allhet och rösternas mirakeldans
i våra öron, mun och lungorna,
som en flod är vi, i pingst och talanden, i skumma försam-
          lingarna och dervischens dans,
i Isis-tempel
och jazzbalen, i orkesterns gång genom tiderna.
Det är detta samma raseriet i pelarhelgon och buddhastoderna,
                    allt är denna köttets
universalitet, korsets
översinnlighet

och det evigrinnande blodets
vällustflöden.
På tagelbädden är gudar fastnaglade
som till lönnliga njutningars prakt,
som ett försvagat eko är trons ömkliga böner
och den vildast klara barytonen.

Densamma nöds prunkande sken och virrvarrmättat är i
    vart klassiskt linjedrag
som en behärskning och ett heroiskt tag att hålla gudslemmarna
    sammanspända
i en evig coitus —,
eller bara borgerligsentimental oförmögenhet,
eller alla sunda instinkters spel och tragikverkligheten
    och förnuftighetens röster,
den verklighet som står med sin blåögda instinktextas
och den enda druckenhetens förnuft, sans och måtta —
ändlös måtta, springfjäll i ögat,
och damoclessvärd för alla —
den stora förvirringens behärskning: och vi vet att allt,
allt är det sunda förnuftets prövningsvind
och denne Eros som inte släpper någon
och inte giver med sig, vart än vi går.
Denna drift tvingar allt in i den stora sädesfloden.
Allt är som pigors park och är en ångest
som ett skälvande av världsdrift, urdrift,
av ett skilt som vill tillsammans,
och var läpp som tryckes mot brödet är detsamma som två
    kroppars kopulation.
Och luft och lungan är detsamma, och var bild och ögat som
    fångar upp.
Allt är ett skri ur murkna trasor, eller friska
på sin herres himmel, på sin erosgamman;
det finns intet, mänskan vill och kan
och bör —
blott omfamningen med gud!

Den är den storhetens och gåtas stämma

den är det sorlet som förklarar
den är försonings predikotext
i skilda språk, i alla vanvettets och simpelhetens former.
Den samma guds nåd i alla besinningslösheter och
                                besinningarna.
Den samma själens makt är ödets makt i våra dagar, kanonsalut
        i hjärtats stillhet, i den skyhöghet
        som aldrig dör, men ser med klart
        ögas mod, —
och dag står, fast niding, brott och dårhus eller våldtäkt är
        de gnistor som bär eldar i mörkren.
Som en bit av guds blod och var stund och tingest i min hand
— Som det enklas huds tottar skall vi gå på den vreden som
        pöser utur inälvorna.
Som en världsmedborgerlighet, utan att mista balansen
i den stigande rörelsen. Vi
med vår hands vilja, att vårt bröst vilade som i sin
        upplösthet,
och allt var strilande strömmar,
allt är som en välordnad mjölkbutik
och alla fick precis vad de kan dricka.

Och alla tiderna är som en hymn till sig själva,
alla tider är det furstebarn, de höjer med mjölkvita lemmar.
Alla tider är den världsfrid som gungar i deras ögon,
alla tider är som öppnade sår, och vi lider av och för
        varandra
alla tider är som dansares gång med inåtvända tår.
Men där är obegränsningens fåle som ett glatt språng
        på tiljan
där är älskargalna som inte behövt tumma på sin smutsighet
där är de vilkas ögon kan rena.

Vita mås och änders lugna slag

Vita mås och änders lugna slag
och japanlik
en metarbåt
och allting grått och blått
som blott
och i solens ljus
och syréners dagrar
härinunder
Ett segel vitt
på blårikt vatten
Det gråast ljusa
ljus över höst, lugns
prakts dag
o flyg flyg vita moln
flyg i denna
himlens dag!

RABBE ENCKELL
(f. 1903)

Första sommarns kalv

Första sommarns kalv ser med blanka ögon jorden.
I hans stora svarta öga simmar molnet och vattubäckens skum
och vårens färglösa mygga flyr ur björkens gröna blad
att spegla sig däri
som var det ett av skogens blinda vatten.

Havet ältar sina minnen

Havet ältar sina minnen,
tills de blir glattslipade:
och ändå betyder de så litet.
Ty havet självt är ett enda
stort minne
ett enda stort nu.
Därför: avkräv frasen
det fullkomliga lövets sammetsmjuka glans,
eller tvinga den att forma sig till en klippas knäskål!
Hur lyckligt ingenting minnas,
ingenting! Och dock vara ett vittnesbörd
om något gånget — ett vittnesbörd i ansiktets
djärva linje, i handens frigjordhet,
i munnens slutenhet — ett vittnesbörd i rösten.
Och vad du säger är likgiltigt
som de krossade äggskalen i ett övergivet näste.

Allmän väg

Allmän väg går också den som klättrar
i alpinistisk iver extatiskt närd
av hägringsvyer mot död och moln under
zenits klarhet

allmän väg är stigen som du trampar
ensam ner mot brunnen och mot sjön
Ödemarken är som en park i mänskolivet
genomkorsad av spår och gravar
utslätade

HARRIET LÖWENHJELM
(1887—1918)

Beatrice-Aurore

I gamla sta'n, vid Kornhamnstorg,
i Hallbecks antikvariat
en gammal drömbok köpte jag
i folioformat.

Sen drömde jag förliden natt
om Beatrice-Aurore.
Det är en gammal käresta
väl död sen många år.

Hon stod mig när, hon tog min hand,
hon manade mig: Kom!
Med ens förstod jag, att hon var
den enda jag tyckt om.

Vi gingo i en lindallé
på gula, våta blad,
och tårar sköljde på min kind
och jag var ändå glad.

Vi gingo länge hand i hand
och talade som barn.
Så stodo vi med ens framför
en gammal väderkvarn.

Jag sade: Beatrice-Aurore,
säg vill du bliva min?
Ta fatt mig då! hon ropade
och slank i dörren in.

Och jag sprang in och letade
i alla dunkla vrår
och ropade, men ingenstans
fanns Beatrice-Aurore.

Jag vaknade vid att jag grät
och kände hjärtats sting,
och i min drömbok sökte jag,
men där stod ingenting.

Jakt på fågel

Tallyho, Tallyho, jag har skjutit en dront,
en dront har jag skjutit med luntlåsgevär,
då solen rann ned mot en blek horisont
och havet låg blankt mellan öar och skär.
Då bolmade rök i en luft, som stod ljum,
och rymden var som ett ekande rum,
där skottet skallade fjärran och när.

Jag har skjutit en dront, jag har skjutit en dront.
Mina bröder, stån upp av er makliga ro.
I kunden väl aldrig er tänkt något sån't,
I krasse, förkrumpne och sene att tro.
Han var stor, han var brun, och han skrek som ett barn
och vingarna klapprade som på en kvarn,
då han föll till det rum, där som fiskarna bo.

Jag har skjutit en dront, jag har skjutit en dront.
Och nu går jag till byn, där som bröderna bo.
Nu vänder jag åter, men tom är min kont
och jag ropar ej mer: tallyho, tallyho.
Och jag talar väl ej om det undret, som skett.
Jag känner er väl, I ha'n förr mig belett,
I krasse, förkrumpne och sene att tro.

Tag mig. — Håll mig. — Smek mig sakta

Tag mig. — Håll mig. — Smek mig sakta.
Famna mig varligt en liten stund.
Gråt ett grand — för så trista fakta.
Se mig med ömhet sova en blund.
Gå ej från mig. — Du vill ju stanna,
stanna tills själv jag måste gå.
Lägg din älskade hand på min panna.
Än en liten stund är vi två.

*　*
*

I natt skall jag dö. — Det flämtar en låga.
Det sitter en vän och håller min hand.
I natt skall jag dö. — Vem, vem skall jag fråga,
vart jag skall resa — till vilket land?
I natt skall jag dö. — Och hur skall jag våga?

*　*
*

I morgon finns det en ömkansvärd
och bittert hjälplös stackars kropp,
som bäres ut på sin sista färd
att slukas av jorden opp.

Människans hem

Nu är det natt över jorden.
Darrande stjärna, gläns!
Världarna vandra så fjärran.
Mörkret är utan gräns.

Marken och mullen och mörkret,
varför älskar jag dem?
— Stjärnorna vandra så fjärran.
Jorden är människans hem.

Den fångne guden

Hur fåfängt till himlen vi ropa: "O Herre, befria oss!"
Vår gud är ju själv en fånge, och han kan inte slita sig loss,
ty hans kropp ligger fjättrad i mörkret mellan stjärnor,
          osynlig och stor,
— men hans levande hjärta är jorden, där den kämpande
          människan bor.

Vi ha hört genom storm och tårar hans blinda, brusande gråt
och snyftande anat hans stämmas förtvivlade skygga: "Förlåt!"
Han har skapat oss alla att lida, men han lider och längtar
          som vi:
den gud som skall frälsa oss alla, kan blott genom oss bliva
          fri.

I vårt bröst är hans ande förborgad som i gruvan en ädelsten,
och vi måste ur djupet förlösa dess vita, gudomliga sken.
Ja, guds tanke vilja vi slipa, må vår hand bli av glöden
    förtärd,
blott det segrande ljuset får stiga som en eld genom
    skuggornas värld.

Först då kunna bojorna brista, när den eviges blick dem ser,
och han svingar sig fri genom rymden, där ett under bland
    stjärnorna sker.
Och befriade lyftas vi uppåt på de väldiga vingarnas brus,
för att smälta tillsammans med honom och bli ljus av hans
    heliga ljus.

Gravskrift

Här vilar,
en svensk arbetare.
Stupad i fredstid.
Vapenlös, värnlös.
Arkebuserad
av okända kulor.

Brottet var hunger.

Glöm honom aldrig.

GUNNAR MASCOLL SILFVERSTOLPE
(1893—1942)

Slut på sommarlovet

Det var den tid, då våra fickor spändes
av kantstött frukt med regnvåt lera på.

Det var den tid, då trädgårdsstaken tändes
och sken på kräftfat i en mörk berså.
Det började bli nästan kallt att bada,
och snåren sveptes in i spindelväv.
När sista lasset kördes till sin lada,
var rymden kyligt klar och blåsten sträv.

Det var de dagar, då man girigt vägde
var timma, som fanns kvar till lovets slut.
Det var den tid, då varje timma ägde
en egen kraft, som måste vinnas ut.
Och ändå hände det, man smög sig undan
från leken till en backe, där man låg
och såg med tioårig, svart begrundan
på svalors flykt och vita skyars tåg.

Så reste man en kväll, då solen väckte
en djupröd glöd ur alla timmerhus.
Man höll den avskedsgåva, sommarn räckte,
en påse astrakaner mot sin blus.
I tårögd tystnad for man till stationen,
och runtomkring en höjde syrsor gällt
den sista glädjedruckna sommartonen
från boskapstrampade och tomma fält.

FRANS G. BENGTSSON
(1894—1954)

En ballad om franske kungens spelmän

Vi ha kommit från Burgund och från Guienne,
från Brabant och från det gröna Normandie.
Vi ha aldrig sett de länderna igen,

588

sen vi trummade för kungens kompani.
Högt där Alpen lyfte kammen
klang det: — "Kom!
Med kung Karl och Oriflammen!
Emot Rom!"
Och den blåa luften bar
våra vimplar och standar,
tills av liljorna Toskana stod i blom.

Å, de skörderskor vi sett bland lin och korn
stå förundrade med famnen full av ax,
när basunerna vi lyft mot mur och torn:
"Män av Florens! Kungen kommer! Öppnen strax!"
Å, donsellorna på torgen!
Deras blod
svann ej bort från kind av sorgen
för vårt mod,
när det svors, att söderåt
skulle icke längs vår stråt
någon jungfrudom bli kvar, om Gud var god.

Vi ha spel för marsch och dansmusik för sal,
litaniors drön och sång om Charlemagne.
Vi ha klinkat klavikord och virginal
till en aube och till romanser från Bretagne.
Vi ha rim om Blanchefleur
och Herr Floris
och refrängerna om Sieur
de la Palice.
Och där påven fromt höll av
kurtisanernas konklav,
sjöngo vi Ballade des Dames du Temps Jadis.

Trumma på och blåsa klart och hålla takt
är vår lott ännu, fast buk och kinder svällt.
Vi ge än signal till sadling och givakt,
fast de herrar dött, vi fordom följt i fält.

Mellan äreportar, lansar
eller bloss,
där man stiftar fred och dansar
eller slåss,
gå vi än som fordom med
med baretten käckt på sned
och begravningsinstrumenten i vår tross.

Ghibellin och guelf och påve och spanjor
ha vi följt, tills deras härlighet försvann.
Mången furste ha vi tjänat, tills han for
i en svart kaross med flordraperat spann.
Ny mundering får oss smycka
år från år.
Utav fallna herrars lycka
återstår
nött livré från någon fest —
svart hos Sforza, grönt hos Este,
och hos Borgia rött som påvedotterns hår.

Finns en kvinna kvar, som minns oss i Guienne?
Blåser våren åter grön i Normandie?
Vi ha aldrig sett de länderna igen.
Vi gå nu mot Rom med Frundsbergs kompani.
Mellan Espérance och sabeln
är vår gång
med d'Orange och konnetabeln
av Bourbon.
Vad längs marschens väg var värt
ge en vink och hålla kärt,
ha vi transsubstansierat till en sång.

Not till sista strofen. Karl av Bourbon, landsflyktig konnetabel av Frankrike, kondottiär i kejserlig tjänst, drog 1527 mot Rom med en armé bestående av äventyrare av många nationer. *Espérance* var hans vapendevis, broderad på hans standar. Georg von Frundsberg, ryktbar landsknektsöverste, var med på marschen. Philibert de Chalon, hertig av Orange, var högste befälhavare under plundringen av Rom, sedan konnetabeln skjutits död på stormstegen.

GABRIEL JÖNSSON
(f. 1892)

Vid vakten

Flicka från Backafall, briggen Tre Bröder
kryssar i kväll i Karibiska sjön,
medan en landvind från kusten i söder
stryker som sunnan där hemma kring ön.
Luften är kryddad av tusende salvor,
men jag ger bort dem varendaste en
mot att få vandra bland Backafalls malvor
— allt medan månen går vakt över Hven.

Vänta mig inte till sommaren, Ellen.
Då skall jag ännu ha linjen i norr.
Men när du står invid kyrkan om kvällen,
tänk då att jag är en yr ollonborr,
som utan lov tar en törn mot din tinning
och — medan du med små händerna slår —
letar sig ner under bluslivets linning
— allt medan månen i malvorna går.

Känn att inkräktaren bara vill veta
om dina bröst bli som malvornas blom
var gång du känner min tanke sig leta
hem från sin vakt vid mesanseglets bom.
Känn att det blott är din gosse som sänder
hälsningen att han som bärgad kapten
landar en gång under Backafalls stränder
— allt medan månen går vakt över Hven.

NILS HASSELSKOG (A:LFR-D V:STL-D)
(1892—1936)

Guldregn

Det skjuter på torget så friskt och sunt
ett Guldregn ur Rådhusrabatten...
Hur ofta jag gått kring detsamma runt
i drömmar, tills långt in på natten!
De gyllene klasarna gunga,
ett dallrande klockspel för sommarens vind.
Det är, som om trädet fått tunga
och viskade, böjt mot min kind:

"Du själv är i grunden ett guldregnsträd,
låt vara i djupare mening,
ur Musornas jord från en stängel späd
växt upp till poetisk förgrening.
Var dikt, som slår ut i extasen,
vad är den, om icke en klase av guld?
Och bringar i ljuset du klasen
för människokärlekens skuld."

Ja, kanske, ja, kanske har trädet rätt...
Har städse det varit min strävan
ge ut mig till bristning, å sådant sätt
att nästan ibland jag känt bävan.
Dock, — vet jag i dylika stunder,
att blyghet hos skalder är blott ett komplex
Skall Diktkonsten icke gå under,
så gäller det; blomma och väx!

Ur *Strövtåg i hembygden*

III

Vid kumlet

Nu är den dystra höst utbruten,
som E. A. Karlfeldt kallar vår.
Nu sloka rosorna vid knuten,
och löjtnantsgapet gulnat slår.
Med paraplyn mot barmen sluten
i storm jag upp i öster går
å Gökplatån bland vissnat kröse
att söka mig till fädrens röse.

Där höjer ibland skumma enar
det sitt fossila gnejsupplag.
Hur ödsligt rossla ej dess stenar
i blåsten en oktoberdag!
En dunkel mysticism förenar
sig med en fläkt av obehag.
Förnuftet bjuder retirera,
men Sångmön för mig fram alltmera.

Ja, rosslen på, I gamle fäder,
och sucken i er asatro!
Och du, din uggla eller tjäder,
skrik gärna än en gång: oho!
Grip, martall där, i mina kläder
med klor av Edgar Allan Poe!
Ju mer makabert jag fått smaka,
jag tillfredsställd skall gå tillbaka.

Ty sången, är den gudaboren,
vill icke söka konstlad tröst
och dikta hösten om till våren,

nej, är det höst, så är det höst.
Just den å ryggen kalla kåren
en höstskald vårdar vid sitt bröst
och fyller harpan utan fummel
med mull och uggleskrik och kummel.

BIRGER SJÖBERG
(1885—1929)

Den första gång ...

Den första gång jag såg dig, det var en sommardag,
på förmiddan, då solen lyste klar,
och ängens alla blommor av många hundra slag,
de stodo bugande i par vid par.
Och vinden drog så saktelig, och nere invid stranden,
där smög en bölja kärleksfull till snäckan uti sanden.
Den första gång jag såg dig, det var en sommardag,
den första gång jag tog dig uti handen.

Den första gång jag såg dig, då glänste sommarskyn,
så bländande som svanen i sin skrud.
Då kom det ifrån skogen, från skogens gröna bryn
liksom ett jubel utav fåglars ljud.
Då ljöd en sång från himmelen, så skön som inga flera;
det var den lilla lärkan grå, så svår att observera.
Den första gång jag såg dig, då glänste sommarskyn
så bländande och grann som aldrig mera.

Och därför när jag ser dig, om ock i vinterns dag,
då drivan ligger glittrande och kall,
nog hör jag sommarns vindar och lärkans friska slag
och vågens brus i alla fulla fall.

Nog tycker jag ur dunig bädd sig gröna växter draga
med blåklint och med klöverblad, som älskande behaga,
att sommarsolen skiner på dina anletsdrag,
som rodna och som stråla och betaga.

Frida i vårstädningen

(Bland träden i Fridas faders täppa iakttager han utanför fönstren
en middagsrast på våren, hur Frida, som erhållit ledighet för vår-
städning, rastlös sysslar i hemmet. — Invärtes kärlekshymn.)

Något ljuvt och änglaaktigt skiner
omkring Fridas huvud, medge det!
Särskilt när bak vårens blomgardiner
kring hon går med små och lätta fjät.
Icke något språng, som slår och skallar;
fint, likt suset i en vass hon lopp.
Ändå står ej Frida vad man kallar,
på vår samhällssteges högsta topp.

Hur hon i sin gärning så kan vara,
denna gärning, kall och praktiskt lagd,
Vetenskapen söka må förklara,
då jag själv står kärleksfullt försagd.
Springa kring med vattenfyllda käril,
torka prismorna kring lampans rand,
ändå bära sken av blom och fjäril,
av en våg, som glittrar vid sin strand.

Fönstrets vadd hon hastigt låter fara,
andas rutan klar i denna stund,
för att strax därpå med händer snara
gnida kopparkrukans matta rund.
"Karl den tolftes likfärds" alla kanter
putsar hon vid bostons glada sång.
Ljuvt nog vore för de blå drabanter,
om de kände handens mjuka gång.

Medan vårens blåstar glada dirra
uti takets telefontrådssträng,
byråns katt utav porslin ses stirra
tankfullt ned på Fridas spring och fläng.
Nu min ängels hand med hammarn bankar
broderiet fast vid lätta dån:
"Lägg inunder tröskeln tunga tankar
och din hatt och stav i stuguvrån".[1]

Ej med bitterhet om livets lotter
talar jag med kärleksrösten min,
men jag jämför Rådmans milda dotter
tryggt med Frida, så till sätt som sinn.
Sade härskaren i frack och orden:
"Tag Astrea du, min dotter fin",
flydde jag till Frida in på gården,
där hon jagar mal bakom gardin.

Vardags vind vid hennes ruta viner,
vardags damm står tätt i hennes fjät,
ändå något änglaaktigt skiner
omkring Fridas huvud, medge det!
Där hon syns bland spannar och bland pallar,
kungligt strålar hon vid rök och dropp.
Ändå står ej Frida, vad man kallar,
på vår samhällssteges högsta topp.

[1] I Fridas hem funnos tvenne väggklädnader, den ena med inskriptionen "Lägg hatt och stav i stuguvrån" o. s. v. och den andra med "Vad rätt du tänkt" etc.

Bleka dödens minut

Ja, du kommer till slut,
bleka Dödens minut,
då med granris min port blir prydd,
då min fönstergardin
utav blommig satin
blir på mitten ihopasydd

då min hand har en ros i förvar,
om vars doft ingen aning jag har.
Ja, du kommer till slut,
bleka Dödens minut,
då jag vilar så gömd och skydd.

Stärkta veck överallt.
Allting skiner så kallt.
Kandelabern, den hyrda, bär
sina ljus utan glans,
och den svartaste frans,
som fanns köpa, den finnes här.
Våta kinder sig skymma i flor
såsom rosor i dimma, jag tror...
Stärkta veck överallt.
Allting skiner så kallt
där, som Döden med lien är.

Under klockornas vin
in de bära terrin
på en blåmanglad duk, så ren.
Solen, blek bak gardin,
slår i glaskaraffin
ned en stråle med gullgult sken.
Gamla frackar ses runt kring mitt stoft,
alla dunsta de malpappers doft.
Under klockornas vin
in de bära terrin,
en glaserad, med blom och gren.

Snart står kammaren kall
med sin svartklädda pall,
tom och dragig och väldigt arm.
Något bortrivet blad
av en krans far åstad
för ett vinddrag från fönstrets karm.
Ute höras de pulsa i snön
under klockornas ängsliga dön.
Snart står kammaren kall

med sin svartklädda pall
och en bårduk på stolens karm.

Allt för mycket besvär...
Jag så föga begär.
Bättre varit, att falla få
som ett blad faller ner,
virvlar runt och beger
sig till vila bland stoft och strå.
Daggen faller, och frosten gör vitt,
snart är bladet i smulor förspritt.
Allt för mycket besvär...
Jag så föga begär
utav klockor och sånger då.

Ja... Men har du en ros,
kan du lägga den hos
mig på kullen, när dock du går
vägen strax där förbi
under fåglarnas skri,
medan sommarn, den glada, rår.
Kan min ande med dimfingrar då
vänligt vinka — nog görer den så!
Som en fjäril, som vind
vill jag röra din kind
ibland kors och bland snäckor små.

På Richelieus tid

(Efter läsningen av "De tre musketörerna".)

På Richelieus tid var en fallgrop som noll,
och en dolk liksom en leksak, ser Frida,
och musketörens kappa bar blodbestänkt fåll,
som fladdrade kring glimmande slida.
I cellen, där stod munken och bakade sitt gift.
Den fina sammetsmattan var vägen till en grift.

En man, som buga vackert och var mjuk och timid,
det var Djävulen på Richelieus tid.

Och lyste jasmin under mångloben klar,
tycktes själva friden sträcka ut handen,
den friden mörka sorger i mantelen bar,
den tystnan dolde rovet och branden.
Nu börja blommor regna. Se, bak jasminens topp
en jesuit sig smyger på trädgårdsstegen opp!
Om månen i en dolk begynner blixtra därvid,
det är ingenting för Richelieus tid!

Baronen, han blänker och bugar sig grant
framför Richelieu, som gnider sin haka:
"Berätta, herr baron! Är det sant, är det sant?"
Han stirrar i kamin, som hörs spraka,
och rör liksom i tankar en knapp i sin tapet:
Baronen sjönk i golvet! Varthän? Åh, ingen vet!
"Vart tog baronen vägen", väste Richelieu blid,
och smög in uti salongernas frid.

En röd bigarrå ibland lövverket sken
med sin imma, fin och frostig, på kinden,
och späd grevinna bröt den från darrande gren,
fast bladen viska varning i vinden.
På gröna trädgårdsbänken, där bleknade hon av.
Snart klämtar klosterklockan i sorg vid hennes grav...
Den röda bigarråen, djupt i trädgårdens frid,
den var Döden uppå Richelieus tid.

Han ropade korpen, som flaxar på stig,
att de dolda ränker strax rapportera.
Han värvade en våg för att lyssna åt sig,
han manade ett träd: "spionera!"
Han Kärlek hade städslat som tjänare och sagt:
"Hav dolken i beredskap, stå troget på din vakt!"
Och Kärleken — den bugade så mjuk och timid
och blev Djävulen på Richelieus tid.

Ej för lagrar löpa!

Lagom grämas! Ej för lagrar löpa,
vänskap sade. Fatta snarast mod!
Självtrons dyra droppar må man köpa
i sitt eget väsens tysta bod.

Sjunga... Kvittrar du för positioner,
i en äreskramp, i tävlans svett?
Då blir svett och kramp i dina toner.
Dött alarm — och intet mer har skett!

Snickrar du den hästen Konstruktissa,
blank i manken, finpolerad, klar.
Rullas kan den nog med tåt och trissa —
intet språng den döda springarn tar.

Starka andetag skall till, att blåsa
ande i den fålens nos av trä.
Pustar djupt ur bröstet må du flåsa,
snickare! Blås, snickare, på knä!

Sjunga ... är det blott beskriva sveda
eller glädje — icke mer än så?
Fläkta varmvind i en stelhets leda
blixtra bilder i en hjärna grå!

Sjunga, är på frälsningskärra skaka
ner till djup, där varje ljus är släckt.
När — halleluja! — du far tillbaka,
döda lyktor har du återväckt.

Stolt program för en, som blott kan mumla,
menar du? Må vara, sångardräng!
Bed du alla goda andar tumla
på din friupplåtna önskans äng!

Om i trakten skrivardödar regna,
låt i löjlig lycka toner gå.
Dårhusmässig kärlek må du ägna
åt din längtans knappa verk ändå.

Eldad tillit är av växtguds nåde,
den är själva solens sanna vän.
Kväd poetens Signe du och råde:
"Signe *Skönhet* mig — och råde *den*!"

Statyernas samkväm

> "Först blamager — sedan bli staty."
> *Ordspråk vid Sällskapsgalärerna.*

När snön har fallit tät och tjock
på alla blamagerna dina,
du återvänder med tillknäppt rock
och uttryck putsade, fina.
Börjar på nytt
med varsamhet.
Morgon har grytt
på kvällsförtret.
Samtalsmarken är vit i dag,
och ej av olust punkterad...
Liv och lycka! Vad yttrade jag?
Snart dräller ett ord till obehag,
och åter står du generad.

Med tiden skall du halvstum bli,
och vinterligt karg i talet.
I tystnadsringen är mänska fri,
där löper ej tunga galet.
Tag dock en ton
om svart, om vitt!...
Reservation
vart ord har smitt.
Stängsel drar du till värn och skydd
med kalla blickar för stunden.

Liv och lycka! Vad världen är brydd!
Jag ser dig liksom med sockel prydd,
när styv du kniper med munnen!

God dag, staty! Pardon, staty
Här hägra prydliga vyer!
God dag, staty! Pardon, staty!
vid glädjens långbord statyer.
Kopparhand tog
så stelt sitt glas.
Kopparmun log
vid kopparfras.
Blylock klippa — och kulögt le
nu ögon i gjutgodsgamman.
Liv och lycka! Måns Stenbock, se!
Se, Carolus Rex och von Linné
på socklar fröjdas tillsamman!

Men nalkas då en solens man
med fri och skinande panna —
i saknad såg du hur öga brann
av glädjens högmod, det granna!
Bångstyrig, bred
var fri mans bikt ...
Sockelman vred
sitt huvud strikt.
Styv du sitter där likaså
med reservationerna klara.
Liv och lycka! I kväll skall du gå
betryckt att icke i livet få
av blod bland statyer vara.

... som sker vid sommarvakan ...
Samtal med ljus Konferensman.

Trodde min broder rätt, är döden ett bekymmer,
vilken lik ängslan nog tör äga övergång.
Morgonen bräcker lätt, i samma stund det skymmer.

Bäst som vårt solsken dog — det sken vid fågelsång.
Just som jag kved "Jag dör",
drömmande jag mig rör,
svävande fram på ängar.
Strängar i vindstråk jag hör.

Liknar ej faran då — tiots skrämsels vita lakan —
mildaste skymningsblund i juninattens gång?
Väl råder natt — men så som sker vid sommarvakan.
Bida en ringa stund — och morgon slår sin sång!
Svimning på huvudgärd,
väckning vid luftig färd.
Lågande längtan bara...
Klara och strålande värld!

Trodde min broder rätt är ständig sanningsglöden,
varar min ömma dröm — en evig fjäril lik.
Stormig på många sätt — men god är mörka döden,
liknar en kolsvart ström, som för till grönskad vik.
Just som mitt hjärtas slag
domnat, förnimmer jag
friskhets och lyckas bölja
skölja i rodnande dag...

De lära slakta dina lamm —

Extralärarens varning:

Du drömmarman så allvarsam med klena vackelvristen,
de lära slakta dina lamm och lägga dem på risten.
Vi leva i den stränga tid, då allt är hårt, som händer.
Här passar knappast stjärnögd frid...
("Ah, se så...")
Här passar knappast stjärnögd frid —
men sammanbitna tänder.

Var panna borde vara slät — du lär väl varsamt klaga.
Man lärt av åskans majestät att pannan sammandraga.

För varje brandröd stridshästflock, som stora cirkus rundar,
du sänker dina ögonlock ...
("Påståendet kunde jag...")
Du sänker dina ögonlock
och gömmer dig och blundar.

En tveksam fot, romanblå blick — ett slarvigt pansrat
      hjärta ...
Vad gör du här? Ah, fel du gick! Vart steg ger stöt och
      smärta.
För visa fick du järnkoral — en skräckhymn snart du sporde.
Du tog nog fel på hundratal...
("Mina avsikter...")
Du tog nog fel på hundratal,
när din entré du gjorde.

Fast själv en butter man som få, och full av tankar vreda,
jag ville välva en berså åt dig i livets leda.
Och ovanför dess mörka blad, min ädle svärmarfåne,
jag hissar, åt din fristad glad...
("Ah, se så...")
Jag hissar, pustande men glad,
Idyllens gyllne måne!

I himlens klara sal

I himlens klara sal
där goda tankar blomma,
jag och konditor Ofvandahl
få vila bland de fromma.

Det är ett land av sällsam prakt
med forsar kärleksröda,
och höga andar gå på vakt
att bittra minnen döda.
Där på vår önskans äng

som sänks mot mörkblå dalen
står i en vind, ej salt och sträng,
de bästa pekoralen.
På jorden trampade i mull
av många stora lärde,
de vaja för vår längtans skull
och äga även värde.
Förgäves ej den var
vår längtan till det sista.
På jorden är ej minnet kvar,
där hjärtan, sinnen brista.
Men evigheten är ej snål —
stor plats i blåa stater! —
Vi stå vid våra drömmars mål
som lyckliga kamrater.
Den höge trädgårdsman
ej våra blomster fäller.
Med stjärnvitt vatten svalkar han
dess kalkar emot kvällen.
Hans estetik står ovanför
den gamla estetiken,
som skiftar om, som lever, dör
i dödlighetens riken.
Och våra blomster så
oss ro och lycka susa.
I dagen skär, i dagen blå
dess dofter oss berusa.
Och himlens sommarvind går sval
och nådens grenar blomma
kring mig och gamle Ofvandahl
som älskas av de fromma.

*

Stundom från vår topp vi skönja lågor slå ur fjärran berg.
Vemod griper våra själar inför moln av blodad färg.
Där en skärseld ständigt brinner under dova dån och brus.
Efterhand de arma bärgas till vårt höga, svala hus.
De i mörka båtar föras över till vår klara strand.

Recensenter stiga svarta, solkade av kol och brand,
men de skola alla lögas snart, att åter rena stå.
Jag och Ofvandahl vid stranden vänta kärleksfulla då.
Dem, som hånat och bespottat oss vi tvätta sotet av.
Allt förstått och allt försonat efter frasflod, lump och drav.
Först i jorden, så i elden, så i vatten bittert salt.
Sedan ordets trasor fallit, se de meningen i allt.
Nu vi visa dem vår trädgård under nådens grenar blå,
där de arma fattigväxter även någon skönhet få.
Inför våra blommor faller snart kritiken i en ring.
"Dessa voro ock av ljuset! — Estetik är ingenting!"
När de vilja räcka famnen fram mot mig och Ofvandahl,
säga vi: "Nej, prisa Anden, som står över jambers tal,
över konstens usla bakgård, där all hånblom spricker ut,
och där även småskurk växer. Prisa Anden nu till slut!"
Luften fylls av sköna klockljud, dagern bräcker törnrosvarm,
och med strålar omkring pannan, glömsk av bitterhet och
        harm,
sväva de omkring tillsammans, recensenter utan tal,
medan höga hymner stiga upp från mig och Ofvandahl.

BERTIL MALMBERG
(1889—1958)

Dårarna

Jag vet ej vad de känna, vilka ting
de söka, där de röra sig i ring,

och icke vad de tänka, där de stå
orörligt stilla, medan molnen gå.

— Den förste är en maharadjas son
av Ingenstädes och av Långtifrån.

Den andre heter greven av Chambord.
— Den tredje fyller tusen år i år.

Den fjärde är en kostbar vas
av idel genomskinligt glas,

där någon obeskrivlig hand
kanhända sätter ned en ros ibland.

Och de ha var och en sin värld och rymd,
för alla andra ögon skymd,

med egna månars makt och trolleri
och egna vintergator däruti.

— För länge sedan, några korta år,
dem lyste samma sol som vår,

och samma dag till deras kind sig slöt,
och samma tid i deras timglas flöt.

— De hade samma plåga — samma skri
och samma styckeverk av lust som vi.

Ja, deras liv var både ljuvt och svårt
med mycken ofullkomlighet som vårt.

Men lönnligt närde de en högmodsdröm
att bärga livet undan livets ström,

att bygga åt sig ovan tingens storm
ett eget rike av fullkomlig form.

Och han som är en maharadjas son
förtörnades som vid ett helgerån,

när modern smekte med sin grova hand
hans ädla, marmorbleka kind ibland.

Och han som är av frankiskt kungablod
led bitter vånda i den hökarbod

där över gryn och mjöl och snus
han skymtade bourbonska liljors ljus.

Och han som fyller tusen år
och vet hur tidens tomma molnvärld går

fann tidigt dvärgamödan alltför bråd
och lade undan syl och tråd.

Och han som är en kostbar vas,
ett ädelt ting av genomskinligt glas,

gick bort från henne som han hållit av.
För litet skär var gåvan, som hon gav,

och hennes kyssar — hennes varma ord
för mycket fläckade av synd och jord.

Så gledo de allt längre bort.
De stodo gränslöst fjärran inom kort.

De stodo bundna av en magisk ring,
och allt föll sönder runt omkring.

— Och tingen voro liksom utan klang
och utan syskonskap och sammanhang,

och ingenting var längre fast,
och själva ljuset var en sträng som brast...

Där stå de nu. Men ringen som dem band
har vidgat sig och blivit himlarand,

och ingen kåre, ingen krusning stör
förhävelsens domän där innanför.

De äro helt sitt eget mått.
De kunna icke nås av ont och gott.

Och vaktaren, som vallar dem,
han leder endast deras kroppar hem.

Oändligt fjärran därifrån
står oåtkomlig maharadjans son,

står oåtkomlig greven av Chambord
och han som fyller tusen år

och han som är en kostbar vas
av idel genomskinligt glas.

— Blott deras kroppar skrida i allén.
Kring dessa brinner höstens sken.

Och deras anstaltskläder slå
kring lemmar utan styrsel, där de gå.

Det börjar redan blåsa kallt.
Oktobers bladguld virvlar överallt.

Vision

Jag ser din krona lyfta millioner
grenar och harpor mot det svarta rummet,
du träd av skugga, sken och illusioner,
ur intet vuxet, hängande förnummet.

Släkt efter släkt får skåda, hur du klädes
i prakt och mångfald, solar och planeter.
Men dina rötter vila ingenstädes.
— Du svävar mellan tomma ändlösheter.

Det rus varav du härligt genombÖljas,
kan tyckas stolt och stort och outsinligt,
men stundom ser jag dina grenar höljas
av månblekt dis och dallra genomskinligt.

Kristus uppsöker Lucifer

Hur skedde det? Hur mötte de varann?
De stodo plötsligt man mot man.

De stodo på en klippavsats
högt över hertigdömets blå palats —

högt över Undanflyktens stad
skymtande snöblek genom valv av blad.

Och Kristus såg till grunden av hans själ,
han såg dess vemod och dess lust jämväl.

Och Kristus tänkte: "Denne vet
allt som kan vetas om förgänglighet

och ur hans väsens mörka djup jag hör
medlidandet med allt som dör."

Och Kristi stränga kärlek såg
en kärlek ljuvt förförisk som en drog,

en dunkel drog, en sällsam trolldomssaft
men utan läkedomens kraft —

en mildhet som var olik hans,
svävande oviss och av gåtfull glans.

Och Kristus tänkte: "Hans begär
är tungsint njutning, minne och chimär.

Omvandla vill han allt, upplösa allt
i genklang och i skengestalt

och fast hans hjärta blöder rikt
för allt som vissnar och är dödsinvigt

handlar han likväl i sitt skumma råd
häxmästerligt och utan nåd.

Ja i hans kärlek sällsam och fördrömd
är en försåtlig kyla gömd

och om han hade makt att ge
sanningens räddning åt en värld av ve:

han toge aldrig denna makt i bruk.
Endast med salva, svetteduk,

bedräglighet, besvärjelse, musik
nalkas han plågan månelik.

Ack endast på förrädisk mark
blomstrar hans lustgård, länkas park vid park

sugande, underjordisk skön,
mättad med tomhet, tung av sorg och kön."

Och Kristus såg till botten av hans nöd,
såg skenets trolskhet, verklighetens död

och såg omutligt domarklart
ett drömlikt ödes bråddjup uppenbart.

Och allt var tystnad. Kristus teg.
— Men bröstet hävde sig: det steg och steg

och tecknat på hans panna där han stod
var ordet "Vakna" som ett kors av blod.

Men obevekligt stel och kall
med slutna läppar, orört mantelfall:

så inför Verklighetens son
stod Skymningsrikets hertig och demon.

Och sakta vek han undan med sin blick
tyst liksom i förakt och gick

emellan trappans sfinxer ned
mot sina lustträdgårdars ljumma fred.

Dock när till stadens skuggblå port han kom
han vände sig och såg sig om

och blicken följde trappans väg mot skyn
ivrig att styrka för hans syn

att skepnaden vid klippans rand
lämnat sin plats och vandrat till sitt land.

En hemlig olust skulle då
strykas från pannan, som en rök förgå

i silvertöcknen utan slut.
Men Kristus stod på klippan som förut.

Radiolyssnaren

När han hörde rapporterna
om Auschwitz
skrällande genom Hades —
då darrade
Heliogabalus, den unge syriern,
lyssnande jämte sin moder.

Mer! stönade han
— och stampade med foten:
den kraftlösa skuggfoten...

Treudd

Ovisst
synes det mig vem jag verkligen är: en förolyckad
ljustrare
eller den hastiga skymten av en tånggud,
en mindre Poseidon.

Dragen mot bottendjupet
med ruttnande flotten
lyfter jag
över höga, ödsligt sammanslående
vattenberg
min blödande triumf —
ivrig att solen må slicka den,
        sträckande
så länge det går
min treudd
mot ljuset
med fiskar spetsade på hornen
av lyrformade, grymma
fångstredskapet.

EBBE LINDE
(f. 1897)

Den nye Herkules

Herkules arla stod upp en morgon i första sin ungdom,
fuller av angst och tvijk, hur han sitt leverne börja
skulle; kom till ett vägskäl, fann två vägar att vandra.
"Måste" stod på den ena, och "Måste" stod på den andra.

Medan han tvekade då, så syntes på högraste vägen
trenne figur', filur', med min förvägen och trägen,
liknande mest en präst, en tant och en katiger löjtnant.
Honom de blinkande vinkade till, och ivrigt de ropte:

"Ståndar du där, min son" (så prästen), "hör då den maning,
vilken ur seklernas natt är satt för de dödliges aning.
Ypperst i bud är Gud, sant blott vad i Skriften är skrivet,
sinnliger lust tom pust, kött just för kuvande givet.
Synd naturn fyller opp, thy fly till Herran i höjden,
varder du böjd, men förnöjd, och frälst till den himmelska
            fröjden."

Däruppå Tant: "Hur sant de orden sades och lades!
Blott den som är, som man bör, och sig för som man plär
            har den glades
lyckliga lott på vår jord och rättmät' människors vyrdnad,
blomstrand' affärer han får och varder för släkten en prydnad.
Den däremot, som sin fot ill vill ur det börliga sätter,
aktande slätt sin släkt och sin dräkt samt umgängets rätter,
han har ej fast till att stå, ej lärdom och härd, som förbliver,
mister sin plats, och ajöss, på seglats han snöpligen driver."

Men som i sommarens tid det still hänrisslande regnet
följes av dån, duns, brak när tordön börjar att ljunga,
sålunda ock dessa ord, framläspad' med ljuvelig tunga,
följdes av dån, duns, brak från den löjtnantsliknandes stämma:

"Halt, palt! Allt, som befallt: stå, gå, spring, sting på
            kommando!
Högerom! Vänsterom! Fram! Mittåt! Lägg an! — och var
            man, då!
Plikt är av vikt! Föd! Död! Bliv vid liv! Bliv en! Bliv en
            annan!
Följ din Ledare städs' och förvis' all tanke ur pannan.
"Tänkt" är förrädareord; till ypprare dåd vi dig kalla:
Detta är mans ideal: att lyda, när männer befalla!"

Herkules hörde härpå; han såg mot höjden betänksamt,
stavande skyltarnas ord; så vände han blicken mot vänster,
bidde med rynkad panna att se vad som kom på den vägen.

Ingenting kom. Allt still. Tyst krökte sig vägen för backen
ned emot sjön. Sol sken. Där flög några bin. Litet blommor
stodo vid dikets rand. Vass bugade. Stundom ett strömoln
spred sin hand över landet och fiskglit spratt vid sin brygga.
Solen sken av sig själv och bina ilade självmant,
samlade honung — så är deras håg — och redde sig celler,
frågande ingen till råds, blott följande sig och naturen.
Varje blomst var i arbete tyst; det sprängde i knoppar,
vatten forslades upp och tusen och en kloroplaster
rörde ett murbruk av solsken och luft och timrade träget
celler, kalkar och skaft, bär, blad och femtal och sextal.
Klippan däremot sov, men bryggde i sömn på sin yta
brygd av mossa och värme, ett nyckfullt myrornas landskap,
vidder att kila för dem; i sjön drog fisken på fisksätt,
obekymrad om död och sin plats i Den Eviges rådslag,
givande fan i blomtal och moln, fullt fylld av att leva.

Herkules såg härpå. Nyss mulna, ljusnade dragen.
Slängde så knytet på nacken; med rygg åt de gafflande trenne
stämde han upp en trall, en människosång under solen,
styrde mot blommor och bin, fisk, moln de manliga stegen.

HJALMAR GULLBERG
(1898—1961)

Aftonsång

Nu vilar hela jorden.
Tom hänger barnets gunga.
Bort dör de stora orden
på mannens tunga.

Från kärnan faller skalet.
Snart hörs ej minsta knäpp.
　　Bort dör förtalet
　　på kvinnans läpp.

Han som allena äger
allt, sjöarna och landen,
står hög mot skyn och väger
vår jord i handen.
En krans av stjärnor slingrar
kring hans gestalt sitt ljus.
　　Men på hans fingrar
　　är blod och grus.

Hänryckning

Då skall ej vår jordiska lekamen
längre hindra och besvära oss.
Tyst i hallen står vid spegelramen
rockvaktmästarn som gör herrn och damen
från de tunga ytterplaggen loss.

Medan i fem fack han lägger undan
ögon, öron, tunga, näsa, hud,
står vår själ i andakt och begrundan.
Stjärnor brinner i den blå rotundan,
där vi äntligen skall möta Gud.

Vid Kap Sunion

Detta är havet, ungdomskällan,
Venus' vagga och Sapfos grav.
Spegelblankare såg du sällan
Medelhavet, havens hav.

Lyft som en lyra mot arkipelagen
skimrar Poseidontemplets ruin.
Pelarraden, solskenstvagen,
spelar den eviga havsmelodin.

Seglande gäst på förbifärden,
lyssna till marmorlyrans musik!
Full av ruiner finner du världen.
Ingen i skönhet är denna lik.

Ej mer jublas det här och klagas
inför havsgudens altarbord.
Nio pelare blott är hans sagas
ännu bevarade minnesord.

Måtte det verk du i mänskors vimmel
skapar från morgon- till aftonglöd,
stå som en lyra mot tidens himmel,
sedan du själv och din gud är död!

Tinget i sig

En vinterafton läser Örtstedt Kant
och finner honom verkligt intressant.

Men filosofens tyska flyter tungt.
Snart somnar över boken vår adjunkt.

I nattens dröm gror dagens tankesådd.
Kant illustreras och blir lättförstådd.

Det kommer, svept i brokig omslagsfärg,
till Örtstedt ett paket från Königsberg.

Aktas för stötar! står det utanpå
med petig stil som verkar rokoko.

Avsändare och varans fabrikant
är ingen mindre än professor Kant.

Han granskar lådan vid sin fönsternisch.
Det står som innehåll: DAS DING AN SICH.

Kring tinget i sig själv, de vises sten,
är sinnevärlden blott ett brokigt sken.

Vem törs dock rycka undan slöjan kring
den rena verkligheten, tingens ting?

Adjunkten Örtstedt ryggar bort bestört
från det som ingen sett och ingen rört.

Om gåvan i hans grova händer sprack!
— Han returnerar den med tusen tack.

Sjön

Den helige herr Bernhard av Clairvaux
bjöd mig, sin väpnare, till stallet gå.

Hans konst att tiga är beundransvärd;
han nämnde inte målet för vår färd.

Vi red längs sjön som glänste spegelblank,
han böjd och grå, jag ung och mera slank.

Jag tänkte när vi ridit runtomkring:
min herres ärende var ingenting.

Jag tänkte tredje gång vi red den runt:
min herre vet att friluftsliv är sunt.

Och sjunde gång, vi nådde klostrets mur:
min herre fröjdar sig åt Guds natur.

En lärka över oss sjöng vårens pris,
den tolfte gång vi red på samma vis.

Då bröts vår tystnad av min kommentar:
"Jag tycker också sjön är underbar!"

Så häpen kunde ej ett slag av spö
ha gjort mig som hans fråga: "Vilken sjö?"

Min herre hade ej lagt märke till
den spegelblanka sjön och lärkans drill.

Fast vi bevisligt gjorde samma tur,
red han på annat håll, jag vet ej hur.

Aldrig ska jag, hans väpnare, förstå
den helige herr Bernhard av Clairvaux.

Den tänkande lantbrevbäraren

I

Jag är en lantbrevbärare,
jag går i snö och is.
Och intet är mig kärare
än gå på detta vis.

Om världen än blir vrångare,
för yrket jag ej skäms.
Min äldste föregångare
Merkurius benämns.

Mitt kall hör till de ringare.
Ej vingar har min häl.
Dock är jag överbringare
av bud från själ till själ.

II

Av lyckan borde mänskorna få lika!
Det skar mig in i märgen så jag frös,
när jag bar pengar till de redan rika
    och kravbrev till en medellös.

Jag ville gå med väskan över mossen
till torpets mö som kärlekspostiljon.
Men till sin flicka skrev kanhända gossen
    ett avskedsbrev i hjärtlös ton.

Den ville jag ge guld och diamanter,
som skördat stenar där han gått med plog.
Men ofta bar jag brev med svarta kanter
    till en som redan sörjde nog.

En hungrig mätta och en törstig läska —
så borde väl min uppgift ha sett ut?
Jag går omkring med Ödet i min väska:
    men i förseglat konvolut.

O Mästare, vars bud jag går kanhända,
varför är mångas liv så rått och kallt?
Låt mig få gripa in en gång, en enda,
    och till det bästa ordna allt!

Död amazon

Svärd som fäktar mot övermakten,
du ska brytas och sönderslås
Starka trupper har enligt T. T.
nått Thermopyle, Greklands lås.
Fyrtiåriga Karin Boye
efterlyses från Alingsås.

Mycket mörk och med stora ögon;
klädd i resdräkt när hon försvann.
Kanske söker hon bortom sekler,
dit en spårhund ej vägen fann,
frihetspasset där Spartas hjältar
valde döden till sista man.

Ej har Nike med segerkransen
krönt vid flöjtspel och harposlag
perserkonungen, jordens gissel.
Glömd förvittrar hans sarkofag.
Hyllningskören ska evigt handla
om Leonidas' nederlag.

För Thermopyle i vårt hjärta
måste några ge livet än.
Denna dag stiger ner till Hades,
följd av stolta hellenska män,
mycket mörk och med stora ögon
deras syster och döda vän.

April 1941.

Sjungande huvud

Sjungande huvud som drev till sjöss med hårets
svarta segel hissat, med släckta ögon...
Ingen hand att röra det strida regnets
harpsträngar, inga

kunniga fingrar kvar att beledsaga
denna odödliga stämma som blev slungad
från en thrakisk klippspets. Så berättar
sagan om Orfeus.

Honom slet vid pukors tumult i rökigt
fackelsken den larmande gudens kvinnor
sönder som en bock. När de rusigt sörplat
    i sig blodet,

slängdes till spis åt hundarna hans kön, åt
havet det ensamma huvudet som sjunger,
buret högt av vågorna mot sin fjärran
    hamnplats på Lesbos.

Löst från lemmarnas tyngd, från buken och dess
bihang kommer här den slutlige Orfeus:
stympad, blind, en havsmelodi för måsar
    — bara en spelmans

tvättade ansikte, bara en mun i sin na-
turliga infattning...

Terziner till hopplösheten

Långsamt, apatiskt, ur mitt väsens brunnar
steg, lyft av ingen utom av sin stigning,
den nya hopplöshet som jag förkunnar.

Han som bjöd skapelsen till sammanvigning
med icke-existensen, med nirvanat,
han som med uppror eller altarnigning

anropas av den avbild han har danat,
den aldrig skådade, åt honom äran!
Ty ingen blick har bortom honom spanat.

Men den som gripits av en ny förfäran
må vända sig till greker eller judar:
han finner inget stöd i gudaläran.

Dock vet jag jämte honom andra gudar,
bortvända nu, på återtåg från forna
bålverk och positioner, panterhudar,

treudd och lyra, tjurmask att behorna —
hierarkier, borta och förgätna.
Men vad vet vi som låter molnen torna

sig för vår syn, vantrogna och förmätna,
om gudar, om heroer och om larer
mer än att deras offerdjur är ätna?

I flygsand har med öknens dromedarer
jag gått bland lämningar av de berömda
tempel som byggts av kungar och caesarer.

Än rasar kapitäl och valv blir tömda
i tystnaden som utan ord predikar,
bedövande, att också vi är dömda.

Ja, också vi ska möta våra likar
på liljeängen som är utan dagning,
ogärningsmän som fästs på kors med spikar,

en grå kohort, en dunstig sammanslagning
av skrivare och dästa faraoner
och alla kroppar som har fått sin tvagning

i blod vid alla Trojas invasioner.
Oss hämtar ingen Hermes och ledsagar,
oss lyfter till Treenighetens troner

ej änglarna från skyn i våra dagar.
Regnbågen ser jag bortom tårar välva
sin bro, varthän? Liv är en dröm vi jagar

på en homerisk hemfärd till oss själva.

Tag bort fotografierna

Tag bort fotografierna! Vi döda
är känsliga för dylikt första tiden.
Anpassningen sker inte utan möda
till friden över allt förstånd, till friden

som ni har unnat oss i dödsannonsen.
Släpp oss! Er sorg förlänger vår begravning.
Namn och profil i marmorn och i bronsen
när vi ska byta form och ändra stavning,

är hinder som vi hellre vore utan.
I natt är vi den snö som faller flinga
vid flinga ljudlöst. Ansikte mot rutan,
vems namn är det du ropar? Vi har inga.

EVERT TAUBE
(f. 1890)

Balladen om Ernst Georg Johansson från Uddevalla

Vi kom från blå Atlanten, från havets majestät
och mötte gula strömmen, som går ut från River Plate,
där, bakom skrov och master på flodens södra strand,
låg staden Buenos Aires, där vi nu gick i land.
Jag kan ej glömma staden, som ligger där i dyn,
den luktar majs och hudar och fruntimmers parfym,
som pampasvinden blandar med doft av feberträn,
men kajerna är lagda med sten från Bohuslän.

Nu gällde det att dricka, att röka, spela kort
och även spela tärning på denna fjärran ort.

I minnet hör jag ännu, hur tärningarna slå
och falla mellan borden, där mörka flickor gå.
Det var helt nära hamnen på krogen Ultra Mar,
jag mötte där en timmerman, som efterseglad var,
han knogade som stallknekt på stadens hippodrom,
han var en uddevallare, Ernst Georg Johansson.

Där låg en skjuten ridhäst i rännsten utanför,
vår krogvärd han var mördare och kyparn soutenör,
men allt var här så billigt, och allting fanns att få
från argentinskt Mendozavin till äkta franskt Bordeaux,
och in igenom dörren, som ständigt öppen stod,
kom fjärilar, kom flickor av mörkt och blandat blod.
Vid gallerfönstret såg jag, hur Södra Korset brann,
och timme efter timme på denna krog förrann.

Men Johansson blev uppsagd, och pengarna tog slut.
Då sa han: Följ mig Fritiof, vi far på pampas ut!
Han hade lärt sig rida i sina unga dar
och nu med Georg Johansson på pampas ut jag far.
Vi reser oss från bordet på krogen Ultra Mar
och dricker sista droppen av vinet vi har kvar,
sen krossade vi glasen mot krogens tegelgolv
och lämnade kvarteret, när klockan den slog tolv.

Där gick två lösa hästar vid stadens västra gräns,
och barbacka vi red dem, det vet ni, hur det känns!
Estáncian La Posta — dit var det resan gick,
och där på femte dagen som cowboys jobb vi fick.
Men kvinnan, som är nyttig till månget ändamål,
hon frestar ofta ynglingen långt mera än han tål.
Värdinnans kammarjungfru hon bad mig stiga in
i rummet, där hon bodde, och spela mandolin.

Allt var ju så oskyldigt, det var en trevlig kväll,
men dagen efter blev jag utmanad på duell.
Gonzales hette mannen, som ville se mitt blod,
och med sin dolk i handen han frestade mitt mod.
Strax fick jag nu en rispa uppå min högra hand,

som ännu, när jag festar, syns rodna lätt ibland —
då sprang min vän emellan och ropte: atención!
Och kniven mitt i hjärtat fick Georg Johansson.

Nu flydde alla andra från trakten i galopp,
och ensam satt jag kvar vid kamratens fallna kropp.
— "Har du ett budskap, Georg, till Sverige till ditt hem?"
— "Nej", svarade han stilla, "bekymra inte dem,
men tag min bästa häst och de pengar, som jag har,
och lämna detta helvete, när jag ej mer är kvar,
och rid till Buenos Aires, det tar dig fyra dar,
och drick en skål för Johansson på krogen Ultra Mar."

Brevet från Lillan

Pappa kom hem!
För vi längtar efter dej!
Kom innan sommarn är slut, lilla pappa!
Åskan har gått,
och om kvällen blir det mörkt,
stjärnorna syns nu på himlen igen.
Allt jag vill ha är ett halsband av korall,
ingenting annat, det kostar för mycket.
På våran tomt
är det nu så mycket bär
och fullt med ungar har fåglarna där.

Sjön är så varm
och jag badar varje dag,
och jag hoppar i
utan att bli rädd,
för nu simmar jag så bra.
Vi ha så fint nu i vårat lilla skjul,
och en liten gran ha vi också sett,
den som vi ska ha till jul.

Detta har jag
skrivit nästan bara själv

och jag ska börja i skolan till hösten.
Pappa kom hem!
Jag vet något som du får!
Nu slutar brevet från din Ellinor.

Sjösala vals

Rönnerdahl han skuttar med ett skratt ur sin säng.
Solen står på Orrberget.
Sunnanvind brusar.
Rönnerdahl han valsar över Sjösala äng.
— Hör min vackra visa, kom, sjung min refräng!
Tärnan har fått ungar och dyker i min vik,
ur alla gröna dungar hörs finkarnas musik,
och se, så många blommor som redan slagit ut på ängen
Gullviva,
mandelblom,
kattfot
och blå viol.

Rönnerdahl han virvlar sina lurviga ben
under vita skjortan som viftar kring vadorna.
Lycklig som en lärka uti majsolens sken,
sjunger han för ekorrn, som gungar på gren!
— Kurre, kurre, kurre! Nu dansar Rönnerdahl
Kokó! Och göken ropar uti hans gröna dal
och se, så många blommor som redan slagit ut på ängen!
Gullviva,
mandelblom,
kattfot
och blå viol.

Rönnerdahl han binder utav blommor en krans,
binder den kring håret, det gråa och rufsiga,
valsar in i stugan och har lutan till hands,
väcker frun och barnen med drill och kadans.

— Titta! ropar ungarna, Pappa är en brud
med blomsterkrans i håret och nattskjorta till skrud!
och se, så många blommor som redan slagit ut på ängen!
Gullviva,
mandelblom,
kattfot
och blå viol.

Rönnerdahl är gammal, men han valsar ändå!
Rönnerdahl har sorger och ont om sekiner.
Sällan får han rasta — han får slita för två.
Hur han klarar skivan, kan ingen förstå —
ingen, utom tärnan i viken (hon som dök)
och ekorren och finken och vårens första gök
och blommorna, de blommor som redan slagit ut på ängen.
Gullviva,
mandelblom,
kattfot
och blå viol.

NILS FERLIN
(1898—1961)

En inneboende

B-rr, jag är som en inneboende,
jag hyr ett möblerat rum;
värdinnan är mäkta troende
hon fyller varenda tum
varenda tum i mitt rum
med bilder och tänkespråk,
med fula och tarvliga bilder
och dåliga tänkespråk.

Jag sitter med hängande armar,
jag sitter med ryggen i krum
mens skymningen rullar sitt dunkelljus
som en valsmelodi kring mitt rum...
Jag gäspar — värdes förlåta,
mitt hjärta är sjukt och nervöst,
jag löser en korsordsgåta
som ännu ingen har löst.

Dom pratar om mej i huset
att jag varken ser eller hör,
men vinden hör jag och suset
i almen därutanför,
en fågel ser jag som irrar
långt bortom hank och stör...
jag sitter och stirrar och stirrar
och ingenting kommer mej för.

Jag är som en inneboende
som fryser jämt i sitt rum,
och jag är som en dåligt pressad växt
i ett herbarium.

En valsmelodi

Dagen är släckt,
mörkret har väckt
stjärnor och kattor och slinkor;
fyllda av skarn,
slödder och flarn
sova polishus och finkor —
Barnet det skådar i drömmarnas brus
hur en ängel med lyktor går runt våra hus.
    — Och ensam i kvällen den sena
    jag slåss med en smäktande vals.
    Och jag är ganska mager om bena,
    tillika om armar och hals —

Jag har sålt mina visor till nöjets estrader
och Gud må förlåta mej somliga rader
ty jag är ganska mager om bena,
tillika om armar och hals.

Grämelsens son
i grammofon
sprattlar för Hans och för Greta.
Pajas — ack ja —
schajas — ack ja,
gott kan det vara att veta!
Skänk mej nu bara ett rimord på sol
när jag redan har använt fiol och viol?
  — Ack, ensam i kvällen den sena
  jag slåss med en smäktande vals,
  och jag är ganska mager om bena,
  tillika om armar och hals —
Jag har ingenting alls här i världen att vinna
och snart i min grop skola maskarna finna
att jag är ganska mager om bena,
tillika om armar och hals.

Du har tappat ditt ord

Du har tappat ditt ord och din papperslapp,
du barfotabarn i livet.
Så sitter du åter på handlarns trapp
och gråter så övergivet.

Vad var det för ord — var det långt eller kort,
var det väl eller illa skrivet?
Tänk efter nu — förrn vi föser dej bort,
du barfotabarn i livet.

Den stora kometen

Först blev det ganska tyst i byn:
Förnekade kometen
bevisade sin plats i skyn
för hela menigheten

Järtecken, sade man till slut
— en rackare att blänka! —
Nu blåstes nådatiden ut,
nu är det dags att tänka!

Nu är det tid att handla rätt
mot mor- och faderlösa,
och garda sej på alla sätt
och varda religiösa.

Så satte de sej ned med fart
vid brillor och postillor
och suckade så tungt och rart
om världens vreda villor.

De bugade för fattighjon
som förr för tjocka magar
och vägde rätt i handelsbon
i nästan fjorton dagar.

De såg på almanackans blad
i spirande förvånad,
tills någon kom en dag och sad:
nu är det jämnt en månad.

Då sken de upp och ropte: Se,
än lyser björk och lunder.
Hvi sattes vi i suck och ve
för gamla kyrkofunder?

Än hoppar haren över äng
och solen över rågen.
Men bringa hastigt, stalledräng,
tillbaks den gamla vågen!

Så blev det åter fart och ras
och buller och affärer
och fattigskjuts och kräftkalas
kring alla landamärer.

I glada vänners muntra lag
satt gubbarna och söpo
och skrattade i fulla drag
åt ryktena som löpo.

Ty, sade de — vid feta bloss
på gördlade cigarrer,
plädera och kometa oss
med piska och gitarrer.

Vi sitter där vi sitter nu
och har det ej så galet.
Den där kometen kommer ju
tre gånger i kvartalet.

Än är han här, än är han där
och krumelurar värre.
— Vi skålar för den dag som är
och litar på Vår herre!

När skönheten kom till byn

När skönheten kom till byn då var klokheten där,
då hade de bara törne och galla.
Då sköto de efter henne med tusen gevär,
ty de voro ju så förklokade alla.

Då nändes de varken dans eller glädje och sång,
eller något som kunde vådeligt låta.
När skönheten kom till byn — om hon kom någon gång,
då ville de varken le eller gråta.

Ack, klokheten är en gubbe så framsynt och klok
att rosor och akvileja förfrysa.
När byfolket hade lärt sej hans ABC-bok
då upphörde deras ögon att lysa.
Hårt tyngde de sina spadar i åker och mull,
men fliten kom bara fliten till fromma.
De räknade sina kärvar — för räkningens skull,
och hatade för ett skratt och en blomma.

En gång skall det varda sommar, har visorna tänkt,
en dag skall det tornas rymd över landen.
Rätt mycket skall varda krossat som vida har blänkt,
men mänskorna skola lyftas i anden.
Nu sitter de där och spindlar så smått och så grått
och kritar för sina lador och hyllor.
En dag skall det varda sommar, har visorna spått.
— Men visorna äro klena sibyllor.

Kuplett

Tillägnad Victor Arendorff, Högalid

På Arendorffs tid
då var himmelen vid
då var stjärnorna nära att se.
Det var glädje och skratt;
blev man haffad en natt
var de' ingenting särskilt me' de'.
Det var uppåt, det kan jag förkunna
fast man bodde ibland i en tunna.
Och man frös och man svalt

men man klarade allt.
De' var ingenting särskilt me' de'.

Nu är tillvaron hård
så på gata som gård,
så på krog som på pilsnerkafé.
Man får sitta så tyst
som ett trä och en byst:
kan ni se något särskilt i de'?
Nej, på Arendorffs tid fick man andas
och med grevar och friherrar blandas.
Var man dum i sin trut
ja, så åkte man ut:
De' var ingenting särskilt me' de'.

Det var lustiga år,
men med slätkammat hår
nivelleringen gjorde entré.
Och så blev det så här:
vi är lika som bär.
Kan ni se något särskilt i de'?
Folk betalar sin skatt och är snälla
fastän inte ett skvatt originella.
Nu är tillvaron platt
som en nedsutten hatt.
Ja' ser ingenting särskilt i de'.

Ja, man lever och tär
på den kropp som man bär,
och så ligger man där ett-tu-tre.
Och så fraktas man bort
i en billig transport.
De' är ingenting särskilt me' de'.
Om en fågel en drill ville drilla
vid ens färd var det inte så illa,
men om prästen är skral
och drar in på sitt tal
är de' ingenting särskilt me' de'.

Vid Diktens port

Människan sitter vid Diktens port;
hon talar om allt vad stort hon gjort
och allt vad stort hon ska göra.
Och solen lyser och skyn är blå.
Vem skrattar då
och vem vill håna och störa.
Förunderlig är hon att höra.

Människan sitter vid Diktens port
som hon alltid gjort.
Hon sitter med uppdragna ögonbryn
och ser mot skyn.
Hon kommer ihåg när da Vinci skrev
i Firenze om svalornas flykt ett brev.
Hon var med när Benvenuto Cellini log
och när Vasco da Gama mot Indien drog.
(Hon minns som i går den dag i maj
när man segel beslog vid Calicut kaj.)
Så mycket är det som människan minns,
bild trycker på bild bak ögats lins
och ibland får hon svårt att hålla isär
vad som var och är.
Baal och Molok känner hon till,
tempel och pyramider
och mångt som vandrat i natten vill
och gråter illa och kvider.

Människan sitter vid Diktens port,
hon är kommen engång från en okänd ort.
Hon har gått genom piska och pest och brand
och ökensand.
Ondska och blod har följt henne åt
till cirkusglädje och ödslig gråt.
Men dröm och syn bar hon också med
som en fågellåt över alp och hed,

som en envist dallrande sång om ljus
kring frusna källor och döda hus.
Besynnerligt vrång blev människans färd
i det som vi kallar guds vackra värld.
Dock kunde vi ock berätta
och klamra oss fast vid detta:
att allt som är gudalikt och stort
och som tänder till eld
det har *människan* gjort.
Hon har räknat stjärnornas vägar och år
där de stumt i den ändlösa rymden går.
Hon sitter vid instrument och bestick
och själv är hon bara ett ögonblick.
Själv är hon bara ett bloss i vind,
ett födsloskri och en fårad kind.

JOHANNES EDFELT
(f. 1904)

Förklaringsberg

Mot terrassen stänkte insjöskummet.
Skymning sänktes över bländvit sand.
Vinden dog, och det blev tyst i rummet.
I ett obeskrivligt juniland
blev jag vågen
mot din vita strand.

Av en gudom, som jag inte känner,
blev min ringhet förd till detta rum.
Bröstet häves än, och pulsen bränner.
Bländad är jag, och min läpp är stum.
Det var vallfart
och mysterium.

Ja, det ljud, som trängde till mitt öra,
var ditt underliga hjärtas slag.
Men det flodsystem, jag kunde höra,
är till undergång bestämt en dag.
Dunkla källor,
djupa vattendrag!

Arkaisk bild

Vad ler hon mot? O, är det mytens ljus
som tände leendet på dessa läppar?
Ur åldrars tystnad ler hon — kände hon
en glans mot vilken solens är en skugga?
Var hennes dag som dagg och diamant?
Som bärnsten måste hennes kvällar varit.
— Ljusräddningsbragd i täta skuggors hav:
så är de flestas dag. Ledsagarinna,
o, att vi bländades i frostig natt
av dina läppars bud i gåtfull eldskrift:
det finns en källa, och dess sorl är frid,
det finns ett leende, som aldrig slocknar.

Bråddjupt eko

Den gyllne snigeln lyfter sina horn
i regntung skog — o, vad är det för sång,
som strömmar fram ur själens dolda schakt?
Är det ett bråddjupt eko av en dag
i livets gryning: trädgårdslandens jord
var lucker efter veckolånga regn;
milt glänste sniglarna mot mullens grå
hyende: bärnstensgula smycken, som
en rundhänt stund strötts ut av regnets gud.

Stanser vid en korsväg

Märk, hur vår skugga... märk, hur media vita
in morte sumus. Vägens kalk och krita
blir brons och tegel under kvällens brand.
Till sten förvandlas den, som bara vänder
blad efter blad i årens dödskalender.
— Sent vunna ljus, jag dricker dig med blick och hand!

Blint bultar här det omedvetna livet
i almens stam, i rosens eld, där skrivet
står blodets vilda Ja! en julikväll.
Men som ett hagelmoln, ett hot mot grönskan,
förnekande den heta jordens önskan
vid rosors bål står med sitt kors ett bykapell.

Vad väljer du, en resenär bland många
som andas kvällens täta rosenånga
och ser det mörkna, känner nattens vind?
— Jag väljer en dryck vatten här ur bäcken
och själens undran under himmelstecken
och tystnadens sonat vid kyrkogårdens grind.

Vestrogothica

Vind från hedenhös, vind genom seklerna, blås,
kamma gräset i Edåsa, Våmb och Horn,
där de multnar: ryttare, bönder. — Lång
var deras möda, sträv deras dagsverkes kväll.
Skönast slutgiltigheten: jord och vind.

ARTUR LUNDKVIST
(f. 1906)

Det finns en levandets vilda fröjd

Det finns en levandets vilda fröjd. Det finns ett rus som
   är varandets.
Varje dag är en älskarinna för min oändliga åtrå.
Mitt blod är ett ungt salt hav som dånar för livets storm.

Livet är ett bröd som vi smular sönder och kastar på
   marken för fåglarna.
Ack, ett hårt grovt bröd, men dock så ljuvligt i smaken — och
   det enda vi har för vår oändliga hunger!

Asfalt

Som het, rykande hud
breddes jag över nakna gator
i världens städer:
                asfalt.

Förakta mig ej.
Jag är en svart slav,
tålmodig, tjänande.

Det hetaste, vildaste regn
tvättar mig icke vit —
men har ni sett min skönhet
i regn om kvällen,
ljusspelande, blankblänkande
(som en negress i nattliga badet
vid fackelsken) —

Bilbaklyktornas röda glimtar
speglar jag som eldflugssvärmar —
har ni skådat dem vid Kungsgatan
och Place de la République?

I heta sommardagar
svettas min svarta hud
sin negerlukt i världsstäderna.
Den unga damen i rött parasoll
har jag en hemlighet tillsammans med.
Min glädje är trädens vackra solfläcksdansande skuggor
och kvinnokjolen som fläktar min heta kind.

Om kvällen,
under de heta molnen,
brinner jag i feber
och gatfyren blinkar sina exakta sekunders
                    grönt — rött.
Döden kommer ej i jordgrå kåpa,
med lie och timglas —
bara ett metallglitter, en skräll,
klingande glasskärvor och blod som rinner
över människokroppar och förnicklade ståldelar,
medan gatfyren blinkar, blinkar
                    grönt — rött,
                    grönt — rött —

Jag känner den snabba döden
och den trötta kärleken,
jag vet den hemlöses tankar
och hör vad arbetarskarorna mumlar
i gråa vardagsmorgnar —

Förakta mig ej.
Jag är gatans svarta hud
under era bilhjul,
under era lackskor.
Jag är det tålmodiga, väntande mörkret
under era brokiga, larmande dagar —

Snigeln rör sig i lövskuggan

Snigeln rör sig i lövskuggan som en phallos,
stirrar med ett enda månvitt öga och trevar
med horn av kött efter kärlekslena ting,
framdrar i det grönas svalka och i daggens sken
sin levnads långsamma tråd av saliv.
Snigeln känner ej fågelns feber eller rosens
lågande vanvett, ser ej hundarna strimmas av grenverk,
hör ej träden gnissla stormens melankoli.

En havsträdgård var all början, ett grönskesköte,
med djupens slem kvardröjt under fuktig lövtunga.
Är nu snigeln på väg, långsamt som middagsmånen?
Och hänger han sitt spott som lyktor på gräsen?
Glimmar spåret i barken som en kvicksilverfåra,
så likt och ändå så olikt spåret av ett blixtnedslag?

Snigelns kärlek är varaktig och klibbande ljuv,
en sammansmältning utan våld eller smärta,
av månen i det längsta betraktad över skogens toppar.
Men fastnagla snigeln vid trä med törnetaggar:
då sammanskrynklas hans veka phallosliv
och ögat sluts om naturens vitaste hemlighet.

Skatan

mitt blåsiga lynnes fågel,
flyger virvlande som en helikopter,
ett klot av vingar i vinden.
Skatan, den glada änkan, skrattande
trots sina oförsörjda barn, skrattande
åt stölder hon begått och stölder hon planerar.
Björkarnas egen svartvita fågel,
hemma även i träd som står svart i snö.

Höstens rönnbärsplockerska utan korg,
med bröstet stålskimrande som en köldklar vinterhimmel.
Men gårdarna älskar hon mer än skogen,
flyger genom skorstensröken som luktar stekt fläsk,
plockar en säkerhetsnål utkastad med spädbarnets
badvatten,
sitter på träpumpen och lyssnar till separatorn i
köket.

Skatan, den knepiga flickan med vippande stjärt,
aldrig riktigt ung och oerfaren,
mera lik en tattarjänta med silverslant i örat,
lätt förförd i vårvinterns sista hö
när fötterna är kalla av regn.
Men heller aldrig knarrig gumma som kråkan
eller hes som korpen, den kringflackande hästskojaren,
med kniv under rocken och tobak i gapet.
Nej, mest i släkt med den fattiga prästgårdsfröken
som dansar på isen
trots sina trasiga vantar.
Skatan med risknippe och gnisslande mjölkhämtare,
klädd i bortblåst äggvita, doppad i tjära från stuprören,
bosatt i de vinterbonade trähusens land
där hon vässar näbben mot slipstenen
och skrattar sitt hån över pojkar som klättrar i
träd.

Kärlek till trä

kräver det skarpaste stål, säger snickaren.
Hur underbart träet lever
under glänsande stålvasst bett!
Vilka smekande snitt genom spåren
efter vårarnas översvämning!
Det tickar en klocka inne i träet
eller kanske ett hjärta.
Trä är tid

lagrad som böljor vid en strand.
Trä rymmer mer sammanpressad tid
än människan,
därför är det hårdare, varaktigare.
Trä doftar ljuvligare än en kvinnas hud.
Det svettas små frukter, små gyllene druvor.
Det visar sitt kön vid varje gren,
hanne och hona i ett, sammansmälta,
dubbelt hårda under eggen.
Vem kan ingå i träet och överleva?
Men vem önskar det inte?
De döda bäddas i trä liksom de nyfödda
(o, att vila där i djupaste sömn
som en cigarr i doftande trä!).
Skönhet måste utvinnas ur träet
och varaktigt liv.
Det dör ju inte som människan, med ens,
ett stinkande lik.
Nej, träet lever i döden,
fastare och friskare än något kött.
Med mina händers ömhet
och de skarpaste verktyg
ska jag slutligen tränga in i träet,
känna trä i min mun, min strupe,
känna trä omsluta mig
fast, tryggt, för evigt.

Ur *Texter i snön*
XXVI
Dikten
är fiende till diktaren som barnet till fadern,
diktaren måste dö för att dikten ska leva.
Dikten är den höga klippa
från vilken livet betraktar sig självt,
tvekande om det ska störta sig ner i djupet eller ej.
Dikten visar oss att ett stort berg

alltjämt är ett mysterium
likaväl som en fågelfjäder.
Dikten har vingar som den inte behöver använda,
den liknar kanske mest en grön liten häst.
I dikten kan inte ett ton förtrycka ett gram,
inte ens ett gram förtrycka ett ton.

Dikten är den enda ängel som återstår
där den vakar över sovande såväl som vakna.
Dikten har långa händer som når fram
där andra kommer till korta.
Dikten nedstiger i de underjordiska kloakerna,
en räddare i höga gummistövlar.
Dikten känner skeletten
som de stora byggnaderna vilar så ömtåligt på
(den hör också kolen buktala i källaren).

Dikten hänger sin lykta av lysmaskar i hålvägen,
den är råttan med silverpälsen bland sophögarna.
Dikten gör barnet seende inom den vuxne,
den har skrivit i din handflata innan du föddes.
Dikten går ut med liar och tjugor i upprorets slåtter,
dess unga kropp är tatuerad med bilder
som öppnar sina tusen ögon mot världen.

HARRY MARTINSON
(f. 1904)

På Kongo

Vårt fartyg "Havssmedjan" girade ur passaden
och kröp uppåt Kongofloden.
Lianerna hängde nedsläpande på däcken som loggar.
Vi mötte Kongos berömda järnpråmar,
deras heta plåtdäck myllrade av negrer från biflodsområdena.

De satte händerna till munnen
och ropade "må fan ta dig" på ett bantuspråk.
Vi gledo undrande och beklämda genom tunnlar av grönt
och kocken i sin kabyss tänkte:
"nu skalar jag potatis i det inre av Kongo".

Om nätterna glodde "Havssmedjan"
med röda ögon in i djunglerna,
ett djur röt, en djungelråtta plumsade i floden,
en hirsmortel hostade vasst
och en trumma klang dovt någonstans från en by där
        gumminegrer levde sitt slavliv.

Fjärilen

Född till att vara en fjäril
fladdrar min svala låga
på gräsets tunga sammet.
Barnen jaga mig. Solen går ner bortom malvorna och tuvan,
räddar mig till natten.

Månen stiger; den är fjärran, jag är inte rädd,
jag lyssnar till dess strålar.
Mina ögon få hinnor till skydd.
Mina vingar sammanklibbas av dagg.
Jag sitter på nässlan.

Enbusken

Tyst står han vid stenen,
enig med ljungen.
Bland stickbarren
sitta bären svärmvis
som uppfångade hagelskott.
På honom biter ingenting.

Han brukar borsta nordanvinden.
Hans kvistar är sega som senor.
Med det kargaste härdar han ut,
men doftar ändå, har ändå behag.
Åt gravar och golv gav han ris,
och ett gott öl bryggde han
där han stod, stark och vänlig,
klämd mellan gråa stenar i Thule.

Brev från en oljare

Ärade brevmottagare.
Kanske är det fåvitskt av mig en enkel man, att sända eder
    detta brev.
    Jag vet att er tid är dyrbar. Men ville ni ändå
    vänligen överse med
    dessa rader som jag sänder eder långt ifrån, då vore
    jag glad.
    Jag är en okänd man. Mitt yrke kallas oljarens.
    Jag färdas på havet, där jag oljar glidställen och lager.
    Mitt yrke fanns inte på Timmermannens tid.
    Den tidsbefattning som heter oljarens är min.
    Den tillhör alla de tider som har och har haft
    metallhjul.

Ännu har mitt yrke inte mognat till att bli vedertaget
    symboliskt.
Mänskorna vill rusa fort fram och använda därvid alla
    tänkbara växlar och hjul.
Men de vill behålla de symboler och sinnebilder som är
    av ålder,
så som skäran i skördemaskinens tid och dödens lie i kul-
    sprutans tid
och vagnens namn i den eldsprutande krigsvagnens tid.
De menar att de äldre och uråldriga sinnebilderna är eviga,
    och kanske har de rätt.

De menar att mitt yrke, som är oljarens, är ett tidsyrke,
        och kanske har de rätt.
Vilket det blir beror av hur mycket olja de kräver,
och hur de mena att oljan skall användas,
om till att olja hjulen för en ännu snabbare dans
eller till att gjuta olja på vågor.
De själva och deras symboler och mitt yrke, som är oljarens,
står och faller med hur oljan användes.

Under alla tider har det funnits folk som stigit fram
och gjort frågor.
Deras ögon ha varit spörjande.
Sådana spörjande ögon har funnits innan skäror och
liar fanns.
Och just nu kommer det fram en som frågar om hur
oljan skall användas,
så att inte allt som redan rusar fort
skall gå för snabbt hänemot något där även de äldsta
symboler för skörd
bli betydelselösa i jämförelse med de nya anordningarna
för skörd av olika slag.
Jag frågar detta enbart av det skälet att mitt yrke
är oljarens,
och för att vi nu ha oljningsmetoder
som skapa ett utomordentligt glid för både onda och goda
och kanske ett ännu lättare glid för de blinda.

Jag beder ännu en gång ha överseende med dessa
mina rader,
och ledsen över att ha besvärat eder med detta tecknar jag
Oljaren.

Den döende matrosen

Jag hör Orinoco! Den bringar ett bud
om grenverk, om bifloder rakt in i Gud.

Då kravlar jag upp ur det krabbsaltarkar
där jag har förstelnat sen strandningens dar.

Kom fågel, kom albatross, tyd mina rop.
Jag önskar försvinna en natt ur min grop

och flykta dit bort där det lönar sig dö,
där snabbt man kan ruttna och göda ett frö.

Jag tröttnat på myror och nyttobetyg.
Kom, albatross, hjälp med ditt evighetsflyg.

Kom fågel ur kapstormen, hjälp mig och giv
den hälsa som inte är tynande liv.

Kom fågel, kom albatross, bär mig ett brev
till henne, gudinnan jag nyss dig beskrev.

Hon bor i de ofunna väldenas dal
där löven och bladen är utan tal.

Där hörs Orinoco. Den bringar oss bud
om grenverk, om bifloder rakt in i Gud.

Ur *Aniara*

2

Goldondern Aniara stängs, sirenen ger signal
för fältutstigning enligt känd rutin
och gyrospinern börjar att bogsera
goldondern uppåt emot zenits ljus,
där magnetrinerna som häva fältens styrka
snart signalera läge noll och fältavlösning sker.
Och likt en jättepuppa utan vikt
gyreras Aniara vibrationsfritt
och utan varje störning bort från Jorden.

En ren rutinstart utan äventyr,
en vanlig gyromatisk fältavlösning.
Vem kunde ana att just denna färd
var dömd att bli en rymdfärd helt för sig
som skulle skilja oss från sol och jord,
från Mars och Venus och från Doris dal.

5

Piloterna är lugnare än vi
och fatalister av det nya slag
som bara tomma rymder kunnat forma
ur skenbart oföränderliga stjärnors
hypnos på människosjälens lust för gåtor.
Och döden ingår bara helt naturligt
i deras schema som en klar konstant.
Men ändå ser man nu på sjätte året
hur även de ser ner från skräckens brant.

I något obevakat ögonblick, men välbevakat
av mig som läser deras anletsdrag
kan sorgen lysa som ett fosforsken
ur deras spanarögon.

Hos kvinnliga piloten syns det klarast.
Hon sitter ofta stirrande i miman
och efteråt blir hennes vackra ögon
förändrade. De får en gåtfull glans
av otydbarhet, ögats iris
blir fylld av sorgsna eldar,
en hungereld som söker efter bränsle
till själens ljus, att ljuset ej må slockna.

För något år sen sade hon en gång
att hon personligen nog gärna ville
att vi tog dödens sked i vacker hand
och åt en avskedsmiddag och var borta.

Och många tyckte nog som hon — men passagerarna
och alla de naiva emigranterna
som knappast ännu vet hur vilset allt är ställt,
för dem har hela förskeppet sitt ansvar
och detta förskepps ansvar är nu evigt.

12

Orkestern spelar fancies och vi dansar ut.
Den flicka jag för runt är absolut.
Hon är en flicka ifrån Dorisburg,
men fast hon dansar här sen flera år
i Aniaras danshall säger hon rent ut
att hon för sin del inte alls förstår
att finna någon skillnad på den yurg
som dansas här och den i Dorisburg.

Och när vi dansa yurgen står det klart
att allt som heter yurg är underbart
när Daisi Doody vrider sig i yurg
och jollrar slangen ifrån Dorisburg:

du gammar ner dej och blir jail och dori.
Men gör som jag, jag sitter aldrig lori.

Här slumrar ingen chadvick, putar Daisi,
jag rörs i gejdern, jag är vlamm och gondel,
min dejd är gander och min fejd är rondel
och vept i taris, gland i deld och yondel.

Och lustigt gungar yurgen, jag förvillas
den sorg jag vårdar hotar att förspillas
hos detta mänskobarn som fyllt av yurg
slår dödens rymd med slang från Dorisburg.

48

En poetissa uppstod i vår värld
och hennes sångers skönhet lyfte oss
ut ur oss själva, högt till andens dag.
Hon gyllenströk vårt fängelse med eld
och sände himlen in i hjärtats hus
förvandlande vart ord från rök till glöd.

Hon hade kommit ifrån landet Rind
och myterna som omgav hennes liv
var sammantagna själv ett heligt vin.

Själv var hon blind. Från födelsen ett barn
av tusen nätter utan skymt av dag
men hennes blinda ögon tycktes som
den mörka källans djup, all sångs pupill.

Och undret som hon förde med sig hit
var människosjälens lek med språkens själ
och visionärens lek med ve och väl.

Och vi förstummades av salighet
och vi förblindades av härlighet
i rymdens bottenlöshet där hon blind
i mörkret uppfann Sångerna om Rind.

100

Det fanns ej längre några ljus att tända.
En ensam lykta brann vid Mimas grav
dit nu de sista samlats för att vända
i hjälplös nöd sin rygg mot dödens hav.

De sista timmarna av människotid
mot lågan vände sina ögons fråga.

Så satt på jorden mången fånge vid
sin sista lampas ljus och såg dess låga
och hörde hur plutonen ställde upp
där utanför där murens hårda sten
snart skulle spegla skottens mynningssken.

Ty rymdens grymhet övergår ej människans.
Nej människors hårdhet tävlar mer än väl.
Fånglägercellens ödslighet på jorden
har tungt sin stenrymd välvt kring människans själ,
när kalla stenar stumma hördes svara:
här härskar människan. Här är Aniara.

Den tysta striden

Striden rasar bland ängens klöver.
Ordens härar i luften möts.
Framstupa faller det ord jag behöver,
träffat av ledan det sönderbröts.
Mitt i sin flykt störtar tanken samman
djupt i dess hjärta ett tvivel stöts.

Vindarna gunga med blommor och vippor
men en förgiftande syras stänk
tär och förbränner det skönas sippor
gjuter in gifter i daggens blänk.
Nedtyngd av hån faller fjäriln samman,
tappar i gräset sin släckta skänk.

Striden börjar i gryningstimman.
Intill aftonen står den på.
Skändad mörknar den vackra strimman
där de hämnande svärden gå.
Skräcken för sötman på livets ängar
brände var fjärils vinge grå.

KARIN BOYE
(1900—1941)

Sköldmön

Jag drömde om svärd i natt.
Jag drömde om strid i natt.
Jag drömde jag stred vid din sida
rustad och stark, i natt.

Det blixtrade hårt ur din hand,
och trollen föll vid din fot.
Vår skara slöt sig lätt och sjöng
i tigande mörkers hot.

Jag drömde om blod i natt.
Jag drömde om död i natt.
Jag drömde jag föll vid din sida
med banesår, i natt.

Du märkte ej alls att jag föll.
Din mun var allvarsam.
Med stadig hand du skölden höll
och gick din väg rakt fram.

Jag drömde om eld i natt.
Jag drömde om rosor i natt.
Jag drömde min död var fager och god. — — —
Så drömde jag i natt.

Jag vill möta...

Rustad, rak och pansarsluten
gick jag fram —

men av skräck var brynjan gjuten
och av skam.

Jag vill kasta mina vapen,
svärd och sköld.
All den hårda fiendskapen
var min köld.

Jag har sett de torra fröna
gro till slut.
Jag har sett det ljusa gröna
vecklas ut.

Mäktigt är det späda livet
mer än järn,
fram ur jordens hjärta drivet
utan värn.

Våren gryr i vinterns trakter,
där jag frös.
Jag vill möta livets makter
vapenlös.

Ja visst gör det ont

Ja visst gör det ont när knoppar brister.
Varför skulle annars våren tveka?
Varför skulle all vår heta längtan
bindas i det frusna bitterbleka?
Höljet var ju knoppen hela vintern.
Vad är det för nytt, som tär och spränger?
Ja visst gör det ont när knoppar brister,
ont för det som växer

och det som stänger.

Ja nog är det svårt när droppar faller.
Skälvande av ängslan tungt de hänger,

klamrar sig vid kvisten, sväller, glider —
tyngden drar dem neråt, hur de klänger.
Svårt att vara oviss, rädd och delad,
svårt att känna djupet dra och kalla,
ändå sitta kvar och bara darra —
svårt att vilja stanna
                    och vilja falla.

Då, när det är värst och inget hjälper,
brister som i jubel trädets knoppar,
då när ingen rädsla längre håller,
faller i ett glitter kvistens droppar,
glömmer att de skrämdes av det nya,
glömmer att de ängslades för färden —
känner en sekund sin största trygghet,
vilar i den tillit
                    som skapar världen.

Bön till solen

Skoningslöse med ögon som aldrig har sett mörkret!
Frigörare som med gyllene hamrar bräcker isar!
Rädda mig.

Raka som smala streck sugs blommornas stänglar i höjden:
närmare dig vill kalkarna skälva.
Träden slungar sin kraft som pelare mot sin härlighet:
först där uppe
breder de ut sin ljustörstiga bladfamn, hängivna.
Människan drog du
från en jordfast sten med blinda blickar
till en vandrande vajande växt med himmelsvind om pannan.
Din är stängel och stam. Din är min ryggrad.

Rädda den.
Inte mitt liv. Inte mitt skinn.
Över det yttre råder inga gudar.

Med släckta ögon och brutna lemmar
är den din, som levde rak,
och hos den som dör rak
finns du, när mörker slukar mörker.
Mullret stiger. Natten sväller.
Livet skimrar så djupt dyrbart.
Rädda, rädda, seende gud,
vad du skänkte.

De mörka änglarna . . .

De mörka änglarna med blå lågor
som eldblommor i sitt svarta hår
vet svar på underliga hädarfrågor —
och kanske vet de var spången går
från nattdjupen till dagsljuset —
och kanske vet de all enhets namn —
och kanske finns det i fadershuset
en klar boning, som har deras namn.

GUNNAR EKELÖF
(1907—1968)

blommorna sover i fönstret

blommorna sover i fönstret och lampan stirrar ljus
och fönstret stirrar tanklöst ut i mörkret utanför
tavlorna visar själlöst sitt anförtrodda innehåll
och flugorna står stilla på väggarna och tänker

blommorna lutar sig mot natten och lampan spinner ljus
i hörnet spinner katten yllegarn att sova med
på spisen snarkar kaffepannan då och då med välbehag
och barnena leker tyst med ord på golvet

det vita dukade bordet väntar på någon
vars steg aldrig kommer uppför trappan

ett tåg som genomborrar tystnaden i fjärran
avslöjar inte tingenas hemlighet
men ödet räknar klockans slag med decimaler.

Höstsejd

Var stilla, var tyst och vänta,
Vänta på vilddjuret, vänta på varslet som kommer,
Vänta på undret, vänta på undergången som kommer
När tiden har mist sin sälta.
Det svävar med släckta stjärnor lågande skär förbi.
Det kommer i gryningen eller i skymningen.
Dagen och natten är inte dess tid.
När solen går i mull och månen i sten skall det komma
Med släckta stjärnor på kolnade skepp ...
Då skall de blodiga portarna öppnas för allt som är möjligt.
Då skall de blodlösa portarna stängas för alltid.
Marken skall fyllas av osedda steg och luften av ohörda ljud,
Städerna störta punktligt som klockslag.
Öronens snäckor skall sprängas som djupt ner i vattnet
Och tidens omätliga saktmod förevigas.
Djupt in i döda blickar, i domnade ljus
Av undret som snuddar förbi deras hus.
Var stilla, var tyst och vänta,
Andlöst tills gryningen öppnar sitt öga och andlöst tills
        skymningen sluter sin blick.

Jag tror på den ensamma människan

Jag tror på den ensamma människan,
på henne som vandrar ensam,
som inte hundlikt löper till sin vittring,

som inte varglikt flyr för mänskovittring:
På en gång människa och anti-människa.

Hur nå gemenskap?
Fly den övre och yttre vägen:
Det som är boskap i andra är boskap också i dig.
Gå den undre och inre vägen:
Det som är botten i dig är botten också i andra.
Svårt att vänja sig vid sig själv.
Svårt att vänja sig av med sig själv.

Den som gör det skall ändå aldrig bli övergiven.
Den som gör det skall ändå alltid förbli solidarisk.
Det opraktiska är det enda praktiska
i längden.

Eufori

Du sitter i trädgården ensam med anteckningsboken, en
     smörgås, pluntan och pipan.
Det är natt men så lugnt att ljuset brinner utan att fladdra,
sprider ett återsken över bordet av skrovliga plankor
och glänser i flaska och glas.

Du tar dig en klunk, en bit, du stoppar och tänder din pipa.
Du skriver en rad eller två och tar dig en paus och begrundar
strimman av aftonrodnad som skrider mot morgonrodnad,
havet av hundlokor, skummande grönvitt i sommarnatts-
     dunklet,
inte en fjäril kring ljuset men körer av myggor i eken,
löven så stilla mot himlen... Och aspen som prasslar i
     stiltjen:
Hela naturen stark av kärlek och död omkring dig.

Som vore det sista kvällen före en lång, lång resa:
Man har biljetten i fickan och äntligen allting packat.

Och man kan sitta och känna de fjärran ländernas närhet,
känna hur allt är i allt, på en gång sitt slut och sin början,
känna att här och nu är både ens avfärd och hemkomst,
känna hur död och liv är starka som vin inom en!

Ja, vara ett med natten, ett med mig själv, med ljusets låga
som ser mig i ögonen stilla, outgrundligt och stilla,
ett med aspen som darrar och viskar,
ett med blommornas flockar som lutar sig ut ur dunklet och
    lyssnar
till något jag hade på tungan att säga men aldrig fick utsagt,
något jag inte ville förråda ens om jag kunde.
Och att det porlar inom mig av renaste lycka!

Och lågan stiger... Det är som om blommorna trängde sig
    närmre,
närmre och närmre ljuset i skimrande regnbågspunkter.
Aspen skälver och spelar, aftonrodnaden skrider
och allt som var outsägligt och fjärran är outsägligt och nära.

———

Jag sjunger om det enda som försonar,
det enda praktiska, för alla lika.

Non serviam

    Jag är en främling i detta land
    men detta land är ingen främling i mig!
    Jag är inte hemma i detta land
    men detta land beter sig som hemma i mig!

    *

    Jag har av ett blod som aldrig kan spädas
    i mina ådror ett dricksglas fullt!
    Och alltid skall juden, lappen, konstnären i mig

söka sin blodsfrändskap: forska i skriften
göra en omväg kring seiten i ödemarken
i ordlös vördnad för någonting bortglömt
jojka mot vinden: Vilde! Neger! —
stångas och klaga mot stenen: Jude! Neger! —
utanför lagen och under lagen:
fången i deras, de vitas, och ändå
— lovad vare min lag! — i min!

Så har jag blivit en främling i detta landet
men detta landet har gjort sig bekvämt i mig!
Jag kan inte leva i detta landet
men detta landet lever som gift i mig!

En gång, i de korta, milda
de fattiga stundernas vilda Sverige
där var mitt land! Det var överallt!
Här, i de långa, välfödda stundernas
trånga ombonade Sverige
där allting är stängt för drag... är det mig kallt.

Samothrake

Föresångaren och roddarna:

När min tid blir
skall jag ta min plats
på förligaste bänken
tills nästeman avlöser mig:
Då flyttas jag akteröver.
Aldrig når jag till aktern,
aldrig till platsen vid styråran.
Aldrig når jag ens mittskepps.
(Finns det en styråra
Finns det ett mittskepps?)
Min plats är här bland roddarna,
här bland de taktfast roende.
Jag vet ingen annan plats.

O taktfast taktfast!
O min årtull, jag sliter dig taktfast!
Finns inget hjälpande segel?
Stort är dödens skepp,
ändlös raden av åror,
kanske finns där ett segel —
Molnen är segel!
Vem halar an skoten?
Vem halar an brassarna?
Det gör någon annan.
O taktfast taktfast
ror jag mitt skepp i hamn.

Vi som ror främst
är närmast till segern,
till henne, den mäktiga jungfrun
okuvligt skridande fram
i den väldiga vindens veck,
huvudlös, armlös
ändå en oskärad jungfru
skridande före oss
genom leden av vidunder
som skeppets ögon skådar.

O taktfast taktfast!
O min årtull, jag sliter dig taktfast!
Finns ingen hamn där förut?
Stort är dödens hav,
ändlös raden av vågor,
kanske finns där en hamn —
I molnen är lockande hamnar!
Vem gör fast trossen?
Vem går i land bland de höga husen
tigande, undrande, ändå i hamn?
Det gör någon annan.
O hamn hamn!
Vi sjunger om hamn.

Vi som ännu ror främst
är de närmaste till dig Nike!
Snart flyttas vi djupare in
i de dödas skara
men ännu slår oss om kinden
din veckrika mantel:
Sträck ut buckanjärer!
Lettres de marque! Fribytare!
Hellener! Fenikier!
Kretenser! Paddlande egyptier!
Paddlande urskogsinvånare
och längre akteröver
ni crawlande, ni simmande —

O taktfast taktfast!
O min årtull, jag sliter dig taktfast!
Finns det en seger?
Lång är tiden,
ändlös är raden av tider,
kanske finns där en seger —
Jungfru, du är vår seger!
Vem har ägt dig?
En annan, alltid en annan.
Ändå är du vår seger!
Du är oss segel och hamnar och moln
och du är vår seger,
jungfru bland molnen i storm!
O taktfast taktfast!
trofast
ror vi ditt skepp i hamn.

(1941)

Röster under jorden

Timmarna går. Tiden förgår.
Det är sent eller tidigt för olika mänskor

Det är sent eller tidigt för olika ljus.
– Stilla stöter morgonljuset sömnens drog
och gömmer undan den i alla apotek
med de svart-vit-rutiga golven) —
färglös och gryningsbitter
själv trött som aldrig år och dagar intill döden...
– Jag längtar från den svarta rutan till den vita.
– Jag längtar från den röda tråden till den blå.

Den där unge mannen! (det är något fel med hans ansikte) —
Den där bleka flickan! (hennes hand är hos blommorna i
    fönstret:
som existerar bara i samband med sin hand
om bara existerar i samband med...)
Fågeln som flyger och flyger. Med sin flykt.
Någon som gömmer sig. Andra som bara finns i samband
    med annat.
Gumman som smyger och smyger tills hon blir upptäckt.
Då vänder hon sig listigt leende och retirerar.
Men hon kommer tillbaka.
Vaktmästaren vid pulpeten (målad i genomnött furuådring).
    Han har inga ögon.
Barnet vänt mot den svarta tavlan, alltid vänt emot tavlan.
Pekpinnens gnissel. Var är handen?
Den finns hos blommorna i fönstret.
Lukten av krita. Vad säger oss lukten av krita?
Att timmarna går, tiden förgår.
Att sakta pulvriserar morgonljuset sömnens drog...
.. med de svart-vit-rutiga golven —

– Archaeopteryx! Vilket vackert namn!
Archaeopteryx! Min fågel!
– Varför kvittrar den så olyckligt?
– Den kvittrar om sitt liv, vill flyga bort, har kanske redan
    flugit.
Jag smekte den redan som sten.
Med tusenåriga slag slog mitt stenhjärta i ådrorna.
Kanske fanns det förstenade fåglar och ödlor därinne!

Rhamphorhyncus! Archaeopteryx!
I ett nytt ljus blev stenen levande fågel och flög sin kos
men kommer ibland av plikt eller vana tillbaka.
Alltid blir någon liggande kvar, det är det hemska.
— Iguanodon!
Fågeln är borta men säger sig vara kvar — är det för att
    skydda sig?
Hur skulle den vara kvar? Den är inte kvar. Det är du som
    är kvar.
Fågeln är fri. Det är du som väntar.
— Jag väntar.
Jag längtar till fågeln som flyger och flyger
med sin flykt.
Själv blev jag bunden vid stenen, den forna stenen.

Sista tiden har fågeln klagat på att den inte kan sova.
Vem kan sova?
Jag väckte fågeln en natt — den var hemma.
Jag väckte den därför att mina tankar plågade mig.
Jag ville veta.
Fågeln säger sig flyga bort för att kunna göra mig så mycket
    större glädje —
En diplomatisk frihetskamp!
Jag smekte en sten, jag blev en sten.
Jag blev sista biten i puzzlespelet
biten som ingenstans passar, bilden hel mig förutan.
Alltid blir någonting över, det är det hemska.
Allting vände sig i mig, allting förflyktigades.
Fågeln tog mina vingar och skänkte dem åt ett annat ljus.
Det släcktes. Det blev mörkt.
Archaeopteryx! Archaeopteryx!
Jag trevade omkring mig, fick ingenting i händerna
ingenting att minnas, ingenting att glömma...
— Finns ingen glömska i avgrundens hus?
— Inte när allt är avgrund.
— Finns inget ljus?
— Inte när det är släckt.
— Är det dag eller natt?

— Det är natt.
— Vad lyktorna stirrar hårt!
— De håller vakt över stenarna.
— Så långt under ytan?
— Det finns ingen yta!
Men där, på bottnen, ser jag en ensam kalksten bland
    fiskarna . . .
Stumma, döva strövar de kring i sitt eget ljus.
Den har inget ljus.
Den har ingen botten.
Den kan inte sluta sina ögon över någons lycka.
Den kan inte öppna dem.
— Detta är helvetet!
— Nej, det är tomhet.
Och stjärnornas hus är tomt
och själarna
drar bort ur universum —
Jorden lindar sakta och känslolös tiden kring sin axel,
mer uttänjbar än något gummiband.
Fötterna måste ta spjärn i den ändlöst vindlande spiraltrappan,
trappspindeln som vrider sig svindlande likt en storögd dröm
från avsats till avsats, i trappsteg på trappsteg av sten . . .
Du håller huvudet stilla:
Du tvingas ta trappstegen ett efter ett och kroppen vrider sig:
Du vrider huvudet av dig.
Du kvävs i sten, du svävar i trögflytande sten, du sover
    därinne.
Fåglar och snäckor sover därinne som du
med ödlor och blommor,
till och med regndroppar sover
på kuddar av sten, under lakan av sten.
Med tusenåriga slag slår deras hjärtan av sten
i ådror av sten.
I årbillioner av sten virvlar tiden dem med sig
i rasande stormar av sten genom hav av sten
till himlar av sten . . .
— Var är jag? Var är du?
— Vakna!

— Var är jag?
— I avgrundens hus.
— Finns ingen glömska i avgrundens hus?
— Inte ens egen men andras.
Och alla dessa sjuklingar som driver hemlösa runt salarna
har bara väggarna till läkare.
Feberkurvorna stapplar härs och tvärs över de tillbommade
    dörrarna.
Allting ligger på rygg, allting vänder sig
ständigt och ständigt på rygg. Man vet inte
vad som är upp eller ner. Allting vänder sig
ständigt och ständigt på rygg,
till och med stolarna, till och med väggar och golv.
Allt vänder sig.
Allas ögon är blanka och tomma som fönstren,
man ser inte natt eller dag...
— Är det natt eller dag?
— Det är natt
och natten vilar speglande och svart mot fönsterrutorna.
Natten stiger, natten är snart vid fjärde våningen.
Natten är snart vid femte våningen.
Natten är snart vid sjätte våningen.
Nu är natten vid sjunde våningen.
— Hur många våningar finns det?
— Många.
— Vilket oerhört tryck mot rutorna i bottenvåningen!
Sprängdes de skulle natten forsa in,
fylla golven med mörker, stiga från våning till våning!
— Undan däruppe i trappan!
— Trängs lagom!
— Snubbla på bara!
Det dunkar i värmeledningen som i ett ansträngt hjärta,
det blinkar dött i lamporna när de presterar mottryck
och söker hålla mörkret nere.
En vit ensamhet mot en svart ensamhet.
Eller en svart ensamhet mot en vit ensamhet
Och medan mörkret forsar omkring husets gavlar
kommer ur alla dessa ensamheter rop på rop av tystnad:

— Vem är du, skugga vid den furumålade pulpeten,
fläckad av skolbläck, ristad med pennknivar
genom de många generationernas lager av påmålningar?
— Döden blev förbigången vid alla befordringar.
Döden blev sittande på sin plats som en usel vaktmästare.
Timmarna går. Tiden förgår.
Sakta pulvriserar morgonljuset sömnens drog.
— Jag längtar från den svarta rutan till den vita.
— Jag längtar från den röda tråden till den blå.

Arsinoë

Jag lindar, jag lindar dessa remsor
över min älsklings ögon, över dess själ
Med brunt, nästan utplånat bläck
skall jag skriva på mina linneremsor
hemliga tecken
och jag skall linda dem som en vaggsång
runt om min älsklings själ —
O aldrig utgjutna salvor
O smala remsor
lindade i varv på varv av konstrik flätning!
Liknar du inte redan en fjärilspuppa
sådan den hänger i rosenbusken!
Du med de stora ögonen jag gav dig!
Du med det obefläckade anletet!

Trionfo della Morte

Tre riddare stego ut
lyfte tre jungfrur i sadeln
Tre riddare stego till häst
med falkar på handsken
Vem skär, vem binder upp?

I en enslig, skogfull dal
dem mötte i sex öppna kistor
tre kvinnolik, tre manslik svepta
i en enslig, skogfull dal
dit deras falkar lockat
Men i snåret stirrar
med gula ögon ugglan

Till den dalen hade smittan ännu inte hunnit
Vem skär, vem binder upp?
I den dalen var smittan allestädes närvarande
Den var i Enhörningens död
Den var i åskådandet av sköna lik
Den var i skändandet av jungfrun
under ugglans gula förhäxande blick
Damer och herrar redo vidare
iskalla i sina sköten, stelnade i sina lemmar
och vad de gjorde varandra
det vill ej jag förmäla
Envar vet bäst själv

Men där fanns, i den staden
tre tiggare dem alla kände
tre tiggerskor dem alla kände
Vem skär, vem binder upp?
I sex kistor väntade de höljda
som i ett svepe av fruktan och hopp
förvarade blott i sin väntan
som i ett svepe av fruktan och hopp
Dessa sågo inte damernas och herrarnas färd
Dessa sågo inte falkarnas flykt
eller dalen med dess skog
De sågo blott molnen i ljusa himlen

Det 1001-åriga riket, fabel

Då sade katten:
Jag vill inte ha den råttan!
Och råttan som satt sig på svansen
pep: Jag är lika glad!

Ryktet spred sig till lejonet
som slumra på sitt öra
och när det öppnade ögat
fann sig fläktat av antilopens svans

Ett stycke längre bort
satt puman bekymrad
räknande tassarnas klor
och kostnaden för gymnastikskor

ty hon vill oupptäckt
smyga sig intill hönan
som just när dagen bräckt
plär erbjuda bonden tidelag

Och i öknar utan puckel
går kamelen glad på ruckel
Och giraffen är kvitt sin halsbränna
och zebran tam som en polkagris

Men den som spridde ryktet
var självfallet räven
som jagad av en vänskapstörstande varg
bjöd vatten ur ogrumlad bäck

åt lammet som for på en kvast
med uppspärrade öron
att förmälas med kyrkoherde A-n
på Blocksberg, så tag mig fan!

Ty faen står i himlen
det såg jag med egna ögon
fast om mina ögon var egna
det vet jag, Pelagia, ej

Ett vet jag dock med visshet:
Att alla strumpor stoppas
t. o. m. gamla hästrumpor
stoppas fermt av mej!

Kinesiskt broderi

En eldfågels bo är hjärtat
byggt med kvistar av ådror
fodrat med lågor. Men fågeln
ruvar där i en ännu högre
värme. Från dess bröst och sidor
tycks lågorna vika. Orörd
vilar den på det osynliga ägget
med vingarna fläktande, stjärtens fjädrar
hängande ut över bokanten. Eller den fladdrar
ett ögonblick upp som för att hämta
tankars och bilders insekt, försvinnande
i luftens siden så snart den lyftat
åter synlig först då den åter vilar
i lågorna, slätande sina fjädrar med näbbet.

Poetik

Det är till tystnaden du skall lyssna
tystnaden bakom apostroferingar, allusioner
tystnaden i retoriken
eller i det så kallade formellt fulländade
Detta är sökandet efter ett meningslöst
i det meningsfulla
och omvänt

Och allt vad jag så konstfullt söker dikta
är kontrastvis någonting konstlöst
och hela fyllnaden tom
Vad jag har skrivit
är skrivet mellan raderna

Fiskaren på strand

Fiskaren på strand:
I vänstra handen håller han revens bukter
och i den högra sänket med krokarna
Han slungar och halar in
och bläckfisken högt på en sten
med armarna rullade tillreds
han omfamnar det som en förförare sitt rov
Nu ligger han tungt på strand
sen tio minuter, tjugo minuter, trettio
Han krälar med åtta armar
om varandra, om varandra
som om den vred några ohyggliga händer
Det stora ögat blickar tungt, fjärrseende
kanske ibland med en listig glimt
Det lilla röret på huvudets sida kippar oavlåtligen
det slangliknande röret med vilket han andas
De åtta armarna krälar och krälar:
Allt slem den äger räcker inte
att blöta stenarna, de slipade kiselstenarna
Han rör sig och kippar och krälar,
ett ormnystan i vånda
över vilket det underbara ögat skådar tungt
och kanske ibland med en bakslug glimt —

O människa, du som redan pustar i backarna
som måste stanna och vila i världens trappor till och från
som vrider dig om nätterna
i astma och andnöd:

Det var du!
O du som vrider dig i varje sjukdom
eller som av svaghet inte vrider dig
men vars inre vrider sig:
Det var du!
Det tunga skådandet, den baksluga glimten,
smädandet av basilisken
spridandet av det onda ryktet:
Det var du!
Och inte heller det slem du äger skall en gång räcka
att blöta stenarna på strand!

*(Vu près du bain public à l'extremité de la Promenade
des Anglais en 1920, fait aujourd'hui)*

Graffito

G. Ekelöf till åsninnorna en hälsning
till Asellina, Aegle, Maria, Ismurna
fast jag har hört att inte Zmyrina vill
ha Cn. Helvius Sabinus som aedil
Hon röstar inte mer på C. Lollius Fuscus
inte ens på L. Popidius
som stannade vid disken, drack och skämtade ibland
Vart tog ni vägen, små åsninnor, så hastigt?
Vart sprang ni bort, vart sprang ni med vinden
under askan som föll
med tunikorna över huvudet
barbenta, uppskörtade ända till livet
Men ingen hade längre tid att stanna
och se på era små nakna svansar, åsninnor
och ingen hade längre lust att gå med er
upp i det övre rummet
på väg, på väg, för alltid på väg —
Men jag vill lyfta er till en stjärnbild
åsninnornas bild
Asellina, Aegle, Maria nec sine Zmyrna.

Till det omöjligas konst

Till det omöjligas konst
bekänner jag mig,
är därav en troende
men av en tro som kallas vantro.
Man bekymrar sig här om det möjliga
Jag vet:
Låt mig då vara en obekymrad
av vad som är möjligt och omöjligt.

Så bär på ikonerna Johannes Döparen huvudet
dels på helbrägda skuldror
dels och samtidigt framför sig på ett fat
Den offrade framställer sig som en offrande
Så bekänner jag mig
till det omöjligas konst
av livskänsla och av självutplåning
samtidigt.

Ur *Diwán över fursten av Emgión*

1

ayiasma tis atókou

Jungfru! Av Törst
efter Vatten ur dina Händer...
Jungfru av Tröst
Du som är Saknadens
av Ingen
som hade det varit Någon
Du som är Fattigdomens
Din Ensamhet är vårt hopp
och det att du inte har någon annan
att sörja, att vårda dig om
utom oss.

7

Du tröstar mig
du tröstande
Hur? Därför att jag älskar
ditt intima väsen. I min själ
har du tryckt spåren av
små fötter, små tår
som i den våta sanden
av en strand —

Ändå *är* du inte —
Vilken höjd av Vara!
Jag är — vilken låghet
av någonting ännu oförbränt
O låt mig värma dessa händer
vid dig, som vid en mangál.

24

ayíasma

I det stilla vattnet har jag speglat
mig själv, min själ:
Många rynkor
början till en kalkonhals
två dunkla ögon
en stor nyfikenhet
ett obotligt övermod
en icke botfärdig ödmjukhet
en oharmonisk röst
en uppskuren mage
och åter ihopsydd
i ansiktet märken av bödlar
en stympad fot
en tunga för fisk och vin
och som vill dö

legat med några
i likgiltighet — med få
i kärlek, i för mig
nödvändig kärlek
och som vill dö
med någons hand i min
Så ser jag mig i vattnet
Det solkiga linnet efter mig
en kurdisk furste, hund kallad
såväl av Romäer som Seldjuker
Min kala panna i vattnet:
Alla de rådbråkade språk
med vilka jag övertygat mig själv
om min stumhet
Och dessa fläckar på skjortan
som icke kan tvättas med vatten —
Outplånliga, som blod, som gift
skall heretikerns fläckar
komma över dem som pesten
med svartare fläckar.

OLOF LAGERCRANTZ
(f. 1911)

Efter läsningen av Haqvin Spegels Guds werck och hwila

Det var en hjärtans dag bland världens alla dagar
då östergöken gol i sommarns gröna hagar
och Flora band en krans kring alla flickors änne
av kattfot och viol och käringtand ett spänne.
Hur ljuvligt solen sken på fattiga och sjuka
och gräset bredde ut sitt sidenbolster mjuka.
Där lade jag mig ner och hörde bina surra

och duvan på sin kvist för hjärtevännen kurra.
Jag somnade till sist vid rop ur gröna hagar.
Det var en hjärtans dag bland världens alla dagar.

Agnes Charlotta

Ingen vårdar min grav
   och ingen minnes mig gärna
 aldrig i dödsrikets natt
    når mig en levande röst
En gång var jag en liten tös
    med hårdflätad kringla
 en vid vart öra och stod
    tyst i sängkammardörrn
Solen sken in på blommig tapet
   och barnsligt betagen
såg jag vid spegeln min mor
    leende kamma sitt hår

Tröst för min älskling

Är gud blott viss är han en väldig borg.
Gör dig ett hem i hjärtat av din sorg.

Lev tårlös lugn med gift och orm och tagg
i grottans köld och vet att allt är slagg.

Men vaknar du en dag vid vårens dropp
tag dig till vara då för nytänt hopp.

Det sliter som en varulv upp ditt bröst.
Det ropar obevekligt: "Själ, var tröst!"

Ej rättvisa men faderskärlek drev
den höge, som oss skapat, när han skrev

i mörka färger över porten så:
"Igenom mig till e v i g smärta gå!"

Den dag du vet att du ej mer blir glad
är ormen stungen. Störta Sorgestad!

Lev tårlös lugn och vet att allt är slut
långt innan du från scenen lyftes ut.

RALF PARLAND
(f. 1914)

I ett bombplan till tonerna av en rumba

När genom gryning kall
vi hemåt glider
och radion tagit in ett dansprogram,
och rymdens gråa jätteväsen mot oss jagar,
jag böjt mig ned
och minns den stad som var,
och vet ej hur —
jag knäpper stilla mina händer
och ber en trött och högst förvirrad bön:
Det var inte dig Madonna
nej det var inte dig Madonna
det var ju inte dig Madonna
jag ville döda i natt
och inte pojken din — det gud förbjude:
ty kunde varit min, en himmelsk slyngel
som ritar hus och tåg och krokodiler
och torn så höga att de upp till molnen tränger!

Men det var inte dig Madonna
det var inte dig Madonna
det var ju inte dig Madonna
jag ville döda i natt
och inte pojken din — det gud förbjude,

så sov nu tösen min,
slut dina duvoögon mörka
— och snart, ack snart
blott gud så vill,
om han blott hälften är så trött som jag
på detta usla krigande bland molnen,
jag stövlar in till flickan min
till flickan min till flickan min
jag stövlar in till flickan min
till flickan min till flickan min
det blir ett festande så gud förbjude!...
Men det var inte dig...

Anfäktelse

Vilar vekt kring din mun —
en mycket ung människa såg på mig:
jag spände förskräckt upp
ett svart paraply.

Det var strömavbrott
och vagnen stod
vi satt och väntade på regnet
en glasklar vindstilla sommardag —

ERIK LINDEGREN
(1910—1968)

Ur *Mannen utan väg*

I

(i speglarnas sal där ej endast Narkissos
tronar på sin förtvivlans pelare utan svindel

diade evigheten med en grimas
de obegränsade möjligheternas land

i speglarnas sal där en enda besmittad snyftning
undkom likgiltighetens korsade värjor

och förvandlade luften till löfte och mull
som rann utefter stadens alla fönster

i speglarnas sal där fulländningen stansas i plåt
och bärs som en fånge i standardbröstet

där ordet begår harakiri i krevadernas sken
och trumpeten smakar krossat porslin och döende blod

i speglarnas sal där en blir de mycket för många
och dock ville falla som dagg i tidens grav)

V

handen darrar i svindel på stryparnas stege
giriga tårar prasslar i näktergalens tomma bur

redan själva sörjandet kräver flera dödsoffer
även en järnvägsolycka stammar förlåt

ett avskalat öga brinner: kortslutning och ensamhet
och ödet fotograferar ännu ett förvånat lik

elden härjar även det oförsäkrade hjärtat
och lidandets väktare flyr mot en fond av tro

anonyma taggar drömmer sig till verklighet
och gungar sig till törne på verklighetens sluttning

men ett rop av smärta rullar uppför ett berg
och kastar sig utför en brant för att krossa

grandios vilar smärtans flykt på örnarnas duk
medan vinden blandar artiga ansiktens kortlek

IX

men först måste ett hungertorn barmhärtigt falla
och fjärran belysa den flyendes svaghet:

hans snidade ögon med grottor av rökblå kyla
som undervisar ångestens fallande droppar

hans skräck för lyckan den vita oändliga handen
hans hårdhet mot livet hans mjukhet mot döden

med oskuldens evigt spirande horisonter
hans längtan som flätar med tungor av eld

den evighetsskog som tankspritt ritar i vattnet
medan molnet förstulet fäller sitt marmorhuvud

förvittrat till en grimas av överrumplande smärta —
o igenkännandets stund hur rymderna störtar

kvävande svarta o bortvirvlande vårar och endast
hans hjälm så stilla så strålande blind

XXI

att älska utan att veta det att stilla lyssna
till ljudet av sanningens outtröttliga dyrkar

att dölja en smekning inom sig och känna
febern falla mjukt under stormens tröskel

att sluta sig inom sina vidder och spränga
ett skal för att klarare glida med molnen

att minnas allt som gjort ont med ett leendes
slöja och kasta en sten långt in i evigheten

att kunna sätta ihop allt man plockat sönder
och åter höra syrsor som tidens eggande småljud

att känna smärtan brusa i lågande glorior
att ha savens utsikt högst upp i trädets krona

att skjuta sin önskan framför sig som en vårens mur
och veta att det värsta och det bästa återstår

XXVIII

att skjuta en fiende och rulla en cigarrett
att flamma till och släckas som en fyr i storm

att sitta som en fluga i intressenters nät
att tro sig född med otur fast man bara är född

att vara en funktion av allt som inte fungerar
att vara något annat eller inte vara alls

att som den gråa stenen passas in i hatets mur
och ändå känna stenars samförstånd som ljungens glädje

att känna allt försummat i det rykande regnet
att njuta av spänningen vid det pyrande bålet

att tvivla på att detta måste vara sista gången
att bejaka allt bara det inte upprepas

att slå sig igenom och nå fram till en utsikt
där blixtar jagar för att hämnas mänskligheten

XXXIX

ej du reträtt som alltid tigger dig sammanhangets gåva
när violinen löper sin bana runt hjärtats mörka planet

som vänder sitt ansikte till oss av tonen försilvrat
som vänder sitt ansikte från oss till kampen i mörkret

till dig mitt kaos mitt glödande hem som jag välsignar
och hatar eller likgiltigt upptar i leendets strömmar

som gjuter sin brunn i mitt öga där jag vandrar på jorden
färdig att resa och färdig att stanna: vägande döden

i min hand och livet i min kärlek och med trons berg
framför mig som en stav utan herde planterat i gud

medan giljotinen i den blåa skymningens blåa hjärta
skiljer min kropp från de ödsligt glidande molnen

tills jag tvingar det mörka till långt och befriande famntag
når den lycka som förestavas av allt och ingenting

Hamlets himmelsfärd

När livets skrift blev ett med dödens drömmar
och allt blev klätt i aningstimmans svek,
då drog han klingan ur sitt hjärtas skida
och lät den dricka liljans feberdagg

och såg människan i sanning som är världen
och världen som är människan i sanning,
men vad var sanningen mot denna visshet
som stod till rors på ovisshetens hav?

Blott konungen som sömnlös tyngde båren,
blott stulet majestät från dödens läppar,
ett vaxat hår på hemlighetens bila
och pannans lönnfack för ett evigt tvång.

O sträckta hand vid skymningsstenen
som vålnaden bland själens örter sökte,
välsignat blev ditt krav med solnedgång,
förspillt ditt blod som sjönk i evighet.

Och tredje ögat sjöng en själs balansakt
och frös som fröet under nordens himmel,
och cembalon som spikat glädjens teser
försvann i nattens diskrepantosdunkel.

Och källarvita lågor slungade sitt bly,
och orden vräktes genom vrakets luckor,
tills stenen föll från ruvande ruiner
och ugglan skrek i ljusets salta storm.

Då såg han huset svävande i alltet,
terrassen bländande i mörkrets gap,
och vågens formare i gråt mot klippan,
där skummets gröna glitterbräcka svek.

Men skräckens bärare med hopsydd mun
steg som en brusten bubbla upp i gejsern
och trådde dansen som en boll i evigheten,
där Hieronymus för länge sedan sov.

Döende gladiator

Vem rände dig på livet med sin treudd?
Vem slungade sitt nät över ditt huvud
och drog till — i lågande triumf
så att du sprattlande
föll kull i sanden?

Ej han vars ben du ser
som två kolonner över dig.
Ej denna hand med dolkens bett
som kastar skuggan lång
på kvällsmörka arenan,
ej han, ej grove Caesars slav.

Men vem ser då dig?
Och hör du mig?

Åskådarna är blinda.
Av mörker dels:
en skumvit våg som ränner
huvudet i Hadesklippan.
Av lusta dels:
en sista gräns i töcknets blod
som rädes för sig själv i dig.

Vem fällde dig?
Vem ser dig?

Du anar det
                    men hinner ej.
Ett ögonblick
                    du kämpar evigt.

Så blir ditt liv till ditt.
Så blir din död till.

Arioso

Någonstans inom oss är vi alltid tillsamman,
någonstans inom oss kan vår kärlek aldrig fly
Någonstans
            o någonstans
har alla tågen gått och alla klockor stannat:

någonstans inom oss är vi alltid här och nu,
är vi alltid du intill förväxling och förblandning,
är vi plötsligt undrans under och förvandling,
brytande havsvåg, roseneld och snö.

Någonstans inom oss där benen har vitnat
efter forskares och tvivlares nedsegnade törst
till förnekat glidande

                              till förseglat vikande
                              O moln av tröst!
någonstans inom oss
där dessas ben har vitnat och hägringarna mötts
häver fjärran trygghet som dyningarnas dyning
speglar du vårt fjärran som stjärnans i en dyning
speglar jag vårt nära som stjärnans i en dyning
fäller drömmen alltid masken och blir du
som i smärta glider från mig
för att åter komma åter
för att åter komma till mig
mer och mer inom oss, mer och mera du.

De fem sinnenas dans

O att få dricka sig sanslös och byta vingar
medan pärlfiskaren sjunker i sitt bländblå djup
medan hjärtat flyter mot sin gröna katarakt
att smaka en djupare glömska att glömma
o att få dricka dig sanslös och byta vingar
att få höra Ikaros brus och dykarens tysta sång
och fiskens kristallsvarta glid över rusets botten
att se en kyrkogård blomma i sitt oåtkomliga fjärran
att höra någon träda in ur sitt fjärran fjärran
o att dricka dig sanslös med dina vingar
att smaka dina lemmars flykt till Daphnes grönska
och grönskans förvandling till dina flöjter
o att väckas av dig med mina vingar

att smaka en djupare glömska att gömma
att höra zenit närma sig och katarakten
att känna dina lemmars syn under mina händer
och dina fyrars doft över våra månars gata
o att få dricka dig namnlös och byta vingar
o att få dricka din blundsyn med mina vingar
att få lyssna till din doft av rymd och fyrar
och svärd mot natt och syn under mina händer
och skepp mot storm och väntan i ett åskmoln
och katarakt mot skyn och fisken som delfin
och pil mot zenit och svärd mot djupet
och solens blixt

O att ha druckit dig namnlös med dina vingar

o att ha druckits namnlös med mina vingar

o pil som alltid träffar i zenit av din bana

o brygga av storm mellan soluppgång och nedgång

du den första och sista rymdstrimman över havet

minns oss du

        och vagga oss
                och blända oss

                        och drick oss

                    O drick oss med våra vingar!

Ikaros

Bort domnar nu hans minnen från labyrinten.
Det enda minnet: hur ropen och förvirringen steg
tills de äntligen svingade sig upp från jorden.

Och hur alla klyftor som alltid klagat
efter sina broar i hans bröst
långsamt slöt sig, som ögonlock,
hur fåglar strök förbi, som skyttlar eller pilskott,
och till slut den sista lärkan, snuddande hans hand,
störtande som sång.

Sedan vidtog vindarnas labyrint, med dess blinda tjurar,
ljusrop och branter,
med dess hisnande andedräkt, som han länge
och mödosamt lärde sig parera,
tills den återigen steg, hans blick och hans flykt.

Nu stiger han ensam, i en himmel utan moln,
i en fågelfri rymd bland reaktionsplanens larm ...
stiger mot en allt klarare och klarare sol,
som blir allt svalare, allt kallare,
uppåt mot sitt eget frusande blod och själarnas flyende
    vattenfall,
en innestängd i en vinande hiss,
en luftbubblas färd i havet mot den magnetiskt
    hägrande ytan:
fosterhinnans sprängning, genomskinligt nära,
virveln av tecken, springflodsburna, rasande azur,
störtande murar, och redlöst ropet från andra sidan:
Verklighet störtad
    utan Verklighet född!

Den infrusne

I

I sjöns pupill, ett stjärnfall knappt
från holmen ruvande sitt vinterägg,
han lyfte sina armars vaka
genom år av is och snö.
Under höstisens gungande svarta

akvarieruta med osynliga fiskar
och sprickors klirrande spegelnät
såg stålskodda pilande blickar
hans stirrande ögon med skärvan
från ett okänt tungomåls himmel...
läpparnas vakna blodiga trasa...
och tänderna, betelröda som de försökt
att bita sig fast vid världens hjärta...

2

Mot den låga hängda himlen sträcktes
dessa händer i en snöblind dröm:

I vargavintern mänska var människas varg,
i samvetets gulnade vassruggar förrådda förrädare,
rimfrost som fiskfjäll och snö som svärmande bin:
i väntandets växande drivor klarhetens fotografi
av mörkret och hoppets halmstrå i vas, snö-
stormens fanor och klippan förvandlad
till stjärna, osedd, anad som främlingens blick
vilande i sin pyramid, fångad av Drakens spjut:
det tickande döda hjärtat visande stjärnetid,
armarna sedda i snöns vakar, allas, en invalids,
flaxande fågelskrämsarmar som ville de lyfta,
väderkvarnsvingar sotande snön med sitt kors,
fladdermusvingar i dans kring snötungors
flammande bål
en luft blind som en fors och drunknande spel
på strängar i fyrsprång mellan mördare-offer,
en dröm blind som en fors i förbistringens tid
där ingen kan se sin hand, yrande
larm i månad efter månad... och dock
i sjöns pupill dessa händer, allas,
till vilka holmen bär främmande dofter av myrra,
dessa händer där snön
smälter i månad efter månad,
spöklikt, rinner, nästan som tårar,
nästan ett språk.

KARL VENNBERG
(f. 1910)

Om det fanns telefon

Om det fanns telefon i närheten
skulle vi kunna ringa upp ett sjukhus
och begära råd som ingen kunde ge
eller vi skulle kunna tillkalla en läkare
som ingenting kunde uträtta

Om vi hade tillgång till en bår
skulle vi kunna forsla fram den sjuke till en väg
där det kunde komma en bil
om inte bensinen gick åt till bombplanen
eller en bondkärra
om inte böndernas hästar hade rekvirerats för kriget
En nödfallsbår av några rockar och ett par grenar
eller en filt och ett par stänger
skulle vi nog ha kunnat åstadkomma
om någon av oss hade haft
en rock eller en filt

Om vi hade haft en bår
och det hade tjänat något till med läkarvård
skulle vi ha fattat den sjuke från den friska sidan
om han hade haft någon frisk sida
Vi skulle ha bäddat under honom med gräs och kuddar
och gett honom ett upphöjt läge
Eftersom han har skador i bakhuvudet nacken och ryggen
skulle vi ha lagt honom i sidläge
och stoppat om honom med halm
utan att trycka eller förorena såret
Eftersom han har skador på bröstet
skulle vi ha placerat honom i halvsittande ställning
med stöd för ryggen
Eftersom han har skador på buken

skulle vi ha lagt honom på ryggen
Eftersom han har sår både på tvären och på längden
skulle vi ha krökt hans ben i knän och höfter
och låtit dem ligga utsträckta
Vi skulle ha burit honom
i otakt och ytterst varsamt som instruktionerna föreskriver
med huvudet högst och med fötterna högst
eftersom fallet fordrar bådadera

Men nu finns det inte någon bår
inte någon väg inte någon bil inte någon kärra
vi har inte tillgång till telefon
till läkare eller till sjukhus
gasbindorna är slut
och vi har inte någon övning i förbandsläggning
Dessutom är fallet
redan i och för sig hopplöst

blodförlusten är för stor
såren för djupa
smärtorna för våldsamma
Och om vi trots allt ville hjälpa
skulle kvastar av kulsprutekulor
sopa oss undan
lite morfin åt den döende
skulle vi nog annars ha kunnat kosta på oss

Om liket ska vi emellertid slåss
om rätten att begrava
den västerländska kulturens
stympade lemmar

Vart vill du rida hän

Vart vill du rida hän, du stolta fru,
vad söker du för syrisk doft,
när han som var din doft är död?

Vad söker du på denna vilda väg
bland ödsligt grymma händer, slitna ögon,
den torra hungerns flimrande gestalter?

Vart tänker du dig
— själv en fruktbar ranka — hän
nu när Rosengården slocknat
där det fanns doft och liljor nog?

Söker du en bergbäck genom skog av ek,
fast nyss du vilade vid öppen brunn i ljusets hjärta?
Söker du ett slott med blinda hörntorn,
ett rum av tystnad bakom reglad dörr?

Jag ser dig rida bort och ser
hur själva rädslan sitter trygg och vaksam
som furstens jaktfalk i din veka hand.

Jag ser dig rida bort.
Vad kan jag ha att säga,
när jag vid glis av denna lampas röda veke
glömsk av varje vidd och stillhet
lyssnar ångesttyst till slagen av den döda klockan.

Vad kan jag ha att säga dig
om havets våg och skräckens gömslen,
gulmårans sträva doft
och grässtjärnblommans öga?

Jag ser dig rida bort,
för dig finns intet borta,
ty ditt hem har tankens synkrets;
jag ser dig lämna denna trakt för alltid,
fast för dig finns ej för alltid,
ty din tid är rund som ekens krona.

Vart vill du rida hän, du stolta,
svept i denna blåa mantel,

i blått muslin ifrån Benares?
Till lejonet som räcker gryningen sitt hjärta?
Till örnen som tar mot en liljas blad av solen?

Å, jag tror mig veta,
fast denna döda klockas klang mig stänger,
vad du ska finna bortom slott med blinda hörntorn,
solens bristande kristaller
i en stillnad bergbäcks vatten,
johannisörtens röda saft
och grässtjärnblommans vita öga.

Å, jag tror jag vet det,
nu när frosten strömmar in i rummet
och bittra frukter faller i min trädgård
för ryckningar i senhöstdagens ögon.

Vad rör väl mårans gula doft
och grässtjärnblommans blyga öga
vad rör — ja milsvitt mindre
rör väl frusna frukter
den som inom kort ska smaka
alla frukters, alla solars kärna,
den som fylld av sällhet
ut till fingernagelns spets
av falken snart ska motta i sin hand den blomma
som slår ut i eld.

Vart tänker du dig hän, du stolta fru,
vad söker du för syrisk doft,
när han som var din doft är död?
Ja, aldrig, aldrig ger du svar om väg och dofter
till den som ängsligt räknar år och stunder
spöklikt lagda en till en av denna döda klocka
som varje timme isar blodet
med sina döda slag.

Men även denna sol är hemlös

Men även denna sol är hemlös,
brinner hemlös
med lysande korn av eld,
svänger hemlös
sina facklor mot mörkret,
skyddar sig fåfängt
med silvervit strålglans.
Ack även denna sol är hemlös.

Vad kan då blinda händer finna?
Är inte själva sökan famlan längtan
bara hemlöst ljus ur hemlös sol?

Ja, hemlöst ljus är allt som brytes
genom kroppens eller själens linser:
svek och sanning
lidelse och lögner.
Samma blinda lag och laglösheter
övervakar ljus och linser.

Så vårda, mänska du förmätna,
blommorna av tro och otro
spirande ur eld och äckel,
locka till dig lust med lustens honung,
väx dig fast med smärta
vid en smärtsam sanning.
Samma hemlöshet är lust och sanning,
allt ska brytas ner till samma brännpunkt.

O att ensam nå sin brännpunkt
och att där förbrännas,
o att hemlös återvända
till en evig hemlöshet.

O att lyftas ur ett bål
av lust och lögner

upp mot lysande
berg av eld,
hemlöst svängande facklor,
skuggor och
silverlik strålglans.

Du måste värja ditt liv

Längst inne i dunklet
måste du värja ditt liv.
Längst inne i dunklet
där den avhuggna stammen
löddras av save
skräckens skugga
rör vid din höft
och du ropar till fjäril och mossa
att frälsa dig för Guds hjärtas
barmhärtighets skull,
längst inne i dunklet
måste du värja ditt liv.

Längst inne i elden
måste du värja ditt liv.
Där synerna reser sig
blott för att sprakande falla,
de vita hästarna störtar
och smärtorna snärjer dig;
längst inne i elden
där den susande flykten stäckes
och den störtade skimmeln dör,
längst inne i elden
måste du värja ditt liv.

Längst nere i djupet
måste du värja ditt liv.
Där havsytan sluter sig

som en svepduk av siden
kring dagsljusets slocknande strålar,
bland gallerverk och urnor
där iskylan kramar
hörseln ur ditt öra
synen ur ditt öga,
längst nere i djupet
måste du värja ditt liv.

Längst nere i djupet
längst inne i elden.
Dunklet tillhör du
och havens höstblom,
elden tillhör du och vårens
störtande skimmel,

men intill dödens linje
är kravet ett
och valet ett:
själv dunkel, eld och djup
måste du i djupet, elden, dunklet
vid den avhuggna stammens
löddrande smärta
värja ditt liv.

Gudssökare

En vittring av gudar oroar vår ras.
Vi tvekar, sådan är vår början.
Så vänder vi oss om efter offergåvor,
fångar väl fåglar att stycka,
fångar väl en morgonvind att stycka
åt den som nalkas vårt besvurna hjärta.
Röken sopar ner mot marken.

Någon känner en gud som är döendes vän,
som i de döendes död

lever som en källa eller ett svalt
susande träd,
inte dör i de döende
som en trampad skorpion, en febertanke
som slocknar i krematoriet.

En solgud? Men honom försåg våra bilder med vingar.
Var finns han nu på sin flykt
genom ett famlande världsallt?
En vardagsgud som röker sin vattenpipa i middagshettan?
En mångud,
en ond gud som flackar fram om natten
och river drömmens bilder?

En vittring av gudar oroar vår ensamhet,
och ensamheten nosar kring som en näbbmus vid kärrkanten
Vad vet vi ens om vårt ansikte som skulle vara
en människas ansikte?
Guds döda brunn där vi döda kan samlas
är vårt ansikte. Finns något nattläger?
Eller vartill nattläger? En enkel bivack
inkrympt i vindstillan, den yttersta, doftlösa.

Bij- och Til Skrifft om Tiden

Jordisk är också i flimmerljus barndomen,
fast avskavd, efter allt den haft att utstå,
medan natten växte,
faller storögd oss om halsen:
hur dagen rinner tunn som en förtvivlan över våra händer.
Då var ju tiden handfast, ett rum
som för fiskarna vid alens rötter,
låga som takskägg seklerna,
man kunde nå dem med fingerknogarna
bara man sträckte sig på tå,
eller trygga som potatiskällare,
några fuktiga ekande steg att klättra ner för.

Omvälvd ungdomen, ett maskspel för grymma händer,
giriga vid en munter port. Här sinnesvirveln som förvanskas,
slussas upp i himlens väntrum.
Och döden träder trumpen in.
Här åkermannen, han som bor vid havet,
vid den bruna skorstensröken och det tysta folket.
Vart glider väl de svarta skroven,
vattensjuka? In i solens grannskap?
Kom, kom, välkommen kom,
när månen i sin väkt om ljusa natten står!

Sådan ljuvlig värma tappar oron stundom
fram ur sitt förgångna.
Men mannaåldern med dess beska vidd,
dess vida vädjobana. En middagslinje
genom stjärnorna, där alla vådor yppar sig.
En kraft som slungar sig som lava, men ändå
ett drivande skum på världens sömn.
Vi föregriper, förbereder, men ser som avfall och för sent
de svärmande tecknen, hör utan fattning, från sidan,
från de ofruktbara stenarna
mannen med kryckan,
hans köldbitna viskning.

Ja, den rest av tid som tiden avstår åt oss
må slutligen förliknas vid en ensling och en främling,
med siarrykte och av annan läggning.
Och kunde någon av oss slå ett mynt, ett horngult eller
    vattenslocknat,
över levnad i naturen eller liv i Gud,
han präglade en färd, vanfärd, välfärd, ofärd.
Fördröjda står vi, tanklöst tankfulla
som ugglan eller pekingesern,
medan livet rider undan
österut över heden.

Så rider tiden bort, en torftig skugga,
oförsonad, samma väg den kom,

kanske purpurbrämad,
men sliten, men sin egen fånge, har på nytt sig själv att lida,
fullbordar sin bild.
Alltid nära gränsen till en växling,
nära det som inte mer är tid.
Och vi följer, utan dyrkan, avhuggna
som en vindstöt eller fruktgren i ett mönster,
utan rop på tröst, som insiktsfulla spelare,
utan att ge upp, fångar hos en fånge,
pressade till slut mot någon åldrig klippa.
Må den stå kvar vid stela djup.
Må livet där stå kvar och döden.
Nedanför är steg där inte en gång luft tar emot,
ett tomrum.
Och över det en mun i lågor.

SVEN ALFONS
(f. 1918)

Jag har en gång varit på Korfu

Jag har en gång varit på Korfu.
Jag har kammat i en fiskarflickas hår.
Jag har älskat en gång döden på Korfu
och jag älskar än i minnets döda spår
och jag kammar hennes våta hår ännu.

Kvällen dungar över havet mer och mer.
Hennes tunga kläder glänste vått.
Långt i fjärran hennes land jag ser,
där hon länge sen i mörkret gått,
där hon länge sen i hav gick ner.

Jag har ännu mina läppar vid Korfu,
där de bindas i en fiskarflickas grav.

Hennes ö och hennes hjärta vaggas nu,
där hon vaggas i ett ljudlöst forntidshav.
Hennes längtan går och letar där ännu,

hennes hjärta slår mot land i brustna brott,
hennes hår i vågor vecklas in och ut.
Liksom vinden hennes kropp jag nått,
liksom vinden kammar utan slut
kammar minnet vägarna hon gått,

kammar håret som jag funnit på en ö,
där jag en gång fann min stora livsförlust.
Dödens kjortel lyser blek i evig sjö
där den spolas lekfullt mot min kust,
buren en gång av en grekisk fiskarmö,

buren en gång av en död karyatid.
Detta är en sång om det som aldrig sker,
en dikt om övergång av allt i aftontid.
Kvällen dungar över havet mer och mer —

Det förlorade paradiset

Var är trädgårdens trakt,
ruttnande, likväl hel.
Där var mitt hjärtas skål hel
ruvande upp och ner.
Där var ett skyskal lagt
över allt utan att hindra mig se.
Allt eftersom natten led
såg jag blott mer och mer.
Där var mitt hjärtas sorg del
av en besynnerlig makt.
Var är trädgårdens trakt.

Var är trädgårdens trakt,

gräsland och ve vid en bäck.
Smärta av skuggornas spel,
smärta av fågelsträck.
Där var mitt hjärtas skål dock hel
rymmande klunk av sky
och spillspår av månvakt.
Livet var där en ny
munfull av det som jag drack.
Döden var drömmande del
av trädgårdens trakt.

Skålen stod upp och ner,
rymde sin rymd likväl.
Skålen blev mer och mer
sluten kring osluten själ.
Men jag stjälpte den händelsevis en kväll
och den ställde sig stelt på sned.
I rabatten av vissnande prakt
rann himmelens innehåll ned.
Synen blev den gången mindre skarp
allt eftersom natten led.
Jorden fick den gången del
av sitt eget förakt.
Var är trädgårdens trakt.

Var är trädgårdens trakt,
ruttnande, likväl hel.
Där var mitt hjärtas skål hel.
Där var rätten ett ruvande ägg
i det som var mycket fel.
Rättegång rasslade knappast
bland löv, i vind.
Nu går jag dömd av min egen makt
och letar en numera likgiltig grind
dit in —
var är trädgårdens trakt.

Fröding hugger björklöv

Fröding hugger björklöv här i trakten
hör du hans gälla yxa bortom höjden
där han samlar med den veka handen
vårens ris i famnen

Ljust bekymmer över ögonbrynen
Kaffefläckar i hans skägg av imma
Genom himlens hydda går en hind med snabba kliv
I en mycket morgontidig timma
gick han ut att hugga björklöv
för att återställa ljuvlighet i liv

Men oändlighet besvärar hans förstånd
Från hans höga tron av syner och extas
snubblar han i lundens revor
kvald han irrar i sitt eget öga
Foten trampade på orm i bråten
Alltför gripen såg han inte faran
När han vidgade den lösa öglan
himlens cirkel
knöts kring ankelen den onda snaran

snubblar han bland ängens fågelsånger
stupar på den vassa eggen
skär han sig i vita kinden
ligger han på rygg i skuld och ånger
skuggad av den sjuka linden

ligger han på rygg förlorad
Majestätet som han inte lärde känna
vänder sig mot andra öden
Morgondimman
sköljer undan ängens fågelsånger
med en blek berättelse om döden

Målarens brev

Mitt staffli har jag ställt upp inomhus
Jag målar sedan en vecka
ATLANTISKA OCEANEN
vad betyder detta, kära
mig kan mildhet förfära
vid detta hav är jag van
här finns en invärtes klocka
som även i stillheten dånar
jag vilar i en vild vagga
hör
två rader lämnar jag tomma
med plats för zefyrisk musik

kära, min duk är ingenting lik

på kvällen öppnar den sin mun
och talar
oceanens läppar
formar som varning en blå ballad

tidigt på dagen
fyller mig havet med hat
och stor fruktan

jag lägger örat mot horisonten
och avlyssnar den onda friden inuti
med flit
försöker jag verkligen fånga
mitt svåra motiv

jag uppstiger varje dag
i mitt hjärtas torn

för att se allt
havet
ligger där bart
alltid större än min tro
jag mäter förgäves dess vidd
med ett uppspärrat fingerkliv
jag mäter förgäves dess välde och våld
med min egen oro

annars lever jag gott eller näst intill
vid fönstret äter jag solens hårda bröd
och dricker en klunk sval vind
jag har mest allt jag behöver
livet, döden
men, kära, sänd mig
sänd mig
ultramarin.

WERNER ASPENSTRÖM
(f. 1918)

Snöbrev

Ett brev sänder jag dig nu
syster på den blå verandan
ett brev skrivet i snö
med svar på dina många frågor.
En häst och en ryttare av snö
skall bära det till din dörr.

Det är sant att slätten är smärtsamt fri
och att konungen är sträng i sin tystnad.
Ge mig ett berg och ett eko säger rösten

om en mild horisont ber ögonen ofta.
Din oro syster är ändå för stor:
fågeltorn kan resa sig på dessa fält
och vita duvor korsa nattens dimma
minnen bygga sina grottor drömmar
tända sina lyktor.

Det är rätt det du frågar om vinden.
Ofta lockades vi ut av misstag
någon hörde steg någon röster.
Alltid var det samma skärande vind
som blandade snö med snö.
Dagen kan därför bli lång men de som väntar
har alltid sin väntan tillsammans
de vakna delar sin vakenhet de sovande
har stämt möte i sin sömn.

Det finns naturligtvis värme mellan oss
fastän vi har blivit snömänniskor
en lägereld som vi sträcker händerna mot
om den också inte brinner med lågor.
De som länge levat under valv av frost
kan plötsligt lyftas liksom av en våg
kan genomströmmas av en okänd kärlek
en oerhörd koral som blodets tunna orgelpipor
aldrig lät dem höra.

Ett brev skriver jag till dig
syster på en blå veranda
en hälsning att jag tänker stanna
att jag kanske aldrig återvänder.
Jag har druckit ett vin av snö
jag älskar en kvinna av snö.
Av snö är ryttaren och hästen
som nu bär brevet till din dörr.

Den ni väntar passerar inte förstäderna

Som i den klara oktobernatten
när de från norr kommande leoparderna
genombryter horisonten
och man samlas på torgen för att bedja
eller endast för att tyst betrakta.
Varför spärrar ni förstädernas gator?
Den ni väntar passerar inte förstäderna.

Tennsoldaten bestiger trähästen

Tennsoldaten bestiger trähästen
och rider bort under kyrkohällen.
Den uppstoppade örnen svävar
med väldiga vingslag över fältet.
Det rätta är evigt. Medborgare,
jag repeterar, medborgare.

Må städer och byar brinna.
Må städer och byar brinna.

Fåglar i 1700-talsstil

Kejsarfågeln och kungsfågeln
och alla de små kammargökarna.
Presidentfågeln och excellensfågeln
och deras många sugsnappare,
undervippor och tåsparvar,
talmanstrastar, trofinkar,
dörrpipare och tidensvansar.
Den stora kanonfågeln och galonfågeln,
tomherren och lärdsmygen,

ringduvan och sänglärkan,
gråtmåsen, skrattugglan,
brödhaken och guldmärlan...

vad många sorter
i den Högsta Fågelns handelsbod,
vilka fina sommartapeter.

Mätarlarven

Jag sträcker mig ut från mitt körsbärsblad
och spanar mot evigheten:
evigheten är alldeles för stor i dag,
alldeles för blå och tusenmila.
Jag tror jag stannar på mitt körsbärsblad
och mäter upp mitt gröna körsbärsblad.

Hundarna

Natten är stor.
Himlarna vrider sig tysta.
Månen seglar med isig stäv.
Dessa ylande hundar,
vad är det de söker?
Han som reser ragg,
han som kvider likt ett barn,
han som snappar åt sig gnistret
från en stjärna — maktlösa är de,
deras törst kan inte stillas här.
Varför strövar de då längs dalgångarna
och över de kraterströdda fälten?
Vad är det de söker i bergshålorna
och i de övergivna städerna?
Här finns bara ödlor med läderhud
och stjärnor och natten är stor
och himlarna vrider sig tysta.

Ikaros och gossen Gråsten

Efter att ha läst 73 (förträffliga) dikter om Ikaros
önskar jag lägga ett ord för hans lantlige kusin,
gossen Gråsten, kvarlämnad på ängen.
Jag talar också på en grästuvas vägnar
som åtnjuter skugga och vindskydd.

Efter att ha läst 73 dikter om flykt och om vingar
önskar jag frambära min hyllning till fotsulan,
den nedåtvända själen, konsten att stanna
och att äga tyngd — såsom gossen Gråsten
eller hans syster, hemmadottern fröken Granbuske,
som glanslöst men evigt grönskar.

RAGNAR THOURSIE
(f. 1919)

Skolavslutningen

Första sommardagen, då dammet yr upp,
första sommardagen,
klättrar komministern som en spillkråka
upp i Predikans framstam;
håller sig fast med vita förmaningar på räcket,
svarta vingar fällda ihop på ryggen,
lyfter hakskägget och gapar rött;

o den första sommardagen;

och genom kyrkans dammiga båt, i Guds bröstkorg,
tågade vi alla timmermannens söner,

trehundra sjungande
    utan röst
den första sommardagen.

— Tolv män i trä, med skägg, stavar, kors, nycklar,
    svärd och böcker blevo våra ögons tröst,
medan orgelens vatten sköljer
över sommarens tid, som väntar utanför porten,
med lust och fägring stor.
Fröken i klockkjol och gullvivehår
biter sig löst i underläppen.

*

Detta var den första sommardagen. Sedan följde
den andra, tredje och fjärde och dammet
steg allt högre.
Vi blevo män i trä, med stavar, nycklar, kors och svärd,
och ögon vattenblå och blinda
blinkande mot Den sista avslutningen.

Papegojan död ej ruttnar

Parrot is a fair bird for a ladie.
God of His goodness him framed and wrought.

Där satt hon i sin bur, bakom vaktmästarefönstret,
ett sällskap åt fotografier, åt de redan döda,
smakade på minnets småbröd och lärde
av dem förtalets gåva. Med sin järnnäbb
var hon en tapper kaffetant.
    Uppriggad
i lånta fjädrar, från regnbågen,
himlen och liljorna på marken
inträdde hon obefläckad
i ungmöståndet, nästan en skönhet
i missionsförbundet, en ny kraft

i syföreningen och en uppskattad
        saxofon i sångkören
på hemväg om natten genom stan
där springbrunnen ännu silar
och svarta pilträd släpa mot kjoltygen.

Ensam, med bräcklig hälsa, vågade
hon sig på livets resa ej längre
än att en spasm i kappans gröna
vingar åter och åter åter-
för henne hem, till den våldsamt upprörd:
        gungstolen,
kaffepannans trygga sjudande hjärta
och erinringens
ihärdigt
rensopade
kustremsa. Nu är hon död.
Men hennes ande skall leva,
inpyrd i rummen. Och spegelbilden
i fönstret av hennes mittbenade huvuds
alla anslag skiftar grönt av grämelse.

"Sundbybergs-prologen"

                31.12.1951

Nattens väldiga neonljuslampa svänger
tungt i den lätta rymden.
Mörker brytes i metalliskt
ljus, och ljus i sotsvart mörker.
Som en tegelskrovlig tallstam, vuxen
djärvt ur järn och asfalt,
lutar sig fabriksskorstenen mot sin krona
susande av rök i starka grenar.
Doft av olja och av kåda blandas
med blåstens moln- och månspel, det som
orglar ojämnt mellan mur och mark.

Aftonstjärnan röd på vattentornet
förebådar DC 6:an. Och med huvut lätt
tillbakalutat korsar arbetaren gatan
på hemväg i förströdda nattskiftstankar.

*

Samma natt som brukar reparera gamla
drömmar om i morgon dag,
går med spanskrör vid hans skuggas sida;
resonerar oresonligt och med kantig tunga
om tider som förändrats medan människan
stått stilla och vindrosor överblommat taken.
Polemiserar, kluckande, mot dem som trodde
gränsen mellan himmelen och jorden
gick vid Sundbyberg: Mellan dröm
och sura dimmor, mellan tankens flykt och
verklighet som skramlar, stryker snaran
närmare än så! Människan, ej månen, är
alltings mått vid Bällstaviken, och
vår andes ångsåg levererar byggnadsmaterialet
    till den nya staden . . .

Skuggpatronens skägg mot kosmos trotsigt
spretar. Vindens löv och läppar stela,
blåstens eviga palaver, stuprörs kommentarer
    mala svar:
Från en drömvärld — till en värld av dröm
går vår levnads genomfart, den breda
allfarvägen! Verklighetens stad, belägen
mellan en barndoms lek med dagsljus
och ålderdomens blinda trevande i utförstrappan,
står en tid påtaglig kring ett grönt stationshus.
Alltför snart skall flyktsignalen i vårt inre
flöjtlikt ljuda. Höstens tvedräktsdimmor välta
lass och tuva. Vägen smalnar. Molnet viskar
sagan om det medeltida mörkret mellan
Östergården, Mellangården, Västergården . . .

Skall ånyo vinternattens pansarnäve blodig
rosta fast kring kontinenter utan både människor
  och måne?

    *

Men myrmalmsmolnet nickar av en nyck ett
nådigt Farväl igen! — och nattgammal
blankis bär. Lätt löper foten uppför
tornparkstrappan, riktad snett mot skyn.
Som sprängd ur bergkristall syns staden glimma,
rappad av snö och täckt av frostens tak.
Virad med röd girland står järnvägsbommen
vakt vid övergången: denna sena timma
när familjerna i varv på varv i husen
begrunda var för sig den stora lyckan
att en egen liten vrå besitta. Så brytes
sfäriskt ljus mot ljus instängt i rum och kök;
så begraves ensamhet i levande gemenskap
och upphävs lagen om en evig motsats.

Han på hemväg nu, till samma frihet
för de fångna, mot hjärtat trycker
unikan med dyrbar stålglastermos.
Uppdämd strålglans fyller rymdmetallen.
Hur lätt att fatta är ej nuets närhet,
huru lödig den sekund som skapas!
Se, på kyrkans spira högt den genomstungne
tuppen, med månen lysande i sina klor!
Över tidens sus i tallar, över årens flykt
på fjädermolnets vinge bred och stark,
trår från natt till dag, från nöd till
frihet ifrån fruktan den strävan
som är lika för oss alla. En öppen stad,
ej en befästad, bygger vi gemensamt.
— Dess ljus slår upp mot rymdens ensamhet.

STIG SJÖDIN
(f. 1917)

Ur *Porträtt ifrån bruket*

Med sparsamhet och övertid
drog han fram tre pojkar till studenten.
Han andades och levde genom dem,
de blev trappor mot solen.
Själv har han aldrig varit på bio eller teater
eller haft tid att läsa böcker.
De har lyckats och kommer hem till helgerna
och talar med främmande röster om dessa ting.
Deras kvinnor har kalla ögon
och föraktar honom när han äter med kniv.
Han ska aldrig förstå
vem som murat hans ensamhet.

(Bandvalsaren)

Samtal på kyrkogården

Adolf Fredriks klocka står på åtta.
Det svider av grönska i mina ögon,
ty denna morgon återvänder ljuset efter tio år.
I vrakspillrorna kring Elias Martins sten
blossar tulpanerna.
Det växer bra på kyrkogårdar.
Från Södra bergens tavla ser vi tillsammans
hur Saltsjön är dräktig av segel.
Många är stadda på resa i denna tid
och kommer hem med stenar i munnen.
Han säger med en röst spröd som pendyler under jorden,
med en stämma hartsig av svartek:
"Det är bara att gå rakt fram,
gå rakt fram och sen till vänster mot hjärtat

och strunta i fåglarna,
dem kan ingen tolka.
Det är människorna som är ditt ämne,
hos dem ska du hämta orden,
då blir du närvarande."
Jag stiger upp
och plötsligt kan jag äta grönskan med sked.

Angående människovärdet

Egentligen är det en mycket stor upptäckt
att arbetarna har nerver.
Såtillvida har arbetspsykologerna nått
påtagliga resultat.
Men annars förhåller det sig så
att psykologer och medicinmän sitter på upphöjda
stolar när de penetrerar orsakerna till störningar
i det väloljade maskineriet.
Arbetarna förblir objekt,
iakttagna uppifrån i lupp.
De har kollektiva magsår.
De blir kuggar med gemensamma grader på.

På ett sätt var det hederligare förr
— detta sagt utan skymten av nostalgiskt darr —
när man inte maskerade vinstintresset
med en diffus psyko-teknologi.
Inte kan psykologerna restaurera människovärdet
där det aldrig funnits något.

Brukar man människor som ting
berövar man dem namnet människa.
Terapierna når aldrig ner till problemets
grundvatten:
människor tycker illa om dressyr.
Också arbetare.

BO SETTERLIND
(f. 1923)

Bonden

Ödslig är gården här på fjället. Och jag är ensam.
Kanske det är sista gången jag skriver en dikt
till er.
      Det blir kväll.
Till er, avlägsna stjärnor, vinkar jag ett kort farväl.
Vi existera alla i rymden. Som korn, som brinnande lampor.

      Det skymmer, så jag ser inte
vad jag skriver. Ser bara en skugga,
som söker något i dimman. Det måste vara bonden,
som kommer därnere
      med lien på axeln.

Döden tänkte jag mig så

    Det gick en gammal odalman
    och sjöng på åkerjorden.
    Han bar en frökorg i sin hand
    och strödde mellan orden
    för livets början och livets slut
    sin nya fröskörd ut.
    Han gick från soluppgång till soluppgång.
    Det var den sista dagens morgon.
    Jag stod som harens unge, när han kom.
    Hur ångestfull jag var inför hans vackra
        sång!
    Då tog han mig och satte mig i korgen
    och när jag somnat, började han gå.
    Döden tänkte jag mig så.

Vaktparaden

Vad är detta för musik?
Är jag riktigt vaken?
Trummor och trumpeters skrik
och basun på taken!

Finns det vindar som kan gå
över mig och spela?
Tonerna likt stjärnor små
muntert sig fördela.

Blomman spinner i mitt rum.
Månen signalerar.
Vilket skönt mysterium
som i skyn marscherar!

Är det inte en trumpet,
som går runt i staden?
Ingen ser det. Men jag vet.
Det är Vaktparaden!

Tamtara tam! Tamtara tam! I spetsen går Fanfaren.
Fåglarna på taken svara — tjuitt, tjuitt.
Vinden fyller med fågelsång de växande standaren!
Och Tamburmajorens guldstav blixtrar vitt.
Månne de ser om jag går ner och ibland dem marscherar?
Kanske kan med dem jag komma långt bort
till de land där de månskensögda fåglarna regerar.
Vaktparaden kommer! Och jag får eskort!

Alla sover. Det är natt.
Fjäriln i sin klänning
sitter på majorens hatt
och förgås av spänning!

Röken av en ros jag ser,
som på marken brinner.
Men allt jordiskt mer och mer
för min blick försvinner.

Vem har på min högtidsdag
skickat Vaktparaden?
Lycklig och förvånad jag
svävar över staden.

Tänk att fri som vinden gå.
Stolt basunen dånar.
Månen, som jag snart skall nå,
mäkta mig förvånar.

Tamtara tam! Tamtara tam! I månens skugga sitta
hemska gudar som oss härma — tut, tut.
Vi har vingar som fåglar men kan ej i luften hitta.
Därföre se vi trötta och besvikna ut.
Månne en häst nu vore bäst att runt kring månen rida?
Här bland träden börjar vägen, var god.
Se på stjärnorna som med svärd från sina banor strida!
Och i berget rinner de kuvades flod.

Vad är detta för musik?
Är jag inte vaken?
Dagen är ej natten lik.
Här är sol på taken.

Är det inte en trumpet,
som går runt i staden?
Tala icke mer! Jag vet.
Det är Vaktparaden.

Jag har vaknat ur en dröm.
Nu är allting över.
Allting är en lustig dröm,
som vårt liv behöver.

ÖSTEN SJÖSTRAND
(f. 1925)

Stagnelius

... djupt böjd över Kungl. Maj:ts nådiga resolution på åtskilliga biskopars ansökan, tyst seende förbi det vända papperets beslut, törnet uddas och smädelsen byter röst, seende Öland och ruinerna av Borgholm, de grå tornen där månens klot i dyster prakt försjunker...

... Almquist, gnosticismen igen!... men hör blott denne som marscherar stolt på golvet fram och åter, och fröjdar sig åt bjällerkåpans ljud... där nejderna mörknar, Askelöf läsande Stockholms-Posten, morbror Rosenstein som rättar protokollet, kopisterna som förbereder kvällen...

... seende förbi de raspande pennorna, pladdret och expeditionernas uppsättning, förbi snusboden i Trångsund och vindskamrarna på Söder, seende objekterna i regnbågsskimmer, fallet från klippan...

... tyst sluten i det jordiska klimatet, den vända dagen...

Madrigal

Natten kom, och sjukdomen slog mig med tystnad,
förlamade mitt öga och min fot,
den förlamade mitt öga och min fot.

Läkaren kom, och Läkaren sade till mig:
för denna natt finns ingen bot,
finns ingen bot.

Kärleken kom, och kärleken sade till mig:
natten kan dölja ditt väsen, din rot
men den kan inte dölja — en gnista

den gnistan bor i ditt innersta rum
— och brinner, utanför natten.

En förklaringsdag

Den långa stranden, där stenarna lyser,
om hösten. Där det klara havsvattnet
i fjorden bländar med sin vidd, om hösten.

Den flacka ödslighetens troll drivs på flykten
en dag. Och en dag säger inte djupens orosande mot
vad ögonen håller fast vid.

En dag ser ögonen bortom också stenarna
och vattnet. — I Studenterlunden virvlas löven
av en vind jag plötsligt inte mer fruktar.

LARS FORSSELL
(f. 1928)

Rader skrivna vid ett skjutfält

"Se, Glaucos, vågorna kurar redan ute till havs
och molnens härar samlas över Kap Gyrae.
Tecken på storm. Och plötsligt
är rädslan över oss."

En vinterdag har vi också insett hotet från vågorna.
Samlar kanonerna på stranden.
Skjuter och skjuter i dimman, mot havet.
Snös sprittande svepning över den döda kanonen.
Svallvågen, havets andetag efter skottet, når oss
sent omsider.

"Havet bekämpat, Alkinokos!" Och han:
"Rädslan rider inte bort på åsnor.
Havets sår har redan läkts, men vi
vi måste flitigt öva rädsla, Glaucos."

Aria

Den kärlek som är
vill förkasta en annan
och ändå likna den
så som den var.
Vintern som rår
har ett blont ärr i pannan
och i sommarn som rår
går en snövind kvar.

Vindar som vet
det grå, det sista —
om dag i natt kvävs,
ger skymningen svar?
Ge mig den styrka
som krävs för att mista
och den svaghet som krävs
för att hålla kvar.

Sorg är en flöjt.
Det strömmar, strömmar
bläck ur dess sång
och vind som var.
Ger den mig drömmar
skall de brista.
Tiden är lång
och stannar kvar.

Fågel som sjunker
ner i din klyfta —
ormvråk, fjäril,
mitt svindelpar...
ge mig den tyngd
som krävs för att lyfta
och den kärlek som krävs
för att stanna kvar.

Staffan var en stalledräng

Staffan var en stalledräng.
Han vakta sina fålar fem.

En fåle hette Godhet.
En fåle hette Trohet.

En fåle hette Tålamod.
En fåle skyggade för blod.

En fåle hette Makt och slogs.
Han drev de andra snart till skogs.

Där bröto de båd' hals och ben.
Men Makt, han satte av i sken

och fradgan stod om mulen
som sockervadd om julen.

Makt hade mäktig styrka.
Han byggde egen kyrka.

Han bar på sten och stater
och kungar och soldater.

Han täcken bar av blodröd prakt,
den fålen Makt.

Så väl han gjorde sig förstådd.
På varje hov bar han en brodd

av rakbladsvass intolerans
som stack ut ögat med sin glans.

Men Staffan går i skogen än
och letar efter fålar fem.

Han visslar efter Godhet.
Han lockar efter Trohet.

Han viskar ofta rätt försagt:
Var är du, Makt?

Och stjärnan över honom går
sen alla år.

Den lyser röd som en granat.
Den sprutar hat.

Brinnande fåle Makt i skyn,
som leder Staffan hem till byn.

Skenande hingst med fosforman
som dräglar över hela stan.

Skriande fåle Vapenmakt
som blöder som en slakt.

Bethlehemsfåle, strålgestalt
som dödar allt.

Den dag då Domens dag är här
finns ingen Staffan där.

Han blåser som förkolnad jord
kring maktens vålnads domarbord

Vår himmelskt ljusa stjärna
vi tackom nu så gärna.

SANDRO KEY-ÅBERG
(f. 1922)

Jag hör dig gamle man i skinnväst

Jag hör dig gamle man i skinnväst
hur du sågar
på knä bland hundlokan

Hopkrupen på grenarna
och de darrande kvistarna
spiller sol mellan mina fingrar

Kom du fågel och plocka
skrämseln från mina läppar
Sommarn vickar sin eka
genom de gröna vågorna
Jag är så fäst vid dig ljus
rör vid mig
som du rör vid sjöarnas vass

Träden älskar varandra i blåsten
människorna älskar varandra i träden
Bebådelsens stjärna minns jag
jämmern som doftade löv
De talar till mig
de ropar ur svajande kronor
röster sömmade av svalor

Tyst sitter jag
som fågelns barn under hökens skugga
En gapande mun
hungrig efter ett sländeliv
Jag stryker stammen med knogen
Du vackra liv
som bar mig så lätt

Ja jag kommer gräs
jag kommer gamle skogsarbetare
Fäst mig vid en krok i bältet
där du går över åkern
bort genom dungar

Kära gud säger människan

Kära gud säger människan
jag älskar dig så
du vill väl hålla av
och vara hos mig

söta gud säger människan
jag har det så ensamt
och ingen enda vän
knackar på min ruta

du gud hyttar människan
nu får du allt älska mig
för nu skiljer drivor av snö
mig från människors hjärtan

o herre gud säger gud
jag håller ju dig med
himmel alldeles klarblå

och en speglande sjö
där de mindre fiskarna
leker roligt i risvasen

Hytt och klaga inte så
för att inte varje dag
någon skrapar på din trapp
med körsbär i en skål

gå och fräls med
din leende styrka
grannen som sönderfryser
i sin ensamma isdös

kärlek kära människa
är den regnbåge som jag ser
lysa mellan ditt och
ett annat människohjärta

O vilket bygge mänskan

O vilket bygge mänskan
vilka boningar mellan moln och granit

vilka skatbon
nästan bara ris och grenar
där hjärtat vid den
knytnävsstora elden
girigt plockar bland
sidenband knappar spegelbitar
vilka nedsjunkna ruckel
reumatiskt snedgångna och
med inflammerade kylknölar
vilka artiga pomaderade hus
med sina propra gemenskapsrappningar
och stärkta fönstertankar
vilka dansande kåkar
med känslornas snickarglädje
hojtande runt husväggarna
och med hjärtan av
smidigt och sviktfullt golvträ
vilken byggning
välpressad och otadlig
i sin redingot
där kallfukten bugande och
verserad serverar sin röta
vilket hus skakande av
det instängda mörkrets
galna och vildsinta slagsmål
Raseriet med sin karbidlampa lyser
i varje vrå med sitt etterrika sken
Vilka tanketomma och slagrörda hus
där det cheviotklädda och
utlevda hjärtat sörplar sitt
kalla och myrvattensfärgade kaffe
vilka mjuka nästan upplösta hus
med sina åldrade och svampiga drömmar
sjudande av kyligt ursinne
Ja överhuvudtaget vilken
hejdlös och omåttlig bebyggelse
vilka omättliga husbehov
en sådan oöverskådlig och

våldsamt framvällande byggnadsverksamhet
Så många husliga
lyckor och plågor för mänskan
Med så mycken kärlek
hon tvingas att värja sin samvaro
med så mycken vrede
hon försvarar sin grund
Och livet mörkögt
och med sin enda
och obrutna vilja
som bänder sig fram
genom det fasta virket
mjukt och lystet
livet som sväller tyst
och ohejdbart
som en sommar utspilld
på tidens duk
så snabb att den lämnar
alla klockor bakom sig

TOMAS TRANSTRÖMER
(f. 1931)

Storm

Plötsligt möter vandraren här den gamla
jätteeken, lik en förstenad älg med
milsvid krona framför septemberhavets
        svartgröna fästning.

Nordlig storm. Det är i den tid när rönnbärs-
klasar mognar. Vaken i mörkret hör man
stjärnbilderna stampa i sina spiltor
        högt över trädet.

Efter anfall

Den sjuka pojken.
Fastlåst i en syn
med tungan styv som ett horn.

Han sitter med ryggen vänd mot tavlan med sädes-
                    fältet
Bandaget kring käken för tanken till balsamering.
Hans glasögon är tjocka som en dykares. Och allting är utan
            svar
och häftigt som när telefonen ringer i mörkret.

Men tavlan bakom. Det är ett landskap som ger ro fast
            säden är en gyllene storm.
Blåeldsblå himmel och drivande moln. Därunder i det gula
            svallet
seglar några vita skjortor: skördemän — de kastar inga
            skuggor.

Det står en man långt borta på fältet och tycks se hitåt.
En bred hatt skymmer hans ansikte.
Han tycks betrakta den mörka gestalten här i rummet, kanske
            till hjälp.
Omärkligt har tavlan börjat vidga sig och öppnas bakom den
            sjuke
och försjunkne. Det gnistrar och hamrar. Varje ax är tänt som
            för att väcka honom!
Den andre — i säden — ger ett tecken.

Han har närmat sig.
Ingen ser det.

Genom skogen

En plats som kallas Jakobs kärr
är sommardagens källare

där ljuset surnar till en dryck
som smakar ålderdom och slum.

De svaga jättarna står snärjda
tätt så ingenting kan falla.
Den knäckta björken multnar där
i upprätt ställning som en dogm.

Från skogens botten stiger jag.
Det ljusnar mellan stammarna.
Det regnar över mina tak.
Jag är en stupränna för intryck.

I skogsbrynet är luften ljum. —
Stora gran, bortvänd och mörk
vars mule gömd i jordens mull
dricker skuggan av ett regn.

C-dur

När han kom ner på gatan efter kärleksmötet
virvlade snö i luften.
Vintern hade kommit
medan de låg hos varann.
Natten lyste vit.
Han gick fort av glädje.
Hela staden sluttade.
Förbipasserande leenden —
alla log bakom uppfällda kragar.
Det var fritt!
Och alla frågetecken började sjunga om Guds tillvaro.
Så tyckte han.

En musik gjorde sig lös
och gick i yrande snö
med långa steg.
Allting på vandring mot ton C.

En darrande kompass riktad mot C.
En timme ovanför plågorna.
Det var lätt!
Alla log bakom uppfällda kragar.

GÖRAN PALM
(f. 1931)

Havet

Jag står framför havet.
Där är det.
Där är havet.
Jag tittar på det.
Havet. Jaha.
Det är som på Louvren.

Ur *Själens furir*

Sedan tjugo, kanske trettio år bor han i mig,
det är lång tid. Hur han kom? Jag vet inte.
Hur fick ni er domare? Och ni er diakon?
En dag började furiren bara kommendera.
När jag var sju år var jag livrädd för en stor hund.
Han behövde knappast hoppa för att bita mig i mössan.
Jag ville gå omvägar, men furiren drev mig fram:
Du är väl inte feg? han vill ju bara leka!
Så lekte hunden tills mina byxor måste lappas.
Vid elva års ålder avskydde jag scouterna.
Tjimmelacke tjimmelacke tjau tjau tjau!
Strax anmälde han mig till KFUM:s sommarläger.
Så kom puberteten. Det är kanske bäst att tala tyst
om puberteten. Då härjade han över hela kroppen.
I gymnasiet kom det flickor i min klass,

och något ljuvare än världsrekord hägrade
för blicken: Föräldrafritt med "Moonlight Serenade".
Men han avbröt varje slowfox med att ropa:
Hon tycker att du luktar, håll dig på avstånd!
Endast schottis med rödblommiga flickor
kunde genomföras ostört. Med tiden
blev det mindre idrott och allt mera litteratur.
Furiren: Nu har du misslyckats som idrottsman,
på samma sätt kommer du att misslyckas som diktare!
Till slut tog jag studenten och skulle ta ett sommarjobb.
Jag tänkte: Vad som helst men inte Handelsflottan.
Han svarade: Till sjöss! Och därvid blev det.

Men med åren slutar man väl upp att lyda?
Man blir sin egen, som det heter? Jo, lyckligtvis.
Och då blir trycket lättare? Tyvärr inte.
Vad som sker är bara att furiren blir ens egen.
Man säger inte längre pappa, Gud, magistern
eller något sådant utan "samvetets röst".
Vad han än gör blir det jag som ställs till svars.
Jag skär mig på brödkniven, det gör oerhört ont.

Tänk på barnen i Kongo!

En naken väninna kryper ner i min säng.

Hugg av din lilla stake!

Det kommer en bil i hög fart emot mig.

Ställ dig framför den!

Vaktparaden marscherar nedför Slottsbacken.

Stig in i ledet bakom tamburmajoren!

Jarl Kulle passerar med sin hustru.

Be att få fru Kulles autograf!

Pär Lagerkvist stiger ur en taxi.

> Säg att "Barabbas"
> är den roligaste bok du läst!

Jag fyller i en postgiroblankett till Röda Korset.

> En tia för att glömma världens nöd!

En ålderstigen släkting kommer svartklädd
ut från Elimkapellet.

> Säg att du brukar tänka på henne
> när du onanerar!
> Hon kan behöva lite uppmuntran.

En trådbuss bromsar in,
i fönstret skylten VÄNLIGA TRAFIKVECKAN.

> Träng dig före alla andra i kön och skaka hjärtligt
> hand med föraren!

Jag stannar framför Reisens bakficka.

> Kasta ditt vatten medan du studerar matsedeln!
> Naturen måste ha sin gång.

En officersgrupp lämnar baren.

> Påminn dem om att du inte varit inkallad på länge!

En man med träben kommer hoppande på sina kryckor.

> Kan du se en medmänniska lida så?
> Erbjud honom ett av dina friska ben!

För att ett ögonblick slippa trafiken går jag in i en
tobaksaffär. 3:25 för John Silver, 40 öre för Expressen.
Expediten ger mig Aftonbladet.

Ta fram din vattenpistol
och blöt ner alla hennes tidningar!

Men jag har ju ingen vattenpistol...

Spotta i så fall

Men jag är torr i munnen...

Stryp henne då! Stryp henne med Aftonbladet.

Till dem som vill överleva

Under triumfvagnen,
där finns de enda som kan uttala ordet NEJ
så att hela vagnen stjälper.
De säger inte så ofta sitt nej.
De tiger i regel; de tiger och sliter.
Men inga andra kan.
För varje år går vagnen bara snabbare.
Att hoppa av är kanske redan omöjligt?
Lär dig slavarnas språk.
Det är det enda språk som inte kommer att dö ut.

SONJA ÅKESSON
(f. 1926)

Äktenskapsfrågan
I

Vara Vit Mans slav.

Vit Man vara snäll ibland, javisst
dammsuga golven och spela kort
med barnen i Helgen.

Vit man vara på för Jävligt humör
och svära fula ord
många dagar.

Vit Man inte tåla slarv.
Vit Man inte tåla stekad Mat.
Vit Man inte tåla Dum mening.
Vit Man får stora Anfall
snubbla barnens pjäxor.

Vara Vit Mans slav.

Föda Annan Mans barn.
Föda Vit Mans barn.
Vit man taga hand
Bekosta alla barnen.
Aldrig bliva fri Stora Skuld
till Vit Man.

Vit Man tjäna Lön på sina Arbete.
Vit Man köpa Saker.
Vit Man köpa hustru.

Hustru diska sås.
Hustru koka lort.
Hustru sköta grums.
Vara Vit Mans slav.

Vit Man tänka många Tankar bliva tokig?
Vara Vit Mans slav.
Vit Man supa full slå sönder Saker?
Vara Vit Mans slav.

Vit Man tröttna gammalt bröst gammal mage
Vit Man tröttna gammal hustru
ber fara åt Helvetet?
Vit Man tröttna Annan Mans barn?

Vara Vit Mans slav.

Komma krypa knäna
tigga
vara Vit Mans slav.

II

Den som finge sticka från gumgnäll och köld
och segla till Hula-Hula!

Men nä: man är för hämmad!

Man går här och fantiserar och påtar
och drar sina strån
till stacken.

Det är det att man fått en gammeldags uppfostran.

Det är det att man inte kan fatta
att grabben dragit en över huvet
och inte längre vill snacka me'n.

Att jäntan är för stor för både pussar och smäll.

Om man tronade där, omsvärmad,
under palmkronesuset!

Utan plastöverdrag och frysfack och bonmaskiner
och staten som ska ha sitt.

Och tanten som ska ha sitt —
hon som väl tog en för att bli försörjd.

Som gruvar och ruvar och snorar
och vänder nosen mot väggen.

Hon som väl inte har nånting emot, egentligen . . .

Så länge man drar till stacken.

LARS GUSTAFSSON
(f. 1936)

Ballongfararna

Se den långe mannen där i den höga hatten.
Han lutar sig ut och spanar mot väster.
Det är tidigt på förmiddagen, ekande ljus.

Staden avvaktar med sina klockor på avstånd
blå skuggor kastar tornens spetsar aningslöst.
Det är alldeles stilla, det är inför uppbrott.

På nära håll är ballongen väldig, som en jättepumpa
lyser den och växer, den har många färger.
Och sorlet från betraktarna: en humlesvärm,

de ropar och vinkar till de resande i korgen,
som inte låtsas se och tiger om sitt mål.
Själva är de orörliga och färdiga till resan.

Mannen i den höga hatten spanar alltjämt,
och han lyfter en tub av lysande mässing
som om han såg efter moln eller något osynligt.

När de stiger skall de förminskas till en punkt
tills de når de högsta luftsträcken och snö,
den vitaste snö som kyler och bländar

skall fylla den luft som de andas, vidröra pannan.
Om hösten kan man se den falla som frost
höjdens andedräkt som trevar över åkrarna,

och någon höst när frosten faller tidigt
skall du plötsligt minnas dem och deras färd,
och hur de ännu stiger, som i yrsel högre

genom en tunnare luft än vintrarnas
med en ton som ett vittrande glas
ifrån djupa skogar av sprödaste regn

och hur de stiger allt högre genom åren
tills själva minnet sjunger sprött som glas.
— och det är outhärdligt, glöm mig, tro ett annat!

En lustresa, ett äventyr för connaisseurer!
En herre där i ljus jackett med klarblå väst
ger långsamt tecken med en handskprydd gest.

Den är fri och redan stiger den,
omärkligt sjunker jublet ned.

BJÖRN HÅKANSON
(f. 1939)

Det eviga

Vad våldet må skapa är vanskligt och kort
Morgonstund har guld i mund
Volvos värde varar
Det går sextio sekunder på en minut
Saliga äro de saktmodiga, ty de skola besitta jorden
Det sanna är evigt
En fluga gör ingen sommar
Existentialismen är en humanism
I denna mening förekommer ett subjekt
Den Gud älskar, lyckan får
Expressen — den har STING
Det rätta är evigt
Svenskarna är stela och kalla
Ett litterärt konstverk är en moralisk handling
Vauxhalls sexcylindriga Velox har fått större motor
Den som spar, han har
Stor produktion av krigsmateriel möjliggör hög
levnadsstandard
Det sköna är evigt

GÖRAN SONNEVI
(f. 1939)

Abstrakt värld

Gatan. Träden som
spretar i genomskinlig luft.
Människorna
går förbi.

Deras ansikten skär vita genom mig.
Deras kroppar som klumpar
i ljuset som pulvriserar
stenen.

Om kriget i Vietnam

Bakom TV'n ändrades ljuset
utanför fönstren. Mörkret byttes
mot grått och träden framträdde
svarta i det klara grå ljuset
från nysnön. På morgonen
var allt igensnöat. Jag går nu
ut och sopar efter stormen.
Jag hör i radio att USA
gett ut en vitbok
om kriget i VIETNAM
i vilken Nordvietnam anklagas
för aggression. I går kväll
på TV
såg vi en filminspelning från
Viet Congs sida, fick höra
helikoptermaskinernas
dova fladdrande,
från marken, från de beskjutnas
sida. I en annan film
för ett par veckor sedan
intervjuades de amerikanska
helikopterförarna av CBS. En av dem
beskrev sin utlösning
när han äntligen fick skott på
en "VC": han slungades
tre meter fram
av raketerna. Det blir
säkert mer snö idag
säger min granne, svartklädd

på väg till sitt arbete. Han
balsamerar döda och är nattvårdare på
mentalsjukhus. Trakten jag bor i — Lund
med omnejd — blir en allt vitare
bok, solen kommer och lyser
brännande kall över de vidsträckta sidorna.
De döda är siffror, som vilar, virvlar
som kristaller, i vinden över fälten. Hittills
beräknas 2 millioner ha dött i VIETNAM.
Här dör knappast någon
av annat än personliga skäl. Den svenska
ekonomin dödar numera
inte många, i varje fall
inte här i landet. Ingen för
krig i vårt land för att skydda
sina egna intressen. Ingen
bränner oss med napalm
för en feodal frihets skull.
På 14- och 1500-talen fanns ingen napalm.
Solen stiger här mot middag.
Det är snart mars 1965.
För var dag.
dödas allt fler i USA's vidriga krig.
Snöflingorna på fotot av
president Johnson
vid tiden för de sista bombningarna
i Nordvietnam — han steg
ur eller in i en bil — faller
allt tätare över de vita sidorna.
Fler döda, fler rättfärdiganden,
tills allt snöar igen
i den natt som slutgiltigt
ändrar sitt ljus utanför fönstren.

Vad förmår kärlekens strukturer

Vad förmår
kärlekens strukturer mot de vita
motsatta strukturer
som nu
uppbär världen?
Det är nu tre dar sen vi var
tillsammans, utan skydd
för varann
Cellerna inne i din kropp har kanske
mångfaldigats
efter sina särskilda
strukturer?
De är ännu ren form, utan verklighet!
I deras gener
finns även
förmågan till språk
Hur mycket tid är det kvar innan någon
börjar tala
kärlekens språk?
Om jag lägger örat mot din mage
hör jag cellerna viska,
nästan ohörbart,
bakom tarmarnas ljud, det bultande
blodets ljud
De närvarande, vita, ljudlösa strukturerna
finns också i din kropp
Språket väntar på
att få bryta sig ut ur ditt liv och
förändra världen
Hur mycket tid finns det kvar?
Vita, språklösa
gener ger nu världen dess form!
Den möjliga
kärlekens språk nu måste tala
med vapen!

De som dör två gånger fortare än vi
kan inte vänta
i månader, år, på ett nytt språk
Utan skydd
för de vita bombernas strukturer talar de mot
det språklösa,
med en kärlek som
transformerar alla strukturer!
Därför måste det barn vi kanske väntar
lära sig ett helt
nytt språk
för den verklighets skull
som står i begrepp att födas

För att förstå

Det var den 25 maj 1968 på kvällen vi
först hörde fladdermössens ljud
Jag och några andra
gick genom Gamla Stan
och försökte sjunga Internationalen
Vi skulle förena oss
med studenterna som ockuperat Kårhuset
och demonstrerade i centrum
Vi ville förhindra genomförandet
av ett undervisningssystem vid universiteten
som byggts för att blockera
möjligheten att förstå
hur det här samhället fungerar
Det fanns en underlig känsla i luften   Folk
i rörelse!
Som om en förändring var möjlig!
Överallt poliser, radiobilar, hästar   Lukt av
nervös hästskit och vår i luften
Skulle någon förstå? Tillräckligt många?

Vi kom aldrig fram till huvudstyrkan
Vi gick som individer
genom halvt upplösta polisspärrar
En äldre kvinna ropade
"jävla FNL-människor" efter oss
Fladdermössen visslade i tystnaden
Demonstrationen var
ett exempel på dålig och omedveten organisation
och spelades upp
i massmedia så att folk inte heller
skulle kunna förstå
Men polisen förstod, och regeringen förstod
Liksom andra regeringar!
Fladdermössens blinda
signaler hördes genom hela Europa
Själva förstod vi inte tillräckligt klart
vad som stod på spel
och vad som verkligen hände
då och senare på andra platser

LARS NORÉN
(f. 1944)

Fragment, september

Leva med
fasan, säga
det stilla . . . vänta
på ljuset, som skall
slunga ansiktena, mot
murar, fasader . . . i en
värme både från Brandenburg och
Arizona . . . vänta och leva i en
häftig resignation, som är

fasa, inte långt från
döden, ännu
rätt nyfödda, alla
i upprättandet av en ny
socialistisk vardag för
alla ... att
sanningen, sådan
den är, skall
träda i
dagen, i
vårt kött, efter det
stumma ... Regnet
tvättar inte
bort döden, men
jag skriver, känner
du, jag
lever nästan hela
tiden, rik som en
ängel, och självmedveten
som en amöba, eller
tvärtom ... Jag
skriver ju både
svävande och
halvsovande ovanför de
nedsvärtade och lysande
latrinerna ... efter
det oförmögen nästan
att leva med

Lisbeth, 23 år, in memoriam

Vi skulle ha träffats och ätit tillsammans
eftersom hon var så febril och mager,
men hon dog av den konservativa döden.
Hon dog som en tillfällig hårdhet,
en omedelbar ansiktsoperation.
    På fredagen, efter arbetet,

tog hon som vanligt tillräckligt
med sömntabletter för att sova
till måndagen och undkomma ensamheten.
    Den här gången låg hon tre dagar
tillfredsställd på golvet i vardagsrummet
med hörlurarna på, lyssnade
på Bach och svalde tungan.
    Ljudet isolerades inte tillräckligt
vid öronen och fick henne att skaka.
    Några dagar senare
begravdes hon snabbt och ständigt.
Alla hennes fiender var där.

*En lycklig och inbillningsrik dikt
om poeterna*

Jag ville vara den förste av människor
men överallt är jag som en fiende.

Efter fyrtio år återstår bara
den inre vintriga hörseln.

Dagarna glänser som trolovade
med aftonjord i sina leenden.

Språket lever tjänarens liv, jag ditt.

Är jag ängel eller idiot?
— En smula av ingenting.

Jag går gärna och lägger mig naken
med slitna fotsulor och vackra ögon.

Och över sängen får du springa lättfotad
som flickorna i Botticellis "Våren".

Förstaradsregister

Diktareregister

Du höstvind, fyll din vida bälg
och blås som i trumpet!
Jag är en högkrönt bröllopsälg
bland rönn i Munga vret.

Nu spricker molnets grå madrass
vid åskans hårda knall
och månens skepp med gyllne stass
går fram i vinrött svall.
Låt oss gå ut och segla med
från höstens vissna hus
till städer under liljeträd
och slott i myrtensus.

Rossignol näktergal, *kupidoner* amoriner, *fång* famn, *väderhane* vä-
derflöjel i form av en tupp

Nattyxne

Över dig, yxne, älskogsört,
susade Veneris flyende skört,
daggen som lopp av den vita foten
göt dig i roten
sin vårliga vört.
Daggig hon kom av de långa hav,
daggig av lundarnas färska sav,
glidande sakta i tungelnatten
nyckfullt in mot de späda vatten,
sjönk som en svan
ned mellan kasdun och baldrian.

Veneris blomma, nattviol,
vinden dör bort som en matt fiol,
strängad med dvärgsnät från grenar och ängar,
strängad med strängar
av sjunkande sol.

Vit är din kind, och all dagen du gömt
blicken för solen och lutat och drömt.
Vet du ditt blod som en jungfrus är blandat?
Vet du ditt drömliv som hennes är andat
renast och bäst
blott som en doft vid en tungelfest?

Veneris blomma, nosserot,
vinden far upp, som sov vid din fot,
ur mörkret ett lidelsens stråkdrag svingar
på flädermusvingar
mot månens klot.
Jungfrublomma, böj dina knän,
oskuld som brytes, dess doft är frän[1].
Vet du de skära drömmarnas öde?
Djupt i din rot går ett hemligt flöde,
en jordbrygd skum,
Veneris blomma, Satyrium.

[1] Nattviolens blad och stängel avgiva, då de brytas, en frän lukt.

Nattyxne nattviol, *Veneris* genitiv av Venus, *tungel* måne, *kasdun*
trol. kaveldun, *baldrian* växt av vänderotsläktet, *dvärgsnät* spindel-
nät

Häxorna

1

Två stora nattfjärilsvingar,
en grubblande fåra av beck,
det är dina ögonringar
och näsrotens brådmogna veck;
på skuldran under särken
du bär som en brännjärnsfläck;
och det är mina märken,
i dem är kvinnan mig täck.

"A wildly entertaining read. *Would-Be Witch* has its dark and dangerous moments that should satisfy the reader's appetite for action, and the heroine's unresolved love life adds seduction and love to the mix. I'm looking forward to Tammy Jo's next adventure in magic."　　　*—Darque Reviews*

"Hilarious start to the new Southern Witch series that will keep you laughing long into the night!"　　　*—Fresh Fiction*

"A wickedly funny romp . . . The story trips along at a perfect pace, keeping the reader guessing at the outcome, dropping clues here and there that might or might not pan out in the end. I highly recommend this debut and look forward with relish to the next installment in the Southern Witch series."
—Romance Junkies

"What a debut! This quirky Southern Witch tale of a magically uncoordinated witch with an appreciation for chocolate is likely to win over readers by the first page."
—A Romance Review

"This is definitely an excellent read, and for a debut, it's nothing less than fantastic."
—ParaNormal Romance Reviews

continued . . .

WOULD-BE WITCH

KIMBERLY FROST

BERKLEY SENSATION, NEW YORK

THE BERKLEY PUBLISHING GROUP
Published by the Penguin Group
Penguin Group (USA)
375 Hudson Street, New York, New York 10014, USA

USA | Canada | UK | Ireland | Australia | New Zealand | India | South Africa | China

Penguin Books Ltd., Registered Offices: 80 Strand, London WC2R 0RL, England
For more information about the Penguin Group, visit penguin.com.

WOULD-BE WITCH

A Berkley Sensation Book / published by arrangement with the author

Berkley Sensation Books are published by The Berkley Publishing Group.
BERKLEY SENSATION® is a registered trademark of Penguin Group (USA)
The "B" design is a trademark of Penguin Group (USA)

For information, address: The Berkley Publishing Group,
a division of Penguin Group (USA),
375 Hudson Street, New York, New York 10014.

ISBN: 978-0-425-26755-4

PUBLISHING HISTORY
Berkley trade paperback edition / February 2009
Berkley Sensation mass-market edition / September 2013

PRINTED IN THE UNITED STATES OF AMERICA

10 9 8 7 6 5 4 3 2 1

Cover art by Tony Mauro.
Cover design by Rita Frangie.
Interior text design by Kelly Lipovich.

ALWAYS LEARNING   **PEARSON**

ACKNOWLEDGMENTS

I would like to thank the following people:

My parents, Chris and Audrey, who listened indulgently to my endless childhood monologues. It turns out you were building an author. My closest childhood friend, Sandy, who read my writing before it was fit to print. Thanks for being an audience of one for many years.

Members of the Houston Fiction Cartel, especially Gene and Bethe, who taught me how to critique. All my charismatic and witty friends from WRW, especially Lorin, Brenda, Roman, John, Jason, Donna, Christine, Susan, Dennis, and Beth. Nancy Pickard for the first encouragement I ever got from a published novelist. My new friends at the Houston-area chapters of RWA for providing me with a great writing community in my own backyard.

All my family and friends, too numerous to mention here, who have encouraged me along the way, especially Michael, Vincent, Diane, Melissa, Sherry, Sandy and Dan, Stephanie, Rick H., John S., and Mrs. Millie Mohan. My wonderful and numerous friends from the medical community, especially Margaret, Brent, Larry and Jane, Sally, Shelley Halley, and Elizabeth Jones Cochran.

ACKNOWLEDGMENTS

My agent, Elizabeth Winick, for your faith and guidance. It was a fortunate day for me when we met. My editor, Leis Pederson, for your wonderful insights. Books are very lucky to find themselves in your hands.

My best friends and critique partners, David Mohan and Bonnie Johnston. I am grateful to you for far too many things to mention here. I'll just say . . . Thank you for everything.

1

JENNA REITGARTEN IS awfully lucky that my witch genes are dormant, or I'd have hexed her with hiccups for the rest of her natural-born life. She stared at me across the cake that had taken me thirty-six hours to make, a cake that was Disney on Icing, and shook her head.

"Well, it's a really pretty cake and all, Tammy Jo, but it's got too much blue and gray. It might be good for a little boy, but Lindsey *just loves* pink—"

"The castle stones are gray and blue, but the princess on the drawbridge is wearing pink. The flower border is all pink," I said, tucking a loose strand of hair behind my ear.

"Uh-huh. I'll tell you what. I'll take this one for the playroom. I'll put the other cake, the one with the picture of Lindsey on it, in the dining room. And I can't pay two hundred thirty dollars for the castle, since, after all, it'll be a spare."

"Why don't I just sell you the sheet cake?" I asked,

glancing at the flat cake with the picture of her three-year-old decked out in her Halloween costume. Lindsey was dressed, rather unimaginatively, in a pink Sleeping Beauty dress.

"And what would you do with this one, honey?" Jenna asked, pointing at the multistory castle, complete with lake-front and shrubbery.

"Maybe I'll just eat it."

She laughed. "Don't be silly. Now, you'll sell it to me for a hundred thirty dollars or I'll have to complain to Cookie that you didn't follow my instructions, and then—"

"I followed your instructions," I said, fuming. "You said 'think fairy-tale princess.' Well, here she is." I flicked the head of the sugar-sculpted princess, knocking her over on the blue bridge.

Jenna gasped. "I've had just about enough from you," she said, standing the princess back up. "You know we order once a week from this bakery for our Junior League meetings. Cookie will have your hide if you lose my business."

Cookie Olsen is my boss, and "Cookie" fits her like "Snuggles" fits a Doberman. As a general rule, I don't want Cookie mad at me, but I was in the middle of remembering all the reasons I don't like Jenna, which date back to high school, and I really couldn't concentrate on two annoying women at the same time.

"You can buy the sheet cake, but you can't have the castle cake."

She huffed impatiently. "A hundred seventy for the castle cake, and that is final, missy."

I'd never noticed before how small Jenna's eyes were. If she were a shape-shifter, she'd be some kind of were-rodent. Not that I'd seen any shape-shifters except in books, but I knew they were out there. Aunt Mel's favorite ex-husband had been eaten by one.

I come from a line of witches that's fifteen generations old. They've drawn power from the earth for over three hundred years. Somehow I didn't think Jenna would be impressed to hear that though.

Jenna flipped open her cell phone and called Miss Cookie. She explained her version of the story and then handed the phone to me.

"Yes?" I asked.

"Sell her the cake, Tammy Jo."

"No, ma'am."

"I'm not losing her business. Sell her the cake, or you're fired."

"Yes, ma'am," I said.

"Good girl," Cookie said.

I handed the phone back to a very smug Jenna Reitgarten.

"Bye-bye," she said to Miss Cookie and flipped the phone shut. She dug through her wallet while I put the castle cake into the box I'd created for its transport. I took out the sheet cake, which was already boxed, and set it on the counter.

"That'll be forty dollars," I said.

"What?"

"Cookie said I could either sell you the castle cake or get fired, and I'm going with option B. A cake this size will feed me for a month," I said. "Longer if I act like you and starve myself."

Jenna turned a shade of bright pink that her daughter Lindsey would have *just loved*. Then she tried to reason with me, and then she threatened me, waving her stick arms around a lot.

3

"Sheet cake, forty dollars," I said.

Her complexion was splotchy with fury as she thrust two twenty-dollar bills at me. "Lloyd won't hire you. Daddy uses him to cater meetings and lunches. And there are only two bakeries in this town. You'll have to move," she said.

"Well, I'll cross that drawbridge when I come to it," I said, but I knew she was right. Pride's more expensive than a designer purse, and I can't afford one of those either.

Jenna stalked out with her sheet cake as I calculated how long I could survive without a job. I'm not great at math, but I knew I wouldn't last long. *Oh, to heck with it. Maybe I will just leave town.* If Momma and Aunt Melanie came back and found me gone, it would be their fault. I hadn't even gotten a postcard from either of them in a couple months, and the cards that came were always so darn vague. They never said what they were doing or where they were. I really hoped they weren't in some other dimension since I might need to track them down for a loan in the very near future.

LIKE MOST GHOSTS, Edie arrives with the worst kind of timing. It's like getting a bad haircut on your wedding day, making you wonder what you did to deserve it.

There was a strange traffic jam on Main Street, and as I was trying to get around Mrs. Schnitzer's Cadillac, Edie materialized out of mist in the seat next to me. It certainly wasn't my fault that it startled me. I rammed the curb and then Mrs. Schnitzer's rather substantial back bumper.

I held my head, wishing for an ice pack or a vacation in Acapulco. Then I got my wits together and moved my car into the drive of Floyd's gas station and out of traffic. I grimaced at the grinding sound I heard when I turned the wheel too far left. I hoped the problem wouldn't be expensive to fix, given my new unemployed status. With my luck, it would be. Maybe I could just avoid left turns.

Mrs. Schnitzer didn't bother to get her Caddy out of people's way. She slid out from behind the wheel of her big car and sidled up to mine. She wore a lime green polyester skirt that showed off her own substantial back bumper, which, except for the dent, matched her car's perfectly.

She asked me a series of questions, like what was wrong with my eyes (plenty, since I can see Edie, my great-great-grandmother's dead twin sister), was I on drugs (not unless you count dark cocoa), and what did I think Zach would say when he found out (which I decided not to think about).

Edie was decidedly silent in the copilot's seat. She was dressed in a black-sequined flapper dress, which is a bit much for daytime, but I guess ghosts can get away with some eccentric fashions, being invisible to most people and all.

"Here Zach comes now," Mrs. Schnitzer said, beaming.

"Great," I mumbled and checked my rearview mirror. Sure enough, a broad chest of hard muscle covered by a tight, white T-shirt was approaching.

Mrs. Schnitzer said, "Tammy Jo ran right into the back of my car. And I've got to get home to get ready for the mayor's party. I don't have time for this nonsense today, Zach."

In other words, "Deputy Zach, straighten out your flaky ex-wife." I clenched my teeth, resenting the implication.

He played right along with her. "You go on, Miss Lorraine. I'll deal with this."

5

She wiggled back to her car and drove her dented bumper off into the sunset. Zach tipped his Stetson back, showing off dark blond curls and a face that incites catfights.

"Girl, you're lucky your lips are sweeter than those cakes you bake, or I'd have revoked your license a long time ago."

I'd had a fender bender or two in the past. Mostly, they weren't my fault.

"Edie showed up—"

"Tammy Jo, don't start that. It still chaps my ass that I paid that quack Chulley sixteen hundred bucks to get your head shrunk, and all I got for my trouble was a headache."

"I told you it wouldn't work."

"Then you shouldn't have gone and wasted my money. Now listen, I'm busy. You go on home and get ready for Georgia Sue's party, and I'll talk to you there."

"We're driving separate?" I asked. Zach and I have an on-again, off-again relationship, but we were supposed to be on-again at the moment, as evidenced by the fact that he'd slept over the night before last and I'd made him eggs and bacon for breakfast.

"Yeah, I'll be late," he said. "I was at TJ's house when they called me to give them a hand with this. Longhorns were on the thirty-yard line. You believe I'm out here today?"

On game day? Frankly no. If there's no ESPN in heaven, Zach will probably pack up and move to hell. The fact that he forgets our anniversary and everybody's birthday every year, but has the Longhorn and Cowboy football schedules memorized as soon as they come out is just one of the reasons our marriage didn't survive. Another small problem was the fact that I still believe in the ghost sitting silently in my passenger seat, and he felt a psychiatrist should have been able to shrink her out of my mind with a pill or stern talking-to.

I looked around at the traffic jam as Zach examined my front end. "So what's going on here?" I asked. He didn't answer, which is kind of typical. "What's happened?" I repeated.

He looked at me. "What's happened is you crashed your car, which means I'll have to call in another favor to get it fixed. Unless you've got the money to pay for it this time?"

Now didn't seem the right moment to mention I'd gotten fired. "I'm going home," I announced.

"You think you can handle it?" he asked, his lips finally curving into that sexy smile that could melt concrete.

"Yes."

"Good. Gimme some sugar." He didn't wait before stealing a wet kiss and then sauntered off just as quick.

"Hi, Edie," I said, as I maneuvered back into traffic. "I really wish you wouldn't visit me in the car."

"He still has quite a good body."

"Yes."

"Are you together?"

"Kind of." Like oil and vinegar. Mix us up real good and we'll work together, but sooner or later, we always separate.

"So it's just sex," she said, voice cool as a snow cone.

I sighed. "You shouldn't talk like that."

"He is forever preoccupied and yet often overbearing, an odd and terrible combination in a man. It wouldn't matter so much if he could afford lovely make-up gifts, like diamonds."

"Can we not talk about this please? I've had a rough day."

"I heard you quit your job. Well-done."

"I didn't quit. I can't afford to quit. I was fired."

"That's not what I heard."

"Well, what did you hear? And who from?" It unnerved me that there were ghosts that I couldn't see strolling around spying on me. Did they watch me in the shower? Did they watch when Zach parked his boots under my bed? I blushed. Edie noticed and laughed.

I stole a glance at her exquisite face. With porcelain skin and high cheekbones, she was prettier than a china doll. She wore her sleek black hair bobbed, either straight or waved, depending on her mood and her outfit. Her lips were painted a provocative cherry red today. Rumor had it that Edie had inspired men to diamonds—and suicide. It was generally accepted in my family that one of her jilted beaus had murdered her, but she never shared the details of the unsolved 1926 New York homicide of which she'd been the star.

"How are you?" I asked.

"I'm dead. How would you be?"

I opened my mouth and closed it again. I had no idea. Was it hard being a ghost? Was it boring? She was very secretive about her life, er, afterlife.

"What made you visit today?" I asked, still trying for polite small talk.

"I heard you showed some backbone. I decided to visit in the vain hope that you might be turning interesting."

I frowned. Edie could be as sweet as honey on toast or as nasty as a bee sting. "I'm so sorry," I said. "For a minute I forgot that this isn't my life. It's your entertainment."

Her peridot eyes sparkled, and she favored me with a breathtaking smile. "Maybe not so vain after all. Did I ever tell you about the time I stole a Baccarat vase from the editor in chief of *Vanity Fair* and gave it as a present to Dorothy Parker? I liked the irony. He fired her, you know."

"Who was the editor?"

"Exactly," she said with a smile. "Getting fired isn't such a bad thing. You just need a present to cheer you up. As luck would have it, one is on the way."

"One what?" I asked, peering at her out of the corner of my eye. She couldn't take a corporeal form, so there was no way she could pick something up from a shop or even call into the Home Shopping Network, which was really a very good thing. From what I knew of Edie, she had very expensive tastes. There was no way in the world I would have been able to pay for any "presents" she sent me.

"What's this?" Edie asked as she moved through the passenger seat to the back.

"A cake," I said.

"It's a Scottish castle. Eilean Donan. Robert the Bruce still visits there. You're such a clever, clever girl. Only you have the bridge a bit wrong."

"I've never been to Scotland. It's just a castle I made up."

In the rearview mirror, I saw her tilt her head and smile. "Did you see it in a dream perhaps?"

"A daydream," I said hesitantly.

"It's about time, isn't it?"

"About time for what?"

"I'll see you later." She faded to mist and then to a pale green orb of light that passed out of the car and was gone.

I was happy that she'd liked my cake, but troubled by what she'd said. I was afraid she was thinking, as she had before, that I was finally "coming into my powers." She'd proclaimed as much on other occasions and had always been disappointed.

No one in the history of the line had ever had their talents appear after the age of seventeen. Here I was twenty-three years old now; I knew I was never going to be a witch. In a lot of ways, it was a relief. Magic had always tempted my mother. She'd mixed a potion to help her track down a lost love, and she hadn't made it home to Duvall in more than a year. Finally her twin sister, Aunt Melanie, had gotten worried and had gone after her. Now who knew where they were? And what about Edie? She was said to have had remarkable powers, but they hadn't saved her life, had they? They may even have drawn something evil to her. Magic was dangerous, and I was glad I didn't have it. Really, I was.

LIKE A LOT of things about our family, our home is more than it seems to be. From the street, it's a Victorian cottage that yuppie couples find quaint and offer us lots of money for. But that's because they can't see over the big wooden fence. The backyard hides a darkly shaded Gothic alcove with a collection of brooding gargoyle statues and a garden of poisonous plants and plenty of stuff for potion-making. It's the kind of place where Edgar Allan Poe would have felt right at home but that I try to avoid except for an occasional round of fertilizing. You'd be surprised how well witch's herbs respond to Miracle-Gro.

I was relieved to find a package on the front step. My friend Georgia Sue had remembered to drop off my Halloween costume for me. I was going to be Robin Hood this year, and had already been practicing getting my long red hair squished down under a short brown wig. I scooped up the box and went inside, only to remember I had left the cake in the car.

I zipped back out and retrieved the cake. As I set it on the countertop, I noticed that the light on the answering machine was flashing and pressed the message button.

"Tammy Jo, it's me. I dropped off your costume. I thought you were going to be Robin Hood, honey? Well, at least it's blue and green, and those are good colors for you with your hair. But hoo-yah, I don't know what Momma's going to say. And Miss Cookie. Tongues will be wagging. You know how the ladies of First Methodist are. Katie Dousselberg still hasn't lived down singing that Britney Spears song on Talent Night . . ."

I scrunched my eyebrows together, advancing on the box suspiciously. Georgia Sue's voice kept going. I love her dearly, but she's the sort of person who can't see why anyone would say in one sentence what could be said just as well in three.

"Did you hear about the sheriff's house? There was a crazy traffic jam on Main, Tommy Hilliard said. If Zach told you anything, you better call me up. I want to have the best gossip tonight. I am the hostess, after all. Don't hold out, sugar. Call me up."

I peeled the wide cellophane plastic tape off the box and peeked inside, blinded for a moment by the reflection of a million little sequins.

I pulled out the gown, which had some sort of stiff-spined train and a plunging neckline that would embarrass a Vegas showgirl.

"What in the Sam Houston?"

I shook out the dress and realized that the back was a plume. In this costume I would be something of a pornographic peacock. I tilted my head and wondered how I'd gone from a sprightly Robin Hood to this. Then I remembered Edie's comment from the car. She'd sent me a present.

Our town, Duvall, Texas, prides itself on having all the things that the big cities have (on a slightly smaller, but still significant scale), and one of our residents, Johnny Nguyen Ho, had created diversity for Duvall in several ways. He was our Vietnamese resident, our community theater director, and our not-so-secretly gay hair salon owner. Recognizing his talent for costume-making during his early play productions, most people in town sent him orders starting in February for their Halloween costumes.

Johnny Nguyen, in addition to his other considerable talents, fancied himself a psychic. And crazily enough, Edie had found a way to be partially channeled into his séance room, a spare bedroom he intermittently converted for this purpose by using a lot of midnight blue velvet and a bunch of scented candles from Bath & Body Works.

As I looked at the dress, I clenched my fists. There was no time to get a new costume, and I could not skip my best friend's Halloween party.

"Edie!" I called, wanting to give the little poltergucci a piece of my mind. But Edie is not the sort of ghost to come when called.

"Edie!" I snapped, as a new thought occurred to me: Liberace had had less beadwork on some of his costumes— how much would this upgrade cost me? I didn't need to be psychic to have a premonition of myself living on peanut butter and Ramen noodles.

If Edie could hear me, she ignored me. "Typical," I grumbled. One of these days all the people and poltergeists who didn't take me seriously were going to need me for something, and I just wasn't going to be there—or at least I wasn't going to be there right away.

Of course, my day of vindication would likely be sometime after Sheriff Hobbs, a serious churchgoing man, arrested me for indecent exposure. He'd probably give me a stern lecture on how short the path could be from poultry to prostitution.

2

I HAD DONE my best with strategically placed safety pins and double-sided tape to restrain my boobs from making any unscheduled appearances, but I still wasn't making any sudden moves as I walked into Georgia Sue's annual Halloween party.

I was sure my face blushed as red as my hair when people turned to stare at my outfit.

"Hey, y'all!" I said with a cheerful wave.

"Hey there," Zach's brother TJ said, looking me up and down with a grin, while Mrs. Tabacki pursed her lips so tightly they turned white.

Hellfire and biscuits. I am never going to live this down. I wondered how many of them had heard I'd been fired. Maybe I could chalk it all up to temporary insanity. I put my hand over Edie's locket, which hung down the expansive front plunge of the dress. The starburst of diamonds under my palm was familiar and reassuring. I walked a little taller.

I wasn't going to let anything rattle me, I decided, and pushed through people as I tried to get to the kitchen, where someone would hopefully be making frozen margaritas or pouring tequila shots.

Georgia Sue intercepted me before I could find a drink. She swooped in, pecked me on the cheek, and started right into things.

"Well, you know what the traffic jam on Main Street was all about, don't you?" Georgia Sue asked, her dark brown corkscrew curls bouncing.

"Something to do with the sheriff. He's okay, isn't he? No heart attack or anything?" I asked.

"No heart attack, though with all the steak and cheese the man eats it's a minor miracle he got through the day without one. I've told Miss Marlene she really needs to watch his diet better. You just can't let a man eat whatever he wants. You know Kenny would eat bacon with every meal if I—"

"Georgia Sue! What happened?"

"Well," she exhaled, giving me a whiff of her crème de menthe breath. She'd had a grasshopper or two in the past hour. "Apparently while Miss Marlene was at her Friends of Texas Fish and Fowl fund-raiser lunch, burglars robbed their house in broad daylight."

"Someone broke into the sheriff's house?" I asked, with a slight smile at the irony.

"Yes, can you believe it? Waltzed right in, bold as brass, and stole that nearly original Thomas Kinkade painting they have, which is worth almost two thousand dollars. And they got into the safe hidden in the floor and took everything in there."

"What was in the hidden safe?"

15

"The sheriff hasn't said so far. But the thieves found it, so what does that tell you?" she asked in an urgent whisper.

"That they've chosen the right line of work?"

She giggled. "That too maybe, and the sheriff's spitting mad. But how could they have found it? Unless they knew it was there? This was an inside job."

The use of the word *job* made me feel like we were in a 1970s movie like *The Getaway* with Steve McQueen. I just love old movies.

I cocked my head. " 'Inside job' means inside the house. You're saying you think the sheriff or Miss Marlene set up a fake robbery?"

"What? Oh, of course not! No more liquor for you—"

"I haven't had any," I protested.

"By 'inside,' I mean inside the town. Must have been."

"Hmm," I said, chewing on the thought. The sheriff and his deputies were considered a pretty competent outfit. They didn't always arrest people for causing trouble, but they always knew who deserved arresting. No one in town would be hot to tangle with the sheriff once he was good and pissed off.

"Why would someone from town steal the painting? Not like you can hang it or pawn it around here without someone knowing," I said.

"That's right. You're absolutely right. See what good it did you being married to Zach? You guys should get remarried. You're already sleeping with him again, for pete's sake."

"I don't like being married to him. When we start fighting, I have to stay over at someone's house, carting my pots and pans all over town, people shaking their heads at me like they saw it coming again. This way when he starts bossing me around too much, I can just throw his clothes on the front lawn and be done with it," I said.

She giggled. "You know you love that man."

"Love is most definitely beside the point," I said. Married and divorced before we were twenty, Zach and I had probably set some kind of Duvall record.

I needed to stop messing around with him, but old habits die hard, and I'd been crazy in love with him since I was ten. Emphasis on crazy. I looked around, wondering if the reason he hadn't shown up yet was because he was still busy with the case at the sheriff's house.

I froze in place when I saw Edie. She was sitting on top of the armoire next to Georgia Sue and Kenny's big-screen TV. She was wearing a large black-and-white hat and a drop-waist dress. She held a martini in one hand, looking flawless and elegant, and not at all out of place among the pinstripe-clad gangsters with plastic tommy guns hovering near the buffet table. She waved with her free hand, and I wondered: where did she get gin and olives in the afterlife?

". . . and there's going to be a big surprise later," Georgia Sue was saying, giving my arm a squeeze.

I wondered if the party would turn into a murder mystery. She'd done that one year, and it had been fun. I'd gotten to play a gumshoe.

". . . mingle and have a good time before Zach gets here and has a fit about that dress."

I pursed my lips defiantly. "Zach can't tell me what to wear. I'll wear what I want to." *Or whatever I'm forced to by a manipulative ghost and her sequin-sewing sidekick.*

"Uh-huh," she said, not sounding convinced. Then she was off to greet some more people.

"Hello, Tamara."

The hair on the back of my neck rose, and I shivered. Very few people call me Tamara, and only one of them has a deep voice that's sexy as sin and smooth as molasses. I turned to find Bryn Lyons. With his black hair, cobalt-colored eyes, and Edie's martini as a prop, he could have passed for the real James Bond. Tonight, he was dressed as Zorro.

"Hi," I said, crossing my arms over my chest, trying to cover up as gooseflesh rippled over my arms. "I'm surprised you're not at the mayor's party."

"Care for a drink?" he asked, handing me one of Georgia Sue's fancy wineglasses with magnolias hand painted on the side. "Chambord margarita."

I took a sip. Delicious raspberry flavor burst over my tongue, and then I felt a strange reverberation coming from Bryn's direction. *Magic*. He'd been using tonight. I was surprised that I could tell since, as a nonpractitioner, I can't usually detect magical energy.

"What have you been doing?" I said.

"Why do you ask?"

"Well—" I paused, leaning closer to him. He inclined his head, which I suppose was to let me whisper in his ear rather than to get closer to my barely covered body. Still, my heart hammered with sexual heat. Bryn had always been dangerously gorgeous, but he'd never sought me out. He tended to import his girlfriends in from Dallas. They were often tall, tan, and too perfect to have been born looking the way they did. I don't think he worked any glamour on them, but maybe he paid for their plastic surgeons. He was certainly rich enough to afford it.

"I didn't know you were active," I said.

"Active in what way?" he asked. His teasing voice had that faint Irish lilt that I sometimes detected. I wondered again where he was from. He and his father had moved to Duvall when Bryn was around thirteen. Being six years younger, I didn't meet him right off. Our paths crossed by accident for the first time when I was sixteen, and I'd been curious about him ever since. Momma, Aunt Mel, and Edie had immediately shut down my questions though and forbid me from talking to him, but I always listened with interest to anything they said about him and his father, Lennox.

I raised my eyebrows. "Never mind," I said. "I really can't talk to you."

"Why is that?"

I took a gulp of my margarita to stall. I couldn't tell the truth: that for reasons I didn't understand, I'd been made to memorize Lenore McKenna's List of Nine. Lenore was my great-great-grandma and Edie's twin sister, and she'd written down nine last names that a McKenna girl was never supposed to associate with. Something to do with the family being destroyed for all eternity. On Lenore's list, Lyons was smack-dab in the middle at number five. But since the list was a secret, I didn't know what to say to Bryn about why I couldn't talk to him.

I guess I could have blamed it on Zach, saying he'd get jealous, but Bryn would probably think my getting involved with Zach again was as stupid an idea as, well, it was.

"I can't really say, but it was nice seeing you."

"Why can't you say?" he asked.

"Beautiful and deadly," Edie said. I turned my head to find her standing next to me. "He's a Lyons. Off-limits, and you know it. Too bad, too. I wouldn't have minded the show. He's spectacular out of those clothes."

I gasped. How did she know what he looked like out of his clothes? Did she have Superman X-ray vision? Or had she haunted his house for fun?

I could forgive Edie being a ghost voyeur. After all, what was there to do after death besides people watch—and, apparently, drink martinis? But I did *not* want to hear about it if she watched me making love. And if she'd been kinky before she died, that was her own business and not mine.

Bryn's cobalt blue eyes narrowed, and his gaze focused on the spot where Edie stood staring back at him. She smiled and blew him a kiss. He didn't respond, but he didn't look away either.

"What's wrong?" I asked him, wondering if he could see her.

"There's something here. Do you feel it?" he asked.

Uh-oh. "No."

He mumbled something. *A spell!* I felt his magic and a sudden rush as Edie slammed her way back into the locket. The only remnant of her was a faint bluish afterglow near my shoulder. I wondered if his spell had hurt her, and it upset me to think so.

"Well, if you'll excuse me," I said, backing up.

His eyes moved up one of the twin slits that kept showing flashes of thigh when I walked. "That dress suits you."

"Oh, I hope not," I said, escaping to the screened porch.

THERE WERE A dozen of us in the back room when Georgia's surprise started: two guys dressed as old-timey bandits walked around collecting loot from everyone. I hoped I'd get to be part of the posse to hunt them down during the game.

I noticed that Elmer Fudd—Mr. Deutch—hesitated to let his wife, a cross-dressing Bugs Bunny, put her big canary diamond ring into the pillowcase the bandits were using as a sack.

"C'mon, Pops, get with the program," the bandit with a red bandana over his face said as he grabbed Mrs. Deutch's hand. He wrestled the ring off her finger and dropped it in the case.

Then he moved in front of me. I dropped my little beaded clutch purse into the sack.

"I'll take that too," he said, nodding to the locket.

"Oh, no," I said. "I can't take it off here."

"This is a stickup, Birdie. Everything goes into the bag."

"No." I put my hand over the locket, pressing it against my chest.

Old-timey Red pointed his old pistol at the mounted head of a moose, which had already been shot once in Alaska by Kenny in 2003, and pulled the trigger. The pistol's report startled us all into silence, and then Red pointed it at my head. "Put the necklace in the bag," he said.

"A loaded gun? The sheriff will kill Georgia Sue," I muttered.

The second bandit, who wore a green bandana over his face caught my arm and yanked it down. The locket pulled out of my hand, and Red snatched it and dragged it up and over my head.

"Wait," I yelled and grabbed Red as he turned to leave. Red broke free, and both bandits waved their guns menacingly as they ran toward the door. "No," I shouted, stumbling after them. Mr. Deutch grabbed me around the waist to stop me.

"Let go! They've got Edie," I snapped.

"You named your locket?" Mrs. Deutch asked.

I jerked free of Mr. Deutch's hold and rushed out of the room. The bandits had left the front door wide open, and I hurled myself through it. They were actually leaving, actually stealing the locket!

"Hey!" I sprinted toward the driveway, coming right out of my shoes when the heels got stuck in the lawn. "I'll pay you for the locket. I'll pay a lot!" I screamed as they peeled out in Councilwoman Faber's brown Jaguar.

I ran after the car, pounding the pavement with my bare feet until it turned a corner and I lost sight of it.

"Oh no," I whimpered, holding my head as I panted for breath. *How could you have let them get it? Why didn't you hide it when you saw them taking things? You were supposed to keep her safe,* I shouted at myself in my head.

"I thought it was a game. Another murder mystery game," I whispered to no one. "Oh, this is bad. This is so bad," I mumbled. October twenty-fourth was only six days away. I had to get Edie back by then or she'd be destroyed forever. And what if she came out before that? What if she came out again tonight? She'd be lost without someone from the family to connect to and then she'd get sucked into whatever darkness had almost gotten her twenty years ago.

I turned and ran back to the house. Everyone was in an uproar. People were yelling at Georgia that she'd gone too far with this game, that letting the actors carry real guns was madness. I rubbed the tears off my cheeks with the heel of my hand, hoping the others were right: that it was a game, and that the bandits would bring the locket directly back.

"Just shut up!" Georgia Sue snapped in a voice that could've pierced armor. "I did not hire them! My surprise was a magician. Those men with the sack must be the same ones who robbed the sheriff. It's a crime spree is what it is."

"Oh dear Lord," Mrs. Deutch wailed.

"They took my Jaguar. I've got to get it back," Mrs. Faber said, her patrician nose turned up.

I stood numbly in the corner. I hung my head, looking at my pale pink toenails. I needed to do something, but I didn't know what.

"Tamara, your feet," Bryn said. "Come and sit down."

I didn't resist as he led me to a wingback chair at the edge of the foyer.

"They took my locket. It's a family heirloom. It means the world to us," I mumbled, sinking down. "Has someone called the sheriff?"

"Yes, the police are on the way," he said, shaking his head as he looked at the bottom of my feet, which were dirty and skinned.

"Did they take anything of yours?"

"My Rolex. My fault. Zorro didn't wear a wristwatch. I should have left it at home."

"I'm sorry about your watch," I said, but I didn't really mean it. I was so preoccupied with my own trouble that I didn't have a bit of sadness to share for someone else's.

"Oh, don't worry. I'll be compensated when they're found."

I looked at him suddenly. Bryn Lyons knew magic and was rich. That combination meant he usually got whatever he wanted. If anyone could make sure the thieves were caught quickly, he could.

"I need my locket back as soon as possible. If you find them will you make sure that I get it? It can't be stored in evidence or anything like that."

"If I find them before the police, you'll have it back immediately."

"Thank you," I said, clutching his arm. He was on one knee in front of me and looked suave enough for celluloid.

He smiled.

We heard sirens and both looked toward the door. "The cavalry," he said.

"I should rinse my feet and put my shoes on."

"I'll get your shoes." He stood. "It'll be all right," he added.

I nodded with a weak smile and limped off to the bathroom.

By the time my feet were clean, Zach and the others had arrived. The sheriff had a colicky look as he tried to calm folks down.

I grabbed Zach's arm and pulled him toward the back room.

"Easy now," he said, extracting himself. "I need to listen to the sheriff and so do you."

"They got my locket, Zach. The Edie locket."

"Well, good riddance," he said, moving back toward the people crowded around the sheriff.

I felt like he'd dumped a pitcher of ice water over my head. I stood rigid as a steel beam and stared after him.

I would wait my turn to tell him and the sheriff what I'd had taken. And, for Edie's sake, I would pester him as much as I could to get them to find the thieves, but, once I had her back, I wouldn't bother to cross the street to talk to my cold-blooded bastard of an ex-husband. Good riddance, indeed.

I looked around and saw Bryn Lyons sitting on the back

porch swing, talking calmly into his cell phone. I hoped he was hiring a band of mercenaries to hunt down the criminals. I hoped his people found the loot first and made the sheriff and his deputies look like fools. And I hoped really hard that he did it all before the twenty-fourth of October.

3

THE NEXT AFTERNOON, I stood by the ATM machine with a receipt in my hand that told me I had insufficient funds to make a withdrawal. I'd forgotten that I'd made the mortgage payment early before I'd lost my job.

I couldn't ask Georgia Sue for money. She'd already maxed out her credit card to buy a new jukebox for the bar. And because I wasn't taking charity from Zach, I'd given him the money to get the mechanic to fix my car. I regretted that now. I would need that money to buy spellbooks to help me get the locket back. Though I don't have strong witch powers like the other women in my family, I do have a little psychic energy like most people—maybe more since I can see Edie and sometimes I can sense Bryn Lyons's magic. It was only when I tried to cast the spells that Momma taught me that nothing happened. Still, it had been a long time since I'd tried, and I can follow directions pretty well. I didn't think I'd be half bad at potions since, as a pastry maker, I've got measuring and mixing down cold.

Plus, there are spells that anyone can do, although they're a lot riskier for the average person to try than for a witch, because a real witch can control the energy that goes in and comes out. So I wasn't happy about having to try to do magic. There was a chance that things could go wrong, and I'd blow myself up or maybe create a really bad smell in the house. But with Edie's soul at stake, what choice did I have?

The trouble was that when Momma left she took half the library of family spellbooks, and when Aunt Mel left, she took the other half. At the time, I didn't object because I didn't have any powers and wasn't a witch wannabe. But now I needed them. Real spellbooks had some power in them, and that would help me. I wouldn't get any boost from a Barnes & Noble dictionary of spells that had been handled mostly by teenagers working part-time to get discounts on CDs and mochas. Besides, most of the spells in those kinds of books were written by nonpractitioners and were just plain wrong.

I needed to take a road trip to Austin to the Witch's Brew—a pagan gift and coffee shop where real witches went to get discounts on CDs and mochas—and to go into the back room to buy from the inventory of proven old spellbooks and charms. Unfortunately, those books would all cost upward of three hundred dollars. On my current budget, they might as well have been three million.

And I couldn't wait until I could get the money together to buy one. I needed to do something now. I thought about Bryn Lyons. I just bet he'd have some fancy books, but they'd probably be full of mojo as black as his hair.

Bryn and his father were the only other magical family in town besides us. Too bad I couldn't ask him for advice.

"Well, well, well."

I spun around to find Jenna Reitgarten staring at me.

Great. Just who I wanted to see in my darkest hour.

"No money in your account?" she asked with a saccharine smile.

Hiccups for life. Hiccups for life. Hiccups for life. I tried to hex her, but, of course, nothing happened.

"Well, maybe you just ought to use better judgment the next time you have a job. How long until you move?" She looked at her manicured nails while I glared at her. "I never did like y'all living here anyway. You and your aunt, divorced women, and your momma, who never even bothered to get married before she had a child? That's not the kind of family values we want to promote in this town. But yours *is* a cute little house. Maybe I'll buy it when you go and rent it out to some nice couple that's planning a family and a *normal* life."

"That's a wonderful idea," I said in my sweetest Southern belle drawl. "Except I'll burn it to the ground and collect the insurance money before I sell it to you."

"Then you'll go to jail when I report you to the sheriff."

"At least I'll have a place to live rent free, with my house gone."

She rolled her eyes, but I just smiled as she strutted off. Okay, so I wouldn't really burn down a house, but I couldn't let her walk all over me in her flowered, freaking Keds. And no normal people were going to live in my house. It was strictly for witches and women obsessed with spun-sugar sculptures.

Home was a couple of blocks away, and I headed there

on foot. It was a nice sunny day, and the big Texas sky stretched out above me like a beach blanket. I waved absently at neighbors as I walked.

"Hello, Red!" Doc Barnaby called.

"Hi," I called back.

"Come sit a spell," he said.

I hesitated. Dr. Barnaby was our hearty seventy-two-year-old retired psychiatrist. He'd lost his wife in March and had been pretty lonely since. He had an excellent selection of Chinese teas, so I sometimes made pastries and dropped in to see him, although I hadn't been by lately. A year ago, I'd paid him five dollars and a strawberry cream torte to get my head shrunk for an hour. He'd have listened to me for free, of course, but I'd paid to get the doctor-patient confidentiality so I could tell him about my life. I felt like I was a disappointment to my family of witches for lacking the gift, and asked him whether he agreed that it was unfair that they didn't appreciate me for my cherries jubilee and my chocolate lava cake. Halfway through a plate of chocolate coconut drops he'd agreed completely with me. I had a rare and valuable gift he'd assured me.

"What are you doing? Come on in," he called.

I thought maybe a few minutes on his sofa and some tea might help me feel better, so I went.

Inside the sunroom, I nestled into the cream-and-yellow cushions and felt more cheerful. He had a nice tape of chirping birds playing in the background, and as I sipped tea I began to feel very relaxed. And then I began to feel sleepy. And then I began to feel dizzy.

He smiled at me and murmured some comforting words, which were so distorted that all I heard was wa, wawas, wama wa.

"Somethin's wrong," I slurred. Then I slumped over.

He got up and patted my head, still smiling. I tried to speak, but my jaw was stuck shut as if super-sticky peanut butter had glued my tongue to the roof of my mouth.

It turned dark. I struggled to get up, but my body stayed limp. What was happening? I tried to keep my eyes open, but the lids felt like they weighed twenty pounds each.

Help me. I'm schick. I'm sick.

Something bit my finger. I heard a faint garbled moan. My heart pounded, and a mosquito bit my head.

Oh, Dr. Banaslee. You poishinned me. Evilin. If I live, I'm telling Zash on you.

IT WAS DUSK when I woke up with a monstrous headache and found myself in a hammock in Doc Barnaby's backyard. I pushed the crocheted afghan off me and tried to get up. I fell out of the hammock, banging my knee.

"Kiss my behind," I said to the rotten universe.

I stumbled to my feet and wove my way to the wrought-iron gate. I didn't know why Dr. Barnaby had poisoned me, and I didn't care. I was pissed off, and it was making my head hurt worse. The gate was unlocked, and I staggered forward, stopping to get my balance. I turned toward the house for a moment and shook my fist.

"You son of a gun." It was the best I could do. I was too sick to confront him.

I marched—well, shuffled—home. I stopped near the hedge to have some dry heaves, feeling like someone was hammering "I Wish I Was in Dixie" on my skull.

I couldn't manage the three steps to my door. I didn't

remember them being so steep. So I crawled up them, grabbing the door handle to hoist myself to a standing position. I panted from the exertion and fought another wave of nausea.

"Thank you, door," I mumbled, resting my forehead against the cool wood and feeling slightly better.

Several beats of a police siren sounded and then stopped.

"Now what?" I grumbled.

"Tammy Jo, I should whip your ass," Zach's voice boomed from somewhere behind me. "Where the hell have you been?"

"Poisoned."

"So I see. Where the hell were you drinkin'? I looked all over town after Doc Barnaby called. You're lucky the man didn't have a heart attack, or I'd be charging your sweet ass with manslaughter."

"Wha—?"

He pulled me aside, maneuvered my key in the lock, and then scooped me up.

"He did it."

"Who did what?" Zach said, carrying me to the couch and setting me down.

"He gave me poison tea." I held up my hand and turned it this way and that about three inches from my eyes. There was a Band-Aid on my index finger. "He poked me."

"What are you talking about?"

My arm was too darn heavy. It fell with a thud onto my chest. "I told you. He did it."

Zach squatted down next to me and sighed heavily. "Jo, we've been through a lot together, and I've got to tell you, darlin', I'm worried about you. You don't have to tell me where you been, but I wish you would. I know none of your girlfriends have seen you 'cause I talked to all of them. And I know they wouldn't dump you on your front step in this condition. Only a man, and not much of one, would leave you like this. It wasn't Doc Barnaby; you were already drunk and out of it when you called him."

My lip quivered. I could not believe this.

"He's a liar," I slurred.

Zach stroked my hair. "C'mon, Tammy Jo, you're on some-thin'. Whyn't you just tell me what? You know I'm not going to arrest my ex-wife. Just tell me who gave it to you."

"Barnaby."

"Uh-huh. Remember that time June got you to try pot in high school and you thought Earl was Skeletor from the *He-man* cartoon? You almost drowned trying to get away from him, and yours truly had to fish you out of the lake. Next day, even you said that you can't take any of that stuff. Some genetic thing that makes you hallucinate, you told me. Your momma was the same way."

I squinched my eyes shut and tried to keep the tears from escaping. Doc Barnaby had poisoned me and made me look like a fool and a drug addict. He wasn't going to get me to cry, too.

"It's one of two reasons that you aren't telling me who you were with. Either you can't remember because you were too messed up, or you're protecting whoever it was because you're worried about what I'll do. Well, I'm here to tell you, I'm gonna find out. And when I figure out who it was, I'm going to kick the ever-lovin' shit out of him."

I felt him kiss me on the forehead.

"Anybody leaves my baby like this *is* going to answer to me," he said, picking me back up. He carried me to the bed-room and tucked me into bed.

The tears dripped from my eyes. Not because I was mad at Barnaby, the finger-stabbing, poison-pushing bastard, but because Zach's country boy, he-man routine does it for me every time.

TO FIND ZACH when I woke up, I followed the sound of Toby Keith singing. Zach was on the phone but hung up when he saw me. A yellow legal pad of notes sat next to a half-eaten pizza and empty Bud bottle.

"How you feelin'?"

"Like a cement smoother rolled over my head." My stomach grumbled. I took that as a sign that, despite the poison, I wouldn't be staring up at a tombstone or living in a locket any time soon.

"Wanna tell me who you were with?"

"I did," I said, pulling a slice of pizza free and taking a big bite.

"Uh-huh."

"Barnaby poisoned me."

"Why would he do that?"

"I don't know. I'm a pastry chef. Detecting is your job."

"You *were* a pastry chef. Miss Cookie told me you quit."

"Miss Cookie fired me for not letting Jenna Reitgarten serve me my pride on a cake plate."

"Jenna again? I thought you were over that."

"I am," I said, pulling the legal pad to me. At the top, there was a list of the stolen items and their estimated values. I realized that they were listed in terms of importance, and my locket was at the bottom of the list.

The yellow diamond ring and Mrs. Faber's Jag were at

the top. Two pendant necklaces, a pair of earrings, and Bryn's Rolex were next. Then Edie.

"Where's all the other stuff? Everybody was putting stuff in the bag," I said.

"Yeah, but most of the stuff was fake jewelry for their costumes. Not really valuable."

"Oh. Did they take money?"

"They got a few wallets and purses. Not too much cash from any one person."

"They were trying to pretend it was a show for the party by wearing those costumes. As Georgia would say, an inside job. Inside the town, that is."

"Mmm-hmm. We did think of that, but thanks for the help," he said, sliding the pad back over to him.

I frowned. I wasn't in the mood for sarcasm. In fact, I wasn't in the mood for much of anything, except, it seemed, pizza. I devoured another slice.

"I've got to get back to the station."

"Any new information? Do you have any idea who did it?"

"Nope," he said, getting up. He leaned over me and stole a kiss. "Stay out of trouble."

Nope. I planned to get right back into trouble the minute he left.

4

THERE ARE SOME spells that I know pretty well from having seen my momma and Aunt Mel do them. They were always losing their keys and things and scrying for them instead of looking around.

I sat for nearly an hour with my face over a bowl of water trying to scry for the locket, but I could only make out watery shadows. It's an advanced technique that requires deep energy and concentration, which, let's face it, I don't have. My head was back to throbbing, so I put a cold washcloth over my eyes for fifteen minutes and ate a handful of Hershey's Kisses to fortify me. Then I got up and collected some odds and ends from around the house that I needed for my next try at a spell.

Though I didn't hold out much hope for them working, I had to try something. And Edie and I were connected mystically through the magical line. Now if I could just remember the details of the spells.

When I was little I used to read Momma and Aunt Mel's

spellbooks all the time, thinking I'd be coming into my own big powers one day. When I finally realized I wouldn't be a real witch, I gave up on the books, favoring cookbooks and brides' magazines. After I married Zach at eighteen, I'd had other things on my mind. I'd moved on to a normal life and hadn't looked back. Now it had been five years since I'd looked at a spell.

I found a picture of Momma wearing the locket, so I cut out just the locket, then snipped a strand of my hair and a couple pieces of twine. I set myself up at the kitchen counter with an incense stick, some matches, and a pair of small white envelopes. I stood the stick in a faded "Kiss the Blarney Stone" coffee cup and lit the stick. The smell of pine wafted through the air. I passed the locket picture, my hair, and the twine three times through the smoke to purify them of anyone else's energy. I concentrated hard on the items as I used the twine to bind the locket photo to the strand of my hair.

"Thanks to the person who brings the locket back to me. Thanks to the person who brings the locket back to me. Thanks to the person who brings the locket back to me at least before October twenty-fourth."

I put the hair-locket wrap into one of the envelopes and sealed it. The other important thing that I needed to do was to prevent Edie from coming out of the locket while someone else had it. I never saw Momma or Aunt Mel do a spell to bind a spirit, so I didn't really know what to do. But since it wasn't likely to work anyway, I decided to keep things as simple as possible.

I took a photo of Edie and passed it through the pine smoke, then rolled it into a small tube. I used a bit more of the purified twine to tie the picture up that way.

"You are happy in the locket, Edie. You stay in the locket. You are at peace in the locket, Edie."

I put the rolled picture into the other envelope and sealed it. I took the two envelopes into the bedroom and placed them in the bottom drawer of the jewelry box, which Aunt Mel had always kept empty for the products of meaningful actions. I didn't want anyone to open the envelopes or mess with them before the locket-return spell came true.

I closed the doors of the jewelry box and hugged it. I hoped a little of Momma's and Aunt Mel's power was still around to help me.

Afterward, I lay down with a cold pack over my eyes and had just gotten comfortable when the doorbell rang. I waited, hoping whoever it was would leave. The doorbell rang again insistently, and I got up and went to see who it was. I paused when I looked out. Bryn Lyons stood just outside, looking tasty even through the smudged peephole. I opened the door.

He held a large cage that was covered with a swath of deep brown satin. The smell of sandalwood was strong, and the faint reverberation of magic hummed over my skin. I was surprised again that I could sense his magic so well.

"What can I do for you?"

He smiled. "What did you have in mind?"

I thought about great-great-grandma's list. "I can't invite you in."

His smile faded, and he cocked his head. "I wish you'd tell me why you won't associate with me. Have you had some sort of premonition you're worried about?"

I just smiled and shrugged.

"How about a short ride? We'll go to a neutral place like Magnolia Park. I need to talk to you."

I eyed the cage. "What do you have there? Canary?"

"A gift for you. And before you say no, hear me out. You need it."

"I'll meet you in the park in half an hour."

"You want me to sit around for thirty minutes waiting for you?" he asked skeptically. "Maybe I'll just forget that I was going to help you and go home."

"My car is in the shop. It'll take me a while to walk there."

"And there's no way that you'd just get in my car and drive over with me?"

"No, I really can't, but thank you for the offer," I said, glancing at his black Mercedes with tinted windows.

"Thirty minutes then."

When I got to the park, I found him sitting at a picnic table. He looked out of place in his dark designer suit. His shirt probably cost more than the park's monthly landscaping budget.

The covered cage was sitting in the center of the table and my gaze went to it more than once as I sat down on the bench across from him.

"You've been in trouble."

"I lost my great-great-grandmother's locket."

He shook his head. "I'm not talking about that. You were in danger sometime earlier today."

I narrowed my eyes. "What makes you say that?"

"I felt it. You called out for help."

"You were a little far away to hear me."

"I meant psychically."

"I know what you meant. Nobody could hear my psychic cries. They're too faint. I'd say it's more likely you heard I had trouble courtesy of Ma Bell. Zach called all my friends.

They probably called all their friends and so on. My guess is that the whole town knows I went missing this afternoon and evening."

"And the reason I know you were doing magic just before I rang the doorbell?"

I raised my eyebrows. He probably thought that his knowing would give me the willies, but I took a more practical view of things. If Bryn Lyons, a known practitioner, had sensed me working, then maybe my spells might actually do their job. And that made me happier than a bee face-first in nectar.

"I'm not sure what your family told you about Duvall, but it's a tuning fork for psychic energy. Macon Hill is a tor, a ley center. Ten ley lines, conduits for the earth's heightened energy, converge at the tor. The lines travel outward for thousands of miles. If I felt you casting spells, so did others. Yours is a raw energy that's untrained, but someone experienced could exploit it."

"I don't have enough power for anyone to bother coming thousands of miles to see me."

Bryn folded his arms over his chest and stared at me.

"I don't. I've never had it. My momma and Aunt Melanie tried a bunch of times to bring it out of me when I was a teenager."

"Maybe they weren't the right people to train you. Maybe your power has different origins from theirs."

"What have you found out about the robbery? Did you hire anyone to find your Rolex?"

"I can buy another Rolex."

"But you said that you would get even with the thieves."

"I don't have to find them to get even with them. They've taken something of mine. I can cast a spell that will reach them wherever they are."

I shivered. His eyes sparkled in the bit of illumination cast by the street lamp. I'd seen him on and off for years, but I'd never been afraid of him until now.

"Well, it's been nice chatting with you." I stood up and he reached over and caught my arm.

"Wait."

"Look, I can't get involved with you. If there's any training to be done, you're not going to be the one to do it. Now let go of me."

"You don't know when or if your mother and aunt are coming back."

"They *are* coming back!"

"Tamara—"

"Stop calling me that. We're not such close friends that you get to call me different than everyone else does. It's Tammy or Tammy Jo, period."

He let go of my arm. "When you need help, you know where I live."

Yeah, he lived in Shoreside Oaks, along with most of the wealthiest folks in Duvall. His back acreage looked out onto the Amanos River. He probably even had a view of Cider Falls. Nice land if you could afford it.

Bryn got up and walked toward his car.

"Hey, what about this?" I asked, motioning to the cage.

"He's yours. If you don't want to take him home, just open the cage and turn him loose. He and Angus wouldn't get along."

"Who's Angus?"

"My dog," he said, climbing into his car. He left me sitting in the darkness with the cage. I pulled the satin cover off. A pair of big, dark eyes reflected the lamplight and stared back at me. The cat was tawny and beautiful, spotted like a leopard.

"Hey there."

He purred.

"I can't keep you. The gorgeous wizard probably wants to use you to spy on me or something. I'm pretty sure he's into the dark arts, which my family tries to avoid. The only thing I like really dark is chocolate." I put my finger in the cage, and he licked it. "It's not personal against you or anything. I just know he can't be trusted. After all, he's a lawyer."

The cat went on licking my fingers. "I don't think you'll starve. Mario's throws out a lot of seafood each night. You like shrimp fettuccini Alfredo?"

What am I doing talking to a cat?

"I'm going to let you out." I opened the front of the cage and he sprang out, landing with a thump on my lap and then using his claws to pull himself up onto two paws.

"Ouch, ouch, ouch," I said, pulling him off my chest. His claws were like needles.

"Okay, go on. Live long and prosper," I said, dropping him on the grass.

I got up and turned toward home. I didn't look back, afraid if he seemed disappointed, I'd suddenly be a cat owner. I hurried down the sidewalk. I wondered if he was following me. I checked left and right, using my peripheral vision. No felines.

I turned my head side to side. Nope. Finally, I looked over my shoulder. Definitely gone. I sighed but told myself I shouldn't be sad about it. I couldn't accept a present from Bryn Lyons. Still, I wouldn't have minded a little company for the walk home, and it's not like the kitty cat had somewhere else to be.

I TOOK A long bath, ate a few Special Dark Miniatures, and settled into bed. I must have fallen asleep quickly, but suddenly I was startled awake. The clock read five forty-five in the morning.

Someone with a small flashlight was in the bedroom. I stayed stone-still, afraid the person would know I was awake. He was dressed in black with a black mask, like all the psycho killers wear. His back was to me as he rifled through the jewelry box. *Great, take my stuff. I don't need it.*

Maybe he was just a burglar. Maybe he'd just leave me alone.

There was a rattling outside and then a wailing sound somewhere in the distance. I felt it as well as heard it. The burglar must have heard it too because he turned out the light. I couldn't see him, which was scarier.

Oh, God. Go away. Please go away.

I didn't want him to come near the bed or to figure out that I was awake. My breath came in short pants that I tried to keep quiet. Sweat trickled down my neck. I didn't have a weapon. *Oh, why did I divorce Zach? So he forgot our anniversary and went out drinking with the boys. So he never took me seriously and sent me to a psychiatrist over Edie. No relationship is perfect, and he had such a big gun.*

5

THE BURGLAR'S SOFT footfalls moved toward the door. *Yes, you slimy bastard, get the heck out of my house.*

As soon as he left the bedroom, I was out of bed. I got on the floor and crawled on my hands and knees to the door. I wanted to get a glimpse of him, but it was too dark. My heart thumped in my chest, my fingers stiff with fear. If I went out of the bedroom and he was lurking, he might get me. I felt for the handle and slammed the door shut. I locked it, stumbled to my feet, and ran to the phone. Footsteps pounded down the stairs.

I yanked the phone off the hook, but there was no dial tone. *No!*

My cell phone was downstairs on the counter. I ran to the window and looked down. The burglar tore out the front door but tripped over a small shadow that darted toward him. The man fought with the shadow, then got up and ran, limping on one leg. He disappeared around the corner, and

I looked back to see the shadow moving slowly, like it might be hurt.

I ran down and found the cat from the park sitting on the top porch step with his back to the open front door.

"Hey," I said.

He made some sort of kitty sound of acknowledgment. He looked around for another moment and hissed at the darkness. Then he stood, turned around, and padded into the house. I closed and dead-bolted the door.

There was a small trail of blood on the wood floor. "You're hurt! Oh, no."

He looked at me with big eyes and then licked at his right shoulder. I lay down on the floor on my belly near him. I didn't want to scare him.

"Let me see," I whispered. I touched his shoulder gently. My fingertip slipped into a small hole. "Ouch," I said since he couldn't. "That nasty jerk stabbed you. I'll take you to the vet. But wait, I don't have my car." I tilted my head. "I'll call Zach. He can drive us, and I'll make a police report."

I turned on every downstairs light and the stereo. I found the phone that was off the hook and set it back on its cradle, then lifted it again.

The phone rang five times before I slammed it back down. *Damn him. Never around when I want him.*

"I called my ex-husband. He's out doing heaven knows what, so we'll go without him. I'll wake up Jolene next door, and she can drive us," I said, putting on my shoes.

I walked to the door, but he didn't move. "Come on." I waved a hand toward him, but he ignored me and instead hopped up onto a chair and then onto the countertop. He padded over to the sink, made an unpleasant sound and then hopped into the sink basin.

"You want a bath? Cats don't like water."

I looked at the blood on the floor. Cleaning the wound was a sound idea. Good thinking for a kitty.

I went to the sink and turned on the water. He wailed loudly enough to wake the dead in two counties. It was the same sound that I'd heard earlier, the one that had interrupted the burglar at work.

I washed him with some orange Palmolive antibacterial dishwashing liquid. He didn't like it, but he didn't hop out of the sink until I was finished rinsing him. He shook vigorously, spraying me and the counter with water. Then he sat down and licked himself. His paws were huge. I'd thought he was full grown, but from the look of things, he wasn't nearly done.

A gold disc hung from a gold chain collar around his neck. I lifted the disc. *Mercutio* was engraved on the front. And his birthday on the back. Mercutio was seven months old.

I petted his damp fur. "You're very impressive. At seven months all I could do was hold my head up."

He meowed.

Boy, he was cute. And courageous. And cute.

Maybe I'd keep him for a little while or forever.

"Let's go see what he took. Then I'll call the sheriff." Mercutio watched me walk toward the stairs, then bounded up them ahead of me, favoring his left side a little. The burglar had limped worse, I thought with a satisfied smile. *My kitty cat kicks ass.*

The doors of the jewelry chest were open, but the drawers

were closed. I opened them one by one. My earrings and my class ring from high school were still in the top drawer. The string of pearls from my grandmother was untouched in the second drawer, but Aunt Melanie's magic gemstones and crystals from the third drawer were gone, and the bottom drawer was empty. The bastard had taken my spells. Now how the hell was I going to tell the sheriff about this?

I SPOKE TO the sheriff, who was strangely quiet, like too much crime had happened in too short a time and he'd had to leave a zombie in his place while he took a Mexican vacation. When he wasn't looking I checked out the pulse in his neck. Yep, beating. Not a zombie then, just playing one in Duvall.

I didn't tell him about the spells. I just said some gems and crystals and some important paperwork was taken. He grunted that he understood and said he'd look into it when he got a chance.

"You know, if you were still married to Zach, this never would've happened."

"Why not, Sheriff? They broke into your house. Doesn't seem like having a lawman around helps all that much," I said, giving him a wide-eyed and innocent look.

He scowled. "I wasn't home when they showed up. You can bet things would've been different if I had been. Now, you lock all your doors behind me."

It was clear that he wasn't going to be a lot of help anytime soon, and his deputies were all out doing their thing, so I was still on my own.

What a way to start a Monday morning. I made a snack and discussed the case with Mercutio. He ate every bit of his ham and eggs and was more attentive than Zach had been for most of our thirteen-month marriage.

Some country whoop-ass music came on, and Mercutio skidded around me in circles while I danced in the middle of the hardwood floor where I'd rolled the rug back. Dancing cheers me up, and Mercutio seemed to like it, too. For Zach to dance like that would have taken a court order or drinkin' half a bottle of Glenfiddle at a wedding. Mercutio, I decided, was nearly the perfect male, and I wondered what kind of spell it would take to turn him into a man. As I ran out of steam, I collapsed on the couch, giggling as Mercutio played a game of attacking the glass coffee table.

That night I slept with the lights on until Zach woke me up at eleven thirty in the morning by pounding on the door like he planned to knock it down. My hair hung in my eyes, which I'm sure is part of the reason why I didn't spot Merc on top of the tall bureau that stands next to the door.

When Zach came in, Mercutio sprung Hollywood-stuntman-style and landed on Zach's head and shoulder, making a vicious one-pawed swipe across the back of Zach's neck.

Zach howled and flung Merc across the entryway, but Mercutio landed light-pawed and unfazed. He swiveled to face Zach. I blinked, openmouthed with surprise. Mercutio's the size of a tabby cat, but he doesn't seem to know that. And he's a baby and impressionable, so I didn't think it was a good idea to encourage him, especially since Zach can be pretty ornery.

"Not nice," I said to Mercutio, but was drowned out by Zach.

"What the fuck?"

Zach ran a hand over his neck and came away with a smear of red. "Whose is that? I'm gonna skin him alive."

I walked over and took a look at Zach's neck. The wound wasn't deep, but I bet it stung. "No, you're not. He's mine," I said. "It's just a scratch. I'll get the peroxide."

Zach growled at Mercutio, who hissed back.

"Hey, cut that out," I said to them. "Settle down, Zach. He only jumped on you 'cause he doesn't know you." *I think.* "And you come banging on the door like you're going to kick it in. You woke him up."

"He's going back to wherever you got him."

That clinched it. Now I was a permanent cat owner. I put my fists on my hips. "He stays."

"You don't even like cats."

"He's not a cat."

"Oh, no?" Zach asked, narrowing his eyes suspiciously.

"He's a superhero in a cat suit. He protects me. He's in disguise."

"Well, I hope he's faster than a speeding bullet 'cause if he jumps on me again, and I'm gonna introduce him to one."

I rolled my eyes. "Come on to the sink so I can clean that."

"He better have all his shots."

I nodded, wondering what shots cats need.

"He does, right?"

"Uh-huh." *Probably.* As far as I knew, Bryn Lyons wouldn't give me a cat full of diseases, but then he was on that list of nine. Hmm. I'd be really pissed if people started dying of distemper.

Zach took off his shirt and stood bare-chested with his

police belt hanging around his narrow hips and looking like the opening scene of a pornographic video, or what I imagined would be the opening scene of one since I've never actually had the nerve to rent one.

Zach leaned over the sink, and I washed the back of his neck gently while he grumbled.

"All right," I said. "Done."

"Now, where the hell were you last night?" Zach demanded.

"Why?"

"Just answer the question."

"I guess you didn't talk to your boss then?"

"'Bout what?" he asked, rubbing the water off his shoulders with a dish towel.

"For your information, I was home, getting my house broken into while you were probably out drinking with your brothers."

"Tammy Jo—"

"I don't want to hear it," I snapped. "Mercutio was here and probably saved me from getting raped and murdered in my bed. Now, I want to know what you're doing to catch the guy who stole my locket and broke in here last night."

"What makes you think it was the same guy?"

"Well, it doesn't take a genius to know that it's the same crook. I don't think all this breaking and entering is unrelated. Do you?"

He grinned. "No, I don't suppose I do, but we've still got to look at the facts. What was taken?"

"Just some crystals from the jewelry cabinet. He might have thought they were gemstones. He got scared off before he got a chance to do anything else."

Zach nodded, serious again. "And you didn't go out last night before or after it happened? You didn't go by Doc Barnaby's?"

"No, I didn't. You couldn't drag me there. Why? Did someone else he poisoned throw a rock through his window?"

"Not exactly."

"Well, what then?"

"Come take a ride with me. We can pick up your car when we're done. The bumper's fixed."

I slipped on my flip-flops with the orange silk roses and glanced at Mercutio. My house didn't feel totally safe, and I didn't want to leave him behind to face things alone. "C'mon, Mercutio."

"Hell no," Zach said, buttoning his shirt back up.

"He'll sit with me," I said, opening the front door. Mercutio, who had been reclining on the countertop, hopped down and streaked past. I smiled, knowing Zach wasn't going to chase him down.

"What kind of cat is that? I've never seen a house cat with that many spots," Zach said suspiciously.

Hmm. Neither had I. "Oh, I can't remember exactly what the lady said." I didn't think it would be a good idea to tell Zach I'd gotten Mercutio from Bryn Lyons. Zach wouldn't be keen on my getting presents from another man.

"What lady? Where did you get him?"

"Never you mind about my cat." I climbed into the squad car, and Merc hopped onto my lap and curled into a sleek ball, closing his eyes.

Zach got in, still eyeing Merc suspiciously. He started the car. "How old is he?"

"Um, seven months, I think. I'm sorry about the scratch.

50

We didn't get much sleep, and I don't think he's a morning cat."

We rode down the block to Dr. Barnaby's, and Zach led me to the backyard. The hammock I'd slept in was shredded and had been ripped from one tree, a hunk of bark missing from where it had been anchored.

"What in the world?" I mumbled and looked at Zach, who was watching me closely like he thought I might have had a lot of spare time and an ax and a straight razor for company the night before. "It wasn't me."

Merc slinked over to the tatters and hissed. He pawed the canvas and backed away.

"It wasn't Mercutio either. As you can tell, he doesn't approve."

We walked to the back door of the house, which was splintered and gaping. A wave of dread rose up inside me. It tasted a lot like bile.

"My gosh! Is Doc Barnaby okay?"

Zach nodded. "He wasn't home when it happened. He was visiting his wife's grave. Lucky for him or today he'd be getting buried with her."

I followed Zach inside. The house was wrecked. Furniture and papers had been tossed about, glass and china smashed.

I walked to the overturned dining room table. It probably weighed more than a hundred pounds. I glanced at it and then at Zach. "And you wanted to know if I did this? You think I maybe drank a few steroid mochas and went crazy?"

"Dr. Barnaby thought you might have been involved. And I asked him why you would be if he hadn't done anything to you."

"Exactly."

51

"He didn't have a good answer. I thought we could all sit down and sort things out."

I passed Zach, exploring the house until I found Dr. Barnaby in the guest room, sitting on the torn mattress of a daybed. The stuffing from a shredded cotton comforter covered the room like snow. The remnants of Mrs. Barnaby's doll collection were scattered over the floor, and Dr. Barnaby looked as shell-shocked as the sheriff had. What would happen to Duvall if its men all went to pieces?

I noticed Dr. Barnaby's face was streaked with dried tears, and I'll be damned if I didn't feel sorry for him. When he saw me, he shook his head.

"I deserved it. I know I did, but did you have to mess with her things?"

"I didn't do this. How could I do this?" I asked, stepping over broken dolly parts to get to him. It was like a kiddie crime scene and somehow more sinister because of it. I sat down next to the doc and put an arm around his shoulders.

He broke down and cried. "I just wanted her back. That's all I wanted. I only took two drops of blood and four strands of your hair. You wouldn't even miss them."

"You're sure right. I don't miss them," I said and pulled off the Band-Aid and showed him my fingertip. "You can't even see where you pricked me. No harm done."

"I'm sure sorry about the tea. I hated to do it, but I didn't think you'd let me try to bring her back."

"She wouldn't come back the way you want."

"No, she didn't."

I gasped. "You did a spell already? And something happened?"

He nodded.

"Could she—Maybe she came home and was confused," I said, looking around at the destruction. I'd heard ghouls were strong, and it took a person with special powers over the dead, which Doc Barnaby wasn't, to control one. He'd raised her, and now she was on the loose without anyone to stop her. Jiminy Freakin' Crickets! What the hell were we going to do?

"No, she ran off toward the distilleries. I drove straight home, and the house was already like this."

"Did you mix the ingredients here?"

He nodded.

"What about the incantation?"

"Part of it here and some of it in the cemetery."

"Where in the Sam Houston did you figure out what to do?"

"I read it in a book."

"Good grief," I said with a shake of my head. Most spells wouldn't work for the average person, but with some of my witch blood and in the middle of a town with a powerful tor, who the heck knew what would happen? Well, apparently now we knew exactly what could happen.

"Did you do any part of the spell in the yard?" I asked, thinking of the hammock.

"No. Tammy Jo, I need more blood, just a few drops so I can put her back."

"We'll need some help, I think. We want to do that right."

"Yes, we do," he said.

"I'll come back in a few hours. Just take it easy until then. And whatever you do, no more spells."

I got up. Zach stood with his arms folded across his chest, shaking his head.

I walked toward the door, and he fell in step with me for a few paces. "The guy's looney toons. I'm sorry as hell I didn't believe you yesterday."

"It's okay. Nobody's perfect," I said. "Least of all, you."

He barked out a laugh.

"Let's go get my car," I said.

"That'll have to wait. I've gotta arrest him and take him in. It'll probably take me an hour to get the paperwork done."

"Arrest him for what?"

"Poisoning you."

"Oh, I'm not goin' to press charges. He's sorry enough."

"Tammy Jo, the man is dangerous. He's delusional, and I'm *gonna* lock him up."

"All righty, good luck with that then. But I don't know how you'll prove anything, seein' as how I'm not going to be able to make a statement on account of my head being pretty fuzzy about what happened and all." I held my head like I was dizzy and then let my hands drop. "Now, come on. I've got things to do, and I need my car."

I walked away from Zach as he sputtered, "Girl, what has gotten into you?"

I found Mercutio stationed on an overturned table in the center of everything. His head moved side to side and those big eyes watched all the doorways.

"Will you look at that," I said to myself. I shook my head as I got to him and scooped him up. "When we're done fighting evil, I'm gonna buy you a big box of catnip."

I didn't let Zach convince me to go to the station with him. And I ignored his lecture about how I shouldn't have gone along with Dr. Barnaby's delusion by acting like he really had raised his wife from the dead. I wondered if Zach might sing a different tune when a partly decomposed Mrs.

Barnaby started raiding farms. I wasn't sure what ghouls like to eat, but I think, like most undead things, they go for blood. I wasn't sure she'd be strong enough to take down a cow, but you can count on the fact that the chickens wouldn't be safe.

6

I WAITED UNTIL we were alone in my car with the shiny new bumper to discuss what I suspected with Mercutio. He licked his paws thoughtfully as I talked.

"There was a lot of destruction there. Who's got that kind of strength? Vampires, but I can't see them using the energy. They're kind of like cats that way, no offense. They'll do something when it gets them what they want, but they're not known for kicking up a fuss just for the sake of it. Shape-shifters always have energy to burn, but they're not drawn to witch magic any more than vampires so far as I know. A ghoul or a zombie, but who raised it if it wasn't Mrs. Barnaby? Unless maybe Dr. Barnaby raised more than his wife." I shuddered. "If not the doc, maybe a warlock. And that might make some sense if it was the same person who broke in my house to go for the spells, the same person who got my locket. I just know that someone besides those old-timey bandits is behind the robberies. And I can't see them raising a zombie. A dust storm maybe, but not zombies."

Mercutio purred.

"You know who I bet knows more than he's telling? Bryn Lyons. He knew trouble was coming my way and gave me you. How? You think he knows who raised whatever destroyed Dr. Barnaby's house? You think we should ask him?"

Mercutio cocked his head.

"Yeah, I'm not sure either. But what do we have to lose?"

I drove to Bryn's house. I wasn't sure it was a good idea, given the list and all, to go inside, but I thought I could ask him to come out and talk to me. And maybe I'd get him to let me borrow a book or two.

I buzzed security, and the guy let me in. I drove to the mansion, got out, and rang the bell. A butler who looked like he'd been chipped from a giant fossil answered. He didn't seem magical to me, but I couldn't really rule out that he'd been raised from the dead either.

"Yes?" he asked.

I feigned tripping so I could grab his hand. It was warm enough, barely. I don't relish the circulation problems that come with old age, but at least he wouldn't be raiding any chicken farms.

"I'd like to see Mr. Lyons."

"He is not at home. Business has taken him to the city of Dallas today."

I sure liked his English accent. "When will he be home?"

"He won't be available this evening."

"Why won't he be available? What will he be doing?" *Conjuring demons and sending them out to smash doll collections?*

"He's a patron of the arts. Tonight, he's going to a

fund-raiser dinner for the SWWA—Southwest Writers and Actors. Would you care to leave a message? He'll be back to change clothes between engagements."

"No, thank you," I said. I went back to the car. When I got in, Mercutio lifted his head and yawned.

"Yeah, I'm sleepy, too. Bryn Lyons is going to a charity dinner for actors. Did you know he's a patron of the arts?" I shook my head, trying to wake up. It was hot in the car. According to the weather report, Duvall and the rest of Texas were experiencing record high temperatures. I wished global warming would just quit. Summer in Texas already lasts half the year.

"He doesn't support the community theater here. Never seen him go to a play in town. Don't you think that's strange, Merc?"

Mercutio blinked.

"Yeah, me, too. There's only one type of arts that I believe him to be a patron of. You got it, black arts. What should we do? Tail him?"

Merc didn't disagree.

"All right, we'll come back. First I've got to figure out a way to put Mrs. Barnaby in her grave. Then I hope we've got time for a nap because I have to get back to trying to find my missing family locket, too." I looked over and found that, conserving his energy in a very catlike manner, Mercutio was already asleep, curled in the passenger seat with the air-conditioning blowing his whiskers back.

I decided I wouldn't mind being a cat some days.

SOMETIMES WHEN MOMMA didn't have a spell for something, she'd make one up. That's probably the sort of thing that a very experienced witch should do, not so much a novice one, but I was in a serious pinch here.

I needed to be quick and discreet. There were only six or seven people in town that knew magic was real, which was the way I aimed to keep it.

On the whole, folks in Duvall can be pretty sweet, but you just never know when some little town's going to get it into its head that Salem had the right idea about what to do with witches. And Aunt Mel always supposed that might happen right about the time folks found out we didn't keep three hundred and eighty-two Earth candles because we like the smell of dirt.

So far, we'd had good luck keeping it a secret, which wasn't the easiest thing in a small town. Now, I'm not saying that people in Duvall are nosy, but just because I don't say it doesn't make it not true. And if it got around that someone used my blood and hair to raise the dead, we'd probably have two camps. Some people would come on over to ask me to raise all their aunt Marlenes for an occult iced-tea party, and other people would start collecting wood for a town barbeque with yours truly as the main attraction.

So time was important. Zombies are basically nocturnal, and night was in an all-fired-up hurry to take over the sky. I went in the kitchen and dug out the mortar and pestle. I knew at least two ingredients that I'd put in for certain: my blood and my hair. To undo a spell, a little of the hair of the dog, or in my case, pastry chef, seemed logical because they must have been the active ingredients, but I was pretty much stumped at the rest. I consulted the Internet, vowing never to tell Momma about this. I searched by herbs and found that passionflowers are good for peace and sleep, which was exactly what I wanted for Mrs. Barnaby. I wondered if we had any dried passionflowers in storage, but then when I checked to see what passionflowers look like, I realized that the big star-shaped violet blossoms blooming in the backyard were exactly what I needed.

"Well, fancy that," I said to Merc, who was half-asleep on the counter. "My luck is changing for the better all the time."

I didn't totally believe that, but I was trying to think and act positive, to give myself the best chance of success. I walked outside and stood looking at the green vine that had climbed all the way up the tallest tree to get out from under a shady canopy. Bursting purple in the sunlight, passionflowers beamed down at me. I kicked off my slip-on shoes and climbed up the lowest branch of the tree. It was fun, like when we were all kids and used to climb trees. It had always been a competition to see which boy could climb the highest and which girl he'd pull up with him. The first day Zach took me to a treetop was one of my happiest memories. When we were kids, Zach did all sorts of stuff to get my attention. By the time we got married, he acted like all the sweet things he'd done as a boy meant he didn't need to do anything new, like love was money in the bank that would be there if you just left it alone.

I thought about the time I'd wanted to go to Galveston for a romantic weekend. He thought it'd be a waste of money to stay in a fancy hotel, and maybe he was right about that. But it didn't hurt my feelings any less when he bought a new fishing rod and splurged on a charter with his buddies to go deep-sea fishing. When I got mad about him not spending time with me, his response was, "Hell, sweetheart, you can come fishing with us. Not like we've got kids you need to stay home with yet."

I shook my head. Like deep-sea fishing with him and the boys was any woman's idea of romantic. But I could't change his mind by talking to him. He always did what he felt like doing, except that one time I got my way. Too bad it was in divorce court.

I plucked a flower and climbed down. In the house I showed it to Merc. "Look how pretty that is," I said, and he blinked. A deep violet color, the ten petals were arranged like a pinwheel, contrasting nicely with the silvery strands that pushed out from the center. In the middle there were thick pale flower parts crisscrossed into a pattern that reminded me of a pentacle. I decided that was a good omen.

I wasn't sure if live flower parts were more or less powerful than dried herbs so I decided, better safe than sorry, I'd use the whole thing. Then I lit a match and sterilized a sewing needle and pricked my finger.

I yelped, and Merc meowed in sympathy. I dripped blood into the purple mush then ground it all together with a few strands of my bright coppery hair.

"It's too thick. I don't want to have to get close enough to smear paste on her. I need something I can splash from a goodly distance away."

Merc cocked his head.

"What do you think? Mix some water in? That's what I do when I get a batter that's too thick."

Merc licked his paw.

I poured half a cup of water into a small metal mixing bowl and dumped the mash in it. I stirred it all up then put it in Tupperware and sealed it with a rubber lid.

"We'll start at the cemetery and see if we can follow her tracks. How are you at tracking?"

Merc didn't answer, but he was more energetic after his

nap, and he hopped down and headed to the door to wait for me.

"I still probably need an incantation, you know." I shook my head. Momma and Aunt Melanie's spells always sounded pretty, like song lyrics, but I'd gotten a C-minus in poetry. I'd never heard that witches had to know poetry, so I didn't think iambic pentameter was necessary for a spell, but I figured I'd better at least make it rhyme.

With my passionflower mash tucked under my arm, I let Merc out the front door and locked it.

"Merc, what rhymes with grave? How about brave? 'Now you've got to be brave, and just go on back to your grave.'"

Merc batted roughly at his whiskers in a gesture that looked suspiciously like the way Zach thunked himself in the forehead when he thought I'd done something really dumb.

I opened the passenger door, and Merc hopped in.

"What? You don't think I should mention grave? You think it'll upset her? I guess maybe she might not know she's dead. Like all those people in *The Sixth Sense*. And we don't want to upset her; she might decide to do something mean to us. Not that it'd be intentional." I closed his door and walked around the car.

I got in and glanced over at him as I turned the key in the ignition. "All right. What rhymes with 'go back to sleep'? Hmm. 'Now, no more counting sheep, it's time to go back to sleep.' Ugh. Too corny and who really counts sheep anyway?"

I drove to the Duvall cemetery. As cemeteries go, it's nice. Most everybody in town has kin in the ground there, so it's always a competition to see who keeps the family plots the prettiest. Some people literally are pushing up daisies. But plenty have roses, sunflowers, and hydrangea. My favorite area is the plumeria section where the Gaffney family is buried. It smells prettier than a bottle of perfume over there.

I walked up and down the rows looking for Mrs. Barnaby's grave. I found it at the east edge of the cemetery with all the flowers ripped loose and the ground broken open. I shivered and looked at Merc. His fur stood straight up on his back, and he hissed and backed away.

"C'mon. You're brave. Let's go," I said, marching past the grave, following clumps of dirt to the field behind the cemetery.

"We don't even need a bloodhound," I said, looking at the smashed grass. "This is going to be no problem."

Daylight faded, and the air was hot and stagnant. What was with this stupid freak heat wave? Sweat trickled down my neck and made my shirt stick to my back. I grimaced. I needed a tall glass of iced tea or a mojito. I wiped the sweat off my forehead, sighing.

"This is a fine cat on a hot tin roof, huh?" I said to Merc, trying to keep things light and positive. I looked over and realized he was gone. "Merc?" I called out. I waited, and when there was no answering meow, I scowled. He'd deserted me. "You better not be lying in the shade under a plumeria plant!"

The trail had gotten thinner and the grass taller. I picked up a switch and started to beat the brush. The last thing I wanted was to get bitten by a copperhead. I hadn't thought to put on boots. I looked sullenly at my bare legs, shaking my head. Shorts and open-toed shoes were just plain foolishness for a hike through knee-high grass. I slapped a mosquito on my thigh irritably.

"I shouldn't even be doing this. It's not my fault Mrs. Barnaby got raised from the dead. I was poisoned into unconsciousness. I should march right back to my air-conditioned car," I muttered.

I reached the edge of the field and stared at the wire fence closing off Glenfiddle Whiskey's property. Glenfiddle's one of the three main businesses in Duvall. It's owned by the Gaffney family, who came from Scotland six generations ago. At first, they only had little stills and made moonshine, but then, three generations back, they started putting fancy labels on recycled whiskey bottles and selling their homemade stuff all over the Southwest.

Maybe it says something about my hometown that the second largest business also makes booze. Armadillo Ale's owned by the workers who make it. It's only sold in Texas, and that's the way the Armadillo boys plan to keep it, although the people who smuggle it to Oklahoma and Louisiana have other ideas. I don't suppose Armadillo's going to have a choice about expanding soon.

The last big business in Duvall is one that no native Duvallan ever thought would work out. It's energy. We've got a queer amount of wind in Duvall. I'm guessing it has something to do with the tor and the magicks in the area, but nobody else knows about my theory, of course. Anyway, a retired college professor from Austin, with Bryn Lyons as a silent partner, bought a plot of land and put up a bunch of super-tall metal windmills. We power the whole town off the wind, and now we're shipping our wind power out. Professor Rubenstein's just about the smartest man anybody's ever met, although his silent partner's not shabby either. To hear rumor tell it, Bryn's investment had paid a 300 percent return so far.

I wished that Mrs. Barnaby had wandered into the

windmill field. The grass there is very short, and you can see all the way across it with a glance.

I looked at the Glenfiddle distillery that was about a half mile away. It's made of pale gray stone, and, to hear Big Gaff—Joe Gaffney—tell it, it's a lot like a Highland clan's fortress. Don't ask me how he'd know that though. I'm pretty sure Big Gaff has never set a toe out of Texas.

I twisted my hair off my back and shoulders and blew out a chokingly warm breath. Where the heck was our famous wind now? *I'd kiss a snake for a breeze,* I thought furiously.

I stomped forward, feeling more and more nervous as the sun receded from the sky. I wanted out of the field, and I was getting an increasingly uneasy feeling.

I stepped on something squishy and shrieked. I looked down and shuddered. There was a pair of dead snakes with their heads bashed to a pulp. I whimpered. *She's meaner than a snake?* I looked over my shoulder. How far back to the car?

I shook my head, muttering nervously and wishing I'd made a protection spell for myself while I was making the passionflower soup.

There was a torn-up plot of land ahead. I cocked my head. It looked like she'd maybe lain down for a while and dragged her hands through the dirt over and over.

I heard shouting. "Darn it," I spat and rushed toward Glenfiddle. *The enemy has breached the fortress.*

I smelled the mesquite woodsmoke and whiskey. My heart hammered in my chest, my lungs tight as I ran.

I got to the pair of big doors, which were open, and stood stunned at the sight inside. As a Texan, Zach's not unique. The boys from Texas don't stand around and talk when there's trouble, and they especially never hide from a fight. So five of them, with various bloody wounds, wrestled with the slimy, charcoal gray corpse of Mrs. Barnaby, who was tossing them around like she was a mad bull just out of a pen.

Women screamed and rushed forward to help their men as Mrs. Barnaby flung Red Czarszak into a wall. He went still, his neck at a crazy angle. I gasped and ran toward them. I had to stop her.

The Glenfiddle workers tackled her, piling on like a high school football team. I yanked the lid off my Tupperware and waited to glimpse some body part of hers, the swampy smell of decay choking me. Then her gnarled black hand thrust out and grabbed Stucky Clark's beefy arm. There was a bone-cracking pop, and Stucky wailed.

I propelled myself forward, raising my voice. "Go now and peace do keep. Return at once to your sleep." I tossed the passionflower potion, splashing it on the pile.

The room sucked all the air from my lungs, and I dropped to my knees, gasping, trying to pull some breath back in. I couldn't. I was dying, suffocating for real. My mouth moved, screaming soundlessly for help, then everything went black.

7

I WOKE UP, shaking and wet. Zach knelt over me, looking a way I've never seen him look. Scared.

"What in the holy hell?" someone behind him said.

"Talk to me, darlin'," Zach said.

"I'm all right," I croaked. I cleared my throat and shook my head, seeing an empty bucket near my feet. Someone had doused me with water.

"What happened?" I asked. "Is she . . . Did she . . ." I wanted to say "Did she go back to ground?" but I couldn't ask that. I didn't know who was listening.

I clutched Zach's arm and pulled myself up. The room spun around me, and I would have fallen backward and cracked my head on the floor if he hadn't grabbed me. He clutched me to him. His body felt warm and good against mine.

"I'm getting her out of here," Zach announced, standing up and cradling me to him.

"You are not. We've got a quarantine situation here until I hear different," the sheriff said.

"Quarantine?" I said in a raspy voice. My throat felt like I'd been gargling glass shards. I looked over Zach's shoulder and saw that the Glenfiddle workers, my friends and neighbors, were all laid out in a row.

"Oh!" I screamed. *I killed them. I'm a murderer. Oh God, I didn't mean it. Please, no.* Tears welled in my eyes. "They're all dead. Oh, no. Oh, no."

"They're not dead."

"Not dead?" I sobbed.

"No, it's some kind of fever. That damn Doc Barnaby dug up his wife, and her rotting corpse must have been infected with something. Only the good Lord knows which dumbass moved her body here, but whatever she's got, they've got, too.

"How did you get here?" I mumbled. *Did I do this? Did I give them all a sleeping fever? Sweet Jesus, how am I going to undo it?*

"Your cat showed up at the station. Tore my damn shirt, too. And then took off, and I figured I'd better see where you were at. I followed him here and found this mess. The sheriff saw me drive by the cemetery and came out to have a look. And now we're all probably infected."

"Dr. Barnaby dug her up first," I said, playing along. "He's fine. Maybe some people are immune."

"Or maybe it just ain't hit him yet."

"Well, he's been at home, walking around in his yard. If he's infected, so's my block. We could go to my house."

"I don't think so." Zach carried me to the door.

"Sutton?" the sheriff said.

"I'm just getting a little air. Not going anywhere, Sheriff," Zach said.

"What the hell's wrong with this cell phone?" the sheriff snapped, hooking it to his belt. He followed us out to the prowler.

"Try your radio again," the sheriff said.

The sky seemed to sizzle overhead. I stared up, and a fat raindrop hit me on the forehead. A buzz of dizziness swirled around me for a second and then was gone. I felt a whole lot better than when I'd first woken up. Spell-casting takes a lot out of a girl, I decided.

"What's wrong with your police radio?"

"Don't know. It went out 'bout half an hour ago when the sheriff tried to use it. His isn't doing jack either."

A streak of lightning lit the sky. Zach's chest muscles tensed, then rain poured down.

"Great," Zach said, backing up to get under the silver and burgundy Glenfiddle awning. He set me down in one of the old rocking chairs that the smokers use when they take a break.

I heard a yowl and looked up as Mercutio, who had been perched on the big awning, jumped off with legs outstretched. I gasped, thinking he was going to go splat on the ground, but, at the last second, he pulled his legs in and landed sure-footed. He spun instantly and darted under the awning, shaking vigorously to rid himself of as much water as he could.

"Hey there," I said.

He hopped onto the seat of the rocking chair next to me and went to work on his fur with his tongue.

"Is that really going to dry you?" I asked.

He didn't answer. Not in the mood to be interrupted, I guess. I leaned over and pressed a kiss onto his damp head.

"We need help, Merc. Zach can't help us unspell these people. You should have gotten Bryn. Only he was gone, wasn't he? And you figured that Zach's good in a fight, huh?" I nodded to myself. "It was good thinking. Only now we've got to get out of here and find some witch help. But which witch help?"

I nodded at Zach, who was sitting in his patrol car, trying the radio. Water pounded the dirt.

"I know you don't like water. I'm not crazy about maybe getting struck by lightning either, Merc, but I've got to fix this. He said they've got a bad fever. What if their brains are cooked by the time I unspell them?

Merc looked up at me, tilting his head at the thought.

"You don't have to come with me. But maybe you could, like, make a diversion or something, 'cause Zach and the sheriff aren't just going to let me waltz off."

Merc licked his paw.

"I'm pretty sure that Zach wouldn't shoot you, but I can't vouch for the sheriff, so don't go too crazy. And whatever you do, when you run and hide, be kitty-quick. You get me?"

He stared at me with those big eyes, and I wasn't sure he did get me. *He's just a cat,* I thought. *What makes you think he can understand you? But he went and got Zach for me,* I argued with myself. *And he kept the burglar from getting me.*

Zach got out of his car, slammed the door, and then ran back to the building.

"Radio's dead. What the hell's going on here?" he said as he walked back inside.

"Now's my chance!" I announced in a fierce whisper to

Merc. I darted from my chair and ran headlong into the storm, not looking back.

"Please don't let a snake bite me, God," I prayed. "You know I didn't mean to make those people get sleeping sickness. It was an honest-to-goodness mistake. I couldn't let Mrs. Barnaby's zombie rip them to pieces. And how come You let people get raised from the dead anyway? Far as I can tell, the last time it worked right was Lazarus, and Doc Barnaby's no Jesus Christ, I'll tell You that."

Thunder cracked the earth, making me jump.

"Not that I need to tell You that, Jesus being Your Son and all." Wind and rain whipped my body. The last person I wanted to piss off was God. I could afford that like I could afford a Corvette.

"And, You know, I'd be the last person to lecture You," I hollered over the storm. "So I'm just going to be quiet right now." I ran through the slippery field, squealing in pain as the grass slashed at my legs. "Only I'll just point out that if a snake bites me, it would really slow me down. And I'd think I need to hurry up and save those people on account of their brains are cooking. Plus, I need to find our family locket before Edie's immortal soul is destroyed. Okay, then. That's all I wanted to say. Amen."

I ran like a bat out of hell, which I pretty much was, except for the bat part. Bloody rainwater ran down my calves from the grass scratches, but I was just glad I'd gotten past the snakes.

I nearly jumped out of my skin when something moved on my car roof.

"Damn it, Mercutio! You scared me to death." I yanked my driver's door open. "Get in."

He dropped down and leapt to his seat. I got in and

slammed the door, shivering. He rose to his paws and shook, spraying me and the whole front of the car, including the windshield.

"Thanks. I wasn't wet enough, you know," I grumbled. I wasn't really mad at Mercutio, of course. I was soaked and scared. If I couldn't unspell those people, they might die. And I didn't want multiple homicide on my record before I was even old enough to rent a car. I just know those Hertz people wouldn't understand.

I backed my car up and swung the wheel toward the exit, turning up my windshield wipers. They whipped back and forth, hardly able to keep up with the rain. I squinted and drove determinedly through water two inches deep in the streets. I passed Sycamore and turned onto Palm.

When I got to Bryn Lyons's sixteen-feet-tall gate, I wasn't at all sure I wanted to go inside, but my options weren't really all that extensive, so I pushed the security buzzer.

"Hi there. It's Tammy Jo. I was here earlier. I'd like to come up to the house again."

The security guy told me to wait. Probably going to check with the boss man. I looked down at Mercutio, who licked the scratches and water on my legs.

"I don't think that's gonna help, but thanks," I said, rubbing his head and neck.

The gate swung open, slow and steady and pretty damn ominous in the rain. I thought again about the list. I wasn't supposed to be going here. And definitely not twice in one day.

I followed the circular drive to the front of the house and got out. The sky dumped another few buckets of water on my head as I ran to get under the porch awning. The front door opened. I knew what I must look like. I was soggier than bread pudding, but nowhere near as tasty.

The butler crinkled his eyes at me, probably thinking I was going to mess up his floor if he let me in. But Bryn walked up and shouldered past him to open the door wider.

"Hi," I said, shivering.

"Jenson, get towels," Bryn ordered, and the butler shuffled off. Bryn ushered me in. The house was overly air-conditioned and colder than a meat locker. My teeth chattered.

Merc sidled in behind me. Merc wasn't shivering, but then he had the advantage of being furry.

"I n-need help," I chattered, trying not to shake as goosebumps conquered every inch of my skin.

"Come," Bryn said, leading me across his very expensive Mediterranean tile. I left dirty, wet footprints like a toddler who'd been making mud pies.

"I'm sorry about the floor."

"Don't be. Mrs. Freet, my housekeeper, has been waging a personal war against dirt for thirty years, and she's had too many easy victories in this house. Mobilizing the maids and their mops for the foyer will be the highlight of her month, I promise you."

I giggled, feeling slightly better. He opened a door and looked in.

"Closet," he said and shook his head. He opened another door. "Here," he said, and we went into a large laundry room.

Bryn slipped off his black suit coat and rolled up the sleeves of his expensive blue shirt.

"What are you doing?"

He stepped forward and pulled my tank top out of my shorts and dragged it up.

"Hey!" I squeaked, grabbing the fabric and yanking it away from him and back down over my bra.

"You're wet and cold. I wouldn't want you to catch pneumonia," he said, reaching for me again.

I slapped his hands away and stepped back. "Just a darn minute. Last I checked I could dress and undress myself."

"Sure, but wouldn't you be warmer if I helped?"

My jaw dropped open. I was in the middle of a crisis with people in a fever-coma. I was counting on Bryn Lyons to be my savior, not some normal red-blooded guy who noticed that frostbite had my nipples hard as arrowheads.

"Look, I'm in trouble."

"Clearly."

"And I didn't come here for you to put your *Urban Cowboy* moves on me."

He grinned and folded his arms across his chest. "Tamara—"

"It's still Tammy Jo!" I snapped and then blushed in embarrassment as Jenson appeared and frowned at me for yelling at the boss. Jenson held out a stack of thick white towels. I took them.

"Thank you."

Jenson then lifted a black terrycloth bathrobe that had been draped over his arm and shook it straight with all the flourish of a magician pulling a tablecloth free from under a china setting. "I took the liberty," he said, glancing at Bryn.

Bryn nodded, and Jenson hung the robe on a polished silver hook on the wall near the door. "At present, we do not have any slippers to fit you, Miss Tamara. There are socks in the pocket of the robe." Jenson gave a slight bow and then turned and left.

"Where can I get me one of those?" I mumbled, looking wistfully after the butler.

"The United Kingdom."

"Did he cost a lot?" I asked, rubbing the water from my hair.

"Less than a yacht. More than a pair of silver candlesticks."

"Hmm. That narrows it down. You—" I said, pointing at him.

"Yes?"

"Out." I pointed to the door.

"Is this your house?" he asked with mock curiosity.

I scowled at him, which made him smile.

"I'll be in the hall. Call me if there are any spots you can't reach."

I flicked him with the towel as he left.

There was no lock on the door, so the Indy 500 pit crews had nothing on me as I stripped. I wrapped myself in his plush monogrammed bathrobe and tossed my wet clothes in the oversized dryer. I pulled on the socks, feeling very vulnerable. The only other man's clothes I'd ever worn were Zach's jerseys and T-shirts. This felt a whole lot like cheating on Zach.

You're not married to him! I told myself. *You can do what you want and don't need to feel guilty.*

Except Lyons is on the list.

I opened the door and found Bryn leaning against the wall waiting for me.

"You're a lawyer, right?"

"Is this a trick question?"

"I need to hire you."

"All right." His eyes roamed over me from head to toe. "What would you like to give me as a retainer?"

About all I had left was tumbling on the high-heat cycle,

and somehow I had a feeling my bra and panty set wasn't what Bryn had in mind since I wasn't in them anymore.

"We'll have to sort that out later."

"Sounds promising."

"Hey! I have a real problem here. Stop giving me the Sylvester the Cat look. I'm not Tweety. I need serious help."

"I'm listening. Unlike some of the men in your life, my intelligence doesn't disappear in the face of noncognitive pursuits."

I cocked my head.

"I can lust and think at the same time. Tell me your problem."

"Attorney-client privilege, right?"

"If you need it," he said with a nod, his black hair gleaming like patent leather when it caught the light.

I spilled the story about needing to put a zombie back in the grave and having put the Glenfiddle workers in a coma.

"Who is the zombie?"

"Not relevant," I said, thinking I ought to tell him no more than I had to, on account of the list. "What do I do?"

"You need a counterspell."

"I don't know one. And I'm afraid if I make one up, it'll go wrong."

"That's a reasonable fear."

"So?"

"You know there are rules that govern this sort of thing."

"What are you talking about?"

"I can't teach you spells unless you're bound to me as an apprentice. We have a coda of laws. I helped draft them."

"Why?"

"Because witches and wizards are not to give information out indiscriminately. Magic is dangerous in the hands of the uninitiated, as you've just seen. Young practitioners need mentors. Normally, your aunt or your mother would act as mentor."

"Well, they're not around."

"I know."

"Look, I can't bind myself to you. I'm not even supposed to associate with you. I'm only here because this is an emergency. How about if you don't tell me how to do it? What if you just cast the counterspell?"

"A normal spell wouldn't work. Your magic did the damage. I can't counteract it unless I've already got some connection to you or to the people that have been spelled or if there is some talisman that I could destroy. You know, something physical that the magic is tied to. Or unless I want to use an extremely powerful spell that would put me personally at risk, which I'm not interested in doing."

I stamped my foot, stubbing my toe on the granite. "So what you're saying is you won't teach me how to fix it and you won't fix it yourself?"

"I can teach you if you—"

"No. I can't be your student."

"Then you're just going to have to wait and hope that the magic fades and that the spell dissipates before the people die of dehydration."

"Arrg!" I choked out a strangled cry. "Who else could teach me? Or is there someone I could talk to about breaking the rules? It's an emergency. People are dying."

He was quiet.

"What? You know something. Tell me."

He looked me over. "I'm not in favor of turning you over to another witch or wizard for an apprenticeship. They might exploit you."

"And you wouldn't?"

He smiled and shrugged. "The devil you know or the devil you don't."

"I can't bind myself to you. It'll have to be someone else. There must be someone you know who's good. Someone you trust."

"You realize that we're limited in our choices. We need someone local. If those people are as ill as you say, they won't last while we make the rounds to interview potential mentors." He glanced at his watch. "I'll tell you what, it happens that I have a meeting tonight with a group of practitioners. They're not a ruling body, so they can't vote to change the rules, but we can put it to them. If they support our breaking the law, then I'll do it. It'll improve my defense when I'm charged."

"Charged?" I echoed, drawing my eyebrows together. Just what was I getting him into?

"I don't have time to explain. If you're coming with me, you need to hurry and change. You can't go to a meeting of the Southwest Witches and Wizards Association dressed in my bathrobe."

"SWWA?" Southwest Writers and Actors, my eye.

He nodded. "Do you have a gown like the peacock one you wore to the Halloween party? The New Orleans faction hails from the French Quarter. A sexy dress will go a long way toward winning them over."

"You want me to flaunt my body to win votes?" I scoffed. "I'm not that sort of girl."

"Would you rather sell your body or your soul?"

"Does it have to be one or the other?"

"Hey, you decided to play. No one forced you to cast that spell."

I thought about the poison. I could tell them how the zombie had gotten raised in the first place and throw myself on the mercy of the court, but then what would happen to Doc Barnaby? He was an old man, a really foolish, irresponsible, tea-poisoning old man, but I couldn't just tell on him. If Bryn Lyons was afraid of whoever was in charge of the witchcraft police, I sure didn't want them coming to Duvall after a little old man.

"I don't have any hooker dresses, but I know where I can get one."

He smiled. "You don't have to put it that way."

"Hey, let's call it like it is. You want me to come back here or will you pick me up?"

"I'll pick you up."

I walked away. "I'll give you back your bathrobe when I see you," I called over my shoulder.

"No rush. I like the way it looks on you."

I sure hoped that Zach and the sheriff, afraid of exposing the rest of the town, would stay under quarantine with the sick folks until I got back with an antidote spell. And I sure hoped the witches and wizards at the meeting agreed to let Bryn help me. Well, I would have to convince them. That was all there was to it.

Merc met me at the door. He licked his lips and seemed to have some milk on his whiskers. I looked toward the hall he'd come from. Jenson was standing there.

"The feline has been fed."

"Well, lucky him," I mumbled. "Thanks for the socks and stuff, Mr. Jenson. When I get back to my regular life I'm going to bring you a real nice pie. You like pecan?"

"You have an excellent reputation as a pastry chef. I have heard that your black raspberry torte is exceptional."

I beamed. Jenson, the sneaky pete, had just ensured that he would get tortes for life. "I'll make you one. The market's got good raspberries." I waved, and Merc and I went back outside. The rain had let up and was just a slow drizzle. I walked to the car, snagging Bryn's socks on the paved, stone drive. "Well, I sure like that Jenson, but the rest of the night wasn't so hot, was it? I'm glad you had some dinner 'cause you're gonna need your strength. We just skipped out of the freezer and into the fricassee, my friend."

8

TWENTY MINUTES LATER, Bryn Lyons's black limousine pulled into my driveway. He usually drives a black Mercedes, but I guess the Merlin set likes to impress each other. It was almost like being in Dallas.

I put a trench coat on over Aunt Mel's 2002 "Lady of the Evening" Halloween costume that I'd borrowed. I tied the strap of my coat tight. Given that stepping outside was like getting into a sauna, only a nut or someone with something to hide would choose to wear an ankle-length coat. I was hoping that my neighbors would think I'd gone insane, but I worried they wouldn't. They were most likely going to report back to Zach that I'd gone on and become a flasher, but there was no way I could climb into a car with tinted windows wearing a borrowed streetwalker outfit. Thinking about the potential gossip made me wish I lived in a big city where women were free to wear clothes that they wouldn't want to be caught dead in.

Merc got to the car door, but stopped and hissed when it opened.

"Come on," I said.

He didn't budge.

"Get in the car, Mercutio," I said, but I took a step back, wondering why Merc hesitated.

Bryn climbed out, looking like sin in a suit.

"You're not coming with her?" Bryn asked the cat.

Mercutio looked at the door, hissed again, then circled my legs, bumping me back from the car.

"What's in there?" I asked.

"Not what. Who. My father's in the car, but I suppose Mercutio smells Angus. I let the dog in the house before we left, and my father petted him."

I narrowed my eyes suspiciously. Bryn put his arms out as if to show he wasn't hiding anything.

"See for yourself," he said.

Mercutio sauntered away.

I moved forward and peeked inside the car. Lennox Lyons, normally a handsome man like his son, looked like he'd gotten on the wrong side of a celebrity diet. He was pale and thin, his cheekbones slanted like twin shards of glass under his skin.

I straightened up and looked at Bryn. "He doesn't look well," I whispered.

"He was ill. He's recovering."

"That's recovering?" I asked with a half gasp.

Lennox spoke from inside the car. "Join us or don't, but make up your mind. I'm not interested in basting in my own juice from this freakish heat." His voice was startlingly strong.

I slid in, accidentally flashing a bunch of leg as I did. Bryn's eyes didn't miss the show.

"What color is your dress?" he asked when he sat down across from me.

"What dress?"

Lennox laughed, a rich, dark-chocolate-sauce kind of sound.

"You did say we'd get more votes if I showed off my body," I added to Bryn.

"Gets her wit from her mother," Lennox said. "Under the same instructions, her aunt Melanie would have worn a sweat suit. But Marlee would have worn a dress and then not let you see it."

I stared at Lennox, his onyx eyes glittering in the low light. As far as I had been told, Momma and Aunt Mel had never associated with him. And, as a result, I knew more about compound interest than I did about him, which, given the state of my bank balance, you can bet wasn't much.

THE WATER POURED down so hard the windshield wipers had to work overtime. The driver crept along, and Lennox rubbed his sunken eyes.

"The meeting should be postponed. Certainly, the weather witches will be out with their lightning rods. We won't have enough members to conduct business," Lennox said.

I chewed my lip nervously. I needed this meeting to happen.

"I said I would be there," Bryn said, shrugging.

I went on chewing my lip as thunder shook the car every few minutes.

The rain slowed by the time we got where we were going, a small redbrick building in the middle of a field in the middle of nowhere. We parked on a square of gravel with a collection of other cars. I huddled under Bryn's black umbrella and followed him to the building.

We went inside and brushed the water from our clothes. The earth tones of the anteroom were warm and inviting. I slipped the coat off my shoulders, and Bryn and Lennox looked me over. The black gauze dress hugged like second skin and its halter top was nearly as skimpy as a bikini.

Lennox cleared his throat and glanced at Bryn.

I blushed. "Too much? I can put my coat back on."

"No," Bryn said, taking the coat from me. "I'd sooner put a drop cloth over a Degas."

"But after the meeting, the red-light district would like their wardrobe back," Lennox added.

"What's the red-light district?" I asked.

Lennox laughed and nodded for me to precede him through the door as he held it open for me.

I looked at Bryn, who shrugged. "Never heard of it," he said, which made Lennox laugh harder.

"Have you ever been out of Texas?" Lennox asked, as I passed him.

"Sure." To New Orleans, Nashville, and Puerto Vallarta. But I didn't need to leave Texas to find out most stuff. That's what someone invented the Internet for. I'd know all about this Red Light county by morning.

There were five big, round tables clustered together with real pretty flower arrangements of cream roses on them. The chairs at the tables were only on the outside, so everybody would be facing everybody else when we sat down.

I picked out the Cajuns easily by their guttural French.

A craggy-faced guy who looked like he'd escaped from the Rolling Stones Voodoo tour had his shirt unbuttoned to reveal a menacing green snake tattoo. A woman with wild curly black hair and sallow skin leaned close to him. Her lipstick was bark-colored and she wore a bracelet of chicken bones and eerie red-violet contact lenses. They sized me up like I was a crawfish they wanted to drop in a pot of boiling water.

I shivered and stayed clear of their table. There was a trio of old women at one table. They wore long cotton skirts and turquoise jewelry. A parakeet with them hopped from one slightly slumped shoulder to the next.

Lennox led us to a third table where there was a woman so tall and slim her chest might have been mistaken for her back. She had smooth sepia skin with a tawny glow like she'd been dipped in caramel.

"How are you, Astrid?" Lennox asked.

"*Muy bien*. And you?"

Lennox nodded and sat next to her. Bryn pulled out my chair, and I sat between him and his father.

"This is Marlee Trask's daughter," Lennox said.

"*Claro*," Astrid said briskly. The woman extended a willowy hand with another word of Spanish, but Bryn grabbed my arm and pulled it back before our hands touched.

"She's untrained," Bryn said to Astrid, like I was an unhouse-trained puppy.

"How interesting for you both," Astrid said, lowering her hand.

"What was that about?" I whispered to Bryn after Astrid and Lennox started talking.

Bryn leaned toward me, his hand still resting on my arm. "It's common to push power from the palm during a handshake between witches and wizards, to test each other's powers."

"Sort of like dogs sniffing each other?"

He laughed. "Crude but accurate."

"So what would have happened if I'd shaken her hand?"

"Probably just a mild shock or a burning sensation. Nothing more serious, unless Astrid meant to do you harm."

"Why would she?"

"Witches suffer from the same emotions as human beings."

"Meaning?"

"She likes to be the most beautiful woman in a room."

I glanced at Astrid's supermodel cheekbones. "Well, she should be happy here then."

"It's a matter of taste, of course, but if I were the magic mirror, I'd advise you not to accept any apples in that dress."

I sighed and blew a strand of hair out of my face with a frustrated breath. "Listen, Abracanova, I'm not here to flirt with you."

He grinned.

"Or to get the Witchcraft 101 lecture. I'm here to—" I cleared my throat. "Um, okay, I am here to learn some witchcraft, but just 'cause we've got magical families in common doesn't make us compatible," I hissed at him in a whisper. "So you can just cut out all that flirting. Our names aren't Tim and Faith, and this ain't Nashville."

He laughed softly. "When you tell Zach to stop flirting with you, does he listen?"

"I don't tell him to."

"Never? Even during the divorce?"

I waved a dismissive hand. "That's none of your business."

"So you've said."

"When are we going to ask them to vote?"

"We don't have a quorum yet. The bad weather's delayed things. We'll have to wait to see if enough members come. Once the meeting is under way, there will be a point when the discussion is opened for new business."

The chicken-bone gypsy narrowed her creepy red eyes at me, and the Cajun wizard, having caught me looking at them, flexed his pecs. The snake tattoo's head jerked, and the man licked his lips with a tongue that was split like a lizard's. A forked tongue! *Yuck. Let me out of here.*

My body convulsed into a shudder, and I leaned closer to Bryn. "If it comes down to me using my body to charm the Cajun out of his vote or all those poor people staying asleep, I want you to know that I'm going to buy them all some real nice feather pillows."

Bryn laughed softly. "I don't blame you."

I SAT QUIETLY with my hands folded across my lap. I felt totally out of place, like a fly in a room full of long-legged spiders just hoping I'd make it out before they started spinning webs.

Our table fell into a discussion of the changes in the national bylaws. There was a general objection to something the wizards' council, the Conclave, had pushed through requiring witches and wizards to submit to a test called the Highcrest Challenge.

"John Barrett's way of trying to locate threats, those powerful enough to challenge his authority," Lennox said.

"And yet, he must know that the challenge is effort-based," Astrid observed.

"He's counting on egos to make us all push ourselves to the limits of our magical strength," Lennox said.

"I think Mr. Barrett misunderstands the nature of some wizards. Take Bryn, for example." She looked at Bryn, and he raised his eyebrows. "I heard you submitted to the challenge and only reached the fourth level."

"The best I could do."

"Oh, *sí*. Of course, yes," she said with mock agreement. "And yet when the Black Oyster Coven was under siege from a pack of Razak demons, you went to their aid. Lucinda said you held back the pack until she could raise the fades to drive them off."

Bryn shrugged. "The Razaks must have been worn out. Lucinda's sister had wounded them."

Astrid smiled. "Of course. Still, a fourth-level wizard couldn't have done what you did. Level five would have been more believable. Although, perhaps Barrett doesn't know of the Razak battle."

"He doesn't need to know about it. It was one wizard coming to the aid of the coven in his region. In North America, we simply want to be left alone."

"Yes, so lucky that you're American. Because with Celtic blood, a black Irish bloodline, Barrett would need to worry very much about that."

"I don't know much about the Celtic bloodlines," Bryn said.

Lennox cleared his throat and exchanged a look with his son.

"Your pretty new *chica* looks like she might," Astrid said, flicking a strand of my hair. I frowned and leaned away from her spindly fingers.

"Half-bred fae from the look of her," Lennox said with a nod.

My mouth fell open. What in the Sam Houston? "Why

do you say that?" I didn't know thing one about my daddy, whoever he was, but I always assumed, given my lack of abilities, that he was a human and not magical at all. Except now I seemed to have come into some power, but maybe that was finally from Momma's line.

"Your mother was a circle groupie. She certainly spent her share of time underhill. And your bone structure, you've had that unearthly beauty for several years now," Lennox explained.

Saying I was too pretty to be all human was a back-handed compliment if I'd ever heard one, and I'd heard plenty. "What's a circle groupie?" I demanded.

"Dad," Bryn said with a small shake of his head.

Lennox smiled, and it wasn't an "I'm happy for you" smile. It was a "How come you never guessed you're a faery's bastard daughter?" smirk.

Bryn assured me, "Your mother's gorgeous. You look like her."

"Only better. Too much better," Lennox observed.

I clenched my teeth. "What's a circle groupie?"

"Here's quorum," Lennox said, nodding to the doorway, where two young blond wizards had just walked in and were shaking the rain from their jackets.

One of the grandmotherly-looking witches stood, undisturbed by the parakeet standing at attention on the crown of her head. "Let's begin."

I wanted to pay attention, but I couldn't focus. The fae live under hills, and you're supposed to be able to find the entrance in a circular patch of discolored grass. When I was little, Momma told me tales of faery knights who'd rescued humans from all sorts of peril—throat-rippers, as she called vampires, clawed beasts, demons, and all kinds of vicious predators of mankind. Had she more than admired the fae? Had she chased the knights until they caught her? Was she still chasing them?

Boom! I jumped, startled by the earth-cracking noise. It was almost as loud as the thunder, but too close. A hush fell over the room as we listened, and then something slammed against the door. *Bam!*

Witches and wizards leapt up, drawing back from the room's entry. The old witches pulled out wands. The Cajun and gypsy yanked out clawed skeleton hands. I backed up and noticed Bryn's face. He looked worried.

"Blood?" Bryn said, pulling out a small pocketknife. He glanced between Lennox and Astrid.

Lennox shook his head and pulled out an amulet from under his shirt.

"Tamara doesn't have an amulet," Bryn said.

"More's the pity for her. Her family should have trained her or stayed around to protect her instead of chasing mist."

Bryn muttered a curse under his breath and turned to Astrid. "Astrid, we'll be stronger together."

Bam! Bam! The door groaned.

"Not if you try to protect the girl, too," Astrid said, shaking her head.

Great. Whatever was outside was going to try to tear us to bits, and I was the only one on the battlefield without a weapon.

9

"THERE'S A SPELL on the door," Bryn said, taking me by the arm and leading me to the back of the room. "It's not holding. Stand here," he said, putting me in the corner. "Give me permission to cast a protection spell on you."

Bam! I shook, my eyes darting to the doorway. "What's out there?" I gasped.

"Brute force. Probably shifters or demons, and a lot of them."

The door cracked under the force of the next blow. My heart pounded just as hard. Something horrible was trying to get in, and when it did, it was going to get us.

"Give me permission!" Bryn snapped.

"Yes, okay."

Bryn opened his knife. "Stay inside the circle. Whatever happens, don't step out." Bryn scored his fingertip and blood welled. The red swirled before my eyes, and I felt dizzy.

"Don't. Don't faint." He squeezed my arm with his unwounded hand. "Promise me."

"I promise," I said, my blood draining to my toes as he knelt and marked the floor with his blood. I braced my hands against the walls. And then Bryn stood and marked the walls with stars and a crescent moon as he muttered some enchantment.

The door splintered, and I heard the most horrible sound I'd ever heard in my life. A snarling howl. A pack of huge werewolves rushed the room, long muzzles with dagger-sharp teeth bared. A couple were only partially shifted, taking the form of wolf-men covered in fur with clawed hands and feet, faces deformed and feral.

I slammed my back against the wall for support and couldn't breathe. Bryn shouted something in Latin and flung his arms out, advancing. The other witches and wizards threw spells, too.

The wolves tore through the magic, and one ate the parakeet in one gulp before they knocked down the old witches. Two pounced on the Cajun and tore his chest open. Blood splattered.

I shrieked and flung an arm across my eyes. I didn't want to see them kill me. The growls were deafening, and so were the sounds of bodies falling and witches and wizards screaming.

Finally, things went quiet, except for the wolves' growling. I opened my eyes and saw Bryn on his knees, arms outstretched. Lennox had a hand on his son's right shoulder and the amulet in the other. Astrid too had a bloody hand on Bryn's left shoulder and one hand out. Some of the beasts were dead or seriously wounded, but the ones who weren't leapt forward, blood dripping from their jowls.

An invisible barrier repelled them, but when they bounced back they recovered immediately and slammed forward again, battering the magical energy and forcing the trio back.

A huge clawed pair swiped through the barrier and Lennox fell, cracking his head on the floor.

Astrid, breathless and limp, sank down onto her hands and knees, and a wolf towered over her. I screamed as it gnashed its teeth and tried to bite her spine. Bryn kept his arms up and the wolf's mouth slid just shy of Astrid.

I could see Bryn struggling to hold them back, his arms shaking slightly. They surrounded him, looming huge and vicious. Sweat dripped from Bryn's hair and the veins on his neck popped.

Too many of them. They'll wear him down.

He was splitting his strength to shield me. And we were both going to end up dead if someone didn't help him. I needed something—a weapon. I looked at the table service. I hoped it wasn't just butter knives wrapped up in the linen napkins.

I stepped forward, and the bubble popped. Bryn gasped as the power sling-shotted into him.

"No!" he yelled, glancing back as two wolves jumped, sliding over the shield and coming straight for me.

I saw the steak knives on the buffet. I ran toward it.

"Carpe facto!" Bryn shouted, and I felt myself flung forward. I closed my eyes and screamed, feeling my hands close on cool, wooden knife handles.

I crouched and spun, thrusting my arms out. I fell back when they slammed into me, and I squeezed my eyes shut and pushed my fists forward as hard as I could, burying my hands in fur up to the wrists. I felt the knives plunge into the wolf-men, then they were off me.

I realized I was screaming and stopped. The room was deathly quiet. I opened my eyes, tears already flowing. Bryn bent over, gasping. Blood flowed from a wound on his side.

I stood and swayed, but caught myself by leaning against the table with my elbow. The crimson scratches on my legs stung. I dropped the steak knives; raw meat hung along the serrations. I staggered, feeling sick. I grabbed the table and bent my head to sob. I didn't want to look at the bodies, half eaten by the wolves, rank as a sewer.

"It's okay," Bryn said, sounding far away, though he couldn't have been, because I felt his hand against my head. "Let's go."

"I can't look."

"Hold on to me, and I'll lead you outside."

I shuffled along, my shoes slipping in places, and I tried not to think about the carnage. Outside the rain had made the air smell nice, and I gulped in a couple of Texas-sized breaths before I opened my eyes.

The door of the limo hung open and Lennox was slumped on the seat with his head back.

"Is he okay?" I asked, taking a step forward.

An engine roaring to life made me look up, and mud splattered as Astrid swung her white sports car around and barreled it out of the field onto the road.

I slid into the seat next to Lennox, and Bryn sat across from us. Bryn shrugged his suit coat off, and I noticed that the left lower part of his shirt was shredded and saturated with blood.

"Oh no," I gasped.

"It's all right. How are your legs?"

"Okay," I stammered, staring at the deep scratches on his side where I could see muscle and marble-size blood clots.

"It's all right. I'd feel worse if I'd lost much blood."

I turned to Lennox. "Are you awake?" I asked softly.

"Yes," Lennox said in a voice that was sandpaper rough.

"Where are you hurt?"

"I'm fine. Just tired," he said, but the upper right shoulder and chest of his suit were wet and dark.

"I'm sorry they broke through," Bryn said, brows drawn together with worry.

"If you hadn't been there, we'd all have been dead," Lennox said matter-of-factly.

"Why did they do that? Why did they come and attack you?" I asked, shaking like a vine in a hurricane.

"They must have been hunting someone. Werewolves have preternatural tracking abilities. Not only can they follow a human's scent, but also a particular witch or wizard's magical essence. Our energy has a unique signature," Bryn said. "It's unfortunate that they caught up with whoever they were looking for during the meeting. They tried to kill the rest of us just because we were there. In that form, they're basically animals."

We rode for a while in silence with only the sound of the rain for company. I looked out the window and cried for the strangers who'd died. In all my life I'd never seen anything so violent, and it had shaken me up like not much else could have.

Finally, I pulled myself together and cleared my throat. "What kind of spell can we cast to heal ourselves? 'Cause I definitely don't want to turn into a werewolf." I coughed and shivered some more before adding, "I'm real firm on staying human. I don't even like dogs, and I'm pretty sure Mercutio feels the same way."

Lennox laughed softly. "She's entertaining, this one."

Bryn smiled. "We can't be turned. The magic doesn't cross over. The power that makes us witchfolk prevents us from becoming werewolves or vampires or other types of magical creatures. We're a different species."

"I'm not much of a witch though. Not really."

"You certainly are," Bryn said. "When you came out of that blood circle, the energy I used to create it should have dissipated, but you thrust it back into me, gave me back my strength."

"I didn't give it back. I didn't cast any spells."

He shrugged. "You willed it. It happened. That's witchcraft."

"Think so?"

He nodded.

"Am I strong enough to undo my spell on those people that I put to sleep?"

"Yes, with the right ingredients for the counterspell."

"Then you're going to tell me what to use. No more asking for permission and checking with the other witches and wizards. We tried to play by the rules and almost got eaten. So, you tell me what to do, and I'll keep it a secret that you ever helped me. I can't let those people die on a technicality."

"And if he does you a favor, you'll owe him one in return," Lennox said.

I looked pointedly at Bryn.

"That does seem fair," Bryn agreed.

I could see that I was going to be trapped very neatly into associating with him more than I wanted to, but I couldn't help that. And no one in my family could actually tell what the list really warned against anyway. Maybe the name Lyons had been a mistake. Maybe it was supposed to be "lions" and meant I should never go on safari. Okay, it was a stretch, but, under the circumstances, you couldn't blame me for trying.

BRYN HAD THE car wait while I ran into the house and dried off and found the paper with the spell on it. I put on a pair of jeans, my fastest sneakers, and my lucky Longhorns T-shirt that I wore when they won the Rose Bowl.

Bryn glanced at the faded orange and quirked an eyebrow.

"What?" I demanded. "This is a black-tie spell-casting?"

"Your new outfit's practical, but you can't expect me to view it as an improvement over the dress."

I blew a strand of hair out of my eyes and forced the frown from my face. "Sorry. I've still got the jitters."

"No need to apologize."

The driver slammed on the brakes, and the car screeched to a halt, causing us all to lurch forward.

Lennox grimaced and murmured, "He's fired."

"What happened?" Bryn asked.

"That leopard's in the road," the driver said.

"It's not a leopard," I said, opening the door. "Right?" I asked, looking pointedly at Bryn.

"No. Not a leopard."

"Of course not," I said, stepping out. "Mercutio," I called.

Merc sprang toward the car, startling me. He did look a lot like a leopard in the low light, but with prettier, rounder eyes than the leopards you see on *Animal Planet*.

"Will you stop creeping around like a cat?" I grumbled,

but reached down to run a hand over his smooth fur. "Come on, we've got work to do."

Merc hissed at the backseat of the car.

"Yeah, I know. You smell dog—lots of them. You wouldn't believe what happened to us. I'm glad you didn't come," I said, climbing in. "Come on, Merc."

He hopped gingerly into the car and looked around before lying down on my feet. Occasionally during the drive to Bryn's house, Merc swiped the air in the car in a way that told me he could sense some things that I couldn't. Just one more reason I needed my cat.

When we got to the house, Bryn left Merc and me in the foyer while he walked Lennox to some downstairs guest bedroom. I was in a hurry to get on with things, but Lennox did look like he might just go on and collapse at any minute, so I couldn't blame Bryn for walking him.

When Bryn came back, I could tell by the way he moved that he was in pain. I folded my arms across my chest and gave him a stern look.

"Lennox needs to go to a hospital. And so do you." It was the third time I'd said so since we'd left the meeting.

"He won't go."

"You could make him go. We could've driven to a hospital like I suggested on the drive back. Not like he could've stopped us."

"You think they treat a lot of werewolf wounds?"

"I think they treat a lot of dog bites, and that's what he's got, basically."

"Sure, and a hurricane is just a breeze with a little extra wind," he said as he walked to the big staircase that looked like an extra set from *Titanic*.

"Well, kind of," I said mock cheerfully, just to be contrary. "And I still say they could help him."

"Come on," he said, waving to me.

I looked skeptically at the stairs. "Why?"

"You want help with your spell or not?" He continued to climb the stairs, not bothering to look back at me for an answer.

I glanced at Mercutio as I headed after Bryn. "Are you coming?"

Merc didn't budge.

I sighed. "Sometimes you're not the best sidekick," I hissed and jogged up the stairs.

Bryn waited for me next to a door.

"So my spell—" I said.

"We'll talk about it after I take a shower. Though I'm sure you're of the opinion that a dab of Neosporin and a Band-Aid would do—"

"I never said it wasn't a bad wound. Those werewolves are a real menace. What are you going to do about it?" I asked.

"What do you suggest? A strongly worded letter to the werewolf king informing him of their bad manners?"

"That's as good an idea as Cherry Coke, and I'll be ever so pleased to proofread the letter for you."

He grinned and leaned forward so his mouth was near mine. "You like to have the last word, don't you? That's going to be a problem in our relationship."

"We don't have a relationship. I don't go out with men who take me on dates where I nearly get eaten."

He raised an eyebrow. "Then you haven't had the right man nearly eat you."

I gasped, my jaw slack. He brushed his lips over mine, making them tingle.

"Yeah, somehow I figured I'd have the last word with that comment." He opened the door to the room and walked in, but I stood stuck to my place on the plush cream carpet.

10

I HESITATED OUTSIDE Bryn's bedroom, but there was no way I could leave without his help, so I padded into it and looked around in awe. There was an enormous faceted skylight of leaded glass creating a prism effect of the night sky. The pearly white walls had some sort of gloss over them, so they shimmered and shined, reflecting the light. Large mirrors stood in each corner, making the huge room look huger. A sleek, black-silk duvet covered the king-size bed.

He nodded to a small sofa near the large bay window. I walked over and sat, looking down at the garden and pond that were lit up with landscaper's lights. It was like the pictures you see in *Architectural Digest*.

"Nice yard."

"Glad you approve." He pulled some clothes from a dresser, then went through a doorway that I guessed led to the master bath. When the door closed, I itched to get up and snoop around, but I sat still. I wasn't even supposed to talk to him. I should never have been in his house, but well, circumstances being what they were, there was no help for it.

I didn't move for the ten minutes it took for the door to open again. He walked out from the steam dressed only in jeans with a white gauze bandage taped to his wound. He was leaner than Zach, but still made of perfectly sculpted muscle, and I took a few extra moments to stare at his chest before looking away.

"All right, let me see it," he said.

"Are you going to finish getting dressed first?"

"Not yet. I want to see if this gauze stays dry." He held out his hand.

I pulled the paper with the spell from my pocket and handed it to him. He bent his head over the sheet for a minute and then looked up. "Not bad. Not the way I would have done it."

"Can you tell why it went wrong?"

He shook his head. "It's not the spell. I don't do much dirt magic, but this looks adequate for what you intended."

I pursed my lips. "Dirt magic?"

"Slang for Earth magic involving ground plants."

"Not a very nice way to describe it."

"No."

"And what kind of magic do you use?"

He looked back to the paper without answering. "The problem isn't the ingredients you put in, it's the magic."

"But I didn't put any magic in it. When Momma or Aunt Mel cast spells, they said they felt how much power they were using. But I never felt a thing."

He didn't respond.

"You can feel how much you use?"

"Yes."

"Since I didn't feel anything, do you think I actually used my own? Because I've never had any bona fide power. Maybe Momma and Aunt Mel's power is still in the house and yard, and I tapped in to it."

"No." Bryn went into his closet. I waited, drawing my brows together when he didn't come back. I stood and went over, peering inside. The closet, full of expensive designer suits, had a back door that led to a tiny workroom. Not exactly Narnia, but plenty intriguing.

Bryn leaned over an open book on a small antique desk.

"What are you looking at?" I asked, walking through the closet.

"A reference book."

"A spellbook? Can I see it?" I reached for the book, but he caught my hand, holding it and turning toward me.

"Didn't they teach you anything?"

I glared at him. "Of course they did."

He took a step forward so that our bodies were nearly touching. I took a step back.

"Then you know that you shouldn't touch another mage's book without permission."

"I wasn't going to cast a spell while touching it." I pulled my hand free of his.

"Give me a couple minutes. I'll be right out."

I walked back to the bedroom and sat on the bench at the end of his bed, feeling like a scolded child. I resented it and him and the whole darn mess.

I tapped my foot impatiently until he walked out with a couple pieces of paper. He sat on the edge of the bed, looking them over.

"Got it?" I asked, holding out a hand. I'd been gone for almost three hours, and I was anxious to get back to Glenfiddle.

He touched the bed next to him, and I moved to sit by him.

"Most of the fever-breaking spells were created to treat fevers that come from infection, not magic, but if the counterspell doesn't work, then you could try one. It might at least improve things temporarily."

I looked at the first sheet he handed me. It was marked "Fever Treatment Spell." It called for mixing henna with water and turmeric to make a paste that was supposed to be smeared above each eyebrow while reciting a healing blessing.

"What's the blessing?"

"You have to write it yourself. It's how you'll infuse your own power into the spell." I guess he could tell by the way I drew my brows together that I was skeptical about being able to put power in. He nodded encouragement, then added, "And here's a counterspell for you to cast." He handed me the second slip.

I looked over the list of herbs that were to be bundled together after being blessed by sacred verse. "I don't know if I have all of these."

"You can replace an herb if you have to, but just don't delete one. You'll also have to be sure the replacement herb has the same properties as the one you're removing."

I nodded. "You're not going to come with me?"

"No. I've got some of my own work to do, and it can't wait. But there is one other thing I can do to help prepare you."

"What?"

"Focusing energy is the most important part of casting any spell. You have to be able to ignore distractions."

"Not my best thing."

"Take off your shoes," he said, moving back on the bed and lying down.

"What have my shoes got to do with it?"

"Trust me. Take off your shoes and lie down." He stared up at the skylight.

This sure sounded like one of Zach's millions of ploys back in high school to separate me from my clothing and my virtue. But I imagined that Bryn's routines, by this point in his life, would somehow be a bit more sophisticated than trying to trick a girl into his enormous silk-covered bed.

"You forgot to put your shirt on. Maybe you want to do that before we start?"

He glanced over, looking me up and down. "Do you need me to?"

"Do *I* need . . . No, I'll be just fine. Right as rain." I lay down next to him on the bed.

"I want you to count the number of facets in the glass and then, with your eyes, trace the squares created by the lead between the panes. No matter what I do, keep your count."

I imagined him sliding his fingers over my skin and blushed. I hadn't even started counting, and it was already hard to concentrate, which was silly. It wasn't like he'd said "I want you to trace my muscles using your tongue." And, come to think of it, why the Sam Houston hadn't he? He'd been flirting nonstop, and now that he had me in his bedroom, he wasn't even going to try to trick me into having sex with him? In my book, we called that a tease.

I stared at the cut edges and began to count. I got to

around five before he touched me, tapping my forearm with his thumb. I stopped and bit my lip. I started counting again.

He moved his hand to hook my jeans pocket closest to him. He tugged on the fabric.

"Darn it," I mumbled, starting to count again. I couldn't see his face, but felt sure he was laughing at me. I was only on number three when he laced his fingers through mine and pulled my hand to his body.

I turned my head to look at him. His perfect profile didn't move for several seconds as if he were studying the skylight, too.

The back of my hand lay against his side, growing warm.

"I can't do it. I can't concentrate."

He looked over. "No? Why not?" His fingers tightened his grasp on my hand.

"Because you're purposely trying to distract me, and it's distracting."

"You have to learn."

"Oh, really? And you could concentrate with a strange woman touching you?"

"Try me."

Uh-huh. "Recite something. Some poem out loud so I know you're not cheating and just telling me some number that you already have memorized."

"The sea is calm tonight. The tide is full, the moon lies fair upon the straits," he began.

I rolled onto my side, studying him.

"On the French coast, the light gleams and is gone."

I put my free hand on his stomach and slid it down to the waistband of his jeans and unbuttoned them.

His voice slowed, but continued. "The cliffs of England stand, glimmering and vast . . ."

I put my thumb just inside where I'd unbuttoned and rubbed it against his skin.

His voice trailed off, and he chuckled. "I know what you're thinking," he said as I pulled my hand back from his waist.

He rolled suddenly, knocking me onto my back and pinning me under him. I would have been shocked, if I'd been born yesterday. He'd reacted to being touched the way any guy would have. My body reacted to him lying on top of me in the usual way, too, but I didn't let it show.

"I was just proving a point. That wasn't a special invitation to make like a dog on a steak," I said.

"As a matter of fact, you didn't prove your point."

"You're counting ceiling glass with the eyes in the back of your head?" I asked.

He smiled. "I'm going to explain everything in a few minutes when I finish kissing you."

My heart sped up. "Don't you dare kiss me."

"Hold on to me," he whispered, then pressed his lips over mine. I felt hotter than a campfire, and it wasn't only from the velvety feel of his tongue parting my lips or his solid gorgeous male-smelling body pressing mine into the expensive feather bed.

He paused and mumbled something against my mouth, and white heat burned inside me, coiling like a spring. I writhed under him. The sensation was like moving toward orgasm, but it wasn't that kind of energy. I grabbed his back, digging my fingernails in, clawing against the unbearable tension. And then something flashed red before my eyes, and the spring snapped. It knocked him back, separating us. He knelt above me, head tossed back, and murmured something I didn't understand.

All the breath left my lungs and I was falling, breathless, suffocating and cold. I couldn't move, and a blue haze descended with a blistering wind gusting against me.

I stood on a playground. Georgia Sue, Zach, and I were out for recess from Ms. Smith's first-grade class. A pair of demons on purple horses galloped toward us with sickles drawn.

11

I DON'T KNOW how long I lay there hallucinating. I came back to myself, wrapped like a tamale in the silk-covered feather bed. My breath was frosty on the warm air. I coughed, shivering, and sat up, stiff as a plastic doll.

Bryn stood at the mirror. There were scratches on his back from my fingernails, but he peeled the gauze back, and the werewolf's gouges were gone. The skin looked smooth and perfect. He saw me staring at him in the mirror and turned.

"What did you do to me?" I asked, shaking like a newborn calf. I felt like I'd been doused with ice water and left in a freezer.

He walked back to the bed and crawled on it. "Cold?"

"Yes," I said as my teeth chattered.

He yanked the bedding from my fingers and pulled it loose. He pushed me back and curled up with me, covering us both. His body was like a furnace, and, as angry as I was, I couldn't resist the heat.

"We're a perfect match, magically speaking. I could have resisted your touching my body. Sexual excitement alone can't distract me when I focus. But your magic fits mine, tongue and groove, interlocking, like male and female body parts. Without any practice or training together, I can siphon energy from you," he said.

I slapped his shoulder. "I'm not a gas tank. You can't just steal my power."

He grinned. "Yes, I can, which is a good reason for you to apprentice yourself to me. I can teach you how to stop me."

"Oh, I know how to stop you." I kicked the covers off. His body heat and my anger had done the trick; I wasn't as cold anymore.

He reached for me, but I slapped his hands away, scooting off the bed.

"Tamara—"

"No," I snapped, collecting the two sheets of paper with the spells on them. They'd fallen off the bed in all the freaky sexlike magic.

"You can't cast spells tonight. They won't work."

I spun to face him. "Why not?"

"I've drawn too much power from you."

"Then get up off your butt and come with me. I've got people to save."

"I can't do that."

I flung my hand forward and pointed at him. "You bastard! No wonder you're on the list."

"I can give you some power to work with. Come back to me," he said, holding out a hand. He was heartbreakingly gorgeous as he tried to coax me, but I knew better than to trust him.

Those dark blue eyes glittered at me, sexy and dangerous.

I wanted him, and I knew he could tell. I closed my eyes and remembered the Glenfiddle workers. I thought about Stucky Clark's wedding, which was scheduled for next spring, and Lil Czarszak, six months pregnant. What would she do if Red died?

I clenched my fists and my jaw. My lids popped open, and I narrowed them at Bryn. "I don't have time to cuddle up with you right now. But I do have time to wait while you write me a spell of power that will give me enough juice to make these work," I said, shaking the pages at him.

He shook his head. "You would only hurt yourself. It's an upper-level skill to call power from nature. You're too inexperienced to make it work."

I pointed my finger at him again. "You healed your wound with a healing spell that was powered by the magic you stole from me. You owe me—"

"You're holding two spells that I gave you from one of my books. You can consider the power I took as payment for them. Reciprocity. And I'm offering to give you power back."

"You just want to experiment or something. I can tell by that look in your eyes that you want something. Zach gets the same look when he sees a Cobra Mustang." I marched over to the door. "And don't think I'll forget this. I *will* get even with you."

"That red hair suits you."

"Explain that!"

"Lots of passion, not much sense under its influence."

I spun to the rock bowl fountain and snatched a rock, which I whipped at him. He ducked, and it bounced off the mahogany headboard, leaving a big chip in the veneer. "That's for not helping me and for stealing from me and for being a total jerk!"

I flung the door open and marched out, stomping down the hallway, then the stairs. I rushed out the front door, muttering curses. I realized when I got to the gate that I didn't have a key to get out or a car to drive home. I couldn't even buzz the security guy because the buzzer was on the outside of the gate. I stalked over a small hill to where I figured the security man might have a post.

A high-pitched whine froze me. I'd forgotten that I hadn't come alone to Bryn's.

"Mercutio!" I called. I ran toward the bushes, following the sound of panting. As I crawled to the hedge, Merc screeched at me.

"It's me!" I slid my hand in, heart hammering. I hoped he wouldn't bite me.

I felt his fur and pulled him to me. He lay limp and bloody, fur torn. "Oh no! Mercutio, what happened? What happened to you?" I sobbed.

I cuddled him to my chest, rushing back over the hill. I got just inside the door when I saw two black heads. My sneakers, which I'd forgotten, were in Bryn's left hand as he leaned over a large black Rottweiler that licked a bloody wound of his own.

"What have you been fighting, Angus?" Bryn asked, not seeing us.

Angus, spotting me and Mercutio, squared his broad shoulders and growled.

Bryn grabbed the dog's collar and held him back just as he lunged toward us. Mercutio hissed and twisted in my arms.

"I hate you and your dog!" I yelled.

Angus barked and gnashed his teeth at us. Bryn shouted

at the dog in some language I couldn't even identify. He dragged Angus by the collar and locked him in a closet.

"Is he badly hurt?" Bryn asked grimly.

"I don't know," I said, tears running down my face.

"Here, give him to me. I'll take him to the vet."

"You're not putting him to sleep. No one is putting him to sleep. He's my cat!"

"I won't do anything without your permission. Give him to me. You don't have time to take him to the vet if you're going to try the counterspell."

"If you do anything to him, I swear I'll be the worst enemy you ever had."

"I very much doubt that, and you seem to forget that I'm the one who gave him to you."

I had forgotten that. Actually, I'd forgotten everything.

I handed Mercutio gingerly to Bryn. "You'll take him to the vet and make sure they help him?"

"I promise."

I rubbed the tears away from my eyes and pulled my shoes from Bryn's fingers.

"I can't get out the gate," I said as I shoved my feet into the sneakers.

"I'll let you out."

"You could have opened the gate for me earlier, couldn't you have? You could have done it from upstairs, right? You walked down here with my sneakers because you knew I'd be coming back in."

"My hair isn't red," he said with a shrug.

Arrogant freaking bastard. I tied my shoes, strangling my feet from yanking the laces so tight. I leaned over and kissed Mercutio's head. "I'm coming to get you right after I finish helping those people. Don't die. I'll buy you a lot of catnip this weekend, I promise. So don't die," I whispered.

Tears rolled down my cheeks again. If Bryn had been Zach, he wouldn't have let me go so upset, but Bryn just walked over to the phone. He held Mercutio with one arm and dialed with the other hand.

As I walked toward the door, I heard him talking.

"Mac, it's Bryn Lyons. No, Angus is fine, but I need to bring in a cat. Can you open the clinic? I'll meet you there."

I hurried out, trusting Bryn would take care of Mercutio because I had no choice. The limo was at the end of the drive, waiting for me. I opened the door and flung myself inside.

I didn't need to say anything to the driver. He passed the open gate and drove me to my house. I chewed my thumbnail, telling myself with each passing block that Mercutio was tough and would be okay.

At home, I quickly washed my face and set my mind to fixing things. I gathered the ingredients and focused all my energy on what I wanted to do, to heal the injured.

I felt a rustling of the wind and heard rain splatter against the roof as I finished the henna paste. *This is going to work,* I told myself over and over.

I remembered what Bryn had said about my not having enough power left to do the spells. I knew after tonight I wouldn't get another chance, so I had to draw magic to me or steal it from wherever I could.

I'd seen Aunt Mel work a power spell once in the backyard. I'd watched from the window but hadn't heard all the words. I did remember that she'd marked the corners and called to the earth. She'd been naked, but I couldn't see taking things that far.

I took off everything except my plum-colored bra and

panties, then paused, wondering if I could really afford to hold back. I frowned.

But I don't want to. I really don't.

I stomped my foot at my hesitation. "Hey, lives are at stake. End of story." I took a deep breath, stripped naked as a june bug and marched out into the yard with a knife. I crouched on a small patch of grass and cut symbols in four corners. I hoped they were close enough to the ones I remembered seeing in the ground.

I cut the tip of my finger, yelping in pain. Good thing I wasn't going to do any spell-casting after the Glenfiddle problem was solved because I didn't like poking and cutting myself. My finger throbbed and blood dripped in a steady stream. Steadier than I'd planned. Could a person bleed to death from a pricked finger? I didn't think so, but felt a little woozy at the thought.

"Hear me, power of the earth, and feed me your strength as I give you mine. I call to the North, to the four corners, to the legacy of a family long faithful to the craft. Grant me your green energy." Green energy? Sounded like an eco-slogan. The earth must have been skeptical, too, because I didn't feel a thing. "Please, give me a little help. I need it and not for myself." I stretched my arms out and tossed my head back. "I call to you. I beseech you. I'm not a witch really. But I do respect the planet. I recycle. And if you help me, I'll start a program. Lord knows people throw away too much glass and plastic." Was I allowed to mention God in a quest for pagan power? "God, no offense here. If you want to grant me a miracle, that would be fine, too. Amen."

I shook my head. Probably that was the worst call for power that anyone ever performed. I was glad Mercutio wasn't here because it would have been embarrassing for him to hear me. I went back into the house and washed my finger, which was still pulsing blood. I pinched the tip.

"Ow, ow, ow!"

I'd just gotten it to stop bleeding and was putting on a Band-Aid when a loud knock at the door startled me. I scrambled into my clothes and rushed over to answer it, expecting it to be Bryn with Mercutio. I pulled the door open to find Zach, his expression as full of thunder as the impending storm.

"Girl, you better have a damn good explanation."

12

"I DO HAVE a good explanation for running off, but I can't tell you what it is," I said.

The veins and muscles in Zach's neck popped up. I knew I was about to get an earful, but we didn't have time for that.

"I have special medicine. I was just on my way back to Glenfiddle."

"Sure you were."

"I don't lie." *About anything important . . . unless there's a real good reason.*

"What were you doing with Bryn Lyons?"

So he'd already heard? *Small-town folk are faster than DSL Internet. Darn them.*

"Can we talk about it on the way? And, hey, what are you doing here? Didn't the sheriff say we were all supposed to stay at the factory?"

"You ran off, and, like a damn fool, I came looking for you. Then I hear you're taking limo rides with Lyons," he spat. "You want to explain that to me? Not so's I'd care if he got struck down with whatever disease these people have got, but I do give a shit that you'd rather spend what could be your last hours with that arrogant SOB instead of me."

I looked at his handsome face, and something inside me started to hurt. Zach might be my difficult ex-husband, but he never would've taken power away from me that I planned to use to save people's lives in order to heal himself. He'd have stayed wounded and taken me to the people, and when we got home he'd have drunk a bottle of whiskey to kill the pain and told me to clean the wound for him and then to sit a spell and talk to take his mind off it.

I touched his face. "I only ever loved one man, and I'm looking at him."

"So what were you doing with him tonight? And what did he say to you to make you cry?"

I blinked and looked away. I guess washing my face hadn't made my eyes less red. I should have spilled some Visine in them, but heck, I'd had other things on my mind, and I wasn't expecting company.

"I was crying over Mercutio. He forgot he's a cat and got himself in a dogfight. So he's at the vet, and I don't know if he's going to be okay. I hope so. I really do hope so." I bit my lip and shook my head. I was pretty sure Mercutio wouldn't want me to get distracted at a time like this. "C'mon let's get to the factory and see if this medicine works. We'll talk about everything later."

"What kind of medicine is it, and where did you get it?"

"I got it from someone Bryn knows."

He didn't seem satisfied with that explanation, but before he could ask more, I said, "We're wasting time. Those people are dying!"

Zach walked out, and I followed him. I climbed into the front seat of his prowler, debating whether or not I should tell him everything. He didn't believe in magic. We'd had some whopper fights because I believed in Edie. If I told him about casting spells and werewolves, he would think I was crazy and have me committed, but how was I supposed to cast a counterspell with him watching? And how was I going to explain running around town in a trench coat with Bryn Lyons?

I avoided his questions during the drive by asking plenty of my own about how the Glenfiddle workers were doing. Zach told me that he and the sheriff had been busy, dousing the people with water, then turning the big fans on them to cool them off.

We got to the factory and found that the sheriff too had left the scene.

"Must've gone for help," Zach said. "We didn't want to risk infecting the rest of the town since we'd been exposed, and we kept expecting the radios to start working out here, but they never did. I don't know what's going on."

"Did you call for help once you got away from here?" I asked him.

"Yeah, should be on its way by now. They had to go over to Dyson to get some special protective suits that we don't have. Gear for coming into contact with hazardous materials. The question is why you didn't call for help right after you left. You let us sit here all night while you went to a party."

"I knew the sickness couldn't infect you." I walked to the doors, feeling decidedly uneasy about Zach watching me. And that wouldn't help my concentration, which, like Bryn Lyons said, I would need. I turned. "Can you do me a favor?"

"Like what?"

"I need to be alone to give them this medicine."

"Why? What is it?"

"Please." I walked over and grabbed his hands. "Can you just trust me? I need you to. I really need you to."

"I'm tired as hell, Tammy Jo."

"Please. This once, please just trust me." I don't know if he could hear the desperation or the tears in my voice, but he sighed.

"I'll take a walk to the end of the road and wait for the help to arrive."

I leaned forward and gave him a quick kiss and then spun toward the factory. I raced inside, closing the door behind me. The people were flushed and had dry, cracked lips from dehydration.

"Oh boy. Oh God, I need help. I sure do need it." I rushed from one to the next, rubbing the henna paste on their foreheads. By the time I got back to the first of the group, Tommy Kane, he already looked a little better. His skin was less hot at least.

"That's real good. This is all going to work." Then I heard the sound of sirens. "Shoot. They're here too fast," I muttered, scrambling to light the candle. I got it lit and then ran around the group five times, waving the herb bundle over their bodies. I set the herbs on fire and wafted the smoke over them.

Smoky fire to warm the earth,
it receives their fever in her hearth.
A blessing here surrounds this girth,
dirt then water heralds calm rebirth.

I heard gravel crunch under the ambulance's tires. I clapped the fire out, preserving the hot ashes in my hands.

"Ow!" I whispered, blowing into my hands. I rushed out the back door, not wanting to get caught, and ran toward the stream. I was only about fifteen feet away when I slammed into something and fell down.

"Where the hell are you going?" Zach's voice said in the darkness.

Amazingly, I'd kept my hands cupped, but my butt wasn't happy about it.

"I need to wash this stuff off my hands," I said. "I need to hurry." I rolled onto my elbows and knees and pushed up, careful of my hands as I did. I got to the stream and realized I needed to be sure of which way the water was flowing, but it was too dark to tell. I put my foot in the water and felt it pushing my pant leg, then bent over and released the ashes, letting them flow away from me. I stepped out of the stream, my foot squelching in my shoe.

"Did you step in the water?" Zach asked.

"I guess so, by accident. Doesn't matter. We're already so drenched, you know?"

The sprinkling turned into another hard rain, and we hurried back toward the factory. My hands stung, but I didn't care. We suddenly heard noise and shouts and broke into a run, rushing to the door.

The Glenfiddle workers were sitting up and demanding water. *Thank you, Earth, and thank you, God, for the power and the miracle.* "Looks like the medicine worked," I said with a smile.

Zach slung an arm around my shoulder and planted a kiss on my cheek. "That's my girl."

* * *

ZACH TOOK ME home, where I changed my clothes. I realized that I didn't have Bryn's cell phone number to call him at the vet, but I didn't have to wait long to find out what was happening. My phone rang just before I was ready to leave to drive there.

"He's okay. I'm bringing him home," Bryn said.

"Um, all right. Y'all be here soon?" I asked, glancing at Zach, who was standing in the living room waiting for me. He'd offered to drive me to the vet's, and although we hadn't really talked about all the details of the evening, because I'd said I was too tired and upset to talk, I knew Zach—he'd let things set only so long before he started an interrogation. And I'd be a captive suspect if he were driving me somewhere. On the other hand, I preferred riding in the car with him to having him getting in the middle of any talking between me and Bryn at this point.

"Yeah, I'm pulling up in your driveway," Bryn said.

Just peachy.

"All right then." I hung up the phone, trying hard not to grimace. I wished I'd had time to shoo Zach out before Bryn got there. The sound of a car door shutting drew Zach's gaze to the front of the house.

"That's Bryn Lyons. He's bringing Mercutio home. It was his dog that Mercutio got in a fight with."

"Is that so? And what were you and your cat doing at his house?" Zach asked, blocking my path to the front door.

The doorbell rang.

"I need to get that."

"I'm closer. I'll take care of it for you," he said with mock politeness, sweet as a honeybee right before it sticks its stinger in.

I frowned at him. "It's my house and my cat and my company."

Zach eyed me up and down and then turned and walked over to the door. I followed him, annoyed, but wanting to welcome Mercutio back.

Zach opened the door, and Bryn, with a sleeping Mercutio cradled in his arms, waited for Zach to open the screen door. Zach simply looked them over.

"Can you open the door?" I asked from over Zach's shoulder.

Zach's movements were slow, drawing the process out, making things tense in that way Zach does so well. Bryn stepped inside and passed Zach on his way into the house. I followed my cat, which Bryn laid carefully on the sofa. I immediately sat next to Mercutio, examining him.

"He's okay. He's got some stitches and a few punctured muscles, but Mac gave him a sedative and a painkiller. He should be back to normal in a week or two. Mac sent these," Bryn said, setting a couple bottles of medicine on the counter. "Antibiotics and pain medicine."

I leaned over and gently hugged Mercutio. I looked up at Bryn then. "Your dog's a menace. He needs to be tied up and neutered before he attacks any other innocent cats."

"He's a dog. It's his job to attack cats," Bryn said, but added more gently, "I suppose it's better in general if you don't bring Mercutio when you come over."

"Well, that won't be a problem in the future. Thank you again for helping me get the medicine for the Glenfiddle workers. They woke up and are doing fine."

"Are they? Well-done."

"Yeah, so it turns out the medicine was strong enough."

"Good."

Zach leaned against the wall, arms crossed against his broad chest, eyes boring into Bryn's back.

"There are a few things we need to talk about," Bryn said to me and paused.

"Go ahead," Zach said at the same time I said, "It's not a good time."

Bryn's eyes flicked to Zach for a moment and then focused on me again. "The unexpected visitors that came to the meeting are not satisfied with the results of their effort. There's reason to believe they plan to follow up on their objective."

I blanched at the reference to the vicious werewolves coming to town.

"I think you should consider staying at my house until the business is concluded. I can chain Angus outside; Mercutio can stay inside with you."

Zach cleared his throat, drawing my attention to him. "Is that something you're interested in doing? Staying at Lyons's house, Tammy Jo?"

Bryn didn't acknowledge the question. He just went on talking. "This isn't a matter you can rely on your ex-husband for help with. Don't let your anger cloud your judgment."

"Oh, I never do that. It's my red hair that interferes with my good sense. All that color so close to my brain, it plum disorients me most days. I'll stay at my own house, thank you."

"Tamara—"

Zach interrupted him, voice hard as granite. "She answered you. The answer was no. Now, it's been a long day. Why don't you take yourself back across town."

The edges of Bryn's mouth curved into a sardonic smile,

and he walked over to the fridge. He lifted the erasable marker and wrote a phone number on the whiteboard I use for my grocery list.

"For when you change your mind," he said without bothering to look back at me for acknowledgment. He recapped the marker and let it drop to hang from its string, then walked down the hall and out of my house.

Zach walked over to the board, curling his hand into a fist.

"Don't," I said, but he ignored me and rubbed the number off the board. I sighed. I wasn't planning to call Bryn, but my life was so crazy these days, who knew?

"Who's coming to town, and why is that your problem?"

I sighed. Zach and I had broken up, but we were still all in each other's business. And it would really piss him off for some other guy, a guy he liked about as much as paying taxes, to know more about my life than he did.

"It's—" I put a hand to my head, shaking it slowly. I felt Zach close in on me.

"C'mon now. You got a problem, I'm your go-to guy, darlin'." He put his arms around me and hugged me against his warm, hard body. "Tell Big Zach about it."

When I'm worried or upset or even just under the influence of female hormones, any comfort makes me cry more than onions, and I was really close to tears at the moment. I looked up with swimming eyes. "It has to do with the ghost in my locket. I know you hate that subject."

Zach whistled slowly. "And Lyons is saying he believes in the girl in the locket, huh? C'mon, Tammy Jo, you know he's shining you on. His interest in helping you get your necklace back is to get close enough to get you into his bed."

"Could be."

"Not 'could be.' *Is*. And you don't need to worry. I'll get the locket back when this case gets solved."

"Are you close to solving it?"

He frowned. "Well, I been a little busy today, being quarantined without a radio."

"Right. Sorry."

"But everyone at the station is on this. We'll get it solved."

"I need it to happen soon."

"Why?"

I gently pulled away from him. "It has to do with the ghost."

He nodded silently. I was glad that he didn't yell and start us to fightin'. Edie had been a source of contention for a long time. I'd done things, bought things, and tried things that Zach didn't like because of her influence while we were married. Zach didn't believe in ghosts, so he felt like I'd created her because I didn't want to take responsibility for the stuff I did. And I probably shouldn't have listened to Edie, but it had been hard not to take her advice when I was fighting with Zach.

"Well, I ain't gonna say I believe in her when I don't. But I'm also not going to let Bryn Lyons move in on you without a fight. So you cozy up to him with that in mind."

I nodded. "Will you call me tomorrow?"

"Tomorrow? You kicking me out?"

"I need to pay attention to Mercutio and to shut my eyes for a while. I'm exhausted." Both things were true, but I also wanted a little time to myself to think about what was happening and what I would need to do about it. Edie and the locket were still missing, and I had to make a plan to rescue her. So I needed Zach gone, because I didn't want him scrutinizing my every facial expression and asking questions I couldn't answer.

"All right. I don't need to write my number on your fridge. You know how to get me when you want me."

I smiled at him, and he stepped forward.

"Gimme some sugar."

I leaned into him and kissed him. He held me tight for a few moments before he let me go. He didn't say anything else; he just winked at me, then turned and left.

13

SLEEP ALWAYS MAKES trouble seem not as bad, so when I woke up on Tuesday, I was downright hopeful about things. After all, I'd returned Mrs. Barnaby to her grave and saved a bunch of people's lives, not to mention ensuring that the production of Glenfiddle whiskey would continue, thereby preventing a Duvall economic catastrophe.

"I'm a hero," I announced to myself in the mirror as I pulled my hair back. "Good for me. I deserve a super cake mixer and a nice pair of sandals."

I pinned my hair in a smooth knot at the nape of my neck. *And you can buy them, right after you rescue Edie and get a job.*

Unlike with witchcraft, when it comes to confection, I'm talented as all get-out. So despite Jenna's threats, I was sure that someone in town would hire me to bake. She might have pull, but I make Irish Cream chocolate truffles that melt in your mouth like I stole the recipe from Lindt's. Unfortunately, things had to be: find Edie first, find a job second.

I'd been tossing and turning in bed, putting together a plan. I needed to do some old-fashioned detective work, I'd decided. Trouble was, I knew nothing whatsoever about detective work. Still, I didn't see how that should stop me. I didn't know too much about being a witch, and I'd done all right at that. Sort of.

My first order of business was to put on a Sunday church dress and pumps and go see Councilwoman Faber. Her Jag had been stolen, which might have just been a coincidence, but it was a flashy car, and it hadn't been recovered. I couldn't see thieves driving around in it for too long before getting caught, so they must have had a plan to hide it or sell it to a chop shop or something. Also, it was strange that they'd robbed the sheriff and a councilwoman. Robbing high-profile people would make it a high-priority case. Was that part of the point? Did they have something against the town government?

I would ask Mrs. Faber if she had any idea who they were. Then I was going to see the Deutches. Maybe someone had been admiring that big ring of Mrs. Deutch's. I also wanted to see Georgia Sue. Maybe someone at the party knew something about the thieves but was too embarrassed to tell the police. By now Georgia Sue would have called everyone on the guest list to talk about what had happened. She could be quite the source of information. Speaking of that, Johnny Nguyen might have some news. Yep, it was going to be a productive day, and I wouldn't even have to worry about casting any spells.

I buttoned up my periwinkle suit and slipped on my shoes. Then I hurried down the stairs. It was time for

Mercutio's medicine, and I wanted to get it into him while he was still groggy. He hadn't much liked the taste of it the night before.

As I stepped off the bottom step, I spotted Merc. He stood at the door to the backyard with his head cocked.

"Good morning, Mercutio," I said.

He ignored me, but I attributed his rudeness to being wounded and medicated.

"You want to get a little fresh air?" I walked over to the door and opened it. "Hellfire and biscuits," I gasped.

The four spots where I had cut symbols into the ground were blackened and the usually lush tangle of green plants and bright flowers had turned brown and died overnight. The yard was barren, eerie, as dry and cracked as a southwest desert.

"Aunt Mel is going to kill me." I slapped a hand over my mouth and shook my head, heart racing.

Mercutio gave a speculative meow, and I could tell he was upset too, but this was no time for him to have palpitations. He was infirmed and needed his strength.

"It'll be all right," I told him. "I just need some topsoil and some seeds."

Mercutio cocked his head at me.

"A big heap of topsoil," I added. "We'll go on by the nursery right after we find the locket. Or after I do. You're going to stay home and eat some tuna with your medicine."

The doorbell rang, and I jumped. *What now?* "Oh, a visitor. Isn't that nice, Merc? Some company."

I went to the front door and pulled it open. Smitty—Calvin T. Smith to his momma—stood on my doorstep in his deputy's uniform. He was good Texas stock, built solid with a nice, slightly crooked smile and a clean shave. I'd been a bridesmaid at his wedding.

"Good morning, Smitty."

"Morning, Tammy Jo. How're you?"

"Oh, fine. Zach's not here. He's at his place."

"Actually, I came by to talk to you."

Uh-oh. "Oh, really? Well, come on in and have a cup of coffee."

"How come you're all dressed up? Job interview? We heard you quit Miss Cookie's." He walked in behind me and closed the door.

"Oh, you heard about that? Well, we had some creative differences over there." *'Cause I'm creative, and she's not.*

"Hmm. That never seemed to bother you much before."

"Oh, it's been on my mind on and off. I guess it just built up."

I took out a can of Maxwell House and pulled off the plastic lid.

"You don't need to make me coffee. I had some at work. Councilwoman Faber just put some fancy coffee machine in the town hall, and most of us been walking next door. You should come down and try some. It makes this white foam—"

"Smitty, what's goin' on?"

He stopped and looked as embarrassed as he had the time freshman year in high school when he'd had to give the oral report on human reproduction.

"Well, it's real awkward, Tammy Jo, you bein' a close family friend and all." He paused.

Don't you even . . .

"Turns out I'm here to arrest you."

Off the grill and into the gullet. The whole room spun

around me. Turns out I was going to need more than a heap of topsoil to fix my day.

I SAT DOWN hard on the couch with Mercutio hissing at Smitty as he joined us in the living room.

"It's okay, Merc. Just a little misunderstanding. Smitty would never arrest me. After all, I broke down and wore a pea-soup-colored bridesmaid dress and a four-inch fake magnolia on my head for his wedding just to keep Heather happy."

Smitty cleared his throat and looked out in the yard. "Now, you know this wasn't my idea. But I am a deputy, and I've got to follow the law."

"So what are you charging me with? And does Zach know you're over here arresting me?"

"We all thought it best not to bother Zach with this until after lunch. He had a long day yesterday."

"*He* had a long day?" I sputtered. "What's the charge, Smitty?"

"Actually, there's a couple. They were working on the paperwork when I left to come get you."

"Working on the paperwork? This isn't some parking ticket! You'd better—"

"Now, get ahold of yourself. Yelling at the arresting officer isn't going to make the judge inclined toward leniency."

I'd had just about all I could take. I'd gone ahead and planned my day, and getting arrested was no part of it. I didn't have time for jail.

I lowered my voice to NutraSweet. "The charges?"

"Well, reckless endangerment. Lucy Reitgarten says you

splashed them with some hazardous waste, and then they all got sick. Then you left the scene of the crime after the sheriff told you not to, putting the rest of the community at risk.

"The other charge is for indecent exposure. Hope Cuskin says you were prancing around naked last night in full view of her son's window. He's a minor, you know."

"What?" I gasped. "I was in my own yard last night. The only way Craig Cuskin saw me was with binoculars. And I'll just bet it wasn't Craig that Hope was worried about. You know, Judge Bob was always spying on Momma and Aunt Mel with his binoculars until Hope caught him at it. She told them she didn't want them sunbathing in the yard or even wearing shorts to water the lawn or wash the car. Now that is ridiculous. Just 'cause the Cuskins are rich and he's a judge doesn't mean they have say-so over what we wear or don't wear. It's our own private property."

"So you admit that you were outdoors naked last night?"

I pursed my lips and got up. "I'm going to give my cat his medicine. Then you can take me to the station. My first phone call will be to Zach, and we'll see what he has to say about the Cuskins spying on me. Judge or not, Zach's likely to knock Bob into next week."

"Now, the naked in the yard business is the least of it though. You got to understand that."

I ignored him. I'd forgotten that Lucy, Jenna's sister-in-law, worked at Glenfiddle. And how come the Glenfiddle workers remembered me splashing them with the passionflower potion? Weren't these potions supposed to cause at least a little bit of amnesia? I mean, how was a witch supposed to spell-cast without getting caught? I took a deep breath and blew it out. This was just one more reason why magic is not for me.

* * *

THE CELL AT the station could have been cleaner, but it wasn't so bad, all things considered. Marvin, who supports the whiskey and ale businesses a little too vigorously, was asleep next to me on one of the benches in the cell. He'd gotten wet in the storm and had only partially dried into a horrible, musty, sweaty, drunken mess. He smelled extremely bad, and I would have paid a thousand dollars I didn't have for one spray of Lysol or a little pine-scented room freshener.

When Zach showed up, he was as angry as I'd ever seen him since the day the judge granted me a divorce despite his protests. Zach had contested the thing as though I'd asked for one of his kidneys in the settlement. The judge told him he should've poured that kind of energy into the marriage, and we might not have ended up in court. Yep, Zach had been really steamed that day.

Zach used a key to unlock the door. "They put you in with Marv?"

"Had to. Some frat boys home for the weekend were in the other one, and I didn't feel comfortable with them."

Zach clenched his teeth 'til I thought his jaw would snap. "Come on out of there," he said, taking my hand and pulling me right to him.

"It wasn't toxic waste. I swear it."

"You think I don't know that?" He paused. "And you don't know the guy that attacked them, right?"

"What guy?"

"Someone in costume. Same guy who left the corpse at the scene I expect."

Hmm. I didn't think that it would be helpful for me to mention that it was the corpse that did the attacking.

"Er—"

"Never mind. Don't answer that here. I don't want you saying a word until I've got you a lawyer. I'll have to go by the bank and work something with the mortgage."

"I don't want you to remortgage your place. That's not fair. I'll have to do it with my house."

"That house isn't yours, Tammy Jo. You can't go take out a mortgage on it."

"I can't let you risk your house. We're not even married."

"Where else are you going to get the money?"

"Maybe I can just talk to Judge Bob. He's got a soft spot for my family."

"What he's got for your family ain't soft. And you're not askin' him for a damn thing. We've got to get you a lawyer."

"She has a lawyer."

We both looked over to the doorway, where Bryn Lyons stood dressed in one of his designer suits. That man could put male models to shame with his good looks.

"No way," Zach ground out.

"For reasons I don't wish to discuss at this juncture, I'll be working gratis, which means free," Bryn said smoothly.

"You do family and corporate law. She doesn't need a divorce, and she isn't starting a business. You're not qualified to represent her in a criminal case. And besides which, no fucking way."

"Zach," I said gently. "He might be able to help get me out of here."

"Yeah, and so might I if I killed off the witnesses against you. Doesn't mean it'll work out for the best in the end. You let him represent you for free, he'll want something in return."

We both looked over to Bryn.

"The arrangements I work out with clients are always mutually acceptable. This is not a form of extortion. She needs legal counsel. I'm here to provide it."

I felt like a towel caught between a pair of dogs—I was very likely to be torn apart. But the bottom line was that I needed a lawyer, and free was all I could afford.

"You're hired," I said to Bryn.

The veins in Zach's neck threatened to burst, but he didn't say a word.

"Tell them I'll need a room to talk to my client in," Bryn said. "And tell them to bring me the warrant and every statement they've taken so far from witnesses. I want to see everything, right now."

"Lyons, I'm not your flunkie."

"If you want her out of here, you'll do what I ask."

They had a stare-down, all narrowed eyes and tight muscles, Zach looking ready to pummel Bryn, who never moved or took his eyes off his rival. Finally, Zach turned his head and looked at me.

"You remember what I told you the first night we went to New Braunfels?"

Sure, I remembered. Zach wasn't known for big romantic speeches, but he'd been young, in love, and more than a little drunk. I'd left camp, and he'd gone looking for me. "She's run off with the devil," Smitty had joked. "She doesn't run off," Zach told him. "If the devil's got her, it's 'cause he took her. And he's about to regret it when I get to Hell and kick his ass." Later, I'd asked him, "Would you really come after me in Hell?" To which, he'd answered, "If you're in trouble and I don't come, it's 'cause I'm dead and buried. As long as I'm alive, darlin', I'm comin'."

I stared at him now. He couldn't get me out of this trouble on his own, but he wouldn't leave me to face it alone either.

"I remember."

He nodded. "You go on and talk to the lawyer. I'm going to talk to a few people myself."

"Don't hit anyone."

He smiled, despite his grimness. "Oh, I doubt I'll have to, darlin'. Usually all I need to do is make a fist."

14

BRYN AND I sat across from each other at the conference table. He'd listened while I talked, all under the protection of attorney-client privilege. He took notes on a legal pad and looked so professional and detached that I felt like the whole night before had been just a dream.

"Fine," he said, closing the notebook when I finished. "Are you all right?"

"Oh sure. I've always wondered what it'd be like to be under arrest. It's not so bad really. I got a very nice cup of foamy cappuccino from City Hall, and I guess they'll be giving me a jumpsuit soon. Too bad it didn't happen before the Halloween party. Would have saved me some money on a costume."

"The reason I ask is that Bob Cuskin is conveniently out of town. My guess is that he wants to let things die down a bit before the bail hearing. I've made a couple calls for a substitute judge, but the soonest I can get someone here is tomorrow. You'll have to spend a night in jail."

I didn't have time to be in jail overnight. I was meant to be finding the locket. I put my head in my hands. "Know any good jailbreak spells?"

He chuckled. "You'll be fine. I'm certain Zach will make sure of that."

"If they let him."

"Think they could stop him?"

"Not unless they shoved him in a cell, too."

"Locked up with you, some men might not consider that such a hardship."

I looked up at him then. "You're not really gonna go there, are you?"

He grinned. "I suppose not. By the way, you made that henna paste pretty strong."

"So?"

He continued to smile, then laughed and shook his head.

"What?"

"All the Glenfiddle workers have dark brown smudges on their foreheads that won't wash off."

Jiminy Cricket. "Just great. They're disfigured. Next they'll be charging me with assault and battery."

"First of all, it's temporary. It'd be gone by the time they got you to court on that kind of charge. And second of all, no one saw you put that paste on anyone, and you're not going to testify that you did, so they've got no case."

"They might make one. Jenna and her sister-in-law would love to see me suffer, and they've got friends in high places. Like the Cuskins."

There was a rap on the door, and a young deputy who I didn't know looked in. "I'm sorry, ma'am. Time's up."

My heart did a tap dance in my chest. Back to that smelly, dingy cell where I'd never be able to sleep. "I'm ready," I said, despite the fact that my hands were trembling. The deputy closed the door to give us another moment.

"Listen, it's just as important to me to find my locket as it is for me to get out of jail. Have you made any progress on finding the thieves?"

"Not yet. One problem at a time."

I sighed as we both stood. Life wasn't going too good. If tomorrow's horoscope prediction was bad, I was liable to tear the whole newspaper to shreds.

I hesitated as we walked to the door. I looked Bryn full in the face. "I do appreciate this," I said. "After all the stuff I said and did last night, and you didn't even mention that. It's real gracious of you."

"We'll chalk what you said up to the red hair," he teased with a wry smile.

I turned to the door and pulled it open. "I'm not in a position to argue about it right at the moment." I glanced back and stared straight into his cobalt eyes, so clear and blue, like water in those pictures of the Caribbean. "But I'll think it over, and maybe if I ever get out of here, I'll dye it."

He leaned near me and said softly, "Don't you dare."

I SPENT THE night in jail, but I had the cell to myself. Zach brought me a pillow and blanket from home and breadsticks and the lasagna I love from De Marco's. He left the cell door open all evening and played rummy with me until one in the morning. Then he kissed me good night and locked me inside. The guys on night duty came around every few hours to see if I needed anything and at nine in the morning, I got to take a shower and get ready for court. So my advice is, if you have to go to jail, make sure somebody you sleep with is holding the keys.

When I walked into court on Wednesday, there was a female judge with steely gray hair and an even steelier expression. My heart pounded, and I clasped my hands in front of me tightly, almost like my heart was in my grasp and if I squeezed hard enough I could make it go slower. Then I saw Bryn, and he nodded and waved to me in a confident way that reassured me. The bailiff led me over to him.

Smitty came in then with the prosecutor, and Smitty looked like he'd had skunk stew for breakfast. I cocked my head and then glanced at Bryn.

"What's going on?" I whispered.

"Give it a moment."

The prosecutor, who I'd never met, stood near his chair with Smitty sitting in the row behind him. Two rows back from them I spotted Jenna Reitgarten, giving me one of her usual holier-than-thou looks. I cringed. Could my humiliation get any worse? Did she have to be there to watch? I felt so nauseous I was frankly worried about Bryn's fancy briefcase sitting on the table in front of me.

I slid it to the side and forced myself not to put my head down. Bryn squeezed my arm in reassurance when I swayed. He leaned to me.

"Don't pass out."

But it seems like such a good time for it. I gripped the table until my hands were white.

After some announcement, the hearing was called to order, and the prosecutor stood.

"I've read Mr. Lyons's motion, Your Honor, and have had time to question the arresting officer. It seems that Mr. Lyons's statements are not incorrect. Ms. Trask was never advised of her Miranda rights at the time of the arrest. Officer Smith was also not able to inform her of the exact charges since he didn't have the warrant in his possession at the time that he arrested her."

The judge raised her eyebrows and then frowned at Smitty, who looked ashen.

"In light of these deviations, these serious deviations, and some other facts that have been brought to light, we are prepared to drop the charges against Ms. Trask."

The judge nodded. "Case dismissed."

People behind us gasped and mumbled, but I didn't look at them. I turned to Bryn, who smiled.

"Is that it?"

"That's it," he said.

"Oh my gosh," I stammered, too overwhelmed to speak. Bryn slid his notepad into his black leather briefcase.

"I can't believe it." I put a hand to my forehead. I was still dizzy, but I was feeling better by the second. "Thank you," I said. "You're worth every penny of your fee."

He laughed. "You're welcome. There's always still a possibility of civil action, so don't talk about that night with anyone."

I gave him a hug, then started toward the back of the courtroom. I wanted the hell out of Dodge. That's when I saw Lucy Reitgarten and a couple of women I didn't know, all of whom had large brown smudges on their foreheads, scowling at me from the back of the courtroom like the Furies.

I wanted to tell them the marks would wear off, but I remembered Bryn advising me not to talk about things, so I looked straight ahead and hurried past them.

When I got home, I gave Mercutio his medicine. He promptly went crazy, attacking the furniture and me. I had just cornered him with some throw pillows when the doorbell rang. As soon as my back was turned, he barreled by me.

My hair looked like I'd been in a NASA antigravity machine by the time I answered the door. I smoothed it down and gave Zach my most innocent face.

"Now what's going on?" he asked.

"Nothing. Just playing with Mercutio."

"Uh-huh, that's another thing we need to talk about. The vet says he's not a house cat."

"He does fine in the house," I said, trying to keep Zach from venturing into the living room where the disarray looked suspiciously like a tornado had come through.

"I ran into Mac. He says he's pretty sure it's an ocelot."

"A what?"

"A wild cat. Like a leopard, but smaller."

"Don't be silly. Mercutio's not a leopard. He'd have bitten me by now."

Mercutio did a flying leap into the foyer and onto Zach's leg, snagging his pants before landing and merrily pouncing on imaginary prey.

Zach looked at me.

"He's on medication."

Zach shook his head and walked around Mercutio, who seemed to have subdued whatever invisible foe he'd been battling.

"Texas has laws, Jo. No exotic animals as pets. You best

say your good-byes and turn him over to a zoo before some-
one complains. And they will complain because the whole
town's gonna be watching you."

"He's my cat. I'm not giving him up."

"You had such a good time in jail, you want to go back?"

I turned red, but put my fist on my hip and widened my
stance to let him know just how serious I was about keeping
Mercutio.

Zach walked into the kitchen, pulled open the cupboard
and took down the coffee. I walked over and attempted to
pull the can from his hand.

"It's my house. I'll make it."

He held fast to the can and eyed me as I tried to take it.
"I can't make myself at home here anymore?" he asked.

I frowned. "That's not what I'm saying—"

"Then sit yourself in a chair, and let's talk about your
locket. Who's seen it and asked about it? And who have you
told that it's old and valuable?"

The locket! Yes, I did want to talk about that.

"Anybody who's known me and my family knows that
we consider that locket our most important possession."

"Right, but someone just stole it recently. You been wear-
ing it on the outside of your clothes lately? Mentioned it to
anyone?"

I shrugged. "I don't know. Folks come into the bakery all
day long. I can't remember what all's been said in the past
few weeks. No one took an interest that I noticed."

"You told me once that you weren't the only person in
town to see the ghost. Who else has claimed to see it?"

"Her. She's a her. And her name is Edie."

Zach gave me a pained look.

"And just why are you so interested all of a sudden?" I wondered if it might have been because Bryn had saved the day that morning, and Zach didn't intend for him to get all the glory in rescuing me.

The coffee percolated, and Zach got himself a cup. "I'm working on the case. Isn't that what you want me to do? Ilene Faber's Jag turned up in San Antonio. Who do you know with family or friends over there?"

"Nobody."

"Who claims to have seen the ghost?"

"Johnny Nguyen Ho."

"Of course," Zach mumbled. "He's probably also had visits from Elvis and James Dean."

"This was a very reliable Edie sighting. He described her perfectly, right down to the way she talks. I *know* he's seen her."

"Uh-huh. And did you open the locket to let her out for him to see?"

"No."

"So then how did he just happen to see her?"

"She doesn't need me to open the locket. She can get in and out whenever she wants to. And she went to his house. He was having a séance. Maybe she was the closest spirit to his place at the time."

I could see Zach's blood pressure rising, but he held his tongue like someone was likely to cut it off if he didn't.

"Has Johnny seen the locket?"

"Yes."

"Does he know that the ghost is attached to the locket?"

"Yes, but he wouldn't steal the locket. He doesn't need to. Edie likes him. She visits him."

"When she feels like it, huh?" Zach asked. "Maybe he wanted her to be the guest of honor at some séance, and she didn't show up like a trick pony. Maybe he thought if he had the locket, he could make her appear whenever he wanted her to."

"Oh, I don't think so."

"He's got out-of-town friends, more than most people around here. He could have asked them or paid them to get the locket."

"You're just too suspicious. Not everyone is out to break the law."

"Most times, people are out for what they can get away with. Now, who else knows how much you love that locket? Lyons?"

"He only found out it was important to me after the robbery."

"Did you tell him about the ghost?"

"As a matter of fact, no. I don't just go 'round telling everyone. You know I don't."

"Hey, you divorced me. How do I know what you do in your free time?"

"How do you know? That's a good question. 'Cause it sure seems like whatever I do gets right back to you. You've got more spies than the CIA."

"There you go exaggerating again. Now tell me about this ghost." He poured coffee into a mug and held it out to me. I took it, feeling strange about having this conversation with him. He'd never wanted to hear about Edie, and when he and I were breaking up, any mention of her had made him furious. Seeing my hesitation, he added, "C'mon, Tammy Jo, this is your big chance to tell me all about her."

Something in his tone rubbed me the wrong way. "Maybe I'm past wanting to tell you about her."

"You want me to find the locket for you or not?"

However uncomfortable I was about talking to him about Edie, I couldn't let it get in the way of his doing his job. I needed that locket found.

"There's not much to say that has anything to do with all this. She died a long time ago when she was twenty-four years old. The locket was her sister's. They were close and when Edie died, she attached herself to it. It might be that wherever she was supposed to go didn't want her or she didn't want it. But anyway, she's never left this world, or almost never left it. Except this one bad night of a Bryan Adams concert in 1984."

"What does that mean?"

"It's why I'm worried. I don't know what keeps her here, whether it's blood or memories or what. But something terrible will happen to her if she tries to appear and none of us has the locket. Back in the eighties, Momma and Aunt Mel shared the locket, and sometimes when they weren't wearing it, they left it lying around. Well, Aunt Mel's friend Lisa picked it up and put it on. They all went out, and Aunt Mel didn't remember to get the locket back, even though they knew it wasn't supposed to get taken anywhere without one of us.

"That night Momma and Mel had terrible nightmares and woke up hearing Edie screaming. She was being churned up and pulled into some hall of horrors. They ran out of the house, crying and hysterical. It was raining, and Momma crashed their car into a tree. Aunt Mel smashed her head against the windshield and was bleeding, but Momma couldn't even stay with her because she couldn't stand the shrieking. By the time she got to Lisa's house though, it all stopped.

"And when she got the locket, it was cold and dead, and Momma said she thought she'd die right along with Edie. She and Aunt Mel couldn't eat, couldn't sleep. They were so heartbroken.

"They called a ghost to make sure Edie made it to the other side, and it told them she wasn't totally gone. So they did something to call her back."

"Like what?" Zach asked. "A séance?"

I ignored the question because I still didn't like his tone. "So they pulled her back, but she wasn't the same. She used to talk and joke with them, tell stories, and give advice. But when she came back after that night, she would only stay in corners and sit curled up with her head down. She didn't talk or look at them for almost a year."

"Later, when she was a little better, she told them that it happened when she'd started to appear and couldn't tell where she was. She couldn't get her energy together. It was like being ripped apart by claws and sharp teeth she said. Well, Momma and Aunt Mel never took the locket off again. When one took a shower, the other wore it.

"When Momma and Aunt Mel left town, they gave it to me for safekeeping while they're gone. I promised I wouldn't take it off, and I didn't voluntarily." I shook my head angrily. "Those bandits, the bastards. I've got to get that locket back before she tries to come out. I just have to." I took a deep breath to compose myself as Zach watched me with a guarded expression. "I need it back before October twenty-fourth. It's an important anniversary." Edie's birthday as a witch. The day she'd successfully cast her first spell. "She always comes to visit on that day."

"C'mon," Zach said, getting up. "Let's go take a ride."

"Are you on duty?" I asked.

"Not officially, but you know I'm always on duty for you, darlin'."

Yeah, right.

15

JOHNNY NGUYEN WAS about as likely a crime boss as Mickey Mouse, but I didn't argue with Zach when he pulled up in front of Johnny's house. Johnny redecorated about once every six months, and I was looking forward to seeing what he'd done this time. My favorite had been the Bavarian lodge look. He'd had me make him a dish of pastries every week. I heard he had to crank up his air-conditioning to get all the heavy fabrics to work, so I guess it wasn't too practical.

Johnny's slate blue BMW was parked in front, so I rang the bell several times. Finally, he opened the door partway, but the chain was still firmly in place.

"Oh, hello, Tammy Jo," he said with a smile. He had a dark red smudge at the lower edge of his mouth. *Candy apple? No, lipstick. Yikes!*

"Hey."

"I sick with the flu. Come see me in salon next week."

Zach gently bumped me aside so that he could peer in through the crack at Johnny.

"We really need to talk to you today," Zach said.

"Oh, Deputy Sutton, it you. Such great hair, but it a little long. You should come and see me next week with Tammy Jo. I cut your hair free of charge."

"That's a generous offer, and I appreciate it, but I really just need to talk to you. Today."

"Just a minute then. I be right back." Johnny closed the door, and Zach scowled.

"I think maybe he's been trying on makeup. He's probably embarrassed," I said.

"Him, embarrassed? I don't think so." Zach grinned. "He got drunk one night and propositioned the sheriff in front of Miss Marlene."

"What'd the sheriff do? Arrest him?"

"Hell, no. And have to do the paperwork on that?" Still smiling, Zach shook his head. "The sheriff just went the other way like the bar was on fire."

I giggled. "Johnny's like five feet one and a hundred pounds. It's funny that you guys are so intimidated."

Zach rolled his eyes. "Intimidated? Yeah, right. Hell, if I clocked him one, I'd probably kill him."

"That's why you better never do it."

"Not plannin' to. He's a nice enough guy. Just can't hold his liquor, and he needs to remember he's in Duvall, Texas, not San Francisco. Howard Smith wanted to kick his ass when Johnny tried to flirt with Big Howard in front of Anita. Took Kenny and me both to hold him back."

"Johnny probably gets lonely here."

The front door opened, and Johnny stood before us in red silk pajamas and a matching kimono robe. I slapped a hand over my mouth to keep myself from laughing as I glanced over at Zach's face.

"Come in," he said.

The place was Moroccan-themed just like I'd heard from the rumors around town. Amethyst and garnet beads hung from the ceiling and plush jewel-tone pillows in ruby and sapphire surrounded a small carved table on the floor. I stood admiring the old metal lanterns and the gorgeous hand-beaded fabrics with elaborate patterns. It was all amazing.

Zach, who's about as exotic as apple pie, stood in the doorway, looking like he thought even setting foot inside might corrupt him in some terrible way.

"We just need to ask you a couple of questions. Do you know anyone in San Antonio?"

"Oh, San Antonio Riverwalk. Very nice. Yes, I have some friend there."

"Have any of them been to town to visit you recently?"

"No. Deputy, please, air-conditioning." Johnny waved Zach inside.

Zach closed the door behind him.

"Excuse please. Need Kleenex in kitchen," Johnny said, and when he turned I caught a glimpse of the chain around his neck. Old metal loops interlinked with white crystals. It was the chain that had held the Edie locket for the past five years.

I felt all the blood drain to my feet. First, Dr. Barnaby. Now Johnny Nguyen Ho. Was there anyone in town I could trust? Any friend that wouldn't completely betray me?

"Tammy Jo?" Zach said, moving close to me.

Johnny had already gone into the kitchen.

"He's wearing the necklace." I sat down hard on the pillows. It was a long way to fall.

"You're sure?"

I nodded.

"I'll get it." Zach squared his shoulders and marched down the short hall to the kitchen. I heard a startled shout from Johnny, followed by some rapid Vietnamese. Then Zach shouted, and a moment later I heard a muffled exchange and Zach stalked back out. He pulled me up by the arms.

"Did you get it?"

"He wasn't wearing any necklace."

"He was. He must have taken it off."

"He says he doesn't have it."

"Well, he put it somewhere. In a drawer or something," I said as Zach hauled me toward the front door.

"Stop. I'm not leaving without—"

"We're not staying." Zach yanked the door open and pulled me out with him.

"What are you doing?" I yelled.

"He has company. A guy dressed—There's no way we're playing 'find the locket' today."

"I don't care if he's got damned Osama Bin Laden in a daffodil print dress, I'm not leaving."

"What are you going to do? You can't search his place. And neither can I without a warrant."

"So we're just going to leave? We're just going to give him time to hide it somewhere good?"

"I'll talk to the sheriff. I'll tell him you saw the stolen property, but Johnny stashed it somewhere. They'll give me a warrant, and I'll come back."

"And what if he gives it to his boyfriend, and his boyfriend leaves town?"

"You want to stay and stake the place out?"

"I, at least, want to talk to him before I just go on home to wait for some stupid warrant."

Zach gave Johnny's front door an appraising look, then scowled and marched back over to it. I followed. He banged his fist against the door.

Johnny opened it warily.

"If you have something that belongs to my wife, I suggest you give it back."

"I never steal anything. Never."

"Johnny, I saw the necklace," I said.

"I no steal. You insult me very much."

"Where did you get it?" I asked.

"Not wearing—"

I leaned forward. "Listen to me," I whispered. "I don't care where you got it. Honestly, I don't. But I need it back. If you ever want us to see Edie again, you have to give it back to me. She needs for me to have the locket or her whole soul will get, like, ripped to pieces and evaporate."

"I not have your necklace."

"Okay. Okay, you don't have it. But if you did know who had it, you could just tell them to give it back. To put it in my mailbox or leave it in an envelope on my doorstep. I wouldn't ask any questions."

"I go now. Sick with flu, remember," he said, backing up and closing the door.

"He understands. He'll give it back. He has to," I mumbled to myself, ambling back over to the car.

Zach got in, shaking his head.

"What?"

"Never mind," he said and shuddered.

"The boyfriend was pretty?"

He shook his head. "There's a real good reason men don't put makeup on. Butt-ugly and freakish. I very nearly pulled my gun."

In spite of myself and the dire situation with the locket, I chuckled. He frowned. I giggled softly, then louder.

"Girl, don't start."

I clamped a hand over my mouth, but my shoulders shook as I laughed silently.

"We're going to Jammers. I need a beer."

SEVERAL OF THE patrons of Jammers had big brown splotches on their foreheads, and every one of them gave me an evil look. I slid into a booth and waved at Georgia Sue. She and Kenny owned Jammers, the favorite bar in town. As usual, the place was full.

"You want wings?" she called to us over the noise.

Zach nodded, holding up two fingers. He called the station on his cell phone and explained about needing a warrant for Johnny Nguyen's, but with the judge still out of town, it wasn't clear when that would happen.

A few minutes later, Georgia sashayed over with a tray and put down two baskets of spicy buffalo wings, a bottle of Armadillo Ale for Zach and a frozen margarita for me.

I took a gulp of my drink. "I think Johnny Nguyen Ho was behind the robbery at your party."

"What?" She dropped onto the bench next to me, and I told her about seeing the chain.

"You're sure it was the same one? I mean really sure? He's got that place all fixed up like India."

"Morocco."

"And I heard there are beads everywhere. So maybe it just looked like your necklace."

I took another big swallow of my drink and shook my head. "If it had been another necklace, he wouldn't have taken it off and hidden it in the kitchen. He knows he did wrong. I just hope he feels guilty enough to give it back. Otherwise . . ."

"Otherwise what?"

"Otherwise, I'm going to have to go get it."

"How? And can I come? I really want to see all those beads. Not to mention whatever kind of trouble you unload on him."

"Georgia Sue, don't encourage her," Zach said.

She fixed Zach with a look. "Well, he's got her necklace, Zach. You're her man. Just exactly what are you going to do about it?"

Zach raised his eyebrows and took a swig of his beer. "What would you like to see? Should I string him up by the nearest tree?"

"Now, I don't think we have to go that far," she said.

"Tar and feathers? A bullet—"

Georgia Sue clucked her tongue. "You're in an evil mood tonight."

"That's true enough. I just been to hell, and it looks a whole lot like Morocco these days. Get me another cold one, will you?"

Georgia Sue nodded and hopped up.

Zach leaned forward to say something but stopped when a tall man with greasy, shoulder-length brown hair passed the table slowly, staring at me the whole time.

"You know him?" Zach asked.

I shook my head.

"Well then, that just wasn't polite, now was it?" Zach said, voice low and menacing.

I could see where this was headed. He was still wound

up from Johnny's, and a confrontation would suit him just fine as a way to blow off steam.

"You know it's getting late. I should be getting home to check on Mercutio."

"That wildcat? Like he needs you babysitting. He'll be taking down livestock in a couple weeks."

I opened my mouth to explain that Mercutio was just a baby, but I never got a chance to speak because Bryn Lyons walked up.

"I need to speak to you," Bryn said.

"She's busy. Having dinner with me," Zach said through clenched teeth.

"Dinner?" Bryn asked, glancing at the wings dismissively.

"That's right. Sometimes us poor folk have bar food for dinner. Now, why don't you take your rich ass back to Dallas and pick up another deb with a price tag hangin' from her nose, and leave the real women in town to the real men in town?"

"If she prefers your company to mine, that's her unimaginable choice. But I do need to speak to her, if, that is, you're not too insecure to let her do that for five minutes."

Zach laughed. "Still sore that the prettiest girl in town never gave you the time of day? Can't say as I blame you." Zach paused. "You can talk to her if she wants to talk to you. It's a free country, after all. Plenty of my family died to make sure of that."

Bryn rolled his eyes and leaned toward me, sliding a hand under the booth's table. He pressed his hand to mine, and I felt several small cool objects fall into my hand.

"They're here," he whispered, making my spine tremble. Then he turned and walked away.

I glanced down into my upturned palm where several silver bullets lay. From the look of them, they were .38 caliber.

A memory of the bloody muzzles of those wolves from the witches' meeting flashed in my head, making me as scared as a turkey on Thanksgiving morning.

"Zach, what kind of gun do you carry?"

"Thirty-eight, darlin', why?"

"No reason," I said with forced cheer, "except that I'll maybe need to borrow it."

He cast a speculative look to where Bryn Lyons had sat back down. "Someone you need me to shoot for you?"

"Oh, I don't think so. I just want it for show. Maybe I'll have to wave it around and act fierce. That'll do the trick." *I hope.*

I craned my neck to look around. If the wolves were around, where exactly? I spotted the guy who'd made such a point of checking me out when he walked by. He was sitting at the bar, and when he caught me watching him, he gave me a hard look. Definitely not looking at me because he thought I looked cute in my ponytail. Plus, he had a suspiciously long face. The kind that could turn into a muzzle faster than you can say canines.

Zach got up, drawing my attention to him as he strode around the bar, right up to the guy.

Uh-oh.

"Got a problem, friend?" Zach asked, shoulders square, stance wide and solid.

The man shook his head.

"Want one? Seems like you do, since you keep staring at my girl."

"Just leaving," the guy said, standing up.

Zach's eyes never left the guy as he moved around him and walked to the door. I watched him leave, feeling better. I glanced over to Bryn to see if that put him at ease, but he's always got a poker face, and, as usual, I couldn't read him.

Zach grabbed another beer and slid back into the booth. "You comin' home with me?"

I shook my head. "I have to give my cat his medicine."

"Then I'll come home with you."

I considered his offer. Burglars and werewolves running around town, Mercutio too drugged to keep watch, and the only gun I was likely to get ahold of came with the good-looking man sitting across from me. The choice was easy, so I nodded.

"I'll finish this one, and we'll go. I want to talk to you about what Lyons said that has got you so worried."

Great. Couldn't wait.

I glanced at Bryn again and noticed he'd gotten up and was leaning over saying something to Georgia Sue. Then he walked to the back of the bar and through the doorway that led to the kitchen.

"Now why does he need to go out the back way?" Zach asked.

I wondered the same thing but quickly turned my eyes back to stare straight across the table.

"You want to talk to the man? Go ahead," Zach said, but I knew him saying that was just like me saying "You want to watch football all day instead of coming over? Go ahead."

I shook my head. "Finish up, and let's go home."

16

YOU'D THINK THAT all that rain would've cooled things off, but it was hot and muggy when we walked out of Jammers. I wasn't happy that it had gotten dark, and my gaze darted to the sky. I could see about half the moon.

I followed Zach around the building to the lot behind it. I paused, feeling something strange, a thickness in the air, like it was about to storm, but different. My heart thudded in my chest.

Zach slowed his pace too and looked around. I squinted, scanning the cars, and stopped walking. Anything could be scrunched up behind a parked car, waiting. The air caught in my throat, and I had to take a deep breath, but it didn't help. It was like I couldn't take a big enough gulp.

Faint ringing in my ears made me start to run. "Zach, honey," I gasped. He turned just in time to catch me as I slammed into him.

"What?" He slung one arm around my waist, holding me to him as he looked around.

I dug through my purse, only coming up with a couple of the silver bullets. "I want you to put these in your gun," I whispered.

"My gun's loaded, darlin'. And you can stop shaking. There's nothing out here for you to be afraid of. But it does stink to high heaven. Smells like something foul overflowed with all the rain."

I licked my dry lips as I turned my head from side to side. It didn't smell like a sewer to me, but there was something rank. I heard a scratching sound and felt Zach's muscles tense. He reached lazily to his gun holster and unsnapped it. "You go on and hop in the truck," he said, handing me his keys.

I took them with trembling fingers, but didn't move. I didn't want to leave him all alone with a werewolf if there was one. I had the silver bullets.

"Go on now," he said, giving me a gentle shove away from him as he started toward the trees at the edge of the lot.

"Come with me, Zach. There's nothing out there. Probably just a mangy dog or raccoon."

Zach ignored me, walking with purpose. And then I saw yellow eyes peering out of the darkness and screamed. Zach half turned toward me, and the wolf-man sprung from the brush.

It came for me, but Zach moved into its path, and it slammed him to the concrete. I shrieked, knowing it was too late to do anything to help. The bared teeth ripped into him. Then a blast of frigid air from behind me knocked me to my knees.

The wolf howled and rolled backward. I gagged on the smell of seared flesh as the wolf dashed back into the woods. I looked over my shoulder and saw Bryn Lyons standing on the roof of Jammers, his arm stretched out toward us.

I stumbled to my feet and ran to Zach.

"Oh, God. Zach, honey, can you hear me?" Blood soaked his shirt. I pulled it down and saw four punctures, two on the right side of Zach's neck and two slightly torn wounds just under the left collarbone. The wolf had been about to rip Zach's throat open. But Zach was still breathing, his pulse a steady throb under his skin.

I shoved his shoulder. "Zach!" I shook him gently, but his eyes stayed stubbornly closed.

He stirred but didn't wake. I glanced up when I heard Bryn walk to us.

"Concussion," Bryn said, not bothering to bend down to check on Zach. He murmured something in Latin and walked to the edge of the trees.

"Show yourself, or you'll regret it," Bryn said.

The tall man from the bar rose and stepped forward, blood and saliva smeared on his chin, his eyes an evil yellow. So he could obviously change forms as much as he wanted. In partial wolf form, he'd been bigger than a real wolf with clawed hands rather than paws.

"I'm just the tracker," he said in a gravelly, inhuman voice. "The pack will be here soon, wizard. Kill me and my blood will mark you. Just as Jeff's blood marks that little bitch," he said, nodding to me. My heart slammed against my ribs.

"She cut him while defending herself."

The man smiled, showing viciously long teeth. "She was

already an enemy of the pack. She should've let him kill her because Samuel won't stop there. He'll make her suffer." His laughter was crazed. "You stay out of their way, or they'll kill you, too."

The man-animal turned and leapt into the woods. The rustling of the brush lasted only a few seconds and then there was only silence again.

I bit my lip, looking at Zach, whose head was cradled on my lap. I could feel the knot on the back of his scalp where his skull had hit the ground. I pulled my purse to me and yanked my cell phone out to call the town paramedics, but there was no signal.

"I need your phone," I stammered.

Bryn shook his head. "Mine won't work either. Magic shorts them out until it dissipates."

"Well, run into the bar and get help."

He shook his head and held out a hand to me. "We'll send help when we get away from here."

"I'm not leaving him!" I gasped.

Bryn scowled. "He's safer without you. They want you, and they'll kill him to get to you. That tracker is one of the weaker members of the pack. Clearly Sutton can't be effective against them. Leave him. Save both your lives," he said, curling the fingers of his outstretched hand to beckon me to him.

Tears blurred my eyes. "I can't just leave him lying in a parking lot."

Bryn shook his head and sighed.

Zach stirred again, and I looked down at him.

"What's up?" Zach mumbled, his speech slightly slurred. He twisted suddenly, and his head slid from my lap and banged on the concrete.

"Honey, be still. You want your brains scrambled?" I said, grabbing his head.

He opened his eyes. "Hey, darlin'." He winced as he moved his left arm. He reached over with his right hand and touched the opposite side of his upper chest. "I'm not drunk enough to be on the ground," he said and twisted from my hands, sitting up. He swayed for a moment, but then looked steady. He held his fingers up to his face to examine his blood. "Someone shot me?"

I didn't answer. Bryn had receded into the shadows. Zach's gaze went to the trees. "I was going to the woods, and you screamed. I turned my head, and that's all I remember." His hand went back to his chest. "Am I shot?"

"No, it was a dog. A wolf, I think. It knocked you unconscious and bit you, but something scared it off."

"A wolf knocked me on my ass?" he asked incredulously as he rolled onto his knees, then stood up.

"Maybe you should stay lying down."

"The hell I will," he grumbled. "I need a flashlight. Run on up to the bar and get me one." He pulled his gun out.

"You have a concussion. I don't think you should try to shoot right now."

He laughed softly. "I'm all right, darlin'. You know I've got the thickest skull in three counties. You used to say as much all the time."

I smiled. "Let's go home."

"You really think I'm gonna leave an animal hunting this close to town that could knock *me* on *my* ass? Folks have kids, Tammy Jo. Go on now, and when you get me that flashlight, tell Kenny to call the station. Tell the boys to come with some shotguns and the dogs."

I walked to the bar shaking my head, but if Zach was on

his own I guessed he wasn't likely to get attacked again since it was me the wolves wanted to kill. And why was that? Bryn had defended himself too. Why did they hate me in particular? And why did the wolf-man say I was *already* an enemy of the pack? I'd never hurt any wolves before that meeting. I don't hunt, and I always loved *White Fang*.

IT TOOK ABOUT twenty minutes for the phones inside Jammers to start working again, then we called for reinforcements. With Zach and the other deputies crashing around the woods with dogs and guns, I was on my own, and it was hard to decide what to do first. Highest on my list was getting the locket back. I went home, hoping to find the locket in the mailbox, but it wasn't there. Shame on Johnny Nguyen.

The other thing that I needed was protection. Silver bullets, a gun, and a protection spell to cast over myself, the house, and Mercutio. I looked forlornly in the direction of the dead herb garden. It was unlikely that I'd be able to find all the right herbs in my cupboards. Also, where was I going to come up with a very powerful protection spell? I couldn't count on an Internet spell to be strong enough to hold back a pack of werewolves. To have any kind of a chance, I needed a real spellbook.

I could try to buy or rent one from Bryn. If money changed hands, I wouldn't have to owe him any more favors, and I was sure he'd have some books around that he wasn't using. On the other hand, he didn't need my money. Plus, did I even want to take a chance using a book that might be tainted with his magic?

Odds were good that I'd have to make a run to Austin for

my own book. I stood in the kitchen, encouraging Mercutio to eat his tuna fish while I chewed on my lip. I had to have money.

"They'll kill me," I mumbled, going to the stairs. I stood looking up the steps, contemplating. I chewed on my thumbnail some and then looked back over at Mercutio, who was circling his bowl of tuna like I'd put in some arsenic instead of antibiotics.

"Just eat it!"

He blinked and meowed, swiping a paw at the air in my general direction.

"Sorry," I said and marched up the stairs. I went to Momma's room and opened the middle drawer with the false bottom. I popped it open and looked down. Momma's ruby heart pendant, Aunt Mel's emerald drop earrings, and my wedding ring. I scooped them up, closing my fist around them. "It's just stuff," I said, trying to convince myself.

I jogged back downstairs. "Mercutio, I need to go see Earl Stanton, and then I'm going to pay a call on Bryn Lyons. His horrible dog might be loose, so you're staying here. I'll be back in a couple hours."

Mercutio stood and walked over.

"No, you stay inside and rest while I'm gone. There are wolves out there. They'll probably get me, and I can't see any reason they should get to eat our whole family in one night."

Mercutio bounded to the door as I tried to leave. "You cannot come. You're a cat. You do what I say." We struggled at the door. I didn't want to be too rough, him being hurt and all. He wasn't as ethical about it. I had scratches and snags in my clothes.

I sighed. "In the car. That's as far as you're going with

me." I flung the door open, and he sauntered out. Typical male, stubborn and bullying his way into things he ought to leave alone.

I bit my lip, hoping I wasn't going to get us both killed. I probably should have hid out until morning, but I couldn't just wait around for the wolves to show up at my house. It felt less scary to be trying to do something to protect myself.

I drove ten blocks to Earl's and knocked on his door. Mercutio danced around the front porch, climbing and pouncing, oblivious to the fact that he was supposed to be injured.

I laughed, watching him. "When we get home, you mind if I try some of your medicine? It seems to work real good."

He meowed generously just as Earl opened the door. Earl used to have a nice six-pack of muscle in high school, but in five years he'd managed to bury it pretty effectively with hundreds of six-packs of Armadillo Ale.

"Hey there."

"Hey there, Tammy Jo." He looked around behind me. "Zach with you?"

"Nope. Just me and my cat. Mercutio, Earl. Earl, Mercutio."

"Hey," Earl said amiably to Merc. "So what are you doing at my door in the middle of the night all by your lonesome?"

"I need to pawn some stuff, Earl."

"Do you? How come?"

"Well, like most people that pawn stuff, I'm in need of money."

"Uh-huh. How come?"

Earl and I had been friends in high school. I was just

starting to ask myself why that was. "As it happens I'm between jobs."

"Yeah, I *heard* that. Why don't you ask Zach for money?"

"Zach and I are divorced."

"Uh-huh. He know that?"

"What exactly are you getting at, Earl? 'Cause I'm in kind of a hurry."

"I figured since these aren't exactly business hours." He looked me up and down. "Well, come on in." Earl rubbed a hand through his greasy hair. When had he decided that shampoo was optional? I followed him into the living room.

"Here's what I have," I said.

Earl looked the jewelry over and then walked to a desk with a hutch and pulled out a little thingy that you use to look closely at gemstones. He examined them and nodded.

He walked over to the couch and sat down next to me. I got a whiff of whiskey when he exhaled, so I leaned back. "And whose wedding ring is this?"

"Mine."

"You going to part with something that's got so much sentimental value?"

Like I had a choice. I clenched my jaw. "Apparently I am."

"You know I was thinking of asking you out when you and Zach split up, and he let it be known that he wasn't in favor of it. Put this notch in my nose."

So that's why Earl and Zach weren't friends anymore. I'd wondered about that. They used to fish together twice a month.

"So how much can you give me for all this beautiful jewelry?"

"I guess that depends on you. See if you and I were dating, I'd be inclined—"

You have got to be kidding me. "Oh, Earl, that sure is sweet, but . . ."

Mercutio seemed to sense my uneasiness, and he hissed.

"I don't think so," I said.

"Doesn't hurt to ask." Earl reached over and stroked a strand of my hair. I leaned back.

"So, how much?"

"Two hundred."

I gaped. The pendant alone was worth five hundred. "I'm pretty sure you can do better, Earl."

Earl grinned, showing his perpetually crooked bottom teeth. His momma had wanted to get them fixed, but he wouldn't go to the orthodontist appointments. So he'd basically been a pain in the behind his whole life.

"You know, I probably could do better. Let's have us a little drink and talk it over."

"I don't really have time tonight," I said, starting to stand up. He grabbed my arm and squeezed.

"Now, don't be like that. Sit yourself down." He yanked on me so that I fell onto the couch and him.

"Earl James Stanton, you take your hands off me this minute, or I will tell your momma about this."

He laughed, leaning to give me a kiss while he held me down.

"Stop it!" I yelled.

Mercutio landed right on Earl's neck and did his signature swipe. Earl hollered and flung me to the floor. He reached for Mercutio, who darted away. Earl's face was purple with rage. "I'm gonna kill that cat."

Earl stumbled to the gun case.

"Run, Mercutio!" I screamed as Earl yanked the glass door open. Mercutio leapt over the couch as Earl swung the shotgun around.

Boom. I blinked. Earl had blown a huge hole in his living room wall, missing Mercutio by at least five feet. Merc raced through the room, and Earl swiveled the gun after him. I hopped up and grabbed the brass lion lamp from the sideboard table.

The second shot rang out just as loud as the first. Me clocking Earl with the lamp was real quiet in comparison. Earl staggered and fell to his knees and then passed out face down on the rug. I bent over and checked his pulse.

Mercutio poked his head around the corner.

"Bad news, Merc. He's alive."

Mercutio sneezed and then I swear he smiled at me. I laughed nervously and then put a hand to my forehead and sighed.

"I need money. He offered us two hundred dollars." I dug into Earl's pocket and pulled out his wallet. I took out four hundred. "But two hundred wasn't really a fair price. I'm sure he'll see that when he sobers up in the morning. Now, you know what else we need to borrow?"

Mercutio purred.

"Darn straight," I said, opening the gun case and pulling out a .38 special that was lying on the bottom. "This sure is convenient. Almost like it's a sign. Pretty sure it is a sign," I said, popping the revolver open and dumping out the regular bullets. "I'm definitely going to church this Sunday to tell God how much I appreciate His help this week," I said, loading the chambers with the silver bullets that were rolling around the bottom of my purse. "You remind me Saturday night, Merc. The way things are going, I might be distracted and forget." I slapped the revolver shut and tucked it in my purse.

I grabbed the throw blanket off the couch and laid it over Earl.

To Mercutio, I said, "All set."

17

MERCUTIO AND I trotted back out to the car and drove over to Bryn Lyons's house. I wanted to try to get him to sell me a spellbook or the spells I needed. If he did, it would save me a trip to Austin and all that time spent driving that I didn't have. Also, I needed some answers from him.

I buzzed the security man. "It's Tammy Jo Trask. I'd like to see Mr. Bryn Lyons, please."

"Just a minute, Ms. Trask," came the deep voice through the speaker. A few moments later the gate swung open. I pressed the buzzer again.

"Ma'am?"

"It doesn't seem too polite that I don't even know your name."

There was a pause. "Steve."

"Good evening, Steve. Where do you sit, by the way? Last time I was here, I was wondering that."

"I have an office in the house, ma'am. On the first floor."

"Oh, right. Well, I'll probably see you in there then. If I don't, have a good night, Steve."

I heard him chuckle softly, and then he said, "You, too."

"Oh, Steve?"

"Yes?"

"My cat's with me, so could you tell your boss to put his serial killer dog outside?"

"Already taken care of, ma'am."

"Steve, you can call me Tammy Jo. Everyone does."

"Yes, ma'am."

I swung the car up the drive and parked it right in front. You never know when you're going to have to make a quick getaway. And I could hopefully trust Steve to help me out with the gate now that we were on a first-name basis.

The front door opened, and Bryn leaned against the frame with a coffee cup in his hand.

Merc and I got out and walked up, and I realized that he was as dressed down as I'd ever seen him. Faded jeans and a black T-shirt that had white lettering that read, "Sarcasm is just one more service we offer free."

I nodded to the shirt. "That your firm's new marketing slogan?"

"You got it."

"I'm surprised you own that shirt. I've never seen you wearing anything like that around town."

"There are one or two things about me that you don't know."

"Such as?"

He closed the front door behind us.

"How's Zach?"

"Out hunting werewolves."

"I wish him well."

"So what do you know about them?"

"That's a very broad question," he said, waving for me to follow him.

"I'd like a very broad answer, as quick as you can give it."

We went down a wide hallway with lots of big impressive paintings and ended up in a kitchen that most chefs only dream about. I walked directly to the double oven and ran my hand over it longingly. I took another minute to admire his stainless steel appliances.

Bryn moved past me and opened the fridge. He pulled out a Tupperware dish and opened it. There was a perfectly arranged meal. Roast beef in gravy, green beans with slivered almonds, broccoli in butter. My mouth watered.

"Sit," he said, nodding toward the round granite-topped table.

"Who cooks here?" I asked, looking around reverently.

"A chef-for-hire during the workweek. On the weekends, it's generally empty."

"That sure is a shame."

He popped the food in the microwave and hit the start button.

"You're free to come over and use it anytime you like."

I bit my lip at the temptation and shook my head. *He's on the damn list. Get ahold of yourself!* "So you were going to talk about these werewolves."

"There's not much I can tell you."

"Why are they after me?"

"You stabbed one of them."

"But the wolf-man tonight said I was their enemy before that. Why?"

He leaned against the counter, as sexy as the stainless steel. "You tell me."

174

"How should I know? I'm a pastry chef."

"You never cast any spells before you got fired?"

"Never. Never ever!"

Bryn shrugged. "I don't know."

"That's it? You're supposed to be a brilliant lawyer."

He grinned. "And when they sue you, I'll have an answer for every question and a plan for every courtroom eventuality."

"I don't need courtroom help. I need to know how to stop them from coming after me. Have you got a plan for that?"

The microwave beeped.

"It happens that I might," he said, and I heard that faint Irish lilt again.

He took the food out and set it in front of me with a beautifully polished silver knife and fork and a navy blue linen napkin. He got me a glass of water and a glass of red wine.

"So, are you going to tell me?" I asked impatiently as I placed the napkin on my lap.

He sat down at the table across from me. "We'll need to strike a bargain. I don't offer preternatural services gratis."

I chewed the delicious roast beef silently. "I'm broke. I have four hundred dollars left to my name." *Which is kind of stolen, and which I'll need to return eventually to get the family jewels back.* "But if you'll sell me a protection spell, that'd be a good use of what I have."

"I can't do that. It's illegal for me to sell spells."

"How come there are stores that can sell spellbooks then?"

"The books' former owners are dead. The spells are sort of public domain, waiting for a new witch or wizard to claim the compilation and make it his or her own."

"But you gave me spells."

He smiled. "I did. It was supposed to be a one-time occurrence . . . because there were special circumstances."

"Well, right, but some more special circumstances have come up."

"They always do," he said, laughing softly. "No one with power ever stops with one spell."

"Hey, I'm gonna stop. Just as soon as I get a chance to." I ate my vegetables and took a gulp of wine. "So. What do you want in exchange for help with the werewolves?"

"I want you to apprentice yourself to me."

"Not going to happen."

"You do realize that your life is at stake?"

"Of course, I do. I wouldn't be here if I didn't know that."

Suddenly a disembodied voice boomed overhead, startling me. "Mr. Lyons, pick up. We have a situation."

Bryn stood and walked over to a wall phone. He picked it up and asked, "What's going on, Steve?" Bryn listened and frowned. "Detain them at the front."

There was suddenly a pounding on the back door to the kitchen. I jumped up and yanked the gun from my purse, pointing it.

Bryn raised his eyebrows. "It's not the werewolves. You can put that away."

I ignored him. "Aren't you going to answer it?"

"Why don't you wait in the foyer?"

"No way."

"This doesn't concern you. Wait in the foyer."

Whoever was outside pounded again.

"And I won't need a gun?"

"Not unless you're planning to shoot the flower arrangement in the foyer. Go, now."

I grabbed my purse and spun on my heel. I left the kitchen and walked about five feet down the hall. *One one thousand. Two one thousand. Three one thousand.* I stopped counting when a young guy in a security uniform started coming down the hall toward me.

"Steve?" I asked.

"Ms. Trask, can I show you the front hall?"

"Sure," I said with a smile, then I turned and darted back to the kitchen.

As a chef, I've seen plenty of disasters in the kitchen, but in all my days, I've never seen anything that shocked me as much as the scene in Bryn's.

Georgia Sue lay unconscious on the table where I'd just had dinner. She looked like she'd been carved from ivory; she was that white. Bryn and Lennox Lyons leaned over her.

"What? What?" I yelled, rushing to her. There were a few drops of blood on the collar of her white Jammers work shirt. Then I saw the two tiny bite marks.

"You're vampires!" I screamed, yanking my gun back out.

"No," Bryn said, holding his arms out.

Suddenly, Lennox Lyons looking so pale and ill made sense. He was a vampire, and he hadn't been letting himself feed.

"You get away from her right now." They backed up.

"She has been bitten, but I didn't bite her," Lennox said. "She was in Magnolia Park."

"Liar! She wouldn't have been in the park alone. She's married, and she got married so she'd never have to go anywhere alone, unless it was the hairdresser or the spa, which the park at night sure isn't. Now pick up that phone and call nine-one-one."

"She'll be dead before they get here. She needs blood right now," Lennox said. He still had his arms in the air.

"We have blood here. We can save her, if you put down your gun," Bryn said.

"I don't need to put down my gun for you to save her. Go ahead."

Lennox walked over to a small stand-alone cupboard and took out a stash of medical supplies. "Steve, go to the small fridge and get two packets of blood."

Steve looked unhappy, but he turned and hurried down the hall.

I stared incredulously as Lennox pushed up Georgia's sleeve and expertly started an IV. A minute later, Steve was back with a packet of blood that was labeled like it had been stolen from a blood bank or hospital.

"Can you just give her that? Doesn't it have to be, what do you call it, checked to be sure it matches her blood?"

"This blood is type O negative. It can safely be given to anyone," Lennox said.

The gun in my hand shook as Lennox connected the blood to the IV and it started to drip into Georgia's arm. Bryn lunged forward as the gun dropped to the floor and caught me just before I hit the ground.

The room spun around me for a few moments, and I felt distinctly sick as sweat popped out on my forehead.

"You're all right," Bryn said soothingly. "Steve, a wet cloth."

A moment later, a cool rag was lying across my eyes, and I did feel better.

"How does he know how to start an IV?"

"He's been sick. He's had to take transfusions himself. He doesn't like hospitals."

"What's wrong with him?"

"A blood disease."

Like vampirism? I'd heard that some vampires who were too weak to drink blood had it poured right into their veins by others in their covens.

"He found her vein pretty darn easy," I mumbled.

Lennox cleared his throat. "I had a small drug habit in the early eighties. Fortunately for your friend, I can always find a vein."

I pushed the washrag up from my right eye and looked at him. "A small drug habit?"

He inclined his head. "Heroin."

A real-live heroin addict in Duvall? And everyone said we couldn't get any of the big drugs so far from the big cities. "You're still using?"

"Not that it's any of your business, but no. And why exactly are you here?" Lennox asked. "Aren't you banned from fraternizing with us?" His tone was like he was talking down to a half-wit.

I glared at him. "What do you know about it?" I asked, noticing that Bryn was watching him intently.

Lennox shrugged. "What could I know about it? When the second bag goes in, she may regain consciousness, Bryn. We'll need to get her out of here."

I sat up slowly. "We'll call an ambulance."

Lennox ignored me. "I'll take her back to the park and call an ambulance from the pay phone a block away. She'll survive long enough for them to arrive."

"You could have called the ambulance when you found her," Bryn said.

"The ambulances don't carry blood, and the house was closer." Neither Bryn nor I said anything, and Lennox added softly, "And I owed her husband a favor. Debt settled."

I noticed then that Lennox looked a little pale and sweaty himself. Did he need the blood he'd given Georgia Sue? What would happen to him without it?

"Bryn, put Georgia back in the car," Lennox said.

"I'll take her to the park," Bryn said.

"No, my contact may still be in the vicinity. I'll have a look around."

"I'll take care of it—"

"I want to keep you out of it."

"That gets less and less possible," Bryn observed, shifting so that I was sitting on my own. He stood and walked to Georgia Sue as Lennox hung the second bag of blood. It ran into her quickly, and she looked pinker.

"I'm going to the park. I'll wait with her until the ambulance comes," I said.

"No," Lennox said.

I stood up, took Earl's gun from the table where Bryn had put it, and dropped it into my purse. "She's my best friend. I'm going."

The phone rang, and Bryn walked over and picked it up. "Hello?" He paused. "Astrid, it's not a good time."

I chewed on my lip, glancing anxiously at Georgia Sue.

"I understand that, but you can't come to the house tonight. In the morning if you like, but not tonight." He paused again. "Cast a Garner-Stills. That should put them off." He paused again. "No, he's not here. He's out. I'll speak to you in the morning." Bryn hung up the phone.

"She asked to speak to me?" Lennox asked.

Bryn nodded. "I don't want her here tonight."

"So you'll leave her to the wolves?" Lennox said.

Bryn's eyes were hard as sapphires as he stared at Lennox. Bryn said something in a weird language, and Lennox looked away. I held Georgia's limp hand. What had happened to my happy little town? Once upon a time, there were only four people with magic in town, my momma and aunt, and Bryn and Lennox. And they were all real quiet about the other world. No normal people in town ever had reason to suspect it existed. Now we had corpses rising from graves, were-wolves in our bars, and vampires in our parks. Crime sprees and the occult in Duvall. This wasn't going to look good in the visitor's brochure.

18

BRYN PUT GEORGIA Sue in the back of the Mercedes, and I climbed in next to her. It was the second time that night I'd had to cuddle someone I loved and hope they didn't die. A person could go on and get an ulcer from so much stress, and I know from the one or two hangovers I've had in my life that I can't even swallow Alka Seltzer.

Bryn leaned into the open window. "If she comes around, don't let her sit up. She'll be better off lying down so the blood doesn't have to travel against gravity."

"Nearly bled to death before?"

"No, but I've been dehydrated a few times."

Lennox cleared his throat as he slid into the driver's seat. "Shall we continue to have social hour? Or are you interested in saving your friend's life?" he asked, looking at me in the rearview mirror.

"We were waiting for you," I said, making a face at him like I'd just started sucking on a lemon drop.

"Bring Tamara back with you when you've gotten help for her friend," Bryn said to Lennox as he stood and took a step back from the car.

"It's not up to him," I called over the sound of the motor starting.

If Bryn heard me, he didn't let on. He walked back to the house as Lennox swung the car around and headed down the drive. I smoothed back Georgia Sue's damp hair. She was still pale and sweaty.

"So, Bryn said that you had an amulet stolen during the robbery at Georgia Sue's house."

"Not an amulet. A locket."

"Valuable?"

"To me it is."

He nodded, eyeing me in the mirror. "Was it yours or a family piece?"

"Why are you interested?"

"I'm good at location spells. If the locket has any magical properties, I might be able to help you locate it."

"Why would you do that?" I didn't like to sound suspicious, but Lennox hadn't exactly been a goodwill ambassador to me and my family in the past.

Lennox coughed, and I could hear a slight wheeze. He took a couple of deep breaths and turned left on Sandstone Street toward the park.

"Bryn mentioned that you helped him work a healing spell."

"Uh-huh? And you were thinking maybe I could let him steal some more energy from me to heal you?"

"Would it really be considered theft if you gave him permission?" he asked, tone light as a soufflé.

I didn't answer. I was still kind of sore about that stolen power incident.

"But if the locket isn't important enough for you to engage in that sort of bargain, it's understandable."

I pursed my lips, annoyed. Lennox was a Lyons, so also on the list, and spoiled milk's got a sweeter disposition than he does, so I wasn't at all tempted to make a deal with this particular devil.

"I have a good idea who was behind the robbery, and I'm going to handle it myself."

"Solved the crime, have you? Let's hear it."

It was none of his beeswax. Lennox hadn't had anything stolen since he hadn't been at the party, so he didn't have a stake in seeing the case solved. And I might still be negotiating with Johnny. I didn't want to blab it around town that he was guilty.

"Here's the park," I said.

"So it is. If your theory proves wrong, my offer stands."

Sure, I'll take you up on that when the devil invests in long underwear. "Well, I'll sure keep that in mind, if things don't work out."

Lennox and I got out of the car and worked together to get Georgia out without jostling her too much. We laid her down on the top of a picnic table.

"You wait with her while I call emergency services and look around. We'll leave when we hear the sirens."

"Leave? I'm not going anywhere except on an ambulance ride with Georgia Sue. Now hurry up, and go call."

"We'll discuss this in a moment," he said, walking briskly across the street. I sat in the dark, listening to Georgia Sue breathe quick, shallow breaths. I looked around at the trees. Boy, they looked sinister with only one streetlight casting shadows off them.

I fished Earl's gun out of my purse and let it rest in my right hand. With my left hand, I stroked Georgia's hair, which was stiff with gel and pointing at crazy angles.

"We're going to be all right. With all the hairspray you wear, you wouldn't taste good to any dumb werewolves. Nope, you're going to be just fine sitting here with me." I untangled her curls to give myself something to do besides shaking. "What they ought to be doing is shopping for some breath mints. Ugh. You would not believe how those muzzles stank."

A few minutes later, Lennox strolled back up.

"You called?"

He nodded.

"And did you find your friend?"

He sighed and shook his head. "Not a friend. A blood-and-bones witch's apprentice."

"What's a blood-and-bones witch?"

"One who specializes in magic of the flesh, life-and-death magic, usually healing spells. It's an exceptionally rare talent. I spent a fortune in money and promised power to get one here, but it looks like the ongoing wolf attacks have scared him off."

"I'm sorry," I said.

"So am I. Now, why don't you come and sit with me in the car while we wait for the ambulance to pick Georgia up?"

"Not going to happen. I go where she goes."

"Are you aware that ninety-eight percent of werewolves drive trucks and SUVs? It wouldn't take many of them to surround and stop one ambulance."

My heart kicked up a fuss in my chest, but I stuck my chin

out stubbornly. "There's something you might have heard about," I said with false sweetness. "It's called loyalty. My friend is not going to die, but if she was going to die, she wouldn't be doing it alone on a beat-up picnic table. Wherever she's going, I'm going with her. So you can just run along because my ride will be here in a minute."

"Remember the Alamo," he murmured.

"Got that right."

"Good night then. I sincerely hope you don't get ripped to pieces, because I look forward to seeing how my son plans to handle you in the future."

I frowned. "Your son's not going to be handling anything."

"I'll pass that along to him. Good night." He walked away, and I was left sitting in the dark, hoping I could live up to all my tough talk.

THE AMBULANCE SIREN was still so faint I could barely hear it when Kenny's black Trans Am screeched to a halt at the edge of the park.

Kenny's door jerked open, and he scrambled out and ran across the park, stumbling once and getting a huge grass stain on his jeans.

"What happened?" he stammered, dropping to his knees on the bench of the picnic table and gathering Georgia in his arms.

"I don't know. I found her," I mumbled.

Kenny's face was so full of anguish that the bubble of shock and disbelief I'd been in popped like it'd been made of soap. My eyes welled up, and tears spilled down my face again.

He rocked her in his arms. "Wake up now, Georgia. C'mon."

I put my head in my hands and sobbed.

"What happened? She said she was going to see about your necklace. What the hell happened, Tammy Jo? What were you girls up to?"

I gulped back another sob and garbled out, "My necklace?"

He nodded, looking at me and then back down at her.

"She didn't call me. I don't know what she was doing," I said, rubbing the heel of my hand over my cheek.

The ambulance pulled up, and the guys hopped out with an orange rolling stretcher. They rushed over to us and knelt down with their special equipment to check her vital signs.

"Her heart's racing, but she's got a good pulse," Marty, one of the EMTs, said. "Let's package her up and take her to Dallas."

"Dallas?" I croaked.

"Sure, you think Doc Padovny can handle this at the urgent care center?" Marty asked as they put Georgia on the stretcher.

I shrugged. I hadn't thought. She probably would be better off in a big city hospital, but would she survive the drive? Well, they were going in an ambulance, so it would be as fast as possible. Yeah, she would definitely make it, I told myself.

"Okay," I said, following them.

"There's no room for you in the ambulance, Tammy Jo, if Kenny comes."

"I'm coming," Kenny said.

"I'll follow you," I said.

"No," Kenny said, turning to me. "I need you to go back

187

to the bar. I didn't lock anything up. I just ran out of there."
He pressed his keys into my hand.

"I'll take care of it. Will you call me as soon as she
wakes up?"

He nodded, gave me a fierce hug, then climbed into the
ambulance.

I DIDN'T HESITATE. I hopped into Kenny's Trans Am
and peeled away from the curb and drove to Jammers. I was
on a mission, and God help anyone who tried to so much as
steal a bowl of wings while Kenny and Georgia Sue were
on their way to Dallas. I was loaded for werewolf, but that
didn't have to stop me from firing a couple of warning shots
if people got rowdy.

When I hurried into Jammers, I found that there was no
mayhem at all. Zach had rolled up his shirtsleeves and was
behind the bar. I was sure glad to see him looking okay,
given the werewolf bite.

"What happened?" he asked as soon as I got close enough.
"Kenny said Georgia Sue had an accident, but the station
didn't get the call. I talked to dispatch and heard it was a
medical emergency, not a wreck."

"I'll tell you about it later," I said, the adrenaline wearing
off and leaving me shaky yet again.

"She'll be all right?"

I nodded, hoping that was true. "What happened with
the wolf?"

"Dogs lost the scent. I came to return the flashlights when
Kenny got the call about Georgia Sue."

"So you took over the bar?"

"Seemed like the best way for me to help. He left here at a dead run without leaving anyone in charge. Didn't even answer me when I asked if he wanted me to drive him."

Georgia Sue and Kenny were my friends, not really Zach's. Zach and Kenny had even had a couple shouting matches when Zach acted like a jerk during the divorce. Zach wasn't too fond of people passing judgment on him, so it was more comfortable plucking my eyebrows than hanging around together as a foursome anymore. Yet here Zach was, keeping things orderly for my friends who were in trouble.

I flipped up the flap and walked behind the bar, straight to him. I flung my arms around his neck, kissing him full on the lips. "Some days I do love you, Zachary Taylor Sutton."

He grinned at me. "Likewise."

"How are you though? How's that bite?"

"Fine."

"Really?" I asked.

"Smarts a little. Ain't no big thing," he said.

I studied Zach for a minute, trying to figure out if he was telling the truth. Right after he'd ruined his knee playing football, I met him in the locker room and asked him how bad it was. He'd just gotten through throwing up from the pain and had gotten a shot of morphine from the trainer, but Zach said his knee wasn't too bad and he'd be ready to play in the next week's game against A&M. Turned out the MRI showed he'd ripped most of the ligaments off the bone, and the joint was full of blood. Turned out there would never be any more college football games for him, and, two surgeries later, I could tell it still hurt him by the way he wrapped it and ate a couple aspirins some mornings, but Zach never complained.

"You sure you're okay?" I asked.

He nodded, and I decided to believe him since he didn't look pale or sick.

"Can you close this place up for them? Here's Kenny's keys," I said, pulling the bar keys off the ring.

"Why? Where are you going?"

"I need to go by Georgia's momma's house to tell her what's going on. You know how she gets the wheezes. I don't want her to hear the news alone." That was true enough, but not my first stop. Georgia's momma sleeps like the dead and would never wake up at the phone ringing after midnight. I'd be able to take care of one or two things before going to hammer on her back door.

I marched out and flung myself back behind the wheel of Kenny's car. I liked the leather bucket seats, the roar of the engine, and the squeal of the tires. The only thing it needed was a kitty cat companion in the passenger seat, and it would have been perfect.

I thought about swinging by Bryn's to pick up Mercutio, but the way my night was going, some other big catastrophe would happen and put me off from getting to the locket. Time was running short; everything else could wait until I got Edie back.

I got to Johnny's house in record time, thinking I really did have to get me a Trans Am. I shook my head at the hour. I don't normally drop in on people so late, but I think anyone would agree that these were special circumstances.

I knocked very loudly on the door and contemplated whether I wanted to waste one of my silver bullets shooting his door lock.

Finally, the door swung open, and what I saw next would have knocked me right out of my pantyhose if I'd been wearing any. A lanky, black-haired, six-and-a-half-feet-tall man in four-inch stilettos, a black kimono, and three-alarm-fire red lipstick stood with his hands on his hips.

"Settle down, Miss Thing, or I may have to drink a couple pints of that rudeness right out of you." With that he flashed a smile that showed off pearly white fangs.

19

I SQUEAKED IN alarm and took a step back, fumbling through my purse for Earl's .38. The vampire's gaze swept over me, and he rolled his eyes, looked bored, and turned and walked into the Moroccan oasis.

I got the gun in my hand, gripped it firmly and walked in behind him. "Where's Johnny?"

He kept walking, not bothering to answer me. I followed him to the bedroom where Johnny was leaning heavily on a dresser, barely standing.

"It's just Pippi Longstocking here for a visit. Now, let's get you back to bed." The vampire picked up the diminutive hairdresser and tucked him under the covers.

"Rollie, be pleasant. Tammy Jo my good friend."

"Rollie?" I echoed.

"Roland Spears. No relation." He walked to a stack of clothes that were piled on the edge of the bed and flung a swirled green-beaded cape around his shoulders. "This is fabulous," he said as he walked over to the full-length mirror in the corner to admire himself. "Hard to pull off with jeans unless you're totally fierce, but fortunately for me, I am." He puckered his lips and blew himself a kiss and then turned and blew one to Johnny.

"Did you bite Georgia Sue?" I demanded, pointing the gun at him.

"Was that her name?"

"Rollie!" Johnny snapped. "You say you only going to get cough medicine for me."

"I was, but I got hungry."

"You only supposed to bite me when you in town."

"I can't bite you. You're too weak. Drink some more of that echinacea tea."

"Such a disobedient vampire. You not welcome in my house anymore. Get out."

Rollie thrust his lip out in a pout.

"Tammy Jo, how is Miss Georgia?"

"Real sick. She lost so much blood she's in a coma, and she might die." My voice cracked, and I blinked back tears.

"She's not going to die," Rollie said, snapping his fingers impatiently. "I'd never kill anyone with hair that fabulous. All those Shirley Temple curls. Amazing." He dropped on the bed with a dramatic sigh.

"She's in a coma!" I screamed at him.

"Easy, cheetah. She's only sleepy-time because I stuck her with a little dart."

"What?"

"A wonderful little sedative dart. It slows the bodily functions until the victim can be found and also keeps them from remembering what happened. I was going to make an anonymous call for help for her, but then that gorgeous man showed up. He's a little thin; someone should tell him heroin chic is out. He carried her off. She'll get a couple of pints at the hospital and be good as new. Better. That sedative dart is fabulous. It'll be the best sleep she's ever had."

"There is no hospital in town. There's no blood bank," I said.

"What?" He looked at Johnny with wide eyes.

Johnny nodded.

"No hospital? Where are we, the third world? Oh right, Podunk. So ridiculous. Every town should have a blood bank. Vampire tourism is on the rise, especially in places like this, though I can't imagine why. I'm a city girl myself. Normally, if you don't have Versace in a twenty-five-mile radius, there's just no reason for me to visit."

I lowered the gun and continued to stare at him, dumb-founded. "Do silver bullets kill vampires?"

"No, but they do make us very testy. And if you put a hole in this cape, I will kill you, fabulous hair or not."

I turned to Johnny. "If Georgia Sue dies or has brain damage, or even nightmares, I'm going to hold you and your friend responsible."

"I very sorry about Georgia Sue, but if Rollie say she be okay, she will."

"You should never have invited him here! Vampires don't belong in Duvall."

"Oh, don't we?" Rollie said, stealing glances at himself in the mirror. "Johnny didn't invite me. My coven sent me to see what's going on in this town."

"What's going on? What do you mean?"

"Oh don't play innocent, Miss Sabrina Teenage Witch. You've been spell-casting. I can smell it from here. And, in fact, the town reeks of it." He wrinkled his thin nose. "Plus, we heard that a pack of wild dogs was headed this way. And I'm here to see what that's about and to report back. We couldn't care less about your little hamlet, but we don't want the *Call of the Wild* bunch to go on a rampage that includes Dallas. That town and its Galleria Mall are ours."

I thought about Bryn saying that he could feel me casting spells and that others outside Duvall would feel it, too. But what did that have to do with the werewolves?

"Why would werewolves come to Duvall? Are they drawn to witch's magic?"

He shook his head.

"So then why?"

"How should I know? Do I look like some mangy mutt to you?" he asked, running his knuckles over his cheek. "Have you seen them? All that hair." He shuddered. "One would need a fifty-gallon drum of wax every full moon." He ran his finger over a perfectly arched eyebrow.

"What makes them mad? What would someone have to do to become their enemy?"

"Breathe?" He shrugged dramatically, causing the beads to sparkle and reflect the light. "They pretend they're only Rage in a Cage on the full moon, but the truth is they're all about the anger every day. Too much testosterone. They could so stand to get in touch with their feminine sides. A little spandex and a rosewater bath would go a long way."

"How does someone turn into a werewolf?" I said.

"A bite and the predisposition."

"Predisposition? What's that?"

"Somewhere in the genes you've got to have the switch waiting to be flipped."

"And if you don't, you're okay," I said, hoping Zach didn't have any doggy DNA buried inside him.

"Oh, no. Humans die if they don't turn. So does any other part-human creature with a serious bite. Werewolf bites don't heal. They bleed on and off until the body's defenses give out and the person collapses."

"No."

"Yes, and most humans don't turn."

The room spun slowly, and my legs folded under me.

"That is it," I mumbled, staring up at Johnny's bedroom ceiling. "I have had enough now. I'm done, Lord." I closed my eyes. I'm not sure if I fainted or not. When I opened my eyes I was still on the floor of Johnny's room. Johnny had crawled to the foot of the bed and was peering down at me while Rollie stood over me looking like a goth tower.

"There must be a magical way to stop the werewolf transformation or the bleeding," I said.

"If there were, witches and warlocks would be making a fortune. Imagine how much people would pay for that cure. No, doesn't exist." He flipped his hair. "Why? Who got bit?"

"My ex, Zach."

"Oh, the uber-butch muscleman cop. Yeah, invest in some heavy-duty barber shears. He's just the type to go furry."

I slapped a hand over my eyes. "Okay, I'm going to have a nervous breakdown. I really am. But before I do, I'd like to do one thing right." I moved my hand and looked at Johnny with pleading eyes. "Give me the locket. I'm begging you."

"I not have it," Johnny said sadly. "Rollie, go to kitchen please and get my necklace. It in the silverware drawer. I show her."

Rollie left and came back. The chain was an exact replica of the chain I wore the locket on, but the locket was a little different.

"Where did you get this?"

"I always like yours, and I love Edie. So I make a sketch and have a jeweler in Dallas make for me. And I get a spell-book from the store Edie talk about in Austin, but I not able to put the magic to the locket. Edie not come when I ask her to." He sighed. "And when she does visit next time, she tease me. Say it not very original. She say she disappointed to see Johnny go for knockoff. So I not want you to see it. I embar-rassed about copying. And then you accuse me of stealing. You make me angry, so I wanted you to go."

I closed my eyes. I wished I could be in a coma with Georgia Sue. I was not one step closer to finding the locket. Plus, there was a pack of werewolves in town to kill me for some unknown reason, and they'd already taken a poisonous bite out of Zach. I wanted to run away from my life, but the best I could do was escape for a few minutes by fainting, and I was fixing to do that when I heard Rollie's voice echoing down.

"She looks pale, and I haven't even bitten her yet."

The hell you say! My eyes popped open, and I glared at him.

"Rollie, that not a funny joke. Things very serious."

Rollie clucked his tongue in annoyance. "Well, for some-one with red hair, she's not much fun. She should watch *Will and Grace* reruns." He cocked his head thoughtfully. "You know, if I were on that show, I'd want to be Karen."

I ROLLED ONTO my side and pushed myself up. I walked stiffly to the bathroom, still feeling woozy and sick about Zach and Edie and everything. I ran cold water on a wash-cloth and put it on the back of my neck while I leaned over the sink.

"You better get a grip, Tammy Jo. There's no time to fall apart. Maybe in a couple of days, but not right now. And what would Mercutio say if he could see you now? He fights off burglars five times his size when he's only seven months old." I took a deep breath and straightened up. I grimaced at the state of my eyes. Time to invest in some waterproof mascara. I pulled the cloth clear of my neck and ran it under some warm water.

"Rollie?" I called.

"Present," he said dryly, and I could hear beads hitting the floor. Was he still trying on Johnny Nguyen ensembles?

"Johnny said he got a spellbook from a place in Austin that Edie recommended. I need to see that book."

Rollie's long maudlin face appeared in the doorway, startling me, and I glimpsed lavender fabric around his neck but couldn't get a good look at what he was wearing.

"Why? Are we doing some magic? Can we conjure up a blond-haired boy with Raphaelite curls?"

"Oh, you don't want me trying to conjure up your dreamboy. We'd probably end up with a roomful of cherubs with wooden stakes for arrows. I'm really barely a witch at all."

"So then why would I get the book for you?"

"It's an emergency. The family ghost will have her soul shredded to confetti if I don't find my locket, and I'm just not fixin' to have that happen. Now, I'd really be grateful if you could help me by getting me that book. And I promise to do something nice for you when things settle down."

"She a very excellent chef. Makes cakes and pies."

"So a nice bread pudding with blood sauce at my next soiree then?"

"Oh," I said, going pale again. "I'll see what I can do. Does it have to be human blood?"

He laughed. "I guess she's kind of cute," he said over his shoulder to Johnny. "Some of my coven mates have human teenage girls for pets. They send them shopping during the daylight hours. I never really wanted one myself, but maybe I could find something for her to do for me." He looked me over. "I guess you're as pretty as a lovebird or a Siamese cat. And you don't shed or have paper to change."

"What happened to my gun?" I asked, trying to peek around him.

He laughed at my tone. "Spellbook coming up."

"I'm not a teenager," I grumbled. I walked out and sat on the edge of the bed. "How in the world did you meet him?" I asked Johnny.

"Oh, I not remember," Johnny said, blushing.

"Just as well."

"Well," Rollie said, sweeping back into the room. He was wearing a lavender chiffon gown that was several inches too short for him, but the train made a lovely swish behind him nonetheless. "This book could stand to be redone. With all the computerized scrapbook-making software, there's just no excuse for this type of shoddy presentation."

He held up a worn book with a tattered leather cover. My pulse kicked into high gear. I knew an authentic spellbook when I saw one.

"Gimme," I said, snatching it and flipping it open. The pages were yellow and stiff with ink that seemed to have come from a fountain pen. There were symbols, etchings, and even dried herbs and flowers tethered with thread to some pages. "Jackpot, Batman."

"It a good book?"

"I don't have enough money for this. It was more than five hundred dollars, I'm sure."

Johnny nodded. "Very expensive."

"I don't have that much, but I can give you four hundred, and I'll bring you goodies three times a week for the rest of the year, if you give me this book."

Johnny smiled. "No need, Tammy Jo. It a present. Find locket. Save Edie."

Tears sprung to my eyes. I'm an all-occasion crier, and I was more relieved than I could say. If I didn't have to buy a spellbook, I wouldn't have to drive to Austin. Plus, I could get back my family's jewels from Earl right away. It was like the answer to a prayer.

I set the book aside and gave Johnny a fierce you're-my-hero hug. "Thank you so much. You're such a great friend."

Rollie sniffled above my head. "That settles it. I'm adopting her. My very own redhead!"

I laughed in spite of myself. "I don't think the lavender suits you. The cloak was real nice though."

"I knew it!" Rollie said, stalking over to the mirror. "Yes, it's much too pale with my skin. Makes me look chalky and severe."

Nobody ever told me how vain vampires are. If I'd had time to sit around and smile, I would have, but I had to get back to my coming-apart-at-the-seams life.

"I'll see you boys later," I said, hefting the book into my arms.

20

WHEN I GOT home, there were three messages. One from Kenny saying that Georgia Sue had woken up halfway to Dallas and was doing okay. They were going to Parkland Hospital anyway to have her checked out.

There were also messages from Zach, saying he'd be stopping by, and from Bryn, telling me that the werewolf count in Duvall was up to thirty and asking me to come back to his house for my own protection.

I chewed on my lip as I set the book down on the kitchen table and went through it. There were no spells in it for curing lycanthropy, which made me stand up and pace for a few minutes. I couldn't help but feel sick about Zach. It was my fault that he'd gotten attacked. But maybe Rollie was wrong about what would happen with that wound.

I poured a glass of milk, ate a handful of Hershey's miniatures, and sat back down, flipping through the book. I found a complex protection spell, but I didn't have the right ingredients for it. Where was I supposed to get the blood of a medieval knight and a square inch of scrap metal from a suit of armor? It occurred to me that my new spellbook might be a tad out of date.

I pressed on, still determined to use it. Unfortunately, all the scrying spells had a component of concentration that I wasn't sure I was up to, but I needed a way to find that locket. I came to an astral-projection spell and paused over it. It didn't seem to require concentration. There was a recitation portion and then a part where the mind had to wander. I was kind of afraid where my mind might wander to, but if I did some recitation at first about going to Edie, it might just work out. I looked at the list of ingredients, and I had most of them. I'd just have to find some substitutes in the dried herbs in the cupboards.

I lit a vanilla candle and set it next to the counter, then started to scavenge through the cupboards. I was on my knees behind the counter when I heard a loud scratching sound.

I froze for a second, startled, then stood up. There were two men with long narrow faces at the back sliding-glass door. Hellfires! How had they gotten in the yard?

I ran around the counter and got to my purse just as one of them yanked, and the door lock popped with a horrible cracking sound. They slid the door open. Both of them had shoulder-length hair and beards and creepy yellow eyes. I pointed Earl's gun at them and shook my head.

"Y'all can just go back out the way you came in."

The darker-haired one sniffed the air. "It can be painless or it can be agony. Put down the gun." They took a step forward, and I knew if they got too close I wouldn't have time, so I took a deep breath and pulled the trigger.

The sound was so loud it made me jump as the dark-haired one howled and went down.

"Silver," he growled, grabbing his wounded thigh.

The other held out his arms for a moment and then bent and grabbed his friend. He turned and sprung out into the yard so fast that they disappeared into the darkness almost instantly.

My heart pounded, and I stood like I was glued to the linoleum.

Can't stay here.

Finally, I rushed to the counter, blew out the candle, and grabbed a plastic grocery bag, throwing in a bunch of herbs and extracts. I put the book in a tote bag and rushed to the front door. Just as I got there, I heard squealing tires. *Now what?*

I looked out the front door and saw Astrid's sports car sideways in my driveway and another car barreling down the street toward the house.

Astrid flung her door open and ran to my front door as I yanked it open for her.

"Oh my God!" I screamed, seeing a whole carload of wolf-men.

"I can't stop them!" she screamed, shoving the door closed.

"The back is open. We're not safe here!" I yelled. I only had a few silver bullets left. Not enough when the whole crew came through the door.

"Steel knives and mirrors!" she yelled, running to the counter. She pulled a butcher's knife free and spun around. "A big mirror and a strong lamp!"

"Upstairs," I said, rushing toward the steps. She ran after me.

We heard the door splinter.

"Oh, God! They're going to kill us!" I said, hyperventilating. We rushed to Aunt Mel's room, and I pointed at the mirror. Astrid dragged it to the doorway, facing it outward. She grabbed a lamp and laid it on its side to light up the mirror.

"What are you doing?"

"Seeing their reflection repels weak-willed werewolves. I'll add an enchantment. If we're lucky, this will turn them back." She panted with the exertion, then cast a quick spell and stood with her knife at the ready.

They growled as they came up the stairs. It was still the worst sound I'd ever heard in my life. My legs were locked stiff as two-by-fours. I widened my stance and pointed the gun at the doorway.

"You don't have a lot of bullets," I told myself in a whisper. "Focus. Aim. Just like shooting cans with Zach for fun. You can do this. You can do this."

They rushed the doorway, but three turned back at the mirror.

I pointed and pulled the trigger. I got one in the chest and another in the shoulder. They fell, scrambling toward us, knocking the mirror onto its side. Astrid stepped forward and slit their throats, making me wince. She stood the mirror back up.

"Good!" she said with a quick glance at me. "The same way when they come again." She said some words that I guessed were for another spell, but I didn't even process what she was saying. My whole mind was focused on the doorway. I wanted to live.

There were sirens, shrill and getting louder. And then I heard a car door slam and a motor start.

"Do not move," Astrid said, walking to the window behind me. "Ha! They go. *Pendejos!*"

My arms burned from holding the gun outstretched, but I couldn't seem to move. I wasn't sure they were all gone. I couldn't let my guard down.

I saw flashes of light from the squad cars reflected off the wall.

"The police. *Bien.*"

I waited with the gun still gripped tight in my hand.

"Tammy Jo!"

I didn't answer. I just stood where I was until Zach bounded up the stairs and appeared in the doorway. I lowered the gun.

"What the hell?" he said, looking at the pair of dead men on the pale gray carpet. Those stains were never coming out.

"They broke in and tried to kill us," Astrid said.

Zach looked at the pedestal mirror.

"To block the door and slow them down," she added.

"Hey," Zach said softly, stepping over the bodies. "C'mon to me, darlin'. C'mon."

The other deputies shouted to each other downstairs. They were sweeping through, I guessed. I dropped the gun into the tote bag that was next to my leg.

Zach put his arms around me, and I put my forehead against his chest. "Easy there, baby girl. You did right."

I didn't cry. The well had run dry, I guess. I just trembled, and my teeth chattered a little.

"That's all right. You just lean on me," Zach said, and I did.

"What the hell! They broke through the front and the back?" someone downstairs shouted to someone else.

"How many were there, Jo?"

"Too many," I whispered. "They're crazy psychos, and regular ammunition won't stop them. You and the other guys need to load your weapons with silver bullets."

"Easy now. Don't get yourself more worked up."

"I'm not kidding," I said, pulling away. "And you will darn well listen to me." I poked him in the chest. "I'm not letting any of you get killed."

He cocked his head to one side.

"Something bad is happening in this town," I whispered. "Was I right about the special medicine to get those people at Glenfiddle out of their comas?"

He nodded.

"Trust me again. You need *silver* bullets."

"Well, not having many visits from the Lone Ranger, we don't keep a supply of them at the station."

"Bryn Lyons gave me some. He must know a supplier."

Zach clenched his teeth. "Lyons again."

"That's a very good idea. Let's go to Bryn's house. He can help us," Astrid said.

I rubbed my tired eyes. I knew Zach wouldn't go for that. "How's that bite doing? Has it been bleeding a lot?"

"Nah, it's just a scratch. Here, sit down," he said, maneuvering me to the bed. I sat, trying to figure out what to do. If the wolves were tracking my magic, I didn't want to cast the astral-projection spell from anyone else's house. But I couldn't exactly stay in my house with its busted-in doors either.

"I need help," I murmured.

"I'm here," Zach said.

I nodded. I wondered if the wolves would be brazen

enough to attack the jail. If the cops had silver ammunition, they wouldn't get far.

I took a deep breath. "All right, I have a plan."

"A plan to do what exactly?" Zach asked.

"I have to go to Bryn Lyons's house. After that I want to stay at the police station. If I meet you there, will you put me in a cell for protective custody?"

"In a cell?" he echoed. "You can stay at my house."

I shook my head. "They're killers, Zach. You couldn't shoot them all fast enough."

"Who are they, and what do they want with you?"

"Revenge. They tried to kill me, but I didn't let them, and they're mad about it. I guess it makes them look bad if a girl like me can get away." I didn't even know what I was saying. I was just talking to get us where we needed to be, armed to the teeth and barricaded in the jailhouse.

"Who are they?"

"I'm not really sure."

"How many are there?"

"I don't exactly know."

"Well, we'll call in backup from the surrounding towns. This ain't the old West, you know. And if you're going to Lyons's house, I'm going with you. I'd like to have a talk with him. Seems like it's been since you started spending time with him that all this trouble started."

I didn't know what to say.

"Good, I'll join you," Astrid said. "Let's go now. You may ride over with me," she said to me.

I understood her ploy. Bryn had turned her away, and she thought if I was with her she'd have a better chance of getting in. I could've been annoyed at being used, but I didn't blame her for being scared. I was scared, too. And I wasn't sure why he didn't want her in his house, but it seemed pretty low to leave her running around town without a place to go.

"We'll caravan over there," I said. "But I'm going to ride with Zach." I stood and reached for my tote bag, but Zach grabbed it and shouldered it.

"Remember when I used to go out shooting with you all the time?" I asked. "I just did it to keep you company because I wanted to be near you."

"I know."

"And you used to say it was a good skill for a girl to have, just in case."

He nodded as we stepped over the bodies in the doorway.

"You can go on and say 'I told you so' if you feel like it."

"I don't." He grabbed my hand and held it as we walked down the stairs.

"Sutton, you taking her to the station?" Sheriff Hobbs asked as we passed him in the living room.

"Yes, sir."

"You go on and let someone else drive her. She's your ex-wife, and we don't want it to look irregular in the reports."

Zach nodded. "We'll be outside." I didn't need to ask. I felt the purpose in Zach's step.

"You're going to get yourself fired," I said as we crossed the lawn.

He opened the passenger door of his prowler, and I slid inside.

We drove across town to Bryn's house, where security let us in after a short delay. Astrid and Zach parked, blocking my car in, which was still there from earlier.

Bryn stood in the doorway when we got to it. "Astrid, you'll stay in the guest house with Lennox."

"It's under your protection?" she asked.

He nodded.

"Is Lennox armed?"

Bryn nodded again as Security Steve pulled up in a golf cart.

"All right," she said. Astrid climbed in and was whisked down a dark path.

"Bryn, my house was attacked," I said.

"I heard. Are you all right?" he asked, waving us into the foyer.

I nodded. "I shot three of them using the silver bullets you gave me."

He shook his head and smiled. "You're full of surprises."

"What can we do to make them go—"

"Who are they?" Zach cut in.

Bryn looked at Zach. "A gang."

"Yeah, I got that," Zach said. "Biker gang? Street gang? And where from?" As he waited for Bryn to answer, sweat popped out on Zach's forehead and upper lip. My head tilted, and I opened my mouth to ask him if he was okay as crimson blossomed on his upper shirt.

"Lie down on the bench, Sutton," Bryn said, motioning to an expensive-looking settee in a small alcove near the door.

"I'm fine." Zach said, wiping the sweat from his forehead. "Git to talking. I don't have all night."

"You're right about that," Bryn said grimly.

"Zach, honey, let's sit down. I'm dead on my feet."

Zach let me maneuver him to the bench. I took the keys and tote from his grip and set them down on the floor.

"Don't fuss. I'm all right."

"I know." I pressed my hand over the fabric, pushing down on the wound. As the cloth touched his skin lower down, blood seeped into it. The blood was running down his chest.

21

"LAY HIM DOWN," Bryn said.

I looked at him sharply. "What can we do? You healed yourself with that energy we created. If we were to—"

"No. Scratches are one thing. A bite's another."

Zach leaned back, putting his head against the wall and closing his eyes.

"We can give him a blood transfusion," I said. "Like Lennox did for—"

"It won't last."

"I'll be all right in a minute," Zach said, but he looked pale.

I got up and pulled on Zach. He was heavy and hard to move. I panted with the exertion of positioning him flat and turned to Bryn, feeling helpless and overwhelmed.

"If you know anything, please . . ." I clenched my fists at my sides and blinked back my tears. "Please."

He sighed. "Keep him flat. There's something that can

be done to slow the bleeding, but I'm telling you it won't solve the problem."

"But it'll keep him alive while we think of something else?"

"It'll keep him alive awhile, but there's nothing I can do to save him."

He walked to a wall phone and picked it up. He spoke softly and quickly, then hung up.

"What language was that?"

"Gaelic."

Gay-lick? What in the world? Sounded like something Johnny Nguyen would be interested in.

"Keep his heart lower than his legs. There are some cushions on the couch," he said, nodding to the room down the hall. "Lennox only has two packets of blood left. He'll be up to give the transfusion. I'll be back in a few minutes." He walked past me to the front door.

"Bryn, thank you."

He didn't answer as he walked out. I hurried down the hall and stopped in the incredibly opulent living room, which was decorated in shades of purple from dark blue-violet to periwinkle with silver accents.

I loaded my arms up with pillows and went back to Zach. He was too tall for the antique bench, but I got the pillows under his thighs while his calves dangled off the end of it.

"Better flip those burgers 'fore they burn," he mumbled.

I bit my lip and unbuttoned his shirt. I grimaced and pressed the heel of my hand over the wound where his blood was draining from it.

"Oh, Zach, I'm so sorry," I whispered.

A few minutes later, Lennox arrived. He put an IV in

each of Zach's arms and let the blood run in. It was just finishing when Bryn came back.

"All right, Tamara, hold the door open for me."

I rushed to the door as Bryn and Lennox pulled Zach up, and Bryn lifted him in a fireman's carry.

I started to follow them out, but Lennox caught my arm. "No. You'll stay here until we're done."

"But—"

"Don't argue! You owe us more than you can repay already," Lennox snapped.

I went as still as if he'd clocked me with his fist. I kept my mouth firmly shut and my feet planted as I watched them load Zach into the golf cart. After they left, I closed the front door and paced back and forth, still shaking from having been yelled at. When I stopped to think about it, I knew it was just plain silly to be worried about that with so many worse things going on, but I couldn't stop. Lennox made me feel like I was pushy and ungrateful, and that just wasn't the way girls in Duvall were raised to be. Lennox could be a terrible jerk, but he had helped me. I'd try to remember to use my best manners even when I didn't feel like he deserved them.

Finally, I sat down with the spellbook and started searching for strong healing spells.

A HALF HOUR later, Bryn came into the house. He was soaking wet and smelled like a shrimp salad gone bad.

"How did things go?" I asked.

"The bleeding stopped better than I expected, and he's awake."

"Thank goodness for that."

Bryn walked past me to the laundry room, and I trailed after him.

"He's in bed in the guest house. It was closer. And he walked in there under his own power. He's tough. I'll give him that."

"Thank you so much for your help, Bryn. So what are we going to try next? I've got this old spellbook. It's powerful, and I found a couple of healing spells that might do the trick. Nothing that mentions werewolves, but—"

Bryn yanked his shirt off, and something that sounded like hail on a tin roof fell to the floor. I bent, but he picked up the pearly white bits and tossed them in the garbage.

"Crushed seashells," he said, unbuttoning his pants.

I turned to face the door but didn't leave. "So, what do you think? Use the book I've got or one of yours?"

"We can't spell-cast. I've done everything I can to cloak this property. There are still twenty-eight angry werewolves looking for us. The minute we cast a spell, they will track us here. I can't risk it. Not for Sutton or anyone." He reached past my shoulder and grabbed a bathrobe from the hook. "I'm going to take a shower, then I have to drive somewhere far enough away to draw power without compromising this house. The highest priority now is survival for the maximum number of people, which includes the townspeople. Werewolves aren't especially patient. Sooner or later, if they get frustrated enough that they can't find us, they'll start attacking innocent people."

"Zach is innocent," I said.

He turned me to face him. "I've done what I can for him. Now, I need you to share power with me to help me do what has to be done. Are you with me or not?"

I needed to find the locket and to heal Zach. Edie was

always a wealth of advice. She'd been around more than a hundred years now. She might know some rare cure for a werewolf bite that we didn't. I couldn't take a chance that Bryn would steal too much energy from me and leave me without enough juice to power the spells I was determined to cast.

I looked at Bryn, who was waiting for my answer. "I'm sorry. I can't."

"Saving it for Sutton, huh? He doesn't deserve it."

"Maybe not," I said softly. "But I got him into this."

Bryn walked out of the laundry room.

"Hey, I'm real sorry. I'll make it up to you," I called.

He didn't slow his stride. "I hope you get the chance."

JUST AS I was leaving the laundry room, Mercutio ran up and darted past me.

"Hey, where have you been?" I demanded as he careened into the hamper and knocked it over.

He rooted around in its spilled contents.

"No crab legs in there. Just stinky clothes. And I don't know why swimming in seafood bisque would help a wolf wound, but I don't have time to think about it. I've got to cast a spell and find a locket. I can't go home. I can't do it here. I can't go to any of my friends' houses. What do you think?"

Mercutio ignored me. He was intent on licking the fabric of Bryn's damp clothes.

"Easy!" I said as he began chewing, putting puncture holes into the jeans. I sighed. "Great. You don't think he's mad enough at me?" I paced back and forth, and Merc cocked his head, looking at me. Then he walked over and rubbed his furry body against my legs. And just like that, I had to forgive him.

"Uh-huh. So where are we going to go?"

Mercutio hopped on top of the washing machine and surveyed the room. The way he was perched gave me an idea.

"We can go to the tor. I'll park on top to cast my spell. If they show up too soon, we'll just hightail it out of there. What do you say? Wanna be my lookout?"

Mercutio gave a rough purr that I took for his agreement.

"Okay, let's go," I said, turning and marching out. Mercutio padded along with me. I picked up my tote bag and the keys to Zach's squad car.

"Our ride's a police car. Too bad you weren't with me earlier. You'd have liked that Trans Am—real fast and pretty. Maybe when I get another job, I'll buy a used one. You know, I don't think they make them anymore though. How do you feel about vintage? I like antique stuff. You?"

We walked out the front door, and I spotted the golf cart, which made me think of Zach. If I was going out to possibly become a sandwitch for a pack of wolves, I should at least say good-bye. Plus Bryn had said Lennox was armed in the guesthouse, so maybe he had a few silver bullets to spare. There was a better than average chance I was going to need them.

"You like the wind in your hair?" I asked Mercutio as I got in the cart. He hopped in too, and I drove in the direction I'd seen them go.

The "guesthouse" was bigger than I expected. I'd pictured a cottage, but this looked like it could sleep half a dozen people. There was a flower border of pretty impatiens lining the walk, but I didn't stop to admire them.

I knocked on the door and opened it when no one answered. I walked through the family room, which was decorated Southwestern-style with big leather couches, American Indian throw blankets in deep orange and brown, and a big stone fireplace.

I found Zach in one of the bedrooms down the hall, and my jaw dropped when I poked my head inside. Zach sat up in bed, his naked chest partially wrapped with a tight Ace bandage. On a chair next to the bed was Astrid, her long legs propped up and resting on part of the mattress.

"Are you kidding me?" I asked, stepping into the room.

"Hey there, darlin'. Lyons said you were at the big house, sleeping." His hair was disheveled, but he looked as handsome as ever. And the way Astrid studied him, I was sure she'd noticed.

"Do you think I'd just tuck myself in for a nap while you were—" I paused, catching myself before I said the word *dying.* "While you were so sick?"

"You were exhausted."

"Sure I am, but I thought I'd check on you. Glad to see you're all recovered." My gaze slid to Astrid, who had a rather smug expression on her stunning face.

"Oh c'mon, Tammy Jo, we're just shooting the shit."

I glanced at him. He had an earnest expression and looked as innocent as someone with that many muscles can.

It didn't matter. I was still ridiculously jealous. "I'll see you later."

"Hang on," he said. "Where do you think you're going?"

"Out," I announced as I turned and left the room.

He caught me a few steps later, proof that he was feeling pretty strong again. He turned me by the shoulders, and I couldn't help but glance down. He had a towel tied around his hips. So he'd been sitting naked in a strange bed with a strange woman for company, as easy as you please.

"You don't need to go off half-cocked," he said. "I talked to the sheriff. Told him I fell sick from this bite before we could get to the station. He says they've been patrolling the town, and there are no signs of any gangs, but we've got five cars from the surrounding counties coming. They'll get everything squared away, and we can talk about the details of what happened at your house so that your story's straight when they question you. I'm sure Miss Astrid can find something better to do than jaw with me. Why don't you come cuddle up in bed?"

I shrugged his warm hands off my shoulders. I'd only ever seen Zach sick a couple times, and both times when he'd recovered, he'd had one thing on his mind, proving just how strong and alive he was. As tempting as he was, there was no time for that now.

"I can't." A blur of spotted fur caught my eye, and I turned my head. Mercutio, who had been perched on top of a tall bureau, had jumped down and walked the hall to the front door. "Mercutio's ready to go. We're heading to Georgia Sue's to wait for her to come home," I lied. I couldn't take Zach with me to Macon Hill. "I'll talk to you tomorrow."

"You're leaving me here?"

"I figured you'd want to question Bryn some more."

"And you'll be at Kenny and Georgia Sue's? When I'm done here, I can meet up with you there?"

I nodded. He gave me a quick kiss, and I left him there.

I walked through the quiet house, listening. When I heard the rustle of papers from a hallway to the right, I followed it to a door that was partially ajar.

I tapped lightly.

"Come," Lennox said.

I pushed the door open slowly. He looked up at me from a pile of papers and charts.

"Yes?" he asked, his tone neutral enough.

"Just wanted to say thank you. And if you tell me where you get those bags of blood from, I'll get you some more to replace the ones you used."

The corners of his mouth quirked into a wry smile. "The blood is obtained by means that your ex-husband, the local law enforcement, wouldn't approve of. But it was good of you to offer."

"I'm going out to do some . . . well, to do some things. And afterward, when the main stuff is taken care of, I'd be pleased to help Bryn try to cast a spell to fix your blood disease."

"Thank you."

"Welcome," I said and turned to leave. "Mr. Lyons?" I said, remembering the other reason I'd come. "Do you happen to have any spare thirty-eight caliber silver bullets? In case I run into trouble out there?"

He opened the bottom drawer of his desk and dug through the contents. He held out a four-by-six-inch wood box with a lone star carved in the top. I took off the lid and looked down at the shiny ammunition.

"Thank you."

He nodded and turned back to the stack of papers on his desk.

22

WHEN I WAS eight years old, I wrote a report for science class on Macon Hill, aka the Duvall tor. All the information I used in the report came straight from Edie. I'd snuck the locket out on a chain that had it hanging to my belly button and rode my My Little Pony bike to the hill where I spent the whole day. I sat on the grass with my loose-leaf note-book, scrawling down the stuff Edie said as she floated around, scaring wasps.

I caught hell for being gone all day, for taking the locket without permission, and most of all, for writing a report all about magic. Momma finally gave me a kiss on the head just before she burned all my notes and the painstakingly written report.

Edie and I were both furious. From then on, I kept the things Edie told me a secret, locked away in my diary under a small brass lock.

Since the days of my pink bike, the town had built a nice

paved road to the hilltop, and First Methodist of Duvall had built a very pretty stone chapel at the peak. From the west-facing bay window, you could see most of our gorgeous green town.

I drove up the hill, listening to the police radio. No signs of trouble to hear the sheriff and his merry men tell it. Mercutio's window was open, and he seemed to be tasting the wind, his rough pink tongue darting out between pointed front teeth. He sure took up a lot of the passenger seat, and I had to own the fact that he most likely wasn't a house cat.

"Merc, what's an ocelot anyway? Jungle cat?"

Mercutio's gravel-voiced purr was rhythmic and unperturbed.

"Well, there isn't any decent jungle around here. So frankly I think it's best if you just keep on living with me."

He didn't disagree, and I thought that even Zach would have to admit that Merc's downright friendly for a wild animal.

"Here we are," I said, stopping on the drive several feet from the landscaped lawn of the chapel. I walked around to the west side to where Beverly Stucky's fourth-grade class had created a rock garden.

"Like Bryn, Edie says this tor is a ley center, Merc. That's a place of magical power. Perfect place for us to cast spells." I walked to the largest stone that was hammered on top to form a seat where three adults could fit comfortably. I sat down with my tote. Mercutio hopped up and sat next to me.

"I miss Edie. Isn't that funny? She really doesn't visit much, but just when someone leaves town is when you really feel like talking to them, you know. Why is that? I guess people hate to lose anything, even the stuff they take for granted and never appreciate while they have it."

I lit the vanilla candle. Mercutio jumped down and tugged on my right shoe.

"What?"

He meowed unhelpfully, but then pulled again and bit my big toe. Not hard, but enough for me to catch the drift.

"It's been raining cats and dogs, Merc, and it's muddy as all get-out."

Mercutio looked at me with his big eyes. I sighed and stripped my feet bare. He got back on the rock with me while I burned herbs. I took a breath and closed my eyes to relax.

"Feel anything?" I whispered, then yawned. "Besides sleepy?" I twisted around so I could recline in a fetal position, curling around the lit candle. I sprinkled more herbs into the flame. It smelled nice, like spicy perfume.

I put my cheek on the cool stone and thought about the power of the earth and how I hoped it would bring Edie to me. Mercutio's soft fur rubbed my arm as he lay next to me.

"Edie, I miss you," I whispered. "Sure would be nice to walk the earth, to feel the grass between our toes, the peace and power, the energy, and to be together."

As I breathed in the warm, relaxing fragrances, I concentrated on getting my mind to separate from my body. If the spell worked and transported my consciousness to Edie and the locket, I would see where they were. Once I knew that, my mind could come home and tell my body, so I could go retrieve them. Real easy . . . in theory. I felt myself drifting.

I woke up when Merc's paw batted my nose. My back was arched over the rock like I was a human horseshoe, my fingers touching the dirt on one side of the rock and my toes poking into the mud on the other. I had the worst kink in my back.

"Arg, I'm in no shape for this," I grumbled, twisting onto my side. "I'll need to take yoga if I do any more spells like this. Ow!"

I straightened up and heard a car door shut. My heart thumped quicker.

"Who's that?" I whispered.

Mercutio hissed. *Uh-oh.* I picked up my gun. Mercutio hopped down and sprung forth, fearless as ever despite the stitches that should have reminded him not to tangle with big dogs.

I slid from the rock, and my feet squished in the soft warm mud. I curled my toes, thinking how energized I felt after my nap. *Somebody should build a spa up here.* I stretched my arms over my head. I licked my tingling lips. Boy, I was buzzed. *Adrenaline sure is fun.* It was like I'd had three margaritas on an empty stomach.

The night's silence was punctuated with the sounds of a fight. Mercutio's high-pitched meows and men's shouts, then howling.

"I do love that cat. He's going to be a force to be reckoned with when he grows up, which could be any minute now." I needed higher ground, all the better to ambush a pack of wild dogs. I climbed onto the stone and stood up.

I leaned over and gripped the rose trellis, pulling myself onto it. Thorns scratched my legs, but I didn't give them the satisfaction of yelping in pain. I just climbed and pressed myself onto the chapel shingles. I strolled to the edge, wishing my feet were ankle deep in the wet soil. Hmm, maybe the nice buzzed feeling wasn't adrenaline after all.

I could feel Edie's pull, her cool aura rubbing my skin and her memories dancing at the edge of my mind. I tried to focus, reaching for her world, but I couldn't quite get into it.

The especially bright moonlight lit the roof. I admired the way Mercutio darted between the big wolves with their snapping teeth. He reminded me of a running back slipping between lumbering defensive linemen.

"You darn wolf-men, stand still," I muttered as I cocked the hammer back on Earl's gun, pointed it, and pulled the trigger. The wolves howled and scattered.

"Mercutio, stop foolin' with them. I've got to hurry up and shoot them so we can round up my family."

I heard the sound of claws and turned. A wolf-man was almost on me when I shot him, but it all happened in slow motion, so I had plenty of time. He collapsed at my feet. The bulky pelt shimmered and then faded as he shrunk back to a man.

"I'm reloading," I announced. "If you don't want to be shot full of holes, y'all can leave. Otherwise, it's Swiss cheese time."

I heard Mercutio screech and then a loud *pop* clapped the night and bits of roof went flying.

"Oh, now you're shooting?" I dropped to my belly and peered over the edge of the roof, thinking that someone really needed to clean the chapel's gutters.

"Big nasty teeth aren't enough, huh? You've got to resort to guns to kill one girl? You'll be a laughingstock, but you know, do what you have to."

I followed the sound of Mercutio's pissed-off meows and spotted dog fur moving. I squeezed off three more rounds, hearing yelping. Then I felt something cold and hard pressed to the back of my neck.

"Drop it," said a guttural voice dripping with malice.

I should have peed my pants, but I just plain didn't feel

like it. My hand clenched my gun tighter than ever, my blood as cold as Edie's iced martinis.

"They got me, Merc. Run on home now," I called.

The metal banged on my head in a sharp rap. It stung like hell. "I said drop your gun," he growled.

Kiss my ass! I took a deep breath. *Now, remember about minding your manners, Tammy Jo.* "I don't believe I will. Go on and shoot me."

Suddenly, I was ripped up off the roof to a standing position, and he spun me to face him. The greasy black hair hung down around his pockmarked face. The eyes were flat and human, but he had a muzzle instead of a mouth, and it was dripping saliva and twisted like he was in need of some serious plastic surgery.

With better speed than The Flash, he knocked the gun from my hand, but I just stared into his hateful yellow eyes. All I could think was that if I were dead, I'd have a really good shot at finding Edie, and I could lead her to the other side with me. I'd miss Earth, but Heaven's rumored to be real nice.

"I'm going to rip your throat out."

"I know, but you probably can't help it. You *were* raised by wolves."

He growled menacingly and shook me by the arms until my teeth rattled. "Fear me!" he raged.

I blinked in surprise. "I do," I said, but he was right, I wasn't really feeling it like I should have.

Over his shoulder, there were a bunch of other creepy wolves gathered on the edge of the roof.

"Kill. Kill. Kill," they chanted.

"Who helped you kill Diego?" he growled.

"Who's Diego?"

He howled loud enough to be heard three counties over. He shoved me, knocking me down.

The slope of the roof took me, and I rolled right off, landing butt-first in a hydrangea bush before thumping to the ground. The earth shook when I landed, and I heard wolves yelp in surprise. There were several loud thumps as some must have fallen off the roof on the other side.

I scrambled to my feet and, as my toes nestled in the mud, the power of the crossing ley lines bubbled through me like a mimosa.

Mercutio darted out from the shadows, and we ran. I heard the wolves growling behind us. I reached the prowler and yanked the door open. Mercutio jumped in. The lead wolf, muzzle snapping the air, raced toward me. I dropped into the driver's seat and slammed the door hard, hitting the power lock. He crashed into the side. I grimaced. "That's going to leave a dent. Don't know how Zach's going to explain it to the sheriff."

I gunned the engine and swung the car around. I drove over a couple of wolves as fast as I could. The rest scattered out of my way as I rammed into one who didn't make way. I backed the car up and spun the wheel to get me back on the driving path.

I spotted a bunch of wolves chasing the car as I gunned the engine. The car jerked over some rocks at the edge of the path as I struggled to keep the wheel straight. We barreled down the hill at a hundred miles per hour.

The wolves broke pursuit and ran back up the hill to where their trucks were parked. I kept my foot pressed all the way down on the accelerator, fighting against the urge to stop the car so I could walk around with my toes in the grass and dirt of that fantastic hill.

"You know what, Mercutio? I think that went pretty well, all things considered." I laid a hand on Mercutio's fur. Wet?

I pulled my hand up and saw blood.

"Is that your blood?" I sighed. "The vet's going to think I'm not a very good pet owner. Lie down, okay? And try not to bleed too much. Right after I get my locket, I'm going to get you some medical attention."

I turned on the radio. "Robert Earl!" I yelled, slapping my thigh happily. "Don't that just beat all? My favorite singer on the radio when I'm feeling so good." I crooned along, "'They got a motel by the water, a quart of Bombay Gin. The road goes on forever and the party never ends.'"

Mercutio cocked his head at me.

"Well, I know that he sings it better than me, but I love this song. And we escaped instead of getting eaten. Doesn't that make you feel like singing?"

It didn't seem to, but I went right on, hoping he'd join in.

23

I DON'T KNOW why I don't wear more black eyeliner. Smoky eyes are sexy. I smeared some red lip gloss on my lips as I swung the wheel and pulled into Johnny Nguyen's driveway.

"Come on, Mercutio," I said, opening the passenger door. The cat hesitated before getting out, but he finally did.

I knocked on Johnny's door, and Rollie answered.

"Nice lip gloss, but *what* in the world is happening with your feet?"

I came to the right place. "Exactly. I need a makeover, real quick like." I pushed past him into the house.

Mercutio hissed slightly before following me in.

"Your cat, I take it. Does he bite people?"

"Not so far as I know, but he does sometimes do stuff that surprises me. Johnny?" I called, walking back to the bedroom.

Johnny looked up groggily from a pile of fuchsia pillows.

"Hey there. I'm going to rescue Edie, and I want to look good doing it. Can you help me?"

"Huh?"

"She's always better dressed than me, and she's dead for cryin' out loud. For once I want to show up and impress her."

"Oh. Can wait to the morning?"

"No."

"Oh," he said, rubbing his eyes.

"Hey," I said, spotting a pack of Kool cigarettes on the nightstand. "Can I have one of those? It's been so long since I smoked."

"When you smoke, Tammy Jo?"

"Well, actually never. So you see my point? I've been good for twenty-three years. I'm entitled to one cigarette without a federal case being made." I picked up the pack and tapped one out. I popped it between my lips and fired it up with a match.

"Now, I need a dress. I'd like something short with fringe. Black would be good. Can I use your shower?"

"I didn't know Duvall had any good drugs in town," Rollie said. "Who on earth is your supplier?"

I took a long drag and only coughed a couple of times. Not bad for my first time. "This has to be like really quick. Can you get him up please?" I said to Rollie, nodding at Johnny.

"You are a pushy little thing." He looked at Johnny. "The girls in Dallas will go crazy over her."

"I'm not pushy. I said 'please.'" I marched into the bathroom, puffing away on my cigarette. I twisted my hair up into a towel to keep it dry. Definitely not enough time to shampoo it. I set my cigarette on the corner of the sink and stripped out of my clothes. I took a fast, hot shower and went back to smoking while I dried off. Cigarettes really do taste good. No wonder people are willing to get cancer to smoke them.

I marched out of the bathroom wrapped in a towel. If Zach could walk around in front of strangers in a towel, so could I.

Rollie and Johnny went to work on me and fifteen minutes later I was dressed to kill. Too bad I'd lost my gun.

"You gorgeous," Johnny said, fluffing my hair as Rollie put a third coat of mascara on me.

"Forget this town. Let's take her to New York and make her a supermodel."

"She not tall enough."

"She's what, five-seven? Kate Moss is five-seven. And Kate's a crazy drug addict, too. Our little redhead will fit right in."

"Can I have another cigarette?"

"No, you not smoke," Johnny scolded.

"Hmm. Can anybody say gateway?" Rollie said.

I looked myself over in the big mirror. Fringed green beaded minidress, gemstone encrusted gold shoes by some Italian shoe designer whose name I couldn't pronounce, and five pounds of the sexiest makeup ever worn by anyone in Duvall, except maybe Rollie himself.

"This dress is the berries," I said with a smile.

Rollie gasped. "I haven't heard that expression since Cool Cal was president."

"Huh?" I asked, cocking my head.

"Calvin Coolidge. He ran the place about eighty years ago."

"Hmm. Well, wish me luck. I'm going to get our ghost

back. And anyone who tries to stop me is going to get a mascara wand jabbed in his eye."

"Good luck, Tammy Jo," Rollie and Johnny said.

MERCUTIO AND I zoomed across town, not having to run over any werewolves on the way. I could feel the pull of Edie's spirit. My tor spell was working like gangbusters.

Then I drove straight up to Bryn Lyons's gate.

"Well, butter my butt and call me a biscuit. Will you just look where we are?" I said to Mercutio while checking out my lip gloss in the rearview mirror. "So Mr. Tall, Dark, and Gorgeous was in on it all along. No wonder he was at Georgia Sue's instead of at the mayor's party. Well, don't you worry. He's not going to outsmart me again." I pressed the security buzzer.

"Yes?" the security box said.

"Steve, is that you?"

"Yes, ma'am."

"Tammy Jo here. Is he home?"

"He is."

"Can I come on in? Pretty please?"

"Are you alone?"

"Just me and my kitten, Mercutio." Mercutio looked at me. I took my finger off the buzzer. "What? You're seven months old. That makes you a kitten," I whispered. "And we're trying to seem nonthreatening."

The gate slid open.

I grinned. "Say what you want about the guy, Merc, but I like that Steve. He's always been on our side." I drove up to the house and shimmied out of the driver's seat, liking the swish of my fringe.

I opened the door, catching a faint smell of bleach in the air. Who the heck had been cleaning at this time of night? Bryn was coming down the stairs but stopped when he saw me.

"Hello."

"Hello yourself," I said.

He looked as gorgeous as ever, but better. His blue eyes were super vibrant, like a bolt of electricity had lit them up.

"How'd your night go? Were you struck by lightning or anything?" I asked.

"No, you?"

"Nope, but I think I did cause an earthquake. Did you feel it?"

"Actually, yes." He came down the rest of the stairs and walked over, stopping when he was only a few inches away from me. "Did you go to a party afterward?"

"No, just got cleaned up. My feet were kind of muddy. You know how I like that dirty magic."

His mouth quirked into a smile that made my heart pound. The lying, thieving bastard from the forbidden families list. Why did he have to be like a movie star, except better looking?

"Do you smoke?" I asked.

"No."

"I'd like a cigarette."

"Can't help you with that. What else can I do for you?"

I leaned forward. He smelled like sandalwood soap and magic. I licked my lips. "Have you had any luck recovering your watch? Your this-doesn't-go-with-my-Zorro-costume Rolex?"

"I knew which watch you meant, and no, I haven't gotten it back."

"Maybe I should cast a spell to try to find it. I'm really getting the hang of my powers." *Sort of.*

Bryn raised his eyebrows. "Is that so?"

"Yeah. I defeated a bunch of werewolves single-handedly." I glanced over toward the door. "Well, Zach's car and Mercutio helped a little."

"You shouldn't be casting spells you don't understand. It's reckless."

It wasn't as much fun when Bryn wasn't flirting and looking at me like I was dinner, so I decided to get down to business. "Where's my locket?"

"I don't know."

He was lying. It was around somewhere, but his power was interfering with my Edie-reception. I needed to put his power out, or to steal it. I smiled at the thought. Wouldn't that just fix his little red wagon? And then I'd be strong enough to find my locket, heal Zach from the werewolf bite, and probably cure cancer.

I took a couple of steps forward and put my hands on his chest. Power sizzled between us like a Fourth of July sparkler.

"I think we should work together on a spell to banish the werewolves. Want to make some magic with me?" I whispered.

Bryn stared into my eyes, his lids drifting to half-mast. "What I want . . ." His voice trailed off, and he pressed his lips against mine. He tasted like peppermint schnapps and dark chocolate.

I slipped my arms around his neck, my fingers into his hair, and pulled his power right up to mine, wind and earth, mingling just like they're meant to.

He kissed me like the last bit of oxygen in Texas was left

in my lungs, and he wanted it. He pressed me up against him, and I let my body melt on his, sharing that heat.

He broke the kiss, drawing in a long breath and licking his lips. "You're not yourself," he said in a husky voice, curled with passion and power.

"Whoever I am, do you want me?"

"Be careful what you offer."

The corners of my mouth turned up, not afraid of the game. "Been careful most of my life. Not my turn anymore. Maybe *you* should be careful," I challenged.

He let me go slowly, rubbing the excess gloss from his lips with his thumb. "Caution is not what interests me." He looked me over, making my whole body tingle. "But I'll give you a chance to think. I'll go upstairs alone. You can hide in the guesthouse until whatever you've done is undone. Or you can come to my room, and see how that turns out," he said and went up.

I started to follow, but Mercutio hurried over to the stairs and lay across the bottom one like a big feline doorstop blocking my path.

"Hey now, you heard him dare me."

I stepped, and Merc stood when I had one foot over him. I had to grab the rail, but still managed to crash-land on my butt on the second step. I glared at him, and pulled myself up.

"Don't be a flat tire. I'm just interested in some button shining," I said, but I bet he knew I had more than close slow-dancing in mind.

He pressed my legs, trying to get me to turn back, but I wouldn't. I was motivated like it was a hundred-and-five-degree day and the only snow cone in the state was upstairs.

When I got around him, he darted down the step and

sauntered toward the kitchen. I smiled, satisfied with my victory.

I walked up, having a flash of memory. I saw the fringe of my dress swish and my feet in patent-leather shoes kicking up and outward. It sure wasn't a two-step.

I held the banister until I could see again. My locket waited for me, and I wanted it. But I couldn't tell whether it was upstairs or down, inside the house or somewhere on the grounds. I decided it didn't matter. After I shorted out Bryn's power, I'd find it easy and dance the Charleston to celebrate.

At the top, I slipped my shoes off and let them dangle from my hand, enjoying the feel of the soft carpet almost as much as the feel of the mud earlier in the night.

I leaned against the doorway and tapped my knuckles on the door. He opened it and smiled at me, all glossy black hair and blindingly beautiful face. He leaned toward me, but I stopped his lips with a fingertip.

"I'll have a drink."

"Of?"

I looked him over. "What have you got?"

He pulled me into the room, and I kept moving until the length of my body was pressed to his. He laughed softly then kissed me. My toes curled in the carpet, and the shoes dropped from my fingertips.

I could feel the room, particles buzzing by, atoms dancing, electrons orbiting, and every bit of energy seemed focused on where our bodies touched.

He tasted so good, more delicious than food, more necessary than water. I licked his tongue, and his hands pressed my back, fusing us together.

I leaned back finally, dragging my mouth free of his. "About that drink?"

"Are you toying with me, Tamara?"

I watched his blue eyes glitter, fascinated as ever by them. "Yeah, like it?"

"Very much," he whispered. He went to a piece of furniture with a cabinet top and opened it. There were decanters of golden brown liquor the color of sun-kissed skin. He filled a pair of crystal glasses and walked back to me. He handed me mine and then tipped back his, draining it in an instant.

I sipped, the liquid all fiery smooth, like him. He set his glass on the bench at the end of the bed, then dropped to his knees in front of me. I looked down at him as I sipped some more.

He put his hands on my bare thighs just where the fringe stopped. The touch was warm and intimate, but his hands were still. "Where did you get this flapper dress?"

"From Johnny."

"Of course," he murmured, bending his head. He ran his tongue between two columns of hanging beads, setting my skin ablaze. He kissed me, sucking on the skin lazily before leaning back. "I'm going to buy you a lot of dresses from him." He didn't look up and make eye contact. It was like he was having a conversation with my legs.

"When?" I asked, trying to draw his attention up.

He shrugged, still focused on my legs. "Whenever I feel like it." He ran his lips over my knee then upward as his hands slid under the dress. "You have the most amazing skin." His fingertips caught the edge of my panties and slid them off my hips, down, down, down to my ankles. I stepped out of them and walked away from him, dipping my tongue into the mostly empty glass. I stood at the edge of the bed, staring up at the skylight. The black sky was dusted with glittering stars, seemingly ready to rain down on us.

I felt the power first, then felt his body touching mine. He leaned and his mouth was near my ear. "Did you walk away from me to see if I'd chase you? I can end the suspense. I always will," he whispered. My body hummed, making my head swim.

I heard the fabric slide off his skin and closed my eyes, feeling him take the glass from my hand. He turned me toward him and drew us onto the bed.

"How do you feel about roller coasters?"

I opened my eyes, seeing his face just above mine. "Never been on one."

He smiled softly as he slid the edge of my dress up. "Hang on."

He didn't move fast, but time seemed to be lost. One minute I was one person, aware of the world around me. The next, he was inside me, part of me, and the world closed in and slammed through me.

Our hearts beat like a drum in my ears, pounding under my skin, then I was like a peach he'd bitten into, dripping juice, bursting with flavor. I tried not to be torn apart. Something tried to turn me inside out, and I wrapped my arms and legs around the only bit of the solid world still left.

I tried to hold the power. I wanted him to share it with me.

Energy exploded in the room, fire and water, searing, quenching, and I fell and fell and fell.

BRYN ROARED. GLOSSY with sweat and blazing with energy, his aura glowed white-hot, and I had to close my eyes or go blind.

"Stop," I whispered hoarsely, but I doubt he heard me.

My body was slack, burned up and drowned at once. I

heard him fling open a door and turned to see him on the terrace. He stretched his arms out and shouted a spell, cursing into the night. The house shook with a countershock, and the lights flickered and went out.

I lay limp and exhausted, but in the distance I heard him laugh. He sounded so happy it was near impossible to be sorry I'd lost the power struggle.

24

I WOKE LATER to the sound of shouting. Sunlight streamed in from all the glass windows, and I rolled onto my side and saw Zach slam Bryn into the wall. Bryn ducked as Zach's fist smashed into the plaster.

"You son of a bitch!" Zach stalked over to the bench and grabbed a crystal tumbler. "You had to get her drunk?" He whipped the glass across the room, and it shattered against the wall.

I wanted to say something, but didn't know what. It didn't matter since Zach didn't look like he wanted to talk anyway.

"You want to stay here?" he demanded, looking down at me.

"Yes, she wants to stay," Bryn said. He was dressed in jeans and a white shirt. He looked ready for the day.

I felt like a Ford F-250 had run me over. I put an arm over my eyes.

"I don't feel good," I mumbled.

"I hope the fuck not," Zach said, scooping me up. The sheet slid off my bare legs. The world lurched, and I squeezed my eyes shut as I pushed my dress down to cover as much as possible.

"Get out of my way," Zach ground out. I opened my eyes to see Bryn standing in the doorway.

"Tamara, do you want to stay or go?"

I felt like a prizefighter the day after the big fight. I rested my head against Zach's shoulder.

"Go."

"There are only ten left. The others were cast out. We did that," Bryn said.

Ten what? Werewolves? How? Had he used our combined power to cast a killing spell? That seemed, well, kind of wrong. Sure I'd been all fired up to shoot them, but killing them from a distance seemed unfair, like we should have gotten a penalty for unsportsmanlike conduct.

The room was slightly blurry, but I focused on Bryn's face. "I'm tired."

He reached a hand toward me, but stopped short.

"You touch her, and I'll set her down long enough to knock your head off your shoulders."

Bryn smiled. "I'll let him take you because he doesn't have much time left with you. When you feel better, pack a bag, because the next time you find yourself in my house, you'll be staying longer than the night." Bryn stepped aside.

I felt myself shifting. Zach was going to put me down to fight with him.

I clutched Zach's shoulder. "No, take me home."

I closed my eyes and didn't open them again until I told Zach to pull the car over so I could be sick. When I was finished, he put me back in, silently. He stalked back around to the driver's side, and I could feel the accusation in his stiff movements.

I'd betrayed him. I knew he wanted to shout and smash things, but I was in no shape for it. The silence was so thick it was hard to breathe.

And worst of all, it was already afternoon on Thursday, October twenty-third. I had less than twenty-four hours left, and I didn't have the energy to lift my head, let alone to cast a spell. Not that I could be trusted to spell-cast. Astral projection was supposed to have taken me to the locket, not made me channel Edie, causing my body to house my soul and part of hers. I couldn't deny that it had felt great to be as bold and fearless as Edie, her twenties slang dripping from my tongue. I'd been drunk with power and confidence, overconfidence actually.

Bryn was right. I should never have cast spells without training. Now I'd had my fun, and I would pay for it with Edie's soul and a guilty conscience that wouldn't give me peace for the rest of my life.

ZACH'S LITTLE BRICK house feels a lot like home sometimes, but not when we're fighting. I dropped down on the lumpy blue couch and tipped my head back, resting my neck on the cushion.

Zach went into the kitchen, and five minutes later, bacon and eggs were sizzling in the frying pan. He came out and handed me a glass of sugar water. We'd figured out in high school that eating a packet of sugar is a good way to recover from a hangover for some reason. I swallowed the sweet liquid, not sure at all that it would work for a magical hangover, but, twenty minutes later, I felt better and sat down at the old Formica-topped kitchen table.

Zach set down two plates of food, one in front of me and one for himself.

"You're bleeding again," I said, seeing a small red spot that had soaked through the shirt's maroon bloodstain from the night before.

He didn't say anything, just got to shoveling food into his mouth.

"Zach, I'm sorry." I paused. "I feel better, so if you want to yell at me, go ahead."

He ignored me, going back to the skillet for more bacon.

"I didn't do it to hurt you."

He looked over and fixed me with a hard look. "That just makes it worse, doesn't it?"

I opened my mouth, but couldn't think of what to say. He'd have rather I'd done it to make him jealous or something than because I'd wanted to do it. "I just meant—"

"I don't want to talk about it."

Me either. I hated seeing him in pain.

"I think you need to go to a hospital in Dallas. If that wound keeps bleeding, you need to be in a place where they can give you another blood transfusion."

"There's trouble in Duvall. I ain't goin' anywhere until that's settled."

"The sheriff and the others can handle it. You said they have backup."

"You need to wash all that shit off your face. If you're done eating, get to taking a shower. I need one too before I go to work."

"Zach, you could bleed to death."

"Then bury me next to Momma at Lakeside," he said

242

flippantly. He finished his food and tossed his dish in the sink.

"There's no talking to you!"

He walked over and picked up the newspaper from the counter before proceeding to the living room with it. I followed him.

"Why did you even bring me here if you don't want to talk about things?" This was so typical of Zach. No problem at home was too big to be ignored. When he didn't answer, I walked over to where he'd sat down and snatched the paper from his grasp, crumpling it.

"Girl, I'm at my limit today. Don't push me."

"I can take a shower at my own house. Just drive me home."

"I'm not dropping you off looking like some tramp who's been turning tricks for tequila shots. Now, go on in and take a shower."

"What do you care what my neighbors think? I'm not your responsibility. We're divorced!"

"I said for better or worse, and I meant it. Gettin' divorced was your idea."

"When we were married you barely knew I was there!"

"First off, that's a hell of an exaggeration. Second, today's maybe not the best day for you to get on a high horse about anything." His tone was hard and flat, and it cut me deeper than a steak knife could have.

I clenched my fists. "We're not married, you and me. I can do whatever I want."

"You best hope I *do* bleed to death then, 'cause otherwise you're going to have a big problem with me from here on out."

"It's none of your business."

"I married you, darlin'. You'll be my business 'til we're both dead."

"There's no talking to you."

"Then stop tryin' to," he said, yanking the paper from me and nodding toward the hallway where the bathroom was.

I marched down the hall and slammed the door closed. I nearly shouted in surprise at the sight of my black-smudged reflection in the vanity mirror. The aftermath of three coats of mascara is a good reason to stick to one.

I showered, scrubbing myself with soap and water, then went to his room and threw on one of his Cowboys jerseys. It hung to my thighs and was just about the length of my dress from the night before. I found an old pair of my jeans in the bottom of the closet and slid into them.

After Zach took a shower, he walked into the room naked except for the towel he had pressed to his chest.

I walked over immediately. "Sit down, and let me see it."

"Gonna kiss it and make it better?"

"No."

"Then I'm not interested."

He walked to the dresser and yanked open a drawer. He tossed the bloody towel on the bed long enough to pull on a pair of boxers and jeans. Blood dripped from the wound, and he mopped it up just before it reached the waistband at his hips.

I dug through a box on the closet floor and pulled out an Ace bandage we'd used on his knee a couple of times after football injuries.

I tossed the bandage on the bed and went to get some gauze pads. When I returned he was sitting on the edge of the bed, waiting.

I didn't say a thing. I taped the gauze in place and then

wrapped the bandage tight, pressing on it, relieved when the blood didn't seep through.

"Does it hurt a lot?"

"Been hurt worse."

I looked into the denim-colored eyes that were studying me.

"I'm sorry," I whispered.

He slid a hand up and into my hair, pulling my head down. A moment later, I was flat on my back with him on top of me. We kissed for a few minutes, and I could feel that not all of him was mad at me.

When he finally rolled off me, we were both breathless.

"Glad we understand each other," he said.

He got up slowly, holding out a hand to me. I let him pull me up, and we stood toe to toe.

"Where you want to stay while I'm at work? TJ's? I don't want you at Kenny and Georgia's until Kenny's home." The look on his face told me that he wasn't going to drop me off anyplace where I would be alone, and his brother TJ, like all the Sutton boys, had a house full of guns that he wouldn't be shy about using if trouble came knocking.

"TJ's is fine."

THE SUTTON BOYS, as they were known growing up, were all named after U.S. presidents, GW the oldest, for George Washington, of course. TJ for Thomas Jefferson and Zach for "Old Rough and Ready" Zachary Taylor.

They'd all married young, but continued to raise hell despite that. Owing to a very bad example set by their hard-drinking father, they liked to stay out all night in bars, drinking and swapping stories, and sometimes getting reckless. To this day, I couldn't even talk to Zach about the time TJ had wrecked a new car while they were drag racing. Zach just shrugged things like that off. When I said I worried that one of them might end up really hurt or dead if they didn't knock that stuff off, he just grinned and kissed me and said they'd be all right. There was no talking to the man.

It was too bad they'd all been cursed with good looks and easy charm, or they might have stood a chance at staying single, but, as things were, the women they couldn't resist couldn't resist them either. Me included.

I'd been warned. My future sisters-in-law, Sherry and Nadine, had taken me aside right before my wedding shower, and Nadine had asked, "Do you love him?" I'd been startled, but replied quickly enough, "Of course." Sherry had shaken her head and said, "We're sure sorry to hear that, but welcome to the family."

Zach and I pulled into TJ's driveway. I smiled at Nadine, who waved as she collected a bunch of plastic toys from the front lawn.

"Hey there," Nadine said, leaning in Zach's window to give him a kiss on the cheek.

"Hot enough for you?" he asked.

"Hotter than a barbeque in hell," Nadine said with a grin. "I'm so glad you talked TJ into coming home to keep an eye on things. I've got that upstairs bathroom sink that's leaking. It's just been waiting for him to have a chance to fix it."

"Always glad to be of help. Y'all stay out of trouble," Zach said.

I stood in the drive and watched Zach pull away.

"Well, it's good to see you, honey," Nadine said, her dark blond hair swinging stubbornly despite the humidity's fight to weigh it down. "Come on, let's go drink a gallon of iced tea."

"Got anything stronger?"

"Oh it's like that, is it?" She laughed and then said thoughtfully, "I poured TJ's last bottle of Jim Beam down the drain after he drove that riding lawnmower of his through my sunflowers." She shook her head. "He had the nerve to say he thought they were weeds! And that it was my own damn fault for nagging him about the lawn and spurring him on to cut the grass at one in the a.m. when he couldn't see straight. Nagging my ass. He's lucky I don't just—"

Three children burst out the front door, making as much racket as a fifty-member marching band.

"Crockett, where's your sister?"

"Tied up in the backyard," the boy said, running by without missing a step.

"Well, you better go untie her before your daddy gets home. You know he'll whip your butt if he sees you torturing his baby."

Crockett considered this and seemed to weigh his options. Clearly seeing the wisdom of avoiding a confrontation with his father, who had a hundred and fifty pounds of muscle on him, he asked, "When will he be home?"

"Any minute so far as I know," she said.

Crockett turned and ran back into the house.

"He looks so much like Zach," I said with a smile.

"Yeah, they don't come any cuter, God help us." She gave me a sideways look. "You know, you could get your man to help you make one of your own."

"Zach's not really my man anymore," I said, but didn't even sound convincing to myself.

"That right?" she asked mildly. "Zach was over here one night telling us some story about you with that smile he always gets when he talks about you. And TJ said, 'Son, what are you doin' still in love with that woman?' Zach just grinned and said, 'Hell, that's the only good habit I've got. Not planning to give it up anytime soon.' "

I smiled and shook my head.

"So when *are* you gonna get married again? Zach thought by summer, but here it is fall, and you're still divorced."

Zach had thought we'd be remarried by summer? He'd never mentioned it to me. "Well, there have been a few hitches. Like me sleeping with Bryn Lyons." I clapped a hand over my mouth, not believing I'd let that pop out.

"Oh my God. When?"

"Kind of . . . yesterday."

"And Zach knows?"

I nodded grimly.

"Hmm. It's sure a good thing Zach's a deputy because I wouldn't want TJ going to jail for helping Zach bury the body."

"That's not funny."

Nadine grinned again. Then she laughed, making me laugh with her. "I'm so sorry, but between TJ and the kids, I guess I've gone crazy. Now," she said, fixing me with a pointed look. "What's your excuse?"

25

I HAD HALF a glass of iced tea and then, when Nadine was busy untangling a walloping fight down the block between her kids and four kids from neighboring houses, I wrote her a nice note and stole her Dodge Ram. I don't know why people pay for rental cars when so many friends and family members just leave their keys lying around unattended.

I had no business going to see Bryn Lyons, and, if Zach didn't die or turn into a werewolf, he was likely to kill me or Bryn, or both of us, if he found out. On the other hand, Bryn was in possession of my cat, my car, my spellbook from Johnny, and very possibly my Edie locket. Wild mustangs with demon riders couldn't keep me away.

I pressed the security buzzer determinedly.

"Can I help you?"

I didn't recognize the voice. "Where's Steve?"

"Sleeping. He pulled a double yesterday."

"Who are you?"

"Security for Mr. Lyons. Who are you?"

The new guy wasn't nearly as nice as Steve. "Tammy Jo Trask. I'd like to see Mr. Lyons and to retrieve my house cat, Mercutio. You might have seen him around. He's got spots like a leopard, but he's a lot sweeter."

"Trask. You're on the list, but Mr. Lyons is out."

"Can I come in and get my cat?"

"Sure. Report to Mr. Jenson."

"Okey dokey." The gate slid open. Easy as shooting fish in a bathtub.

I drove up to the house, and Mr. Jenson met me in the foyer.

"Hey there," I said. "I left this morning in kind of a hurry."

"Your undergarments are in the dryer. They will be ready shortly."

I just know my face turned red as a candy apple. "Oh . . . I was actually talking . . ."

"Mercutio has been fed. He is in the solarium pursuing the birds."

"What's a solarium?"

"Shall I show you?"

"Not right now. Did you happen to come across an old book in or near a cabbage-rose-print tote bag?"

"No."

"It might have been in Mr. Lyons's room with . . . the other things I left."

"I didn't see it."

"You know what else I lost? An antique locket. I asked Bryn to hold it for me a few days ago and forgot to get it back from him. Have you seen that?"

It was long shot, but you never make a fourth-down touchdown from your own twenty-yard line if you don't throw a Hail Mary pass now and then.

"A woman's locket? No."

"Well, I'll just have a quick look in Mr. Lyons's room for my book." I thought about Bryn's office nook in the closet. If he hadn't put my spellbook there, I could just borrow one of his. And maybe find my locket, too.

"I think Mr. Lyons would prefer for you to wait in the living room for him until he returns. May I get you something to drink? Something cold and carbonated, perhaps?"

"Mr. Jenson, if you and Mr. Lyons ever have a falling-out, I want you to know that I'll find room for you to live with me. I couldn't pay much, but I'd make you a torte every week."

Jenson smiled. "I will bear that in mind. And may I say that I understand why Mr. Lyons finds you so charming?"

"Thank you. I wish I could say it was mutual, but, between you and me, I have reason to think that Mr. Lyons has done something pretty low."

"To whom? You?"

I nodded.

"I shouldn't think so, Miss Tamara. Between the two of us, as you say, I have it on good authority that Mr. Lyons hopes to see a great deal of you. I don't believe he would jeopardize his friendship with you."

He hopes to see a great deal of me out of my underwear while siphoning power off me like some people steal cable. "You could be right. I'll have a seat," I said, going to the living room.

My "Cowboy, Take Me Away" ring tone went off, and I

started searching for my cell. Turns out my tote bag was behind the couch, but there was no spellbook in it.

I pulled the phone out. Zach's picture was displayed on the little screen and I grimaced, glancing out the window at Nadine's Ram in the circular drive. I thought about ignoring it, then I thought about him bleeding and maybe needing me to drive him to Dallas.

"Hello," I said.

"Where are you?"

"Me? Oh, I'm just fine. How's your chest?"

"Where the hell are you?"

"I'm picking up my cat."

"You stole my brother's wife's car to go back to Lyons's place?" he asked, sounding like he'd asked, "You stole a car to drive to a nursery and murder babies?"

"There's a dog named Angus who lives here. I have to rescue Mercutio."

"Yeah, the safety of your cat was your top priority last night." He paused.

I didn't answer, because what was there to say to that?

"Nadine won't press charges if you return the car by the time she has to drop the kids at her momma's."

"Nadine won't press charges whether I return the car or not. No wife of a Sutton is ever going to send another one to jail. We've got a right to go crazy once a week. Just ask Nadine."

"TJ is my brother, Jo. I tell him you're messing around with Bryn Lyons, and I promise you he'll let me put you in jail for your own good."

I paced up and down on the plush carpet. "You can't arrest me for having an affair."

"I can't arrest you if I say that's the reason," he agreed. "Now, I've got a warrant to search Johnny Nguyen Ho's house. If you want to be there when I search, you should meet me."

"Oh, I went to Johnny's. He doesn't have the locket."

"Tammy Jo!"

"I thought he did. I swear it! And it sure was sweet of you to get a warrant."

There was a long pause, and I was grateful that he didn't say out loud all the curses he was thinking. Finally he said, "So you're staying at Bryn Lyons's?"

"No, of course I'm not. I'm getting my cat." *And my underwear.*

"And then where will you be?"

"Well, I'm not exactly sure. I'm having to fly by the seat of my Levi's just now."

"Girl, you're makin' me crazy. Why don't you come on home and behave yourself."

"I'm gonna. Real soon."

"Let me talk to Lyons for a minute."

"He's not here."

"That right? Guess God's not as pissed off at me as He has been. All right, get your cat and get out of there."

"I'll talk to you later."

"Count on it."

I flipped my phone shut.

"Your ex-husband?"

I spun around to find Astrid standing right next to me. I nodded.

"You make a nice couple. *Es muy* . . . he's very handsome."

253

"Thank you." Too bad I didn't have Mercutio's paws to claw her eyes out with.

"I have an idea, a way that we can get these wolves off our backs as you say."

"Just why are they on your back?" I asked, thinking maybe I could figure out why they were after me, too.

"I killed one of them at the meeting. My magic marks his blood, and the wolves in his pack will track me with it until I'm dead or until they can be thrown from the scent."

"We were just defending ourselves."

"Yes, I was. Will you help me in casting a spell?"

I gave her a once-over, trying to figure out her game. "Why do you need me?"

"I don't have power enough to do it myself, and Bryn prefers not to share power. But you've got some very nice raw energy. I'll tell you the words, and we can work the magic together and get these wolves to leave your town."

Astrid cared about Duvall about as much as she cared about the state of Barbara Bush's pedicure, but she wanted to save her own skin and that could work out for both of us.

"I would love for them to hightail it out of Duvall. I really would, but I've got to get a couple of things. You think you could distract Bryn's butler for a few minutes?"

"Certainly. A few minutes is not difficult."

Fish in a bathtub. I hurried out of the room and up the stairs. I opened the door to Bryn's room and stopped at the delicious smell. Sandalwood and sex magic clung to the air, making my knees quake.

I felt like rolling around on the feather duvet and maybe licking some strawberry sauce off Bryn's naked body. But I vetoed this idea since, one, I had important things to do, and two, he wasn't around.

I searched the obvious hiding places for my stuff, under the bed, in the drawers, under the bathroom sink, but didn't find anything. I zipped to the back of the closet. I wished there were some fur coats I could just magically walk through, but no such luck. It was all silk ties, Italian shoes, and a lock that was determined to keep me out.

Pushing against the door though, I realized it wasn't that thick. I walked to the beginning of the closet, dug the heels of my boots in and ran.

I slammed my shoulder into the door, and it snapped open. I landed on the floor, glad and not-so-glad at once. I rubbed my arm, where I was sure to have a Texas-size bruise in the morning, then got up. At the desk, I lifted a framed antique photograph of the Gulf coast and Galveston Bay and, right under it, I found my spellbook sitting on the desk.

"Thief." I shook my head. I looked on the shelves and quickly rifled through the desk drawers. I got my hopes up at a small padded velvet pouch. Inside, I found seven amazingly shiny gold coins, older than Edie, and nearly as pretty. Not my locket at all, but valuable and tucked away like they meant something important to Bryn. And I needed leverage. I got to thinking maybe I could trade them back to him for my locket. I didn't want to play dirty pool, but October twenty-third was nearly a memory.

I grabbed a piece of paper and scrawled a note. I left it under a pewter paperweight of the planet Saturn. I got to the hall and dumped my book in my tote bag and ran down the stairs. "Astrid!" I stage whispered.

"Here," she said, walking out of the living room.

"Let's go," I said, rushing to the front door and flinging it open. I looked around then ran to the Dodge.

"We can take my car. It's fast," she called.

"No, we'll drive separate," I said.

"Fine. We'll meet at the tor."

I stopped. "Oh, no. Not that place!"

"We need its power. No time to argue," she said, getting in her car.

I chewed my lip, but didn't really have any choice. I hopped into the Dodge and gunned it to the gate. How could I make a quick getaway if the gate didn't open? Then I noticed a security intercom I hadn't seen before because it was hidden by a hedge. "Now how was I supposed to see that?" What were they trying to do? Make things look nice? Ridiculous. I stabbed the button with my finger. "Hi, I'm leaving now."

"I don't think so," the security guy said.

"What? Why not?"

"I saw you on the upstairs hallway camera. You stole something from Mr. Lyons."

True. "No, I didn't. It was my book that I was putting in my bag. I left it here last night."

"Mr. Lyons will be home soon. He can confirm that."

"I don't have time to wait for him. Besides he knows where I live. He'll track me down soon enough if he sees fit to. Now open the gate."

"I don't think so."

"The Duvall sheriff's office is on my cell phone's speed dial. If you don't let me out right now, I guarantee you'll have a heap of questions to answer."

I waited, holding my breath. I had a sack of stolen coins and a witch's spellbook. If I called the sheriff they'd be bound to search through my tote bag, and just what was I going to say about the contents? Nope, definitely bluffing about that call. Lucky for me, the guy's not a poker player.

The gate slid open.

"Yippee!" I shouted in a whisper.

I zoomed past the gate and onto the street. Then I paused to let Astrid zip out in front of me. From the Ram, it looked like she was driving a matchbook car.

I hoped Mercutio was having fun with the solarium birds because he was going to miss one hell of an adventure with me and Astrid banishing all the wolves with a spell. Probably after today, I'd be retired from adventures. But that would be all right. I was pretty sure Merc would enjoy the quiet cake-baking life as much as me. After all, he'd get to eat his share of heavy cream while I whipped up desserts.

Yep, all I needed was to drive the werewolves off, find Edie, cure Zach, and get a new job. Piece of cake. Well, a five-layer, two-days-in-the-making, and every-pan-in-the-kitchen-dirty Death by Chocolate Cake maybe.

WE GOT TO the tor, and I broke out in a sweat at the thought of going back up there and drawing on that power. I wanted it and dreaded it, too. It was the same way I felt about being with Zach or Bryn for that matter. And I didn't see why things couldn't just be nice and simple for once. Didn't I deserve a break for working really hard and having good intentions?

But maybe things were going to be okay. I only had a few big problems, and I was about to solve one. I just needed to stay focused and think positive thoughts. I parked the Ram behind Astrid's little car and followed her to the chapel.

"We're going to do it inside?" I asked. I'd never known Momma or Aunt Mel to cast spells in Holy places.

I'd gotten half a step in when someone grabbed me. My mouth opened to scream, but nothing came out. I was face-to-face with the werewolf who had ambushed me on the chapel roof. The one who'd been mad that I hadn't been afraid of him. He wouldn't have to get mad today.

26

I LOOKED AROUND the chapel. There were three of the wolf-men inside. One that I didn't recognize was at the window, keeping watch. The third one was the lanky man, the tracker from Jammers. He stepped forward, and his straight, greasy hair and patchy beard made me very much want to direct him to Johnny's hair salon, but it wasn't the time. He stood in front of me and patted me down for weapons while the guy from the roof held my wrists in a tight grip behind my back.

I looked at Astrid, but she wouldn't make eye contact with me.

"You have her now," she said.

Next time a strange witch asks me to cast a spell with her, I'm going to be busy making pancakes or waffles. If the town has to get eaten by werewolves or walloped by plagues, that's just not going to be my problem.

My mouth was dry and my hands trembled as I tried to

think of a way to get out. The tracker pushed Astrid away from me until she was pressed to the wall, then bent his head to the crook of her neck. She squirmed.

"Enough of this," she said. "I've kept my part of the agreement. I expect you to keep yours. As you see, I was not a party to whatever she did before the meeting."

"I didn't do anything," I protested.

The lanky man took a deep breath and then stepped back from Astrid. "She's clean."

"Go," the one holding me said to Astrid.

"I'm clean, too. I used plenty of Dial soap in my shower today." I tried to keep things light and casual, which is hard to do when you're a hostage. My heart hammered, but I tried not to pass out.

Astrid left without so much as a good-bye. The lanky guy stepped up to me, leaning to put his nose right into the vee of the jersey. I tried to back up, but ran into the canine wall behind me.

"It's like I told you, Samuel. She wounded Jeff at the witches' meeting, but she didn't kill Diego. I can't even pick up Diego's scent on her anymore."

"But her house had it," he growled from behind me.

"Yeah, Diego's scent mixed with blood and magic. Someone else's blood, not hers."

Samuel spun me around to face him, squeezing hard on my upper arms. He growled, showing long, jagged teeth. "Who killed Diego?"

My heart raced as fast as my mind. "I sure don't know. I never met anyone called Diego. And there weren't any murders in Duvall before you showed up."

He grabbed my throat with one hand and squeezed.

Lights danced before my eyes, and my knees went watery. "The only ones dying around here have been wolves, but that's going to change. I promise you."

He was strong enough to crush my windpipe and kill me with one hand, but he didn't. He let go of my throat, but kept a hold on my arm.

"I'm telling you. Diego bit whoever attacked him," the tracker said.

Samuel glanced at him. "We've been over this," he growled. "I don't care how powerful a witch or wizard it was; Diego's bite would have killed whoever it was by now. We're still tracking Diego's scent, so the killer is alive. And if this bitch didn't do it, she's at least had him into her house." He yanked on my arm, making me stumble.

Nobody had come to my house and bled on the furniture. Could I have picked up the scent somewhere and tracked it in on my shoes?

"Tell me what you know."

"I don't know anything. I'm not even really a witch—"

The blow caught me across the cheek and knocked me down.

"You lie to me again, and I'll break all the bones in your left arm."

"Samuel!" the man at the window growled as Samuel caught me by the arm and pulled me back to my feet.

"What?"

"Police cars."

I rubbed my cheek as the door swung in. Zach stood in the doorway with a shotgun leveled into the room. Samuel yanked me in front of him.

"Y'all wanna live, you might want to think about lettin'

her go," Zach drawled, voice smooth and easy like he was asking them to pass him a bag of Cheetos.

Samuel glanced at the window and made a tiny motion with his head. In a flash of speed, the other two crashed through it and were gone. I heard the popping of gunfire from outside, but Zach didn't look to the window. He watched us.

Samuel dragged me toward the window, whispering in my ear. "I want you to know I'm going to kill you. Before that though, you're going to suffer the Ritual of the Nine. Nine hours of having your bones broken from smallest to largest. Pain beyond imagining."

My heart seized up in a sharp contraction, and I bit down on my lip as I started to shake. Zach walked into the chapel with us, calm as sunshine, waiting for his moment.

Suddenly I was flying forward. Zach got the gun barrel up just in time. I crashed into him and fell to the floor.

Zach swung the gun and fired it. The thundering blast echoed in my ears, and my wrist ached where I'd landed on it, but I didn't care. They were gone, and I was still alive.

Zach ran to the window and looked out. "Winged him, but he kept going." He walked over to me with a grim expression.

"The other two?" I asked.

"Gone, I guess. You all right?" he said, putting a hand out to lift me up.

I moved my wrist gingerly. It was mighty sore, but not broken. "I'm okay."

He tipped up my chin so he could look at my cheek.

"When I catch that son of a bitch, he's going to fall down a couple flights of stairs before I throw his ass in a cell."

I sat down on a wood bench so I could shake without falling down. "How did you find me?"

"I got to Lyons's house just as you were coming out. Followed you." Not all jealous ex-husbands come in handy, but mine definitely does. "Now, are you going to tell me what this is all about?"

"I don't know."

"You must know something. What did they say?"

I shuddered, thinking about the torture ritual. "One of their gang members was killed, and they thought I might have done it."

Zach's eyebrows shot up in surprise. "You?"

"They don't know me."

Zach looked me over. "But where would they even get an idea like that? I'm looking at you, and I can't see how anyone with half a brain would jump to that conclusion."

I thought about my quick-draw routine on the chapel roof. "Um, I don't know. They got some bad information."

"From who? Astrid?"

"For one," I said, my lips curling into an angry frown.

"She brought you up here to them? And left you?"

I nodded. "She traded me to save her own skin."

"She's Lyons's friend." He paused. "How does he fit into this?"

I shrugged.

"You better not protect the guy, Tammy Jo. He got you mixed up in this, and it could've got you killed. Now where did you go with him the other night?"

My phone rang, and I pulled it out of my pocket. Speak of the devil.

"Hang on a minute," I said to Zach and flipped it open.

"Where are you?" Bryn asked.

"None of your business."

"Security said you and Astrid left together. Are you still following her?"

"Mmm hmm."

"Stop your car, so we can talk."

"We can talk. Go ahead."

"Don't go any farther. She can't be trusted."

"How do you know she can't be trusted?"

He hesitated, but I waited in silence, trying to ignore the hole Zach's eyes were trying to bore into me.

"I saw it," Bryn said finally.

"Saw what?"

"You're familiar with Tarot cards?"

"Yes."

"I practice something along those lines. Astrid came up with the symbol for betrayal more than once."

"But she's a friend of yours."

"She's an acquaintance, not a friend."

I remembered Astrid calling while Georgia Sue was out cold on Bryn's kitchen table. Bryn had told Astrid she couldn't come over. And when she'd wheedled her way onto his property, he'd put her in the guesthouse, away from us.

"Tamara?"

"What?"

"Come back to my house. I can't protect you from this distance."

He sounded so sincere, but then maybe he was just trying to lure me there. Maybe he'd found the note and wanted his coins back.

"We do need to talk. I'll come by soon," I said, then

flipped the phone shut. "Bryn Lyons. He said Astrid's been acting strange. Told me not to trust her."

Zach rolled his eyes. "Little late to warn you."

"Yes." I chewed on my lip, trying to decide what to do. Bryn's house did seem to be the only place the werewolves didn't attack, and I needed to negotiate the return of my locket.

Some of the other deputies showed up, and Zach talked to them. I tried to figure out what to do. I didn't really want to go to Bryn's by myself, but taking Zach would be like bringing a lit match into a shed of fireworks.

"All right, it's been fun, but it's time for us to go," Zach said, sliding an arm around my shoulders. "Give Smitty the keys to Nadine's vehicle. He's going to return it for you."

"But I need to fill it up with gas and run it through a car wash for her."

"You're a real considerate thief."

"Momma raised me right."

He rolled his eyes. "You can buy Nadine a tank of gas another time. You're coming with me."

I gave Smitty the keys and walked with Zach to his prowler. I slid into the passenger seat, thinking that I'd borrowed the prowler and hadn't gassed it up or cleaned it, or had the dent fixed. And here he was always saving my life and getting bitten by werewolves for me. I was a terrible ex-wife.

He got in the car, and I leaned over and kissed him on the cheek. He looked at me.

"That the best you can do?" he said, mock serious.

"You know it's not."

"Then lay it on me. Can't think of anything I could use more right now."

We leaned together, and I kissed him for real. One of the guys banged on the roof to encourage us, startling me. I drew back. Only a man would think whooping and startling the heck out of a near-kidnap-and-murder victim was a good idea.

"You're gonna be all right," Zach said, like he could tell I was still worried. He started the car and pulled out, heading toward the station.

"You've got paperwork to do?"

"Nope. I'm putting you in protective custody. Smitty's off duty, but he's gonna drop the truck at TJ's and then come back to the station to play cards with you 'til I get back."

"I'm not five years old."

"I'm well aware of that."

The sun was setting. I definitely didn't have time to play cards in jail. "I'm refusing protective custody. If you want to, you can come with me. I'm going to ask Bryn Lyons some questions about this whole mess."

"I don't need you to help me question Lyons," he said.

"Got a warrant?"

"Not at the moment."

"Then you won't get in to see him without me."

"The sheriff's working on the warrant."

"Feel like twiddling your thumbs until then?"

"When did you get such a smart mouth? You used to be sweet."

I folded my arms across my chest and frowned. I didn't like to get ugly, but I couldn't afford to be too sweet under the circumstances.

We drove to Bryn's property, and there was a big delay at the gate while security cleared things with him. Finally, the gate slid open, and we drove inside.

Mr. Jenson was waiting for us in the foyer, and he scrutinized my face with an expression like he'd just found some renegade ants making a run for the pantry.

"Mr. Lyons is in the living room," he said, holding out a hand to point the way. The house shook slightly, and Zach and I both looked up.

"Another quake," Zach mumbled.

I bet it wasn't Bryn casting spells while we were a room away, so who did that leave? Astrid? Hadn't seen her car and bet she was on her way back to whatever rock she lived under. Lennox maybe.

I heard Bryn curse from down the hall, which surprised me since nothing seemed to rattle him much. I led the way to the living room, only pausing when I first stepped in because Mercutio jumped down from the top of a secretary to greet me. I hugged him and kissed the top of his head.

"It's rare that I envy a cat," Bryn commented as he sat on his sofa.

Zach stood in the doorway, arms akimbo, stance wide.

"I need to talk to you," I said, straightening up.

"It's mutual." Bryn's tone sounded like he wasn't too happy about it. I guess he'd been in his closet since we'd last talked.

"Ladies first," I added quickly.

"That is the house policy," he said, his cobalt blue eyes mocking and sexy at the same time.

Bryn was too darn smart not to realize that he was taunting Zach, and Zach was too darn smart not to realize he was being taunted. If I didn't play my cards right, I was going to find myself right square in the middle of a fistfight.

I cleared my throat and cast a glance at Zach. He frowned

slightly but stood totally still. Of course, he'd looked relaxed holding a twelve-gauge on a trio of wolven murderers, too. Who knew how long he'd keep up the pose?

"When the gang came to the actors' meeting, I thought you were an innocent bystander, like me, but now I think they probably came looking for you or Lennox or both."

Bryn raised his eyebrows. "Interesting theory, but without merit."

"It was no accident that you were at Georgia Sue's Halloween party instead of the mayor's, was it? You were there because you knew what was going to happen."

"Are you accusing me of something?" His gaze slid to Zach, then back to me.

I knew I would never get the truth out of him in front of a cop, but it wouldn't have mattered if I'd told Zach to take a tour of the house, he wasn't going anywhere.

Mr. Jenson reappeared with a hand towel wrapped around something. He held it out.

"Ice," he said.

"Thank you." I put the ice to my cheek and sat down on a thick-cushioned ottoman across from Bryn. "Astrid turned me over to the gang. One of them cracked me across the face before Zach got there and saved me." I held up the icepack for a second as illustration.

"I'm sorry I didn't warn you sooner." His voice was even and very formal. This was getting us nowhere.

I sighed. "Is there anything that you can tell Zach to help him catch them?"

"Regrettably, no."

I frowned and shook my head. "Look, if I don't—"

A phone rang, startling me, and I looked around trying

to place it. Bryn moved quickly to the opposite wall and slid a painting aside, reaching into a cubbyhole.

He pulled a security phone loose and answered it.

"I understand. I'm sending Jenson to you with Ms. Trask. Lock yourselves in the vault."

27

I STOOD STARING at Bryn, but he didn't look at me. He turned to Zach instead.

"Feel like being a cowboy?" Bryn asked as he walked to the couch he'd been sitting on and reached behind it.

He yanked a shotgun free and tossed it to Zach, who caught it one-handed.

"I've got guns," Zach said.

"Not like these," Bryn said, tossing him a pistol. Then he got a couple guns for himself.

"I'm a good shot," I said. "I can help."

"No," Zach and Bryn said in unison.

"Jenson!" Bryn called out, yanking a small pack from behind the couch. I could hear the bullets rattle as he walked to the door.

"Sir?" Jenson said, materializing.

"Take her to Steve and follow his instructions."

I grabbed Bryn's arm and lowered my voice to a whisper. "No, I should stay and help. You might need to siphon power or something!" I said, my heart racing at the thought of my two favorite men getting slaughtered.

Bryn flashed me a smile. "I wish there was time for that. I'll hope for a rain check on the offer."

I stepped back, shaking my head.

Zach pumped his gun, then leaned over and planted a kiss on my trembling mouth. "Go on now." He looked at Jenson and said, "Carry her if you have to."

"Yes, Jenson, get her out of here," Bryn commanded him and walked out, waving Zach to follow him.

Mercutio bounded after them. *Of course, he's going to play. That cat likes fighting entirely too much.*

"We need to help them," I said.

"Mr. Lyons is the most excellent strategist I have ever had the occasion to meet," Jenson said, extending a hand to indicate that I should precede him from the room. "If he feels that he and the officer can handle the difficulties, I'm sure they will be able to."

"Then why do we have to get locked in a vault?" I asked, walking out of the room.

"The vault is a terrible idea," Lennox Lyons said, appearing from around a corner in the hallway. "And, as it happens, I am in need of Ms. Trask's assistance with another matter." Lennox looked like he needed the teaspoon of sugar and lumberjack breakfast I'd started the day with. He was pale and sweaty and even from where I was standing I could see the dark spot on his black shirt. His wound was bleeding.

"Sir, there seems to be rather considerable trouble. It would be best if you joined us in the vault."

Lennox looked like he was considering it, then stepped forward suddenly and clocked Jenson in the head. The elderly butler went down like a sinker in a pond.

"Oh!" I gasped, dropping to my knees. His pulse was steady in his throat. "With the exception of some were-wolves, I can't remember when I've *ever* disliked anybody as much as you," I said, trying to keep myself from screaming curses at him.

Lennox grabbed my arm in a steely grip, making me wince. I was already bruised from the darn wolves.

"Let go of me," I snapped, trying to yank free.

A second later, I was staring into the barrel of a gun. My mouth dropped open in surprise.

"I've got no patience left and no time. Come with me or I'll shoot you," he said.

"What the heck are you talking about?"

"Let's go," he said, waving the gun to emphasize that he was in a hurry. I stood, glancing around. I hoped Steve was catching all this on one of those security cameras because I was *so* going to press charges if I lived through it.

I went with Lennox deep into the house, then out a back door through a fabulous-smelling garden to a path where a golf cart waited for us.

"You'll drive," Lennox said, sitting in the passenger seat.

"Does it interest you to know that your son needs help fighting werewolves right now?"

"He can take care of himself. I raised him," Lennox said, his voice weary.

"You've lost a lot of blood, haven't you?"

"Just drive."

My mind raced as I drove the cart down the cobbled path.

Lennox had been sick before the witch's meeting. Maybe he hadn't gotten his bad wound that night. Maybe it was just covered up and had reopened during the fight there.

"Why did you kill Diego, the werewolf?" I asked, taking a stab.

He ignored me. I noticed he didn't deny it.

"Well? I have a right to know! I've nearly been witch tartare more than once, and now men I care about are going to be in a shootout over all this trouble you caused."

"Quiet down, Nancy Shrew," he said. "We can talk after."

"After what?"

"After I've washed this blood off, and you've helped me cast a spell."

"What spell?" When he didn't speak up, I added, "I want answers, and I want them right now."

"To quote Jagger: 'You can't always get what you want.'"

I pursed my lips together. Yep, I definitely hated him. I wished we were on the tor. Consequences be damned, I'd have made a crack in the earth and shoved him in it.

We parked the cart in front of the biggest pole barn I'd ever seen. Easily three thousand square feet. I followed him inside, stunned to see a huge aquarium full of murky water. The place stank of fish, and the tank took up two-thirds of the barn. It was incredible. The tank walls stretched up to about eight feet tall, and there were ladders leading to five-foot platforms. I wondered what in the world they needed such a big fish tank for.

Lennox hit a button, and I heard gears turn, but couldn't tell what he'd done. He walked over to a ladder and pointed to it.

"Get in the tank."

"I don't—"

He grabbed my arm roughly, giving me an impatient yank.

I hissed in pain and climbed up the ladder, looking down into the grayish water.

"Get in the water now."

I pinched my nose and jumped in. The salt water stung my eyes, but it wasn't as cold as I'd expected. I treaded water, sputtering in aggravation.

A moment later, a set of bars slid overhead.

"What are you doing?" I screamed. He'd trapped me.

"I don't want you wandering off while I'm occupied."

"Let me out!"

"You'll be fine. Just keep away from the bars."

The bars were about three feet above my head. What the hell did I look like? A porpoise?

I heard a splash and knew he'd gotten in some other part of the tank.

"What in the Sam Houston?" I mumbled, swimming toward the sound of him grunting in pain. I reached another set of bars. So the tank was partitioned in sections, like underwater jail cells.

Something in the next part grabbed my leg, but I didn't have time to scream before it dragged me down. I thrashed and fought, but whatever had snatched my leg yanked it partway through the bars.

My pulse hammered through me as the thing tried to pull my leg out of joint. My chest squeezed tight. I needed air, but I didn't have to worry about drowning. I was going to have a heart attack before that.

I pretended to relax, not thrashing, then I pressed my free foot against a bar and shoved with all my might. I guess all that Tae Bo three years ago really worked because I got free and broke through the surface of the water, sputtering and shrieking.

I treaded water, thinking that I was pretty damn tired of having the life nearly scared out of me all the time. My legs cramped, and I wasn't sure how much longer I could stay above water.

Then the thing's head emerged. A ferocious face with slimy hair plastered around it and needlelike teeth. It shrieked, hurting my ears, and then, with a swish of its scaly, greenish tail, it disappeared.

I stayed silent in the water for what must have been five minutes before the bars overhead retracted and I saw Lennox, soaked to the bone on the ladder.

"I specifically told you to stay away from the bars."

I made a nasty face at him.

"Would you like to swim a few laps or are you coming out of there?" he asked.

"What was that thing?" I asked.

"Merrow, from a very nasty tribe," he said, glancing at the tank as he climbed down.

"Merrow?"

"Merman. His race is especially vicious. Also, he's angry that I've had him trapped in a tank almost a month."

"Why do you have him in the tank?"

"The scales from their tails have special rejuvenative properties. Fresh scales in salt water, ocean water, heal the most stubborn wounds. It's the only reason I'm still alive."

"So you plan to keep him in that tank for the rest of your life?" I asked, shocked.

"No, I'd rather be dead than continue this much longer. Do you know what it feels like to soak an open wound in salt water? And to be too weak to spell-cast properly? It's no way for a Class Six wizard to live. No, this was a temporary solution."

"Until you found a cure for a werewolf bite?"

"Precisely."

"And have you?"

"Perhaps." Lennox walked over to a button and hit it. "I open the partitions to give him more room to swim when I'm not in the tank." He turned to me. "How is Zach, by the way?"

"He seems fine."

"Yes, the scales work very well at first, but it's just temporary."

My eyes darted around the place, then back to him. "What do you want me to do?" I asked.

"Despite the accent, you're fairly clever." He reached inside his shirt and produced my locket. "I want to meet your ghost."

I gasped. Just like that, there it was. "Give it to me," I said, reaching. He lifted the chain from around his neck and handed it to me.

"You put a binding spell on it, but I stole the bundle and protected the locket with counterspells," he said.

So he'd been the one who'd broken into my house. Bastard. And that's when he'd probably marked my house with the werewolf blood and put them on my trail. Bastard! Lying, thieving, bring-the-town-under-siege bastard!

". . . but she hasn't come out."

"What?"

"I've done a lot of spells for calling ghosts. She won't appear. It makes me believe she's very stubborn and quite powerful. What spell do you use to call her? One of your family's own creation, I suppose?"

I shivered. Even with the crazy heat wave, it was too cold

to stand around soaking wet in a cool dark barn. "We don't call her. Edie appears when she feels like it."

He looked surprised for a moment, then tipped his head back and laughed. "Are you serious? You people can't even bring a ghost to heel? How your family has survived all these years, I'll never know."

He sat down on a white marble bench up against the wall.

"We can't wait for her to make an appearance. I expect she's at least got a soul connection to you. When she realizes you're in distress, she'll come."

I didn't like the sound of "in distress," but Lennox was the last person I felt like helping.

"Sit," he said, nodding to the bench. "We'll try some spells together."

I didn't move. He took the gun from his belt and pointed it right at my heart.

"We're out of time. I've been spell-casting here today, so the wolves have tracked me to this place. Bryn won't be able to contain them for long. I need to talk to your ghost so that I can get out of here. Then you can be on your way, too. When my full power is restored, Bryn and I will be able to defeat the wolves."

"Why should I trust you?"

"Because I have a gun pointed at your chest?"

"If you just wanted to talk to her, you could have asked for my help without stealing my locket. No, I don't know why you want her, but I'm not going to help you call her."

"If I'd asked you and you'd said no and then your locket disappeared, who would have been at the top of Sutton's list of suspects? Now, sit here. I want you to think about the first time you ever talked to her."

I tried not to let any memories pop into my head, but

there Edie was telling me to cut all the Barbie dolls' hair into bobs, including the Collector's Edition Snow White that was supposed to be Georgia Sue's birthday present. I'd gotten in so much trouble.

He murmured something and lurched forward and grabbed my sore wrist and squeezed.

"Ouch!"

He looked around. "She's not here. I'll need you to recite the verse with me."

I'd always sworn I wouldn't betray my family or friends. Not if terrorists took me hostage. Not if someone offered me two million dollars and a free lifetime subscription to *In Style* magazine. Edie was family, and Lennox couldn't be trusted. I wasn't going to help him.

"No," I said.

He moved the gun and pressed it to my forehead. I squinched my eyes shut, my pulse pattering. Bravery is kind of overrated, and I hoped I wouldn't need to be this brave in the afterlife.

28

AFTER A FEW seconds of not losing consciousness from a bullet breaking into my head, I opened my eyes. Lennox had leaned back on the bench with the gun sitting next to him.

"You were bluffing about shooting me," I said.

He nodded curtly.

"Good for you. Maybe you won't go to hell after all."

"Too late." He took a few short gasping breaths and pointed at the gun. "Take it. They're coming. Get out."

He tipped his head back to rest.

"This isn't the time to pass out," I said, taking the gun into my right hand with the locket and tugging on him with the left. "Get up."

Blood seeped through his wet shirt. "C'mon, have a dip in the smelly water and then we'll go. Edie will be showing up in a little while, and we'll ask her if she knows a cure for werewolf bites."

"That's not the question to ask her," he said. Sweat sprang up on his forehead, and he slumped over.

"Dang it," I mumbled, trying to get him upright.

Mercutio darted in, meowing wildly, and I knew wolves were chasing him. I ran to the door, pushed it shut and bolted it.

"C'mon, let's get you in the water," I said to Lennox. I grabbed him and the locket fell to the floor. Mercutio snatched it, playing with the chain.

Lennox swayed, but pulled himself upright, leaning heavily on the bench. Something crashed into the door.

"Too late." He sagged, but I grabbed him and squeezed his arms.

"Zach and Bryn will come rescue us. And we've got to be ready to walk out of here, maybe even to run. Now we're getting in the tank. Show some grit."

He didn't say anything, but he let me lead him to the ladder.

He shook his head at the rungs. Mercutio scaled it easily and sat looking down at us, the locket hanging from his neck like he was some king cat on a throne.

"Gee, thanks for the help," I said, shoving at Lennox, who climbed wearily.

The doors groaned under the blows, and Mercutio swiped at the air and then bent and grabbed Lennox's shirt with his teeth and pulled.

A couple moments later, Lennox lay on the platform, panting. "Hurry," I said, trying to roll him into the tank.

"Wait. You've got to raise the inner bars." He coughed and there was a little bright blood at the corner of his mouth.

I scrambled down the ladder just as the bolt snapped and

the doors burst open. Three snarling wolves rushed in. Merc roared, and I screamed.

Two ran, leaping in the air toward the platform. I fired at them. Lennox, who looked dead, moved a leg at the last moment and kicked one, causing him to vault into the tank, while Mercutio fought with the other. They rolled, snarling into the tank, too.

"No, Merc! Get out of there," I yelled.

The last wolf changed into Samuel, and his yellow eyes narrowed. "My wolves have your friends surrounded. When their ammunition runs out, they'll be ripped to shreds."

My gaze darted to the open door and in an instant Samuel was on me, knocking me back, the gun flying from my hand. He ripped my clothes, and I screamed, struggling.

Water splashed over the edge of the tank as the animals in the tank battled. Suddenly a wolf broke the surface, howling in rage and fear. Samuel looked up at the sound.

We heard another wolven howl of pain along with the merman's shriek.

"Ahh!" came the growling scream from the tank. Samuel leapt up, running to the tank. He jumped, clearing the wall, and plunged in.

I stood up on shaky legs, biting my lip. There was more splashing and screams, and the water turned a murky maroon.

"Mercutio," I cried, racing to retrieve the gun. I snatched it up and ran to the ladder. I climbed up with the gun in my teeth, like a deranged pirate.

I glanced at Lennox. His eyes were closed. I couldn't tell if he was still breathing. I gripped the gun with both hands, trying to make out the wolves and the merman.

Suddenly the waves died down. The gun shook in my hands. Samuel, in half-wolf form, broke the surface of the water and sailed up onto the platform, his jaws open wide, giant teeth ready to snap my neck.

I yelped and pulled the trigger over and over. The bullets tore into him and knocked him back into the water. Then everything was still, the bloody water settling, calm as death.

"No," I whispered.

Then there was a tiny swish, like a snake moving. And I saw the tail sweeping away from us. And Mercutio's head broke the surface as he clawed his way up the inner ladder.

"Mercutio!" I cried, throwing my arms around his neck when he got to the platform. He shook and spit out a mouthful of dog hair and green scales, coughing a bit before he settled down to lick his fur.

The bodies rose to the surface. The merman had sliced them up. I shuddered, looking away.

"Tamara!" Bryn shouted, running into the barn.

"Here," I said, bending down to check Lennox. "Where's Zach?" I asked, feeling a faint pulse.

"He's okay. Bleeding some, and it slowed him down. Are you all right?"

I nodded. "Lennox isn't doing very good though."

Bryn's pace slowed, and his face creased with sorrow. "I know." He came up the ladder with an expression that made my chest hurt.

"Tammy Jo?" Zach called.

I looked up to see Zach shuffle to the doorway and lean heavily on it. I could see the blood soaking his shirt even from twenty feet away.

"I'm here," I said, hurrying down the ladder. I was almost to him when he crumpled to the ground.

"Oh!" I dropped to my knees next to him. [...] ond wound now, a slash to his side, and [...] streamed blood. I shoved my hand over the [...] pressed down as hard as I could.

He winced a little and opened his eyes. Hi[...] touched his dry lips as if to wet them, but there wasn't enough moisture.

"Hey there," I whispered.

"Hey, darlin', you all right?"

I nodded.

"Good. A couple got past us. I thought . . ." His eyes were unnaturally bright. "Hell, you're still the prettiest thing I ever saw." He paused, his lids drifting down before he forced them back up. "I wasn't all I should have been to you, but I loved you. You'll always remember that for me, won't you?"

Tears spilled from my eyes. I leaned down and ki[...] his lips. "Don't go," I whispered against his mouth, [...] harder.

"No help for it." I felt his hand rub my back [...] away.

I sobbed over him.

"Don't cry, darlin'." His voice was so w[...]

"What have you all been up to?"

I looked up through blurry eyes and fou[...] to examine Mercutio.

"Zach's been bitten by a werewolf. He need[...]

"Oh," she said grimly. She drifted toward us a[...]rled down to have a closer look. "I'm so sorry," she said.

"He's dying. Do you know anything? Any spell?"

She shook her head sadly. "My poor darling," she said, brushing a phantom finger along my cheek. "Don't worry. He's very capable. He'll find his way to the other side straight

be I'll walk with him partway. I've wanted
with him for such a long time."

aring directly at the spot near my shoulder
face was.

?" I asked.

thing," he said, closing his eyes.

"*You* had her locket all this time?" Bryn asked, his voice
a combination of surprise and anger. I looked over my shoulder and found that he'd carried Lennox down from the platform and set him on the nearby bench.

"She can dance on my grave when I'm dead, and you can watch if you wish," Lennox said, putting the focus right back on his own trouble, which I couldn't blame him for.

Bryn sighed, frowning, then spoke a few words in their foreign language. Lennox answered, and Bryn looked over to me.

"My father says there's a legend of healing water, Leon's Spring. He thought your family ghost might know the location. Another ghost told him she did."

I looked expectantly at Edie.

"It's not pronounced *lee-on*. It's pronounced *lay-own*. And I do know where it is. It's along the second northeast ley line. About seven miles outside the town."

I told Bryn what Edie had said.

"I'll get the car," Bryn said, hurrying out.

A few minutes later, Steve from security was helping Bryn load Lennox and Zach onto the bench seats in the back of the limo. I sat on the floor between them, applying pressure to their wounds. Edie sat on the floor, too, with Mercutio curled up near her.

Bryn jerked the car out of the driveway and sped out of town. I gave him directions via Edie through the open partition.

"Hurry," I whispered as Zach's breathing got more uneven, and I could hardly feel a pulsation from Lennox's wound anymore.

After about ten minutes, Edie announced, "We're here."

"Stop the car!" I said.

She floated out through the roof. Bryn and Steve yanked the doors open. Steve pulled Zach out and hauled him over his shoulder in the same fireman's carry Bryn used.

"Which way?" Bryn asked. The light from the headlights petered out a few feet into the blackness, and I couldn't see anything farther ahead.

"Follow me," Edie said.

"This way," I said to the men. "Follow my voice." I stumbled forward over the rough ground and then after a few feet, tripped and pitched forward. I put my arms out, but didn't hit the ground. I plunged underwater, thrashing from the shock. When I surfaced, I could hear the others. They'd all fallen in. We were up to our necks in water.

"Steve, dunk him all the way under a few times and pull him back out," Bryn said.

We all took a bath in the cool, fresh water. I swam a few feet, then crawled out on a bank that Edie led me to.

"I'll meet you at the car," Edie said.

"I can't see where I'm going."

"Follow your ears," she said, but the only sound I could hear was the noise the men were making, dragging Lennox and Zach out.

A few seconds later, I heard the car stereo. Some a.m. station was playing old jazz. I was amazed we could pick up the signal.

When I got to the car, I found Edie lying on the roof,

looking at the night sky. Merc was sitting next to her, licking his paws.

"How did you turn on the radio?"

"Mercutio turned it on for me."

"Mercutio?"

"Our cat."

"I know he's our cat. How did you know his name?"

"It's on his collar."

"Oh," I said.

"Don't sound so disappointed. Just because he can't talk doesn't mean we don't understand each other."

I heard the men over my shoulder. I turned. "How are they?"

"Let's see," Bryn said, lowering Lennox to the hood of the car and yanking his shirt open. He laughed that gorgeous laugh. I turned from them and hurried over to where Steve was lowering Zach into the back of the limo. I pulled his shirt up and stared down at the skin, perfectly sealed with small white scars.

"Ha!" I shouted, bending to squeeze his cool chest in a makeshift hug.

"Am I dead?" he mumbled.

"No," I said.

"Sure feels like Heaven."

29

I WOKE EARLY and found out my body didn't ache nearly as bad as it should have. The scratches on my legs had been healed in that spring, and my wrist only throbbed if I cocked it all the way back.

Bryn and Zach had both tried to convince me to sleep in a bedroom with them, but I slept on the living room couch with Mercutio instead.

It turned out we'd skipped fall and headed from our freak heat wave right into winter. A cold snap, the weatherman called it. Darn chilly, I called it, and was glad I was inside making a black raspberry torte using Bryn's state-of-the art kitchen instead of outside with him talking to a team of divers who were going to put the merman back in the ocean. A big rig had just been loaded with a temporary tank.

Georgia Sue called, sounding way more cheerful than someone after a near-death experience ought to have. She told me all about the hospital in Dallas, including its lunch menu that tasted nearly as bad as the squirrel stew her momma made once with curry. Then Georgia went on for two full minutes about how Parkland should invest in some Downey fabric softener for its stiff cotton hospital gowns. The thing she barely mentioned was what happened to get her there. She couldn't remember a thing about the park that night. And she seemed totally unconcerned about it, too. Well, that's Georgia Sue, I guess.

I glanced over at Mr. Jenson. He had a very neat, white bandage on his head and, looking as undisturbed as Georgia Sue sounded, he went about his business. He poured a small bowl of cream for Mercutio, who tap danced in anticipation like he didn't have a million scratches and stitches on his body.

Mr. Jenson arranged fancy china on a silver tray and then set a pot of tea on it. He poured a bit of expensive Scotch whiskey into each of the two cups and then a tiny drizzle of honey. It looked so nice I wanted to take its picture instead of taking it down the hall to our recovering wolf-bite victims.

"You want some arsenic to put in that cup?" I asked.

"Arsenic?" he asked, setting down linen napkins while I cut slices of dessert, including one for Mr. Jenson.

"Yeah, for Lennox's cup. Don't guess we'll use enough to kill him since I went to some trouble to save his life, but enough to teach him a lesson for knocking you in the head."

"The circumstances were most extraordinary yesterday. It doesn't seem worth dwelling on them."

"That's right kind of you." I know it's unchristian to hold grudges, but in my genes I'm part pagan, and I couldn't help but be annoyed on Jenson's behalf. He could've broken a hip or his head when he fell.

Jenson laid an iron pill on each of two small dishes, and I decided I want Jenson to stay with me next time I get the flu.

"I shall take the tray," he said.

"Oh no you don't." I slid the tray to me. "You'll serve Lennox Lyons tea and torte today over my dead body. Kick your feet up and rest."

He might have wanted to protest, but I was quicker and was halfway down the hall before he could answer.

Lennox lay in bed, reading a magazine called *Witch-Week*. It sure looked interesting, but I pretended not to care. I was gonna try to go back to being a pastry chef again, so I didn't need to know what happened at the last Conclave meeting.

I set the tray down and poured tea into one of the cups. "Why'd you kill Diego, the werewolf?"

"That is none of your business."

"You want cake and tea or not?"

He rolled his eyes and lifted his magazine again. "If you're not going to serve it to me, please remove it."

I clenched my teeth. He was still the king of the bastards.

"Fine, you don't want Jenson's whiskey-honey tea, that's your business, not mine." I lifted the tray and was halfway to the door.

"Tamara?"

"What?" I asked without turning around.

"The wolf was holding a weather witch hostage, a friend of mine as it happened. When I tried to liberate her, he attacked us. She died, leaving a rather significant heat wave in her wake. Obviously, I was bitten, but survived. That's all I'll say on the matter."

I turned and set the tray back down. "Iron to build your blood," I said, handing him a pill.

"My own personal Florence Nightingirl. I feel very fortunate," he said dryly, but he put it in his mouth and swallowed it with a mouthful of tea.

I set the dish of cake down with a napkin and started to pick the tray back up to head down the hall to check on Zach.

"I apologize," he said.

"Which thing are you sorry for? 'Cause the list of stuff you could be apologizing for is kind of long."

He smiled. "When I went to your home and when I counterspelled your family locket, I tangled our magicks together—so far as the werewolves' tracking was concerned. It wasn't intentionally done, but I suppose I owe you an apology."

Darn right.

"Well, I suppose I accept your apology for that." I waited, but he didn't say any more. "Do you think the wolves could've tracked my magical energy to someone else who cast a spell using my blood to power it?"

Lennox took a bite of cake. I held my breath waiting for his reaction. "This dessert is the most important reason that I'm pleased you didn't end up dead during our little adventure."

I decided that the only compliments the man knows how to give are the backhanded kind. Whoever Bryn had learned to be charming from, it sure wasn't his father.

Unfortunately, I was just dumb enough to care that he liked it. He took another bite and closed his eyes to savor it.

"And yes to your question," he added.

Hmm. So the werewolves probably had torn up Doc Barnaby's house looking for me after he'd used power stolen from me to cast his ill-fated wife-raising spell.

I took my tray and knocked gently on Zach's guest room door.

"C'mon in," he called.

I opened the door. Mr. Jenson had laundered Zach's pants as best he could, but there were still a few bloodstains on them. His shirt couldn't be saved, so he wore a borrowed white T-shirt that was too tight. It looked good on him, like most things do.

He stood near the bed, talking on the phone. "Yeah, I'll be there. Gimme 'bout half an hour." He hung up and smiled at me.

"You're up. Feel okay?" I asked, setting the tray down.

"Feel fine. Even better now that I'm looking at you," he said, walking around the bed.

"I brought you some tea with honey."

"You brought me the honey I want, all right," he said, pulling me to him. He felt as solid and strong as ever, and the kiss was so potent I had to sit on the edge of the bed when he let me go.

"Take this. It's an iron pill."

He popped it in his mouth and gulped down the tea with it. He looked in the empty cup. "Not bad." When he looked up, he said, "I've got to go make a report at the station."

"What will you say?"

"Gang violence," he said.

I nodded. Zach didn't mention that they'd been werewolves, so neither did I.

"Don't you want to have some cake?"

"Not right now." He yanked his boots on and walked over to the door. "Hey, that ghost of yours. What's she supposed to look like anyway?"

"Black hair. Very pretty. Delicate as this cup."

"Hmm."

"Did you—"

"Now that I'm leaving here, I'll expect you to pack your stuff and head home, too. I'll call you there in an hour."

Just like that, he was back to calling the shots. "I've got some errands to do. I might not be there when you call," I said.

"Errands around town?"

I nodded.

"That's all right, so long as you clear out of here. And I told TJ and Nadine we'd have dinner with them and the kids tonight. To make up for the car business. Maybe you could make a pie or something," he said on his way out the door.

I looked down at the cake I had already spent several hours making and gritted my teeth. Sure, I would make Nadine a pie, but if Zach thought everything was just going to go back to the way it was, we were sure headed for some trouble. Turns out taking on a werewolf pack changes a person.

I took a few bites of torte, letting the buttercream melt on my tongue. Delicious. It was good to be alive. I reloaded the tray and returned to the kitchen with it. All the pots and pans were rinsed and already soaking in soapy water. Yep, I love that Jenson.

I sat down at the table and watched Mercutio lick cream off his whiskers.

"Any dessert left?" Bryn asked.

I glanced over my shoulder to see him stroll into the room. He sat next to me at the table. I lifted one of the pretty white china dishes and put a slice of the torte on it for him with a silver spoon.

Bryn took a bite, then licked his lips. "This is incredible."

"Thank you."

We sat quietly considering each other for a few moments. I didn't know how I felt about him siphoning power from me every time he got the chance, but I guessed he had mostly helped me over the past few days, giving me Mercutio, getting me out of jail, saving my life. I supposed that kind of made us friends, even if I couldn't totally trust him.

"I put your gold coins back in your room. On the bench at the foot of the bed."

"I saw. Thank you."

"Sorry about the door. I'll pay for the damage as soon as I get on my feet money-wise."

He waved away the offer. "The door was flimsy. I needed a reminder to replace it."

Bryn's pretty darn generous. I wondered if that might have been because he had a guilty conscience. I kept asking myself, how much had he known and when?

"So, that night that Georgia got bit, Lennox said that he owed Kenny a favor. Do you know why?" I asked.

"Kenny makes his own bullets. My father commissioned him to make several boxes of silver bullets. On his way to meet my father, the sheriff pulled Kenny over for speeding and spotted the ammunition that had been sitting in the passenger seat. The sheriff wanted to know what was going on, but Kenny wouldn't tell him who he'd made them for or why, so Hobbs confiscated the boxes of bullets."

"Is that why the burglars broke into the sheriff's safe? To get the silver bullets?"

Bryn nodded. "And to keep the sheriff distracted by the break-in at his own house, so Hobbs wouldn't focus on the other things that were happening in town."

"How involved were you in the break-ins?"

"I wasn't. I suspected my father might have orchestrated things when I cast a spell to find my watch, and it was repelled, but he didn't admit to everything until this morning."

"Then why'd you come to Georgia Sue's party?"

"To see you." He smiled. "I had a premonition, of sorts, involving a beautiful girl and some incredible sensory details of a night of—"

"I get the idea," I blurted, holding out a hand to stop him.

"My seer cards have shown me more than usual lately. A red witch kept coming up, often with a lion. At first, I thought the lion meant courage. But then Mercutio came down the Amanos River on a raft, like a feline Huck Finn. The current brought him right to the landing. I knew immediately I was supposed to introduce him to you."

"Yeah, that worked out. He and I get along." I tapped my thumb on the table. "On a raft, huh? I wonder where he came from."

Bryn shrugged.

"Well, I guess I'll go get my things together. The torte will keep fine in a cake dish or Tupperware in the fridge." I stood and started away from the table. Bryn caught my hand and held it in his.

"I want to see you. Have dinner with me this week."

"I don't—"

"We have things to discuss about our case."

"Case?"

"There will be an inquiry into this matter."

"Zach's giving a statement to the sheriff. They'll chalk it up to gang violence, I guess."

"Not that inquiry. One from the Otherworld community."

"Oh." I tilted my head. "Well, tell them whatever you want, whatever you think is best."

He went right on holding my hand, which tingled in his grasp.

"Still planning to avoid me?"

"It's just one of those things." I wasn't sure if the impending theft of the locket had been the reason we were supposed to stay away from the Lyons family. Now that it had been returned safe, maybe they could come off Lenore's list, but I'd have to wait to talk to Momma and Aunt Mel about it when they got back. I tugged, and he let my hand go reluctantly.

"Sutton doesn't have the market cornered on tenacity."

"What's that mean?"

"It means, I won't give up easily on the idea of you and me having some sort of relationship."

"I sure wish you would. It would make things a heck of a lot easier for me."

He smiled. "Sorry. No."

"Well, anyway, I can be all tenacious-like too when I set my mind to it. So I wouldn't get your hopes up."

He continued to smile at me, looking as smugly happy as Mercutio with that bowl of cream.

"Merc, you ready or what?" I demanded.

Mercutio looked up lazily.

"Okay, stay here for all I care. I'm going." I was out the door and halfway down the hall when I felt Mercutio bound up next to me.

I bent down and ran a hand over his sleek head. "You were tempted to stay in that kitchen with him and all that cream, huh?" I glanced around to be sure no one was listening. "I can't say as I blame you."

He meowed, and I smiled.

"Yeah, you're my favorite, too." I said, hugging his neck

and adding in a whisper, "But it's probably best if you don't tell the men I said that."

I JUST HAD one thing left to do before I could go home and see about getting my doors fixed. I'd decided to let Zach loan me some money until I got a new job, so Merc and I drove to Macon Hill, and I retrieved Earl's .38 from the roof.

Johnny Nguyen called while I cleaned it. I reassured him that I'd gotten the locket back and Edie was safe and sound. He asked how I was feeling emotionally because Rollie's coven had called to tell him about how gruesome the attack at the witch meeting had been.

My lip did tremble a little when I thought about all the dead people. I filled him in on the details of the past couple days, and my voice sort of choked up as I did. Johnny told me I'd done a good job protecting the town. I wished I could have helped more at the meeting.

In the background, I heard Rollie say, "Hey, these things happen. Tell her there's no point crying over spilled blood."

I shook my head, but couldn't help smiling a little.

"Rollie say, listen to relaxation tape and get sleep. You feel better."

For not being a native English speaker, Johnny's sure got the translation thing down pat. "You're sure a good friend, Johnny. I'm sorry I thought—"

"Oh, that all behind us. Come for haircut and scalp massage. We talk about happy things."

"Thanks."

I pulled up to Earl's pawnshop and tried not to be nervous. Mercutio slept in the passenger seat, which was good. I didn't think Earl'd be too happy to see me, let alone Merc.

I went in and was surprised when he didn't glare at me. "Hey, Earl."

"Tammy Jo," he said evenly. I noticed Jenna Reitgarten standing near a big mirror next to an original Elvis Presley Vegas polyester jumpsuit that I didn't think anyone but the king could really pull off.

I shifted uncomfortably, not wanting Jenna to hear my conversation with Earl, but there wasn't any help for that I guessed.

I set the gun and the four hundred dollars on top of the glass case he was standing at.

"I brought back what I borrowed. I'd like my jewelry, please."

He grinned, and my heart pounded in alarm.

"Too late. Jenna bought the lot of it about five minutes ago."

"What?"

"Yep. She likes to get a good deal, so I called her this morning to let her know I got some nice jewelry in stock."

Only a former friend knows how to really hurt a person deep. And Earl definitely fell in the "former" category when it came to friends.

"Well, I guess we don't have anything else to say to each other then." I picked up the money, but left the gun where it lay. Just as well. I didn't think I should have a gun in hand when I talked to Jenna.

I walked over to the mirror and saw that she was holding up her hair to check out how Aunt Mel's emerald earrings looked on her. My stomach churned, and I swallowed hard.

"Morning, Jenna."

She smiled, smug as can be. "Good morning, Tammy Jo."

"I'll be wanting that jewelry back."

Her grin got wider. "Not a chance."

My blood started to boil. "You really plan to wear my family's jewelry?"

"Well, it could be a little better quality, but it'll do for regular occasions."

My heart hammered from the effort of not screaming my head off at her. "Name your price. You can make a profit and buy something that suits you better."

She turned and looked me up and down. "First of all, you couldn't afford it." She paused, turning her nose up. "And second, lately you've been acting a lot higher and mightier than you are. It's time someone taught you a lesson. That's going to be my fall project."

I clenched my fists, tempted to hex her, and tried not to give her a four-letter piece of my mind, but I couldn't help it. I opened my mouth to holler that I didn't deserve this kind of treatment the morning after the most traumatic day of my life. Then she hiccupped.

"Well, I'll see you around," she said, hiccupping again. *Uh-oh.*

She rolled her eyes at me, then strolled to the shop door. "Darn hiccups," she muttered after she hiccupped again.

I watched her walk to her car, her shoulders jerking every few seconds from a new hiccup.

Earl ignored me, until I started giggling.

"Something else I can help you with? Otherwise, you can go on and get out of my store."

"Earl, you turned into a real nasty person, and temporarily losing my jewelry was a small price to pay to find that out."

He frowned.

"You know, I was just thinking that the universe and the

good Lord have ways of seeing that things work out. Better watch yourself, Earl."

I hurried out and hopped in the car. Mercutio woke when I slammed my door shut, which was real convenient since then I could tell him about what happened.

I pulled out of the parking space as I said, "And having the hiccups gets old pretty darn quick."

As usual, Merc didn't disagree.

TURN THE PAGE FOR A PREVIEW OF KIMBERLY
FROST'S NEXT SOUTHERN WITCH NOVEL

BARELY BEWITCHED

*COMING TO BERKLEY SENSATION IN
MASS MARKET IN DECEMBER 2013!*

IN THE PAST, the closest connection I'd had to criminals was rooting for Butch Cassidy and the Sundance Kid during Duvall's classic movie month. But now thieving was on my mind, and, unlike last week, I wasn't going to be the victim. Normally, I'm honest and law-abiding, but you wouldn't believe how much can change in just a few days.

"I know it sounds like stealing, but the truth is that those jewels weren't mine to sell . . . so retrieving them is really just putting things right," I explained to Mercutio as I set the bowl of key-lime batter in the fridge.

A fall breeze blew in from the open window, and I smelled freshly mowed grass. I opened the window a little wider before I walked around the counter to the couch. I sat down so we could have an eye-to-eye conversation.

"I'll make sure Jenna gets her money back. I'll even find a way to lift that hiccups hex." I leaned over Mercutio where he lay on the couch. He purred and his fur rippled, making his ocelot spots dance. He probably didn't think much of my trying to rob anyone, even if it was one of our nemeses. Before a week ago, Jenna Reitgarten had been just a snooty blond nuisance, but she'd been promoted. And Merc, who I didn't even know before last week, had become my trusted friend and sometime action-adventure sidekick. Yeah, you wouldn't believe how much stuff can change in just a few days.

Merc batted a loose strand of my red hair, catching his claws on it and tugging my head forward.

"Hey," I complained, pulling the hair loose. "Watch those paws. Remember you're not a tabby. With jungle-cat strength comes jungle-cat responsibilities. Now, when do you think would be the best time to burgle a house?"

Merc licked his paw thoughtfully, and I reached for a washrag on the counter to wipe a drop of cream cheese frosting off my Longhorns T-shirt. It wasn't that I wanted to start in on a life of crime. Far from it. But the honest approach to jewelry recovery hadn't worked.

"If I wait until they're out of town, I'd have to break in and maybe trip the alarm. Or I could sneak in when they're having their festival party and swipe the stuff and sneak out."

"Either way should be exciting," a soft voice said.

Startled, I jumped, and jerked my head to find Edie, the family ghost.

I smiled at her white trousers, navy boatneck sweater, and double strand of jawbreaker-sized pearls. Mostly, Edie sashayed around town in her 1920s flapper dresses, but sometimes she wore trousers, and she could make pants look every bit as elegant. If she were chocolate, she'd be a holiday box of Godiva truffles. Me, I'm more of an M&M'S girl. As you might guess, there's a lot about her that I envy, except for the part about being dead and all.

"I thought you were out of the country," I said.

"I was traveling, but I got bored. There was no one interesting in Notre Dame, and the Scottish ghosts were off on some mass haunting. Extremely tiresome. I'll come along on the robbery, shall I? To play lookout?" Edie asked, fingering her sleek black bob.

"That would be great," I said with a smile. These days Edie was usually too busy with her own life—well, afterlife—to get overly involved in mine. "You'd be the perfect accomplice, since it's not like you could get arrested and put in jail, right?" I said.

The oven timer dinged, signaling that my first batch of cupcakes was done. I hopped up to take out the muffin pans.

"Speaking of good-looking men with handcuffs, how is your favorite member of law enforcement?" Edie asked.

Zach, I thought with a slight pang. "Right as rain," I said, hoping that he was. Truthfully, my normally ever-present ex had dropped out of my life, not returning my calls, even when I left supersweet messages on his machine. Zach's avoidance maybe had to do with the way a certain gorgeous guy—and forbidden wizard—was trying to become a fixture in my life. Or maybe it had to do with having to fight a whole mess of werewolves last Thursday night because of me. Generally, when Zach's off duty from being a sheriff's deputy, he likes to have a few beers and watch a game. And battling the supernatural creatures he never knew existed hadn't exactly gone smoothly. I wanted to make things up to him, but first I had to track him down.

"Why are you making so many cupcakes? I rather doubt you needed to go to the trouble for our cat. A bowl of cream would have sufficed, or a small rodent."

I wrinkled my nose at the thought of Mercutio eating

fuzzy little mice. "I'm taking these to Miss Cookie's place to see if they convince her to rehire me. Du-Fall Fest is kicking off, so she'll need the help. With the right confectionary bribes, I think she'll realize it's a good time to forget about my act of defiance. After all, whoever said 'the customer is always right' was probably just a customer trying to use an expired coupon. I mean, if a man buys a pack of gum and then says, 'I think you should tap dance,' is he right? Ever see a cashier in tap shoes?" I paused. "I didn't guess so."

"I don't know what you're talking about, and why on earth would you want that job? You should be concentrating on learning your craft. You're a witch now."

"Oh, no. Those were special—especially bad—circumstances. I'm back to being a baker," I said, waving my arm to indicate all the batter-covered pots and pans on the flour-dusted counter. "It's my one talent. You don't know because you've never tasted anything I've made. I'm telling you, if Hershey's had a college, I'd have a PhD in cocoa."

She rolled her eyes. "Wonderful. Gives a whole new meaning to flour power. You'll undoubtedly change the world, one fruitcake at a time."

She disappeared into a small green orb and was gone. I was two steps from the kitchen counter when someone knocked on the door.

Mercutio yowled and sprang off the couch to dart down the hall.

The knocking got louder. "I'm coming!" I called, hurrying to the front door, hoping to find Zach.

I pulled the door open and did find a man leaning against the brick door frame, but he wasn't anybody I'd ever met or been married to. I looked over his preppy turtleneck, dark trousers, and gleaming smile. He wasn't very tall, only about five-six, but he was clean-cut and pretty enough to be in a boy band. I'd bet some women wouldn't find it hard to fall for him right off.

"Hey there. Can I help you?" I asked.

"You have that backward," he said in a yummy English accent.

Don't even think about getting another crush!

"I'm here to help you. Jordan Perth," he said with another flash of his wide smile. He pulled a folded envelope from his pocket and handed it to me.

There was an impressive-looking black wax seal on it that had partially cracked off. The seal seemed to be some kind of a crest.

My eyes darted to his face and then back to the envelope.

"A hand delivery, huh?" I mumbled. "I hope my mailman, George, doesn't hear about this. He's mad enough about e-mail taking all his business." I ripped open the envelope and pulled out the letter.

Dear Ms. Trask:

Having been found guilty at your hearing, you are expected to immediately comply with all Conclave directives. Details of the remuneration you must pay will follow in a separate letter. The matter of your training and placement within the hierarchy of magic must begin forthwith. Mr. Jordan Perth, the bearer of this letter, will assist you in your preparation for the Initial

Challenge, which shall occur on November 1. Should you fail to comply with completion of the Initial Challenge, you will be considered in breach of Amendment 247, Article 6 of the Association's Constitution and will be subject to incarceration or extermination.

As a result of Mr. Bryn Lyons's involvement in your illegal use of magic, you are barred from any contact with him. Though Mr. Lyons has appealed the decision, until the matter is settled, you are expected to comply with the original verdict.

Sincerely,
Basil Glenn
Chief Secretary, Department of Justice—World
*   Association of Magic*
Senior Advisor to the Conclave

"What the Sam Houston? I wasn't told about any hearing."

"You weren't? Bryn Lyons said you had waived your right to be present."

"Oh." I cocked my head and frowned. "Well, I did tell him he could speak on my behalf to the what-do-you-call-it, the Conclave, but I didn't know it was like a trial. I would have gone and explained myself."

"Unfortunately, it's a bit late for that now."

"But did Bryn explain the special circumstances? That I had to put a zombie back in the ground after someone, against my will I might add, stole some blood and hair from me to do magic? And that I had to find a family heirloom to prevent the destruction of the soul of a very elegant former witch?"

"I didn't attend the hearing, so I'm not aware of what explanations were presented," he said.

Bryn's a lawyer and he'd gotten me out of trouble in the human court system last week, so I'd just assumed he would do the same in the magical one. But now I realized that Bryn might not have told them all the details about how my locket had gotten stolen. When I thought it over, it seemed pretty dumb of me to have sent him to tell my side of the story.

"Well, listen, I can't pay any fines. I'm flat broke. Actually, I'm unemployed." I bit my bottom lip thoughtfully. "Plus, this Initial Challenge thing sounds time-consuming, and if I can't get my old job back, I have to go job-hunting."

"Your nonmagical occupation is subordinate to your magical obligations. In the Initial Challenge, you'll face a difficult task that—"

"Hold on. I'm not a witch. I'm just a pastry chef. I had to use magic before on account of an emergency, but I don't want to join any magical world association or whatever, though I'm real honored to be asked. So you can just go back and tell them I'm going to stay a private citizen. And reassure them that I won't use magic again. I promise."

He smiled. "That isn't quite how things work. If you don't participate in the challenge by the allotted time, you'll face the consequences. Imprisonment or death."

"I'm a pastry chef!" I shouted. "Not a single one of the spells I cast last week turned out right. I tried astral projection and ended up half-possessed and drunk on magic. I tried to put the zombie back in the grave and gave a whole bunch of factory workers a deadly sleeping sickness. I'm not safe with magic. What I am is a magical menace!"

He grinned and gave me a sympathetic look that seemed designed to humor me. "You're just uninitiated. With proper training, you'll be quite effective, I'm sure."

Fury, red as my hair, exploded in my belly. "I don't think so. As I said, there's something wrong with my magic. I'm pretty sure it's broken."

"That isn't at all likely. Now, I'm staying at the Yellow Rose Inn on Poplar Street. Do you know it?"

I took a deep breath and blew it out. Did he need me to translate American English to his language for him? "Yes, I know the Yellow Rose, but—"

"Excellent. Let's say seven thirty. By that time, your other instructor should have arrived, and we'll discuss things at greater length over drinks."

"Other instructor?" I echoed.

He tapped his finger under my chin. "Right. We're going to teach you what you need to know to survive the challenge."

I knocked his finger away, but he didn't react to that or the furious look I gave him.

"See you later, love," he said, strolling down to his car, a blue BMW convertible.

"My name is Tammy Jo!" I snapped.

He raised a hand to acknowledge that he'd heard me, but didn't bother to turn around and apologize for being overly familiar and more than a little patronizing.

I swung around and spotted Mercutio perched on top of the chest of drawers in the foyer. "Did you hear that?" I demanded.

He looked at me, and, since he had ears, I gathered that he had.

"Well, I don't know who they think they are," I said, slamming the door. "They can send ten more pretty-boy wizards with long eyelashes and Crest Whitestrips teeth. I don't have to be a witch if I don't want to! Now, let's get back to icing our darn cupcakes and planning our robbery."

From national bestselling author

KIMBERLY FROST

Halfway Hexed

· *A Southern Witch Novel* ·

Pastry-chef-turned-unexpected-witch Tammy Jo Trask is finally ready to embrace her mixed-up and often malfunctioning magic. Too bad not everyone wants her to become all the witch she can be. One thing's certain: this would-be witch is ready to rumble, Texas style . . .

Praise for the Southern Witch series

"An utter delight."

—Annette Blair, national bestselling author

"Full of action, suspense, romance, and humor."

—*Huntress Reviews*

penguin.com

facebook.com/ProjectParanormalBooks

M938T0811